완자 VOCA PICK 검토진

강종기 안양 한보학원
강차수 서울 압구정정보학원
강현욱 군포 링구아어학원
김득원 양지 메가스터디
김민경 서울 송파 DYB최선어학원
김석환 서울 대치명인학원
김선경 서울 엘브라운학원
김지연 서울 청담어학원
나정진 서울 씨알학원
박민교 부산 가온영어전문학원
박선아 광주 한수위영어학원
박은아 경기 이지베스트학원
배상준 서울 강북멘토스학원
서재교 대전 스카이피아학원
송유리 서울 퍼스트어학원
송혜연 부산 혜능학원
우민경 서울 강북메가스터디
이건희 서울 쥬기스 네이버 카페
이시현 서울 YBM어학원
전홍철 서울 이투스
조성영 광주 이지스터디
조종현 서울 강북청솔학원
조현민 부산 쎔(SSEM)학원

핵심 기출 단어만 PICK하다!

<완자 VOCA PICK> 시리즈는 예비 고교생부터 수능 직전의 수험생들이 필수 및 기출 어휘를 익히고 암기할 수 있도록 10개년 기출문제와 EBS 교재, 교과서 등 핵심 자료를 분석하고 수준별로 어휘를 엄선하여 수록하였습니다.

	예비고 – 고1	고1 – 고3	고2 – 고3
최신 교육과정 어휘 (1,800개)	●		
고등 영어 교과서 전종 어휘 (4,455개)	●		
3개년 EBS 고1-2용 교재 (2,950개)	●		
10개년 고1 학력평가 40회 (4,840개)	●		
10개년 고2 학력평가 40회 (5,772개)	●	●	
10개년 고3 학력평가 40회 (9,562개)		●	●
10개년 고3 모의평가 20회 (9,562개)		●	●
10개년 대학수학능력시험 10회 (9,562개)		●	●
3개년 EBS 수능 연계 교재 (3,672개)		●	●
33,051개**의 어휘 데이터에 기반한 **수록 어휘 선정	고등 **필수**	수능 **기출**	**수능 고난도**
수록 어휘 수	1600	2000	1200
학습일	40 Day	50 Day	40 Day
학습 목표	내신 및 학평 대비	수능 대비	수능 만점 대비

수 능 고 난 도

구성과 특징

- 단 1회 학습으로도 **"4번 반복"**이 가능한 구성!
- 기출 어휘의 난이도를 분석하여 빈출도 순으로 DAY당 30개 고난도 어휘 제시
- 중요도가 높은 기본형·파생어 위주로 수록 어휘 선정
- 고난도 예문과 어원 정보를 통해 어휘의 쓰임을 이해하며 암기

1 Preview [영영풀이] »1회독

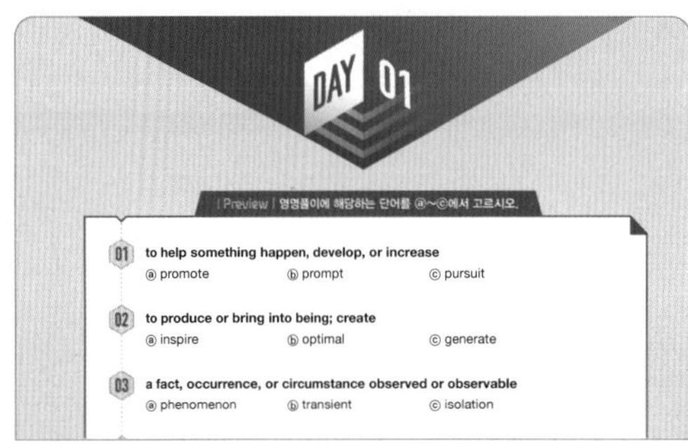

영영풀이를 통해 DAY별 학습 영단어 30개를 미리 눈으로 익히고 그 의미를 유추해 보기

2 Vocabulary [집중 암기] »2회독

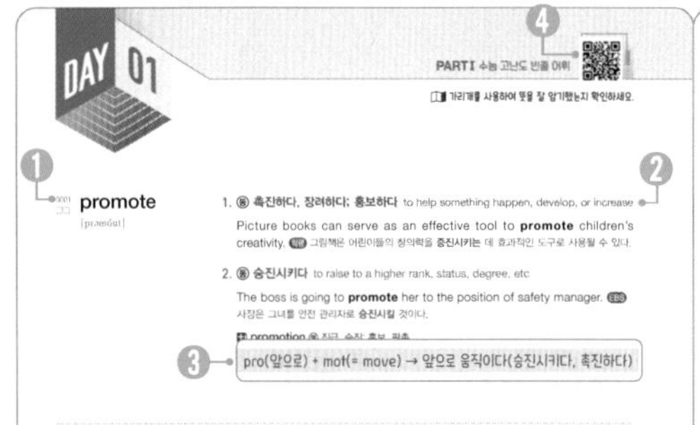

❶ 영단어별 구성
- 기본 제시: 영단어마다 발음기호, 품사, 뜻, 예문 제공
- 추가 제시: 숙어, 파생어, 반의어, 유의어 등의 정보 추가 제공
- 암기 박스: 2회독 여부를 표시하는 암기 확인 박스 제공

❷ 영영풀이: 중요 영단어를 엄선하여 영영풀이를 제시함으로써 그 의미를 영어적 사고방식으로 정확히 이해하도록 구성

❸ 어원 정보: 영단어의 의미 유추에 단서가 될만한 어원만을 엄선하여, 형성 구조를 제시

❹ QR코드로 DAY별 영단어와 뜻을 들으며 학습 가능

❺ 명언, 격언 예문과 수능, 모평, 학평 및 EBS 기출 예문 표시

❻ 파생어와 반의어, 유의어 추가 제공

❼ 진도 표시: 학습 진도를 확인하며 공부할 수 있도록 DAY별 현재 진도 표시

* MP3 파일은 **학습자료실(book.visang.com)**에서 다운로드 가능합니다.

3 Review TEST [복습] »3회독

DAY 01 Review TEST

Q 빈칸에 알맞은 단어를 보기에서 골라 쓰시오. 수능 변형

보기 cognitive optimal precise generate inspire

When you walk into a store, you are besieged by information. Even purchases that seem simple can quickly turn into a (1) ______ quagmire. Look at the jam aisle. A glance at the shelves can (2) ______ a whole range of questions. Should you buy the smooth-textured strawberry jam or the one with less sugar? Does the more expensive jam taste better? Rational models of decision-making suggest that the way to find the best product is to take all of this information into account and to carefully analyze the different brands on display.

DAY별 학습 영단어 중 핵심 빈출 단어가 실제 기출 지문에서 어떻게 출제되는지 **기출 경향**을 확인하고, 직접 독해를 하며 해결하는 **실전 문제 제공**

* Daily Test는 **학습자료실(book.visang.com)**에서 다운로드받아 활용해 보세요.

PART II 주제별 고난도 어휘·전문용어

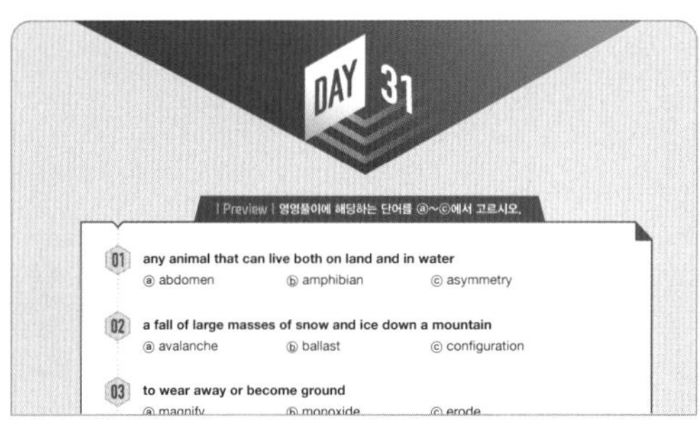

DAY 31

| Preview | 영영풀이에 해당하는 단어를 ⓐ~ⓒ에서 고르시오.

01 any animal that can live both on land and in water
ⓐ abdomen ⓑ amphibian ⓒ asymmetry

02 a fall of large masses of snow and ice down a mountain
ⓐ avalanche ⓑ ballast ⓒ configuration

03 to wear away or become ground
ⓐ magnify ⓑ monoxide ⓒ erode

10개년 기출 데이터의 지문별 주제를 선별하여, 학생들이 **어려워하는 5개의 주제를 선정**하고, 해당 주제의 문항에 자주 등장하는 영단어와 전문용어를 집중 암기하도록 구성

PART III 수능 고난도 빈출 숙어·표현

DAY 36

| Preview | 우리말 뜻에 해당하는 숙어를 ⓐ~ⓒ에서 고르시오.

01 ~에게 …을 경계시키다
ⓐ alert ~ to ⓑ be allergic to ⓒ argue against

02 단번에, 일격에
ⓐ at one fell swoop ⓑ wind up ⓒ in the event of

03 ~의 영향 하에 있다

기출 독해 지문에 나왔던 **고난도 숙어나 표현**을 선별해 지문의 **전체적인 맥락을 이해**할 수 있도록 구성

나만의 단어장 미니 단어장 »4회독

▲미니 단어장

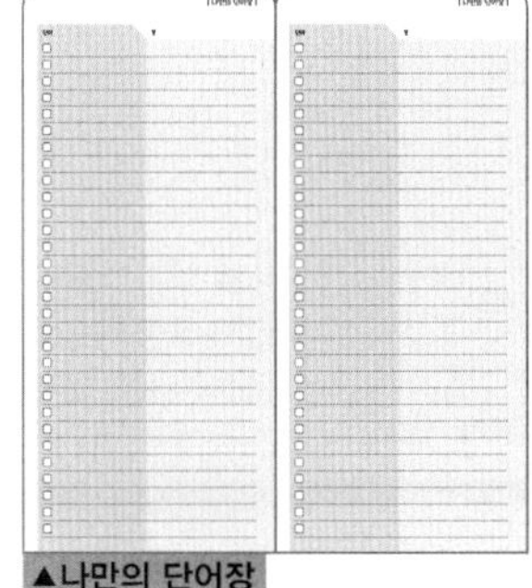

▲나만의 단어장

● **미니 단어장으로 한 번 더 암기하기**

휴대가 간편한 미니 단어장을 통해 틈틈이 암기하고, 본책을 통해 외워지지 않는 단어는 **〈나만의 단어장〉**에 따로 정리해서 빈틈없이 암기해 보세요.

Daily Test CROSSWORD PUZZLES

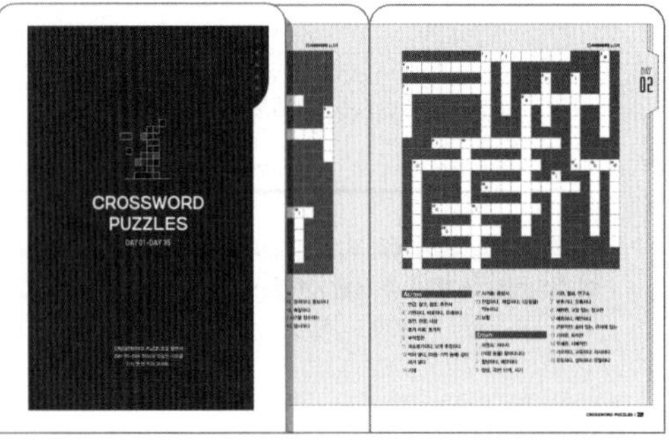

● **퍼즐로 재미있게 암기하기**

DAY 01~DAY 35의 영단어를 십자낱말 퍼즐을 통해서 재미있게 암기해 보세요.

× 기호 정의 ×

명 명사 동 동사 형 형용사 부 부사 전 전치사 접 접속사 대 대명사

파생어 반의어 유의어

〔 〕 대체 가능 어구 ( ) 보충 설명 (*pl.*) 복수형

수능 대학수학능력시험 기출 예문 학평 시도교육청 학력평가 기출 예문

모평 평가원 모의고사 기출 예문 EBS EBS 출간 교재 기출 예문

차 례

수능고난도

N회독으로 암기하라!

학습 전략 제안

〈완자 VOCA PICK 수능 고난도〉는 1회독 안에서도 단어당 4회의 노출을 통해 반복 암기가 되는 구성이기 때문에, 1회독만으로도 4회독에 버금가는 학습 효과를 누릴 수 있습니다. 〈완자 VOCA PICK 수능 고난도〉가 제안하는 시간과 노력이 절약되는 **"N회독 학습 전략"**과 **"스피드 학습 전략"**을 따라 해보는 건 어떨까요?

제안 ① 7회독 학습 전략

기본 1회 학습(4회독)과 **반복 학습(3회독)**으로 **"7회독"** 학습 효과를 노리는 학습자에게 추천!

기본 학습 DAY별 1회 학습으로 "**4회독**" 효과 내기

어휘 노출	학습 활동	코너 및 학습 가이드
1회	영영풀이를 통해 유추하기	Preview 영영풀이에 알맞은 영단어를 확인하면서 30개 단어의 의미를 유추해 보기
2회	읽고, 듣고 예문 해석하며 암기하기	Vocabulary · DAY당 30개의 어휘를 '영단어 – 뜻' 위주로 암기 · 기출 문장과 명언으로 이뤄진 예문을 해석하며 단어의 쓰임 파악 · 어원 정보를 통해 단어의 생성 원리 이해하기 · 가리개를 활용해서 암기 여부 확인하며 학습 · MP3를 들으면서 암기
3회	문제 풀며 기출 경향 파악하기	Review TEST · 실제 수능, 모평, 학평에 출제된 독해 문제를 풀어보기 · 독해 지문 속 단어의 쓰임을 살펴보며 기출 경향 파악
4회	휴대하며 암기하기	미니 단어장 눈으로 빠르게 영단어와 뜻 훑으며 최종 암기 여부 확인하고 미암기 단어 추려내기

반복 학습 반복 학습으로 "7회독" 효과 내기

어휘 노출	학습 활동	코너 및 학습 가이드
5회	반복하여 암기하기	**반복 암기** · '영단어 - 뜻' 위주의 1차 학습분에 파생어, 반의어, 유의어를 추가해서 단어 재암기 · DAY별 코너 중 자신의 학습 패턴에 맞는 코너를 선택하여 구성해서 재암기
6회	휴대하고 필기하며 암기하기	**미니 단어장 + 나만의 단어장** · 휴대용 미니 단어장을 통해 최종 암기 여부를 확인 · 미암기 단어를 〈나만의 단어장〉에 따로 정리하여 암기
7회	테스트를 통해 기억 환기시키기	**Daily Test** 학습자료실에서 Daily Test를 다운로드받아 직접 테스트해 보기

제안 ② 스피드 학습 전략

어휘의 뜻만 빠르고 확실하게 암기하고 싶은 학습자에게 추천!

어휘 노출	학습 활동	코너 및 학습 가이드
1회	읽고, 듣고 암기하기	**3일치 90개의 영단어 집중 암기** 3일치 영단어 90개를 가리개를 활용하여 '영단어 – 뜻' 위주로 암기
2회	휴대하며 암기하기	**미니 단어장** 휴대용 미니 단어장을 통해 최종 암기 여부를 확인
3회	Puzzle을 통해 기억 환기시키기	**Crossword Puzzles** DAY 01–DAY 35에 해당하는 십자낱말 퍼즐을 풀어보면서, 단어 암기 여부를 최종 확인

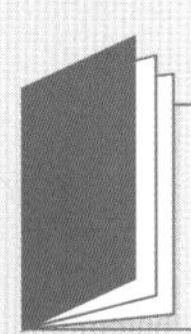

학습 계획표

제안 ① 학습 계획표 7회독 학습 전략

2회독 학습 계획에 따라 영단어당 7번을 반복 학습할 수 있는 "7회독 효과 내기" 학습 계획표입니다.
40일 동안 계획에 따라 학습하면서 완벽 암기에 도전하세요!

- 기본 학습은 "4회독 효과 내기" 전략에 따라 DAY별 전 코너를 학습하는 계획입니다.
- 반복 학습 1-3회는 DAY별 코너 중, 자신의 학습 패턴에 맞는 코너로 구성합니다.
- 학습을 마무리하면 ~~DAY 01~~ 과 같이 완료 표시를 하면서 끝까지 완주해 보세요.

	1일차	2일차	3일차	4일차	5일차	6일차	7일차	8일차
기본 학습	DAY 01	DAY 02	DAY 03	DAY 04	DAY 05	DAY 06	DAY 07	DAY 08
반복 학습		DAY 01 반복 1회	DAY 01 반복 2회	DAY 01 반복 3회	DAY 04 반복 1회	DAY 04 반복 2회	DAY 04 반복 3회	DAY 07 반복 1회
	→ DAY 01 7회독!		DAY 02 반복 1회	DAY 02 반복 2회	DAY 02 반복 3회	DAY 05 반복 1회	DAY 05 반복 2회	DAY 05 반복 3회
				DAY 03 반복 1회	DAY 03 반복 2회	DAY 03 반복 3회	DAY 06 반복 1회	DAY 06 반복 2회
	9일차	10일차	11일차	12일차	13일차	14일차	15일차	16일차
기본 학습	DAY 09	DAY 10	DAY 11	DAY 12	DAY 13	DAY 14	DAY 15	DAY 16
반복 학습	DAY07 반복 2회	DAY07 반복 3회	DAY 10 반복 1회	DAY 10 반복 2회	DAY 10 반복 3회	DAY 13 반복 1회	DAY 13 반복 2회	DAY 13 반복 3회
	DAY08 반복 1회	DAY08 반복 2회	DAY08 반복 3회	DAY 11 반복 1회	DAY 11 반복 2회	DAY 11 반복 3회	DAY 14 반복 1회	DAY 14 반복 2회
	DAY06 반복 3회	DAY09 반복 1회	DAY09 반복 2회	DAY09 반복 3회	DAY 12 반복 1회	DAY 12 반복 2회	DAY 12 반복 3회	DAY 15 반복 1회
	17일차	18일차	19일차	20일차	21일차	22일차	23일차	24일차
기본 학습	DAY 17	DAY 18	DAY 19	DAY 20	DAY 21	DAY 22	DAY 23	DAY 24
반복 학습	DAY 16 반복 1회	DAY 16 반복 2회	DAY 16 반복 3회	DAY 19 반복 1회	DAY 19 반복 2회	DAY 19 반복 3회	DAY 22 반복 1회	DAY 22 반복 2회
	DAY 14 반복 3회	DAY 17 반복 1회	DAY 17 반복 2회	DAY 17 반복 3회	DAY 20 반복 1회	DAY 20 반복 2회	DAY 20 반복 3회	DAY 23 반복 1회
	DAY 15 반복 2회	DAY 15 반복 3회	DAY 18 반복 1회	DAY 18 반복 2회	DAY 18 반복 3회	DAY 21 반복 1회	DAY 21 반복 2회	DAY 21 반복 3회
	25일차	26일차	27일차	28일차	29일차	30일차	31일차	32일차
기본 학습	DAY 25	DAY 26	DAY 27	DAY 28	DAY 29	DAY 30	DAY 31	DAY 32
반복 학습	DAY 22 반복 3회	DAY 25 반복 1회	DAY 25 반복 2회	DAY 25 반복 3회	DAY 28 반복 1회	DAY 28 반복 2회	DAY 28 반복 3회	DAY 31 반복 1회
	DAY 23 반복 2회	DAY 23 반복 3회	DAY 26 반복 1회	DAY 26 반복 2회	DAY 26 반복 3회	DAY 29 반복 1회	DAY 29 반복 2회	DAY 29 반복 3회
	DAY 24 반복 1회	DAY 24 반복 2회	DAY 24 반복 3회	DAY 27 반복 1회	DAY 27 반복 2회	DAY 27 반복 3회	DAY 30 반복 1회	DAY 30 반복 2회
	33일차	34일차	35일차	36일차	37일차	38일차	39일차	40일차
기본 학습	DAY 33	DAY 34	DAY 35	DAY 36	DAY 37	DAY 38	DAY 39	DAY 40
반복 학습	DAY 31 반복 2회	DAY 31 반복 3회	DAY 34 반복 1회	DAY 34 반복 2회	DAY 34 반복 3회	DAY 37 반복 1회	DAY 37 반복 2회	DAY 37 반복 3회
	DAY 32 반복 1회	DAY 32 반복 2회	DAY 32 반복 3회	DAY 35 반복 1회	DAY 35 반복 2회	DAY 35 반복 3회	DAY 38 반복 1회	DAY 38 반복 2회
	DAY 30 반복 3회	DAY 33 반복 1회	DAY 33 반복 2회	DAY 33 반복 3회	DAY 36 반복 1회	DAY 36 반복 2회	DAY 36 반복 3회	DAY 39 반복 1회

제안 ② 학습 계획표 스피드 학습 전략

"스피디하게 암기하기" 전략에 맞는 학습 계획표입니다.
영단어와 뜻 위주로 암기하면서 **15일 만에 완벽 암기**에 도전하세요!

	1일차	2일차	3일차	4일차	5일차	6일차	7일차	8일차
집중 암기	DAY01-03	DAY 04-06	DAY07-09	DAY10-12	DAY13-15	DAY16-18	DAY19-21	DAY22-24
1차 복습	3일차씩 묶어서 3회독!	미니 단어장 01-03	미니 단어장 04-06	미니 단어장 07-09	미니 단어장 10-12	미니 단어장 13-15	미니 단어장 16-18	미니 단어장 19-21
2차 복습			Puzzles 01-03	Puzzles 04-06	Puzzles 07-09	Puzzles 10-12	Puzzles 13-15	Puzzles 16-18
	9일차	**10일차**	**11일차**	**12일차**	**13일차**	**14일차**	**15일차**	
집중 암기	DAY25-27	DAY28-30	DAY31-33	DAY34-36	DAY37-40			
1차 복습	미니 단어장 22-24	미니 단어장 25-27	미니 단어장 28-30	미니 단어장 31-33	미니 단어장 34-36	미니 단어장 37-40		
2차 복습	Puzzles 19-21	Puzzles 22-24	Puzzles 25-27	Puzzles 28-30	Puzzles 31-33	Puzzles 34-35	Review Test 36-40	

나만의 학습 계획표

자신에게 맞는 방법과 코너로 구성된 **나만의 학습 계획표**를 짜서 스스로 암기해 보세요!

	1일차	2일차	3일차	4일차	5일차	6일차	7일차	8일차
기본 학습	DAY 01	DAY 02	DAY 03	DAY 04	DAY 05	DAY 06	DAY 07	DAY 08
반복 학습								
	9일차	**10일차**	**11일차**	**12일차**	**13일차**	**14일차**	**15일차**	**16일차**
기본 학습	DAY 09	DAY 10	DAY 11	DAY 12	DAY 13	DAY 14	DAY 15	DAY 16
반복 학습								
	17일차	**18일차**	**19일차**	**20일차**	**21일차**	**22일차**	**23일차**	**24일차**
기본 학습	DAY 17	DAY 18	DAY 19	DAY 20	DAY 21	DAY 22	DAY 23	DAY 24
반복 학습								
	25일차	**26일차**	**27일차**	**28일차**	**29일차**	**30일차**	**31일차**	**32일차**
기본 학습	DAY 25	DAY 26	DAY 27	DAY 28	DAY 29	DAY 30	DAY 31	DAY 32
반복 학습								
	33일차	**34일차**	**35일차**	**36일차**	**37일차**	**38일차**	**39일차**	**40일차**
기본 학습	DAY 33	DAY 34	DAY 35	DAY 36	DAY 37	DAY 38	DAY 39	DAY 40
반복 학습								

P A R T

수능 고난도 빈출 어휘

CONTENTS

DAY 01
/
DAY 30

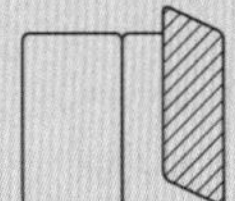

단어를 암기할 때 **뒤쪽 책날개**를 뜯어서
단어 뜻 가리개로 활용하세요.

| Preview | 영영풀이에 해당하는 단어를 ⓐ~ⓒ에서 고르시오.

01 **to help something happen, develop, or increase**
ⓐ promote ⓑ prompt ⓒ pursuit

02 **to produce or bring into being; create**
ⓐ inspire ⓑ optimal ⓒ generate

03 **a fact, occurrence, or circumstance observed or observable**
ⓐ phenomenon ⓑ transient ⓒ isolation

04 **not influenced by personal feelings or prejudice**
ⓐ cognitive ⓑ objective ⓒ psychological

05 **to indicate or suggest without being explicitly stated**
ⓐ undermine ⓑ imply ⓒ compel

06 **a way of proceeding in any action or process**
ⓐ attendance ⓑ occurrence ⓒ procedure

07 **no more or no less; accurate**
ⓐ precise ⓑ envious ⓒ intuition

08 **to make easier or less difficult; help forward**
ⓐ facilitate ⓑ render ⓒ vanquish

09 **to return (something, especially a work of art or building) to an original or former condition**
ⓐ wither ⓑ interpersonal ⓒ restore

10 **to use influence, authority, etc forcefully or effectively**
ⓐ exert ⓑ encumber ⓒ crumble

|정답| 1 ⓐ 2 ⓒ 3 ⓐ 4 ⓑ 5 ⓑ 6 ⓒ 7 ⓐ 8 ⓐ 9 ⓒ 10 ⓐ

가리개를 사용하여 뜻을 잘 암기했는지 확인하세요.

0001 □□ **promote** [prəmóut]

1. 동 **촉진하다, 장려하다; 홍보하다** to help something happen, develop, or increase

Picture books can serve as an effective tool to **promote** children's creativity. 학평 그림책은 어린이들의 창의력을 **증진시키는** 데 효과적인 도구로 사용될 수 있다.

2. 동 **승진시키다** to raise to a higher rank, status, degree, etc

The boss is going to **promote** her to the position of safety manager. EBS
사장은 그녀를 안전 관리자로 **승진시킬** 것이다.

+ **promotion** 명 진급, 승진; 홍보, 판촉

pro(앞으로) + mot(= move) → 앞으로 움직이다(승진시키다, 촉진하다)

0002 □□ **generate** [dʒénərèit]

동 **발생시키다, 만들어내다** to produce or bring into being; create

It's impossible to **generate** a lot of good ideas without also **generating** a lot of bad ideas. 모평
많은 나쁜 아이디어들 또한 **만들어내지** 않고서 많은 좋은 아이디어들을 **만들어내는** 것은 불가능하다.

+ **generation** 명 세대; 발생 **generator** 명 발전기

0003 □□ **phenomenon** [finámənàn]

명 **현상** (*pl.* phenomena) a fact, occurrence, or circumstance observed or observable

Even a gentle **phenomenon** like fog can result in disaster. EBS
심지어 안개와 같은 심하지 않은 **현상**도 재난을 일으킬 수 있다.

+ **phenomenal** 형 현상의; 경이적인, 놀라운

0004 □□ **objective** [əbdʒéktiv]

1. 형 **객관적인** not influenced by personal feelings or prejudice

Science is a branch of knowledge which is systematic, testable, and **objective**. 학평 과학은 체계적이며 검증 가능하고 **객관적인** 지식의 분야이다.

2. 명 **목표, 목적** what you are trying to achieve

To describe the behavior of an individual, economists start by describing his or her **objectives**. EBS
개인의 행동을 설명하기 위해, 경제학자들은 개인의 **목적**을 설명함으로써 시작한다.

+ **objectivity** 명 객관성 **objection** 명 반대, 이의
↔ **subjective** 형 주관적인

0005 **psychological**
[sàikəládʒikəl]

[형] **심리적인, 정신적인**

Psychological stress is defined in terms of the transaction between the person and the environment. [EBS]
심리적인 스트레스는 인간과 환경 간의 교류의 관점에서 정의된다.

[+] **psychology** [명] 심리학 **psychologist** [명] 심리학자

psycho(= spirit) = logy(= study) + cal(형용사 접미사) → 정신, 마음에 대해 공부하는

0006 **imply**
[implái]

[동] **함축하다, 암시하다** to indicate or suggest without being explicitly stated

Complex behavior does not **imply** complex mental strategies. [모평]
복잡한 행동이 복잡한 정신적 전략을 **암시하는** 것은 아니다.

[+] **implication** [명] 내포된 뜻, 함축 **implicit** [형] 암시된, 내포된

0007 **transient**
[trǽnʃənt]

[형] **임시의, 일시적인**

Transient workers work in a particular place or organization for only short periods of time.
임시 근로자들은 단기간 동안 특정한 장소나 조직에서 일한다.

Some experiences are states of happiness or sadness; they reflect the **transient** highs and lows of everyday life. [학평]
어떤 경험들은 행복이나 슬픔의 상태이며, 그것들은 일상생활에서의 **일시적인** 감정의 기복을 반영한다.

trans(= go) + ient(형용사 접미사) → 지나쳐 가는

0008 **inspire**
[inspáiər]

[동] **격려하다; 영감을 주다, (감정·사상 등을) 불어넣다**

Rarely does intellect alone **inspire** romantic acts or heroic deeds. [EBS]
지적 능력만으로는 낭만적인 행동이나 영웅적인 행동을 좀처럼 **고무하지** 못한다.

A good teacher can **inspire** hope, ignite the imagination, and instill a love of learning. *- Brad Henry*
좋은 교사는 희망에 **영감을 주고**, 창의성에 불을 붙이며, 배움의 열정을 주입시킬 수 있다.

[+] **inspiration** [명] 고무, 격려; 영감

in(= into) + spire(= breathe) → 속에서 (무언가) 살아 숨쉬게 하다

0009 **cognitive**
[kágnitiv]

[형] **인지의, 인식의**

We now know that stress decreases our **cognitive** resources. [EBS]
우리는 이제 스트레스가 **인지** 자원을 감소시킨다는 것을 안다.

[+] **cognition** [명] 인지, 인식

0010 **procedure**
[prəsíːdʒər]

명 **절차, 과정** a way of proceeding in any action or process

Our website gives information about the **procedure** to be followed in case of a performance being cancelled. EBS
우리 웹 사이트는 공연이 취소될 경우에 따라야 할 **절차**에 관한 정보를 제공합니다.

+ **proceed** 동 나아가다; 계속하다

0011 **envious**
[énviəs]

형 **부러워하는, 시기심이 많은**

The **envious** man grows lean when his neighbor waxes fat. - *Horatius*
시기심이 많은 사람은 이웃이 살찔 때 마르게 된다.

With **envious** eyes Nicholas looked at the cart full of corn. 학평
부러운 눈으로 Nicholas는 옥수수가 가득한 손수레를 쳐다보았다.

+ **envy** 동 부러워하다, 질투하다 명 부러움, 선망
유 **jealous** 형 부러워하는

0012 **precise**
[prisáis]

형 **정확한, 정밀한** no more or no less; accurate

Language is not always reliable for causing **precise** meanings to be generated in someone else's mind. 수능
언어는 누군가의 마음속에 발생되는 **정확한** 의미를 불러일으키기에 항상 신뢰할 만한 것은 아니다.

For the physicist, the duration of a "second" is **precise** and unambiguous.
수능 물리학자에게 '1초'의 지속 시간은 **정확하고** 분명하다.

+ **precision** 명 정확(성) **precisely** 부 바로, 정확히
반 **imprecise** 형 부정확한

pre(= before) + cise(= cut) → 미리 잘라 놓은

0013 **facilitate**
[fəsílitèit]

동 **촉진하다, 용이하게 하다** to make easier or less difficult; help forward

Universities are implementing a number of creative approaches to **facilitate** innovation. EBS
대학들은 혁신을 **촉진하기** 위해 다수의 창의적인 접근법들을 시행하고 있다.

+ **facility** 명 편의, 편리함; (편의) 시설

0014 **isolation**
[àisəléiʃən]

명 **격리, 고립; 분리**

People who have been raised in extreme social **isolation** are poor at reading emotional cues in those around them. 학평
극단적인 사회적 **고립** 상태에서 자라 온 사람들은 그들 주변의 사람들에게서 감정의 신호를 읽는 데 서툴다.

+ **isolate** 동 격리하다; 분리하다 **isolated** 형 고립된, 외떨어진

0015 **prompt**
[prɑmpt]

1. ⓢ **유발하다, 촉발하다, 자극하다**

A social function of religion is to **prompt** reflection concerning conduct.
학평 종교의 사회적 기능은 행동과 관련된 반성을 **유발하는** 것이다.

2. ⓗ **신속한, 조속한; 시간을 엄수하는**

Thank you for your **prompt** attention in advance. 학평
귀하의 **즉각적인** 관심에 미리 감사드립니다.

+ **promptly** ⓟ 신속하게, 즉시

0016 **restore**
[ristɔ́ːr]

ⓢ **회복하다, 복구하다, 복원하다** to return (something, especially a work of art or building) to an original or former condition

We have to **restore** the natural habitat of endangered species. 학평
우리는 멸종 위기에 처한 종들의 자연 서식지를 **복원해야** 한다.

+ **restoration** ⓜ 회복, 복구

re(= back, again) + store(저장하다, 짓다) → 다시 저장하다[짓다]

0017 **occurrence**
[əkə́ːrəns]

ⓜ **(일·사건 등의) 발생, 일어남**

Requirements that children be vaccinated before they attend school played a central role in reducing **occurrence** of vaccine-preventable diseases. 학평
어린이들이 입학하기 전에 예방 주사를 맞아야 한다는 필수 요건은 백신으로 예방할 수 있는 질병들의 **발생**을 줄이는 데 중심적인 역할을 했다.

+ **occur** ⓢ 일어나다, 발생하다 **occurrent** ⓗ 현재 일어나고 있는

oc(= toward) + cur(= run) + ence(명사 접미사) → ~을 향해 흘러와 만남[발생]

0018 **exert**
[igzə́ːrt]

ⓢ **(권한· 영향력을) 행사하다, 발휘하다** to use influence, authority, etc forcefully or effectively

Beavers **exert** their influence by physically altering the landscape. 모평
비버들은 풍경을 물리적으로 바꿈으로써 자신들의 영향력을 **행사한다**.

+ **exertion** ⓜ (권력·영향력의) 행사

ex(= out) + (s)ert(= put together) → 힘을 모아 밖으로 내다

0019 **optimal**
[ɑ́ptəməl]

ⓗ **최적의, 최상의**

To arrive at the **optimal** decision, they needed to share their privately held information. 학평
최적의 결정을 도출하기 위해서 그들은 사적으로 가진 정보를 공유할 필요가 있었다.

+ **optimize** ⓢ 최적화하다
= **optimum** ⓗ 최적의

0020 **pursuit**
[pərsjúːt]

㉻ **추구;** (주로 *pl.*) **여가 활동**

Now and then it's good to pause in our **pursuit** of happiness and just be happy. - *Guilliaume Apollinaire*
때로는 행복을 **추구**하는 것을 잠시 멈추고, 행복을 느껴보는 것도 좋다.

Living your life in **pursuit** of someone else's expectations is a difficult way to live. 학평
다른 누군가의 기대를 **추구**하며 여러분의 삶을 사는 것은 살기 힘든 방식이다.

+ **pursue** ⑤ (목적·취미 등을) 추구하다

0021 **undermine**
[ʌ̀ndərmáin]

⑤ **약화시키다, 손상시키다, (기반을) 허물다**

Individual cartel members **undermine** cooperative strategies by selling more than they should. EBS
개개의 카르텔 구성원들은 자기들이 팔아야 할 것보다 더 많이 팖으로써 협동 전략의 **기반을 약화시킨다.**

under(= below) + mine(갱도를 파다) → ~의 밑을 파다, 훼손하다

0022 **compel**
[kəmpél]

⑤ **~하게 만들다, 강요하다**

If you want to be respected by others, the great thing is to respect yourself. Only by that, only by self-respect will you **compel** others to respect you. - *Dostoyevsky*
만약 당신이 타인에게 존중받길 원한다면, 가장 중요한 것은 스스로를 존중하는 것이다. 자신을 존중하는 바로 그것에 의해 타인이 당신을 존중**하게 만들** 것이다.

She was **compelled** to carry out her promise. 학평
그녀는 자신의 약속을 이행하도록 **강요되었다.**

be compelled to 할 수 없이 ~하다
+ **compelling** ⑱ 강제적인; 설득력 있는　**compulsory** ⑱ 강제적인, 의무의

0023 **interpersonal**
[ìntərpə́ːrsənəl]

⑱ **대인 관계의, 개인 간의**

All students are required to attend a series of seminars on **interpersonal** relationships. 학평
모든 학생들은 **대인 관계**에 관한 세미나에 참석하도록 요구된다.

inter(= between) + person(사람) + al(형용사 접미사) → 사람과 사람 사이의

0024 **attendance**
[əténdəns]

㉻ **참석, 출석, 관람; 관람객 (수)**

In sports, **attendance** is nearly always with at least one other person. EBS
스포츠에서, **관람**은 거의 항상 최소한 한 명의 다른 사람과 함께 이루어진다.

+ **attend** ⑤ 참석하다, 출석하다　**attendee** ㉻ 참석자, 출석자

0025 **intuition**

[ìntjuːíʃən]

㉮ **직관(력), 직감**

By giving yourself freedom to follow your **intuition**, you develop your sensitivity to your inner voice. 모평

당신의 **직관**을 따를 자유를 자신에게 허용함으로써 당신은 내면의 목소리에 대한 민감도를 발전시킨다.

⊞ **intuitive** ⓗ 직관적인

⊞ **counter-intuitive** ⓗ 직관에 반하는

0026 **render**

[réndər]

1. ⓢ **표현하다, 묘사하다**

When photography came along, painters were freed to represent things as they were in their imagination, **rendering** emotion in the color, volume, and line native to the painter's art. 모평

사진술이 나왔을 때, 화가들은 자신들의 상상 속에서 존재하는 대로 사물을 표현할 수 있게 되어, 화가의 그림에 고유한 색, 양감, 선으로 감정을 **표현했다**.

2. ⓢ **(어떤 상태가 되게) 만들다**

Armstrong's innovations **rendered** useless the enormous alternators used for generating power in early radio transmitters. 모평

Armstrong의 혁신들은 초기 라디오 전송장치에서 동력을 생성하기 위해 사용된 거대한 교류 발전기를 쓸모없게 **만들었다**.

0027 **encumber**

[inkʌ́mbər]

ⓢ **방해하다**

Don't be **encumbered** by history. Go off and do something wonderful.

역사에 의해 **방해받지** 말라. 나가서 뭔가 멋진 일을 하라. - *Robert Noyce*

en(= in) + cumber(= lie) → 안쪽에 드러눕다

0028 **vanquish**

[vǽŋkwiʃ]

ⓢ **(적을) 무찌르다; (기분·상황 등을) 극복하다, 이겨내다**

They were **vanquished** in battle.

그들은 전투에서 **패배했다**.

vanquish one's fear 두려움을 이겨내다

0029 **wither**

[wíðər]

ⓢ **시들다**

Desire makes everything blossom; possession makes everything **wither** or fade. - *Marcel Proust*

열망은 모든 것을 꽃피우게 하지만 소유는 모든 것을 **시들거나** 쓰러지게 한다.

They finally **wither** after the leaves have taken over. 모평

그것들은 새로운 잎들로 대체된 후 결국 **시든다**.

0030 **crumble**

[krʌ́mbl]

ⓢ **부서지다; (조직 등이) 무너지다**

These rocks were **crumbled** down by erosion.

이 바위들은 침식에 의해 **부서졌다**.

Review TEST

Q 빈칸에 알맞은 단어를 보기에서 골라 쓰시오. **수능 변형**

보기

cognitive optimal precise generate inspire

When you walk into a store, you are besieged by information. Even purchases that seem simple can quickly turn into a (1) ________ quagmire. Look at the jam aisle. A glance at the shelves can (2) ________ a whole range of questions. Should you buy the smooth-textured strawberry jam or the one with less sugar? Does the more expensive jam taste better? Rational models of decision-making suggest that the way to find the best product is to take all of this information into account and to carefully analyze the different brands on display. But this method can backfire. When we spend too much time thinking in the supermarket, we can trick ourselves into choosing the wrong things for the wrong reasons. Making better decisions when picking out jams or bottles of wine is best done with the emotional brain, which (3) ________ s its verdict automatically.

*quagmire: 수렁, 진창

해석

여러분이 상점에 들어가면, 여러분은 정보에 둘러싸여 있다. 단순해 보이는 구매조차도 금세 (1) **인지적** 수렁으로 변할 수 있다. 잼 진열대를 보자. 선반을 슬쩍 보기만 해도 온갖 질문이 (2) **떠오를** 수 있다. 여러분은 부드러운 질감의 딸기 잼을 사야 할 것인가, 아니면 설탕이 덜 들어간 것을 사야 할 것인가? 더 비싼 잼이 맛이 있을까? 의사 결정의 합리적 모델은 최고의 상품을 찾는 방법이 이 모든 정보를 고려하고 진열된 서로 다른 상표들을 신중하게 분석하는 것이라고 제시한다. 그러나 이 방법은 역효과를 낳을 수 있다. 우리가 슈퍼마켓에서 생각하느라 너무 많은 시간을 보낼 때, 우리는 스스로를 속여 잘못된 이유로 엉뚱한 상품을 사게 될 수 있다. 잼이나 와인을 고를 때의 더 나은 결정은 무의식적으로 결정을 (3) **내리는** 감정적 두뇌를 사용할 때 가장 잘 이루어진다.

정답

(1) cognitive (2) inspire (3) generate

| Preview | 영영풀이에 해당하는 단어를 ⓐ~ⓒ에서 고르시오.

01 **having refined or cultured tastes and habits**
ⓐ statistic ⓑ insurance ⓒ sophisticated

02 **willingness to tolerate the opinions or behavior that you disagree with**
ⓐ bizarre ⓑ tolerance ⓒ inequality

03 **to feed and protect or encourage the growth**
ⓐ nurture ⓑ predict ⓒ certificate

04 **to wander in search of food or provisions**
ⓐ forage ⓑ subdue ⓒ underlying

05 **to tell somebody to do something**
ⓐ sniff ⓑ certificate ⓒ instruct

06 **to bring into being; create or start**
ⓐ induce ⓑ originate ⓒ admonish

07 **to persuade someone to do something, especially something morally wrong**
ⓐ reference ⓑ embed ⓒ tempt

08 **to set apart for a particular purpose; assign or allot**
ⓐ phase ⓑ allocate ⓒ institute

09 **belonging to the real nature of a thing**
ⓐ expectancy ⓑ intrinsic ⓒ inappropriate

10 **to estimate something to be smaller or less important than it really is**
ⓐ reservoir ⓑ dominant ⓒ underestimate

|정답| 1 ⓒ 2 ⓑ 3 ⓐ 4 ⓐ 5 ⓒ 6 ⓑ 7 ⓒ 8 ⓑ 9 ⓑ 10 ⓒ

가리개를 사용하여 뜻을 잘 암기했는지 확인하세요.

0031 □□ **phase** [feiz]

㊔ **양상, 국면; 단계, 시기**

Hatchling sea turtles run down the beach to the ocean, a critical **phase** in their life cycle. EBS

갓 부화한 바다거북은 해변을 이동해 바다로 가는데, (이때가) 그들의 생활 주기에서 중요한 **시기**이다.

0032 □□ **sophisticated** [səfístəkèitid]

㊕ **세련된, 교양 있는; 정교한** having refined or cultured tastes and habits

Many birds build **sophisticated** nests entirely instinctively, and may or may not be conscious of what they are doing. EBS

많은 새는 완전히 본능적으로 **정교한** 둥지를 짓는데, 자기들이 하고 있는 것을 의식할 수도 있고 의식하지 않을 수도 있다.

➕ **sophisticate** ㊐ 정교하게 하다 **sophistication** ㊔ 정교함; 세련됨

0033 □□ **underlying** [ʌ́ndərlàiiŋ]

㊕ **근본적인; 숨어 있는, 근저에 있는**

Women are consistently more accurate than men at detecting lying and what the **underlying** truth is. EBS

여자들은 거짓말하는 것과 **숨어 있는** 진실이 무엇인지를 간파하는 데 남자들보다 항상 더 정확하다.

➕ **underlie** ㊐ 기초가 되다; ~ 아래 놓여 있다

under(= below) + lie(놓여 있다) + -ing(형용사 접미사) → 아래에 놓여 있는

0034 □□ **reservoir** [rézərvwɑ̀ːr]

㊔ **저장소; 저수지**

Women are the largest untapped **reservoir** of talent in the world.

여성들은 세상에서 가장 큰, 아직 개발되지 않은 재능의 **저장소**이다. *- Hillary Clinton*

0035 □□ **tolerance** [tɑ́lərəns]

㊔ **용인, 관용; 내성** willingness to tolerate the opinions or behavior that you disagree with

We live in a world of intolerance masked as **tolerance**. *- Rush Limbaugh*

우리는 **관용**이라는 마스크를 쓴 불관용의 세상에 산다.

➕ **tolerate** ㊐ 참다, 인내하다 **tolerant** ㊕ 내성이 있는; 관대한

⊖ **intolerance** ㊔ 불관용, 편협

0036 **inequality**
[ìnikwɑ́ləti]

[명] **불평등, 불공정**

Wherever there is great property, there is great **inequality**. - *Adam Smith*
큰 부가 있는 곳마다 큰 **불평등**이 있다.

[반] **equality** [명] 평등, 동등함

in(= not) + equ(= even) + al(형용사 접미사) + ity(명사 접미사) → 같지 않은 것

0037 **nurture**
[nə́:rtʃər]

1. [동] **보살피다, 양육하다; 양성하다** to feed and protect or encourage to growth

Nurture your mind with great thoughts. To believe in the heroic makes heroes. - *Benjamin Disraeli*
위대한 생각들로 마음을 **키워라**. 영웅을 믿어야 영웅이 되는 것이다.

Parents should **nurture** their children with love.
부모는 사랑으로 그들의 자녀를 **양육해야** 한다.

2. [명] **양육; 양성, 육성**

The human organism learns partly by nature, partly by **nurture**.
인간 유기체는 부분적으로는 천성에 의해, 부분적으로는 **양육**에 의해 배운다.

0038 **predict**
[pridíkt]

[동] **예측하다, 예언하다**

The best way to **predict** the future is to create it. - *Peter Drucker*
미래를 **예측하는** 가장 좋은 방법은 그것을 만들어내는 것이다.

[+] **prediction** [명] 예언, 예측 **predictable** [형] 예측 가능한 **predictive** [형] 예측의

pre(= before) + dict(= say) → 미리 말하다

0039 **statistic**
[stətístik]

[명] **통계 자료;** (*pl.*) **통계학**

This video now stands at over 96 million views — a shocking **statistic** for a thirty-minute video! [EBS]
이 비디오는 현재 9천 6백만 건 넘는 조회 수를 기록하고 있는데, 30분짜리 비디오치고는 놀라운 **통계 자료**이다!

[+] **statistical** [형] 통계적인, 통계(학)상의

0040 **forage**
[fɔ́:ridʒ]

[동] **(식량 등을) 찾아다니다** to wander in search of food or provisions

When vampire bats return to their communal nests from a successful night's **foraging**, they vomit blood and share it with other nest-mates. [수능]
하룻밤에 성공적으로 **먹이를 찾아다니** 흡혈박쥐들이 함께 사는 둥지로 돌아오면 그들은 혈액을 토해 내서 둥지에서 함께 사는 다른 박쥐들과 그것을 나눈다는 것을 알아냈다.

0041 **instruct**
[instrʌ́kt]

㉹ **가르치다, 교육하다; 지시하다** to tell somebody to do something

He **instructed** participants to spend forty minutes either walking in a local nature preserve or walking in an urban area. 학평
그는 실험 참가자들에게 그 지역의 자연 보존지에서 걷거나 도시 지역에서 걸으면서 40분을 보내라고 **지시했다**.

+ instruction ㉺ 교육, 가르침; 지시 instructor ㉺ 교사, 강사 instructive ㉻ 유익한

0042 **insurance**
[inʃúərəns]

㉺ **보험**

We would like to express our deepest gratitude for considering AGL as your **insurance** provider. EBS
AGL을 고객님의 **보험** 제공 업체로 고려하고 계신 것에 대해 깊은 감사를 표하고 싶습니다.

+ insure ㉹ 보험에 들다; 보증하다

in(= in) + sure(확실한) + ance(명사 접미사) → 안에서 확실하게 하는

0043 **originate**
[ərídʒənèit]

㉹ **기원하다, 비롯되다, 유래하다** to bring into being; create or start

The computer is only a fast idiot; it has no imagination; it cannot **originate** action. It is, and will remain, only a tool of man.
- American Library Association's 1964 statement
컴퓨터는 민첩한 바보일 뿐이다. 상상력도 없고 스스로 행동을 **시작할** 수도 없다. 현재에도 미래에도 컴퓨터는 단지 인간의 도구일 뿐이다.

The art of painting may have **originated** from the human need to comprehend the external world through vision. EBS
회화 예술은 시각을 통해 외부 세계를 이해하려는 인간의 필요에서 **기원했을** 것이다.

+ origin ㉺ 기원; 출처 original ㉻ 최초의 originative ㉻ 독창적인

0044 **reference**
[réfərəns]

㉺ **언급; 참고, 참조; 추천서**

Personal beauty is a greater recommendation than any letter of **reference**.
개인의 아름다움은 어떠한 **추천서**보다 훌륭한 추천장이다. *- Aristotle*

with reference to ~와 관련하여
+ refer ㉹ 언급하다, 지칭하다; 참조하다

0045 **tempt**
[tempt]

㉹ **부추기다, 유혹하다** to persuade someone to do something, especially something morally wrong or unwise

The cheap prices **tempted** me to buy things I didn't need.
싼 가격은 내가 필요하지 않은 것들을 사도록 **유혹했다**.

+ tempting ㉻ 솔깃한, 유혹적인 temptation ㉺ 유혹
= attract, allure ㉹ 꾀다, 유인하다

0046 **allocate**

[ǽləkèit]

㊍ **할당하다, 배분하다** to set apart for a particular purpose; assign or allot

The government **allocated** millions of dollars to businesses that are not likely to survive the pandemic.
정부는 수백만 달러를 팬데믹에서 살아남을 것 같지 않은 기업들에게 **할당했다**.

⊕ allocation ㊔ 할당, 배당 allocable ㊎ 할당할 수 있는

al(= to) + loc(= place 장소) + ate(동사 접미사) → (어떤) 장소로 하다

0047 **expectancy**

[ikspéktənsi]

㊔ **기대**

Human life **expectancy** is increasing rapidly in countries worldwide. EBS
인간의 **기대** 수명은 세계 전역의 나라들에서 급속도로 증가하고 있다.

⊕ expect ㊍ 기대하다, 예상하다 expectant ㊎ 기대하는

0048 **institute**

[ínstitjùːt]

1. ㊔ **기관, 협회, 연구소**

According to an Australian **institute** specializing in the heart and diabetes, regular physical exercise such as riding a bike may be an answer to cardiovascular diseases. 학평
심장과 당뇨병을 전문으로 하는 어느 호주 **연구소**에 따르면 자전거 타기와 같은 규칙적인 신체적 운동이 심장 관련 질환의 해결책이 될 수도 있다.

2. ㊔ **대학교, 전문 학교**

MIT stands for Massachusetts **Institute** of Technology.
MIT는 매사추세츠 공과 **대학교**를 나타낸다.

3. ㊍ **도입하다**

Governments **institute** programs and policies that deny equal opportunity. EBS
정부는 동등한 기회를 주지 않는 프로그램과 정책을 **도입한다**.

⊕ institution ㊔ 기관; 제도[관습] institutional ㊎ 기관의; 제도의

0049 **intrinsic**

[intrínsik]

㊎ **내재적인, 고유한, 본질적인** belonging to the real nature of a thing

Intrinsic motivation is more powerful than extrinsic motivation.
내재적 동기는 외재적 동기보다 더 강력하다.

⇔ extrinsic ㊎ 외적인, 외재적인
≡ inherent ㊎ 내재된 innate, inborn ㊎ 타고난, 선천적인

0050 **sniff**

[snif]

㊍ **코를 킁킁거리며 냄새를 맡다**

Dogs can **sniff** another dog and tell where they have been.
개들은 다른 개의 **냄새를 맡고** 그들이 어디에 있었는지 알 수 있다.

⊕ sniffle ㊍ 훌쩍거리다

0051 **underestimate**
[ʌ̀ndəréstəmeit]

[동] **과소평가하다, 낮게 추정하다** to estimate something to be smaller or less important than it really is

It is the enemy you **underestimate** who kills you. *- Robert Jordan*
당신을 죽이는 것은 당신이 **과소평가하**는 바로 그 적이다.

Personality psychologists **underestimated** the extent to which the social situation shapes people's behavior, independently of their personality. [모평]
성격 심리학자들이 사람들의 성격과는 관계없이 사회적 상황이 사람들의 행동을 결정하는 정도를 **과소평가했다**.

[+] **estimate** [동] 추정[추산]하다
[↔] **overestimate** [동] 과대평가하다

0052 **certificate**
[sərtífəkit]

[명] **자격증; 증명서**

I would like to confirm that Chris has put in about fifty hours of community service and a **certificate** for his service is enclosed along with this letter for your reference. [EBS]
저는 Chris가 약 50시간의 지역 사회 봉사 활동을 했다는 것을 확인해 드리며, 참고하시도록 이 편지와 함께 그의 봉사 활동 **증명서**를 동봉하는 바입니다.

[+] **certify** [동] 보증하다, 감정하다 **certification** [명] 증명(서)

0053 **dominant**
[dámənənt]

[형] **우세한, 지배적인**

Movies may be said to support the **dominant** culture and to serve as a means for its reproduction over time. [EBS]
영화는 **우세한** 문화를 지지하고 시간이 지남에 따라 그것을 재생산하는 수단의 역할을 한다고 말할 수 있다.

[+] **dominate** [동] (~보다) 우세하다, 지배하다 **domination** [명] 지배, 우세
[=] **predominant** [형] 우세한, 두드러진

0054 **inappropriate**
[ìnəpróupriit]

[형] **부적절한**

Proscriptive norms state what behavior is **inappropriate** or unacceptable. [EBS] '금지적 규범'은 어떤 행동이 **부적합한지** 혹은 받아들일 수 없는지 진술한다.

[+] **inappropriately** [부] 부적절하게, 어울리지 않게
[↔] **appropriate** [형] 적절한

0055 **induce**
[indjúːs]

[동] **유도하다, 설득하다; 유발하다**

This policy will **induce** North Korea to abandon its nuclear weapons program. 이 정책은 북한이 핵무기 프로그램을 포기하도록 **유도할** 것이다.

[+] **induction** [명] 유도; 귀납적 결론

in(= into) + duce(이끌다) → 안쪽으로 이끌다

0056 **admonish**

[ədmániʃ]

㉢ **훈계하다, 충고하다**

Admonish your friends privately, but praise them openly. - *Publilius Syrus*
친구를 개인적으로 **훈계하고**, 공개적으로 칭찬하라.

➕ admonition ㉤ 경고

0057 **alienate**

[éəljənèit]

㉢ **소외시키다, 소외감을 느끼게 하다**

The elders should not be **alienated** from families and society.
노인들은 가족과 사회로부터 **소외되어서는** 안 된다.

➕ alienation ㉤ 소외(감)   alien ㉤ 외계인 ㉥ 외계의; 이국적인

0058 **bizarre**

[bizáːr]

㉥ **기이한, 특이한**

Parrots, highly social animals, will engage in **bizarre** behaviors and can severely harm themselves when kept alone. 학평
매우 사회적인 동물인 앵무새는 혼자 두었을 때 **특이한** 행동을 할 것이고 심하게 자신에게 상처를 입힐 수 있다.

☰ weird ㉥ 기묘한, 이상한

0059 **subdue**

[səbdjúː]

1. ㉢ **진압하다, 제압하다**

Police **subdued** protesters using tear gas.
경찰은 최루 가스를 사용해서 시위자들을 **진압했다**.

2. ㉢ **(감정을) 억누르다, 억제하다**

Strong feelings do not necessarily make a strong character. The strength of a man is to be measured by the power of the feelings he **subdues** not by the power of those which **subdue** him. - *William Carleton*
강한 감정이 반드시 강한 인격을 만들지 않는다. 사람의 강인함은 그 사람을 **억누르고** 있는 감정의 힘에 의해서 측정되지 않고, 그 사람이 **억누르고** 있는 감정의 힘에 의해 측정된다.

➕ subdued ㉥ (기분이) 가라앉은; 완화된, 억제된
☰ defeat ㉢ 패배시키다   overcome ㉢ 이기다, 패배시키다

sub(= under) + due(← duce 이끌다) → 아래로 끌어내리다

0060 **embed**

[imbéd]

㉢ **박아 넣다, (마음·기억 등에) 깊이 새겨 넣다**

The scars and stains of racism are still deeply **embedded** in the American society. - *John Lewis*
인종주의의 흉터와 얼룩은 미국 사회에 아직도 깊이 **박혀** 있다.

Review TEST

Q 빈칸에 알맞은 단어를 보기에서 골라 쓰시오. **학평 변형**

보기			
instruct	predict	embed	admonish

In an experiment, researchers monitored college students taking part in a program to improve their skills at studying. They randomly assigned the students to three planning conditions. One group was (1) ______ed to make daily plans for what, where, and when to study. Another made similar plans, only month by month instead of day by day. And the third group, the controls, did not make plans. The researchers (2) ______ed that the day-by-day plans would work best. But they were wrong. The monthly planning group did the best in terms of improvements in study habits and attitudes. Monthly planners also kept it up much longer than the daily planners, and the continued planning thus was more likely to carry over into their work after the program ended.

해석

한 실험에서, 연구자들은 학습 방법을 향상시키기 위해 한 프로그램에 참여한 대학생들을 모니터하였다. 그들은 그 학생들을 세 가지 학습 계획을 세우는 상황에 무작위로 배정했다. 한 집단은 무엇을, 어디서, 그리고 언제 공부할 것인지 일일 계획을 세우라고 (1) **지시 받았다**. 또 다른 집단은 비슷한 계획을 세우되 일일 계획 대신 월별 계획만을 세웠다. 그리고 통제군인 세 번째 집단은 계획을 세우지 않았다. 연구자들은 일일 계획이 가장 효과가 있을 것으로 (2) **예측했다**. 하지만 그들은 틀렸다. 월별로 계획을 세운 집단은 학습 습관과 태도의 향상이라는 측면에서 가장 뛰어났다. 월별 계획을 세운 학생들은 일일 계획을 세운 학생들보다 훨씬 더 오랫동안 꾸준히 계속해 나갔으며 따라서 프로그램이 끝난 뒤에도 계속 계획을 세워서 실행에 옮겼다.

정답

(1) instruct (2) predict

| Preview | 영영풀이에 해당하는 단어를 ⓐ~ⓒ에서 고르시오.

01 **something that is intended; an aim or purpose**
ⓐ intent ⓑ potentiality ⓒ expenditure

02 **having excessive body weight; extremely fat**
ⓐ obese ⓑ irrelevant ⓒ demanding

03 **difficult to comprehend, distinguish, or classify**
ⓐ enthusiastic ⓑ intensify ⓒ ambiguous

04 **having a violent and unrestrained nature; savage**
ⓐ interactive ⓑ fierce ⓒ reluctant

05 **originating in a particular region or country; native**
ⓐ needy ⓑ transaction ⓒ indigenous

06 **to begin, set going, or originate**
ⓐ qualify ⓑ liberate ⓒ initiate

07 **to remove things from a natural substance in order to make it pure**
ⓐ refine ⓑ substitute ⓒ install

08 **the quality of being believed or trusted**
ⓐ credibility ⓑ relegate ⓒ oblivion

09 **a person who has fled from some danger or problem, especially political beliefs**
ⓐ revenue ⓑ thrive ⓒ refugee

10 **a standard by which something can be judged or decided**
ⓐ criterion ⓑ plunder ⓒ preach

|정답| 1 ⓐ 2 ⓐ 3 ⓒ 4 ⓑ 5 ⓒ 6 ⓒ 7 ⓐ 8 ⓐ 9 ⓒ 10 ⓐ

가리개를 사용하여 뜻을 잘 암기했는지 확인하세요.

0061 **intensify**
[inténsəfài]

동 **강화하다, 심화시키다**

Barriers tend to **intensify** romance. It's called the 'Romeo and Juliet effect.' *- Helen Fisher*
장애물은 로맨스를 **강화하는** 경향이 있다. 그것은 '로미오와 줄리엣 효과'라고 불린다.

+ intense 형 강렬한, 극심한　intensity 명 강도, 강렬함
intensive 형 집중적인

0062 **intent**
[intént]

명 **의도** something that is intended; an aim or purpose

Much of socialization takes place during human interaction, without the deliberate **intent** to impart knowledge or values. 학평
사회화의 상당 부분은 인간이 상호작용을 하는 와중에, 지식이나 가치를 전하려는 계획적인 **의도** 없이 일어난다.

+ intend 동 의도하다　intentional 형 의도적인
= intention 명 의도, 목적

0063 **irrelevant**
[iréləvənt]

형 **무관한, 상관없는**

One culture might view love as an indispensable part of marriage; another culture might view love as **irrelevant** to marriage. EBS
어떤 문화는 사랑을 결혼의 필수적인 부분으로 여길 수 있지만, 또 다른 문화는 사랑을 결혼과 **무관한** 것으로 볼 수도 있다.

+ irrelevance 명 무관함, 부적절함
↔ relevant 형 관련된, 적절한

0064 **obese**
[oubíːs]

형 **비만의** having excessive body weight; extremely fat

Being too thin is just as unhealthy as being **obese**. *- Ricki-Lee Coulter*
너무 마른 것은 **비만한** 것만큼이나 건강하지 않은 것이다.

+ obesity 명 비만

ob(= over) + ese(= eat) → 과하게 먹다

0065 **potentiality**
[pətènʃiǽləti]

명 **잠재력, 가능성**

All children have **potentiality** to change the world.
모든 어린이들은 세상을 바꿀 **잠재력**을 지니고 있다.

+ potential 형 잠재적인, 가능성이 있는 명 잠재력

0066 **substitute**
[sʌ́bstitjùːt]

1. ⓢ 대체하다; ~와 바꾸다

We can **substitute** plastic bags with reusable ones.
우리는 비닐봉지를 재사용이 가능한 봉지로 **대체할** 수 있다.

substitute A for B = substitute B with A B를 A로 대체하다

2. ⓜ 대체물, 대신하는 것[사람]

Although talking books offer a solution to people with sight difficulties, they are not a direct **substitute** for reading. EBS
오디오북이 시각 장애가 있는 사람들에게 해결책을 제공해 주기는 해도, 그것들은 독서의 직접적인 **대체물**은 아니다.

3. ⓗ 대체의, 대리의

He started his career as a **substitute** teacher.
그는 **대리** 교사로 그의 이력을 시작했다.

⊕ **substitution** ⓜ 대리, 대용

sub(= under) + stitute(= stand) → (원래) 서 있는 것 아래로 (넣다)

0067 **ambiguous**
[æmbígjuəs]

ⓗ **모호한, 애매한** difficult to comprehend, distinguish, or classify

A word isn't **ambiguous** by itself but is used ambiguously: it is **ambiguous** when one cannot tell from the context what sense is being used. 학평
단어는 그 자체로 **애매한** 것이 아니라, 애매하게 사용된다. 어떤 의미가 사용되고 있는지를 문맥에서 구별할 수 없을 때 그 단어는 **애매한** 것이다.

⊕ **ambiguity** ⓜ 모호함, 불명확함

0068 **demanding**
[dimǽndiŋ]

ⓗ **힘든, 부담이 큰; 요구가 많은**

Imagine how **demanding** it would be to always consider all the possible uses for all the familiar objects with which you interact. 모평
여러분이 상호작용하는 모든 친숙한 물건들에 대한 모든 가능한 용도에 대해 늘 고려하는 것이 얼마나 **힘들** 것인지 상상해 보라.

⊕ **demand** ⓢ 요구하다 ⓜ 요구

0069 **expenditure**
[ikspénditʃər]

ⓜ **지출, 비용**

The accommodation sector comprises the largest element of tourist **expenditure** during a trip. EBS
숙박 부문은 여행 중 관광 **지출**에서 가장 큰 요소를 구성한다.

⊕ **expend** ⓢ (시간·돈 등을) 소비하다

ex(= out) + spend(쓰다) + ture(명사 접미사) → 밖에 (돈을) 쓰는 것

0070 **fierce** [fiərs]

[형] **사나운, 맹렬한** having a violent and unrestrained nature; savage

Owners of **fierce** dogs should keep their dogs on a leash.
사나운 개의 주인들은 그들의 개에게 목줄을 채워야 한다.

[+] **fiercely** [부] 맹렬하게, 사납게 **fierceness** [명] 맹렬함, 사나움

0071 **indigenous** [indídʒənəs]

[형] **토착의, 원주민의** originating in a particular region or country; native

For a long time, tourism was seen as a huge monster invading the areas of **indigenous** peoples. [모평]
오랫동안 관광은 **토착** 민족의 영역을 침범하는 거대한 괴물로 여겨졌다.

[=] **native** [형] 토착의, 원산의 **aboriginal** [형] 원주민의

indi(= within) + gen(= birth) + ous(형용사 접미사) → (지역) 안에서 태어난

0072 **initiate** [iníʃieit]

[동] **시작하다, 개시하다** to begin, set going, or originate

Children accustomed to praise seemed to become dependent on praise to **initiate** any activity. [EBS]
칭찬에 익숙해 있는 어린이들은 어떤 활동이든 **시작하려면** 칭찬에 의존하는 것처럼 보였다.

[+] **initial** [형] 초기의, 처음의 **initiative** [명] 주도(권); 계획

0073 **install** [instɔ́ːl]

[동] **설치하다, 장착하다**

You shouldn't purchase or **install** illegal software.
불법 소프트웨어를 구매하거나 **설치해서는** 안 된다.

[+] **installation** [명] 설치, 설비

0074 **refine** [rifáin]

[동] **정제하다; 다듬다, 개선하다** to remove things from a natural substance in order to make it pure

It's important to learn from your mistakes and then to **refine**. *- Alvin Leung*
당신의 실수로부터 배우고 **개선하는** 것이 중요하다.

[+] **refined** [형] 정제된; 세련된 **refinement** [명] 정제; 개선; 세련
[=] **purify** [동] 정제하다, 정화하다

0075 **transaction** [trænsǽkʃən]

[명] **거래, 매매; (업무) 처리**

If you give and then ask for something right away in return, you don't establish a relationship; you carry out a **transaction**. [학평]
만일 당신이 주고 나서 곧바로 보답으로 어떤 것을 요구한다면 당신은 관계를 형성하지 못한다. 당신은 **거래**를 행하는 것이다.

[+] **transact** [동] 거래하다; 처리하다 **transactional** [형] 거래의

trans(= move) + act(행동하다) + tion(명사 접미사) → 이동시키는 행동

0076 **credibility**
[krèdəbíləti]

(명) **신뢰성, 믿을 수 있음** the quality of being believed or trusted

The liar wants to be believed, but lying undermines the foundation for **credibility**. *- Randal Marlin*
거짓말쟁이는 남들이 자신을 믿어주기를 바라지만, 거짓말은 **신뢰**의 기반을 훼손한다.

One very important factor in the persuasiveness of a communication concerns the **credibility** of the sender of the message. 학평
의사소통의 설득력에 있어서 한 가지 아주 중요한 요소는 메시지 전달자의 **신뢰성**과 관계가 있다.

+ credible (형) 믿을 만한, 신뢰할 수 있는 credulous (형) 잘 믿는, 속기 쉬운

0077 **enthusiastic**
[inθù:ziǽstik]

(형) **열광적인, 열렬한**

As a young boy I was a very **enthusiastic** baseball fan. EBS
어린 소년이었을 때 나는 매우 **열렬한** 야구팬이었다.

+ enthusiasm (명) 열성, 열정 enthusiast (명) 열광적인 팬[지지자]

en(= in) + thus(← theos = god) + iastic(형용사 접미사) → 신에 대한 강한 믿음이 있는

0078 **qualify**
[kwɑ́ləfài]

(동) **자격[면허]을 얻다; 예선을 통과하다**

Landy was trying to **qualify** for the Olympic Games that were to be held in Australia that summer. EBS
Landy는 그해 여름 호주에서 열릴 예정인 올림픽 경기에 출전할 **자격을 얻으려고** 노력하고 있었다.

+ qualification (명) 자격, 자질; 자격증 qualified (형) 자격이 있는

0079 **refugee**
[rèfjudʒí:]

(명) **난민, 망명자** a person who has fled from some danger or problem, especially political beliefs

Refugees should be protected for the simple reason that they are people.
난민들은 그들이 사람이라는 단순한 이유로 보호되어야 한다.

+ refuge (명) 피난(처); 위안

0080 **reluctant**
[rilʌ́ktənt]

(형) **꺼리는, 마지못한, 마음이 내키지 않는**

Parents are commonly **reluctant** to grant their grown children equal footing with them as adults. 학평
부모들은 보통 자신의 성장한 자녀에게 성인으로서 부모와 동등한 입장을 인정하는 것을 **꺼린다**.

+ reluctantly (부) 마지못해, 억지로 reluctance (명) 꺼림, 마지못해 함
↔ willing (형) 기꺼이 ~하는

0081 **revenue** [révənjùː]

[명] **(정부·기관 등의) 수익[수입]; (정부의) 세입**

Hotels can generate additional **revenue** from food and beverage services.
호텔은 음식 및 음료 서비스로부터 추가적인 **수익**을 창출할 수 있다.

You can have an environmentally conscious trip by visiting a zone preserving endangered vegetation since the tourist **revenue** goes toward accomplishing the goal. [학평]
멸종 위기에 있는 초목을 보존하는 지역을 방문하는 것으로 당신은 환경을 의식하는 여행을 할 수 있는데, 왜냐하면 관광업을 통한 **수입**이 그 목적을 달성하는 데 쓰이기 때문이다.

[반] **expenditure** [명] 지출, 소비

re(= back) + venue(= come) → 다시 돌아오는 것

0082 **thrive** [θraiv]

[동] **무성하게 자라다; 번성하다, 번영하다**

Plants can maximize their ability to survive and **thrive** in almost any condition. [EBS] 식물은 거의 모든 조건에서 생존하고 **번성하는** 능력을 극대화할 수 있다.

[+] **thriving** [형] 번성하는, 무성한

0083 **criterion** [kraitíəriən]

[명] **기준, 척도** (*pl.* **criteria**) a standard by which something can be judged or decided

Academic ability is not the sole **criterion** for admission to the college.
학업 능력이 대학 입학을 위한 유일한 **기준**은 아니다.

[유] **barometer** [명] 척도, 표준; 기압계

0084 **interactive** [intərǽktiv]

[형] **쌍방향의, 상호 작용의**

The new medium of **interactive** television adds interactivity and digital code. [수능] **쌍방향** TV라는 새로운 매체는 쌍방향성과 디지털 코드를 더한다.

[+] **interact** [동] 상호 작용하다 **interaction** [명] 상호 작용
interactivity [명] 쌍방향성, 상호 작용

inter(= between) + act(= 행동하다) + ive(형용사 접미사) → 서로 행동하다

0085 **liberate** [líbərèit]

[동] **자유롭게 하다, 해방시키다**

Our greatest human adventure is the evolution of consciousness. We are in this life to enlarge the soul, **liberate** the spirit, and light up the brain.
- Tom Robbins
우리 인간의 가장 큰 모험은 의식의 진화이다. 우리는 정신세계를 넓히고, 영혼을 **자유롭게 하며**, 뇌를 깨우기 위해서 사는 것이다.

Financial security can **liberate** us from work we do not find meaningful.
[수능] 재정적 안정은 우리가 의미 있다고 생각하지 않는 일로부터 우리를 **해방할** 수 있다.

[+] **liberty** [명] 해방, 자유 **liberal** [형] 자유로운, 진보적인

liber(= free) + ate(동사 접미사) → 자유롭게 하다

0086 **needy**
[ní:di]

1. ⓗ **궁핍한, 빈곤한**

Though this program you can donate money to **needy** family.
이 프로그램을 통해서 당신은 **궁핍한** 가족들에게 돈을 기부할 수 있다.

2. ⓜ (the ~) **가난한 사람들**

We agree that helping **the needy** is morally good. EBS
우리는 **가난한 사람들**을 돕는 것이 도덕적으로 선하다는 것에 대해 동의한다.

유 **penniless** ⓗ 무일푼의, 몹시 가난한 **deprived** ⓗ 궁핍한, 불우한

0087 **oblivion**
[əblíviən]

ⓜ **망각, (완전히) 잊혀짐**

We humans have a habit of being too smug. The virtue of humility is to live with **oblivion**.
우리 인간은 너무 잘난 체하는 버릇이 있다. 겸손의 미덕은 **망각**한 채로 살아가는 것이다.

+ **oblivious** ⓗ 의식하지 못하는

0088 **plunder**
[plʌ́ndər]

1. ⓓ **약탈하다, 강탈하다**

Hundreds of people **plundered** shops and set them on fire.
수백 명의 사람들이 상점을 **약탈하고** 불을 질렀다.

2. ⓜ **약탈품, 전리품**

When commercial capital occupies a position of unquestioned ascendancy, it everywhere constitutes a system of **plunder**. *- Karl Marx*
상업 자본이 의심할 수 없는 절대 권력의 위치를 차지하면 도처에서 **약탈**을 위한 조직이 된다.

유 **loot** ⓓ 약탈하다 **trophy, booty** ⓜ 전리품

0089 **preach**
[pri:tʃ]

ⓓ **설교하다; 전도하다**

He **preached** to us on the importance of good health.
그는 건강의 중요성에 대해 우리에게 **설교했다**.

We have, in fact, two kinds of morality side by side; one which we **preach** but do not practice, and another which we practice but seldom **preach**.
- Bertrand Russell
사실 우리에겐 두 가지 종류의 도덕이 나란히 존재한다. 하나는 **설교하며** 실천하지 않는 것이고, 다른 하나는 실천하지만 좀처럼 **설교하지** 않는 것이다.

+ **preacher** ⓜ 설교자 **preachy** ⓗ 설교하려 드는
유 **deliver a sermon** 설교하다

0090 **relegate**
[réləgèit]

ⓜ **(낮은 자리[지위]로) 좌천시키다, 강등시키다**

Our team were **relegated** to a minor league.
우리 팀은 마이너리그로 **강등되었다**.

+ **relegation** ⓜ (지위 등의) 강등, 격하

re(= back) + leg(= send) + ate(형용사 접미사) → 뒤로 보내다

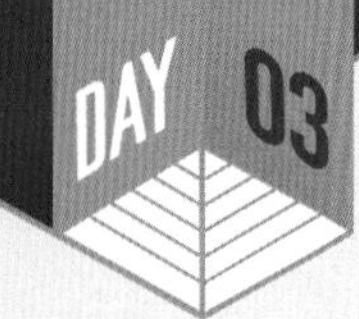

Review TEST

Q 빈칸에 알맞은 단어를 보기에서 골라 쓰시오. **모평 변형**

보기

demanding reluctant potential ambiguous interactive

One of the most (1) __________, and at the same time inspiring, aspects of translating for children is the (2) __________ for such creativity that arises from what Peter Hollindale has called the 'childness' of children's texts: 'the quality of being a child — dynamic, imaginative, experimental, (3) __________ and unstable'. The 'unstable' qualities of childhood that Hollindale cites require a writer or translator to have an understanding of the freshness of language to the child's eye and ear, the child's affective concerns and the linguistic and dramatic play of early childhood. Translating sound, for example, whether in the read-aloud qualities of books for the younger child, in animal noises, children's poetry or in nonsense rhymes, demands imaginative solutions — as indeed does working with visual material. Such multi-faceted creativity has, at times, placed children's literature at the forefront of imaginative experimentation.

* multi-faceted: 다면의

해석

아동을 위한 번역에 있어서 가장 (1) **힘들면서** 동시에 가장 고무적인 양상 중 하나는 Peter Hollindale이 아동용 텍스트의 '아이다움'이라고 부른 것, 즉 '동적(動的)이며, 상상력이 풍부하며, 실험적이며, (3) **상호작용적**이며, 불안정한, 아이 상태의 특성'에서 생기는 그런 창의성의 (2) **가능성**이다. Hollindale이 언급하는 어린 시절의 '불안정한' 특성은 작가나 번역가에게, 아이의 눈과 귀에 대한 언어의 신선함, 아이의 정서상의 관심 사항, 그리고 초기 어린 시절의 말놀이와 연극놀이에 대한 이해력을 가질 것을 요구한다. 예를 들어, 더 어린 아이들을 위한 책의 낭독 특성이든, 동물의 소리든, 아동용 시나 무의미한 노래든, 그 안의 소리를 번역한다는 것은, 시각 자료를 가지고 하는 작업이 정말로 그러는 것처럼 상상력이 풍부한 해결책을 요구한다. 그런 다면적인 창의성은 때때로 아동문학을 상상력이 풍부한 실험의 중심에 가져다 놓았다.

정답

(1) demanding (2) potential (3) interactive

| Preview | 영영풀이에 해당하는 단어를 ⓐ~ⓒ에서 고르시오.

01 **to exert much effort or energy; endeavor**
ⓐ surpass ⓑ regain ⓒ strive

02 **an agreement to pay to receive something regularly**
ⓐ preservation ⓑ subscription ⓒ maternity

03 **a state of hardship or affliction; misfortune**
ⓐ adversity ⓑ monetary ⓒ mobility

04 **a gradation or variety of a color; tint**
ⓐ radical ⓑ temporal ⓒ hue

05 **to take or get back; recover**
ⓐ regain ⓑ flourish ⓒ hinder

06 **the plants of an area or a region; plant life**
ⓐ vegetation ⓑ vice ⓒ endurance

07 **a feeling of fondness for a person or thing; attachment**
ⓐ compensation ⓑ affection ⓒ friction

08 **precisely and clearly expressed, leaving nothing to implication**
ⓐ interference ⓑ inadequate ⓒ explicit

09 **to get back into one's grasp, or control from somewhere**
ⓐ retrieve ⓑ maneuver ⓒ jeopardize

10 **to make into a whole by bringing all parts together**
ⓐ lurk ⓑ integrate ⓒ marginalize

|정답| 1 ⓒ 2 ⓑ 3 ⓐ 4 ⓒ 5 ⓐ 6 ⓐ 7 ⓑ 8 ⓒ 9 ⓐ 10 ⓑ

가리개를 사용하여 뜻을 잘 암기했는지 확인하세요.

0091 □□ **mobility** [moubíləti]

㉺ 이동(성), 기동(성)

Transportation innovations increased our **mobility**.
교통 혁신은 우리의 **이동성**을 증대시켰다.

+ mobile ㉭ 이동하는, 움직이기 쉬운　mobilize ㉯ 동원하다
↔ immobility ㉺ 부동성, 부동 상태

0092 □□ **radical** [rǽdikəl]

㉭ 급진적인, 급격한; 근본적인

Make your acceptance of human nature as **radical** as possible. 학평
인간의 본성을 가능한 한 **급진적으로** 받아들여라.

+ radically ㉮ 급진적으로; 근본적으로　radicalism ㉺ 급진주의

0093 □□ **strive** [straiv]

㉯ 노력하다, 애쓰다, 분투하다 to exert much effort or energy; endeavor

Perfection is impossible; just **strive** to do your best. - *Angela Watson*
완벽은 불가능하다. 그저 최선을 다하려고 **노력해라**.

+ strife ㉺ 갈등, 불화
= struggle ㉯ 애쓰다, 분투하다

0094 □□ **subscription** [səbskrípʃən]

㉺ 정기 구독(료) an agreement to pay to receive something regularly

All those insert cards with **subscription** offers are included in magazines to encourage you to subscribe. 수능
구독 제안이 포함된 모든 삽입 카드는 여러분의 구독을 장려하기 위해 잡지에 포함되어 있다.

+ subscribe ㉯ 정기 구독하다; (서비스 등에) 가입하다

0095 □□ **surpass** [sərpǽs]

㉯ 능가하다, 뛰어넘다

Man is the only creature that strives to **surpass** himself, and yearns for the impossible. - *Eric Hoffer*
인간은 자신을 **넘어서려고** 분투하며 불가능한 것을 갈망하는 유일한 피조물이다.

+ surpassing ㉭ 뛰어난, 탁월한

sur(= above) + pass(넘다) → 뛰어넘다, 능가하다

0096 **temporal**

[témpərəl]

1. ㊞ **시간의, 일시적인**

Spirit is the real and eternal; matter is the unreal and **temporal**.
정신은 실재이고 영원하다. 물질은 실재하지 않으며 **일시적**이다. *- Mary Baker Eddy*

People don't usually think of touch as a **temporal** phenomenon, but it is every bit as time-based as it is spatial. 수능
사람들은 보통 촉각을 **일시적인** 현상으로 생각하지 않지만, 그것은 공간적인 만큼 전적으로 시간에 기반을 두고 있다.

2. ㊞ **현세의, 세속적인**

This is a **temporal** matter, not spiritual one.
이것은 **세속적인** 문제이지 종교적인 문제가 아니다.

temporally ㊚ 일시적으로
temporary ㊞ 일시적인, 임시의

0097 **vice**

[vais]

㊔ **악, 악덕**

What's **vice** today may be virtue, tomorrow. *- Henry Fielding*
오늘의 **악**은 내일의 미덕일 수 있다.

vice versa 반대도 마찬가지임; 반대로, 거꾸로
vicious ㊞ 나쁜, 사악한
virtue ㊔ 미덕

0098 **adversity**

[ædvə́:rsəti]

㊔ **역경, 고난, 불행** a state of hardship or affliction; misfortune

Most people can bear **adversity**; but if you wish to know what a man really is give him power. *- Robert Green Ingersoll*
대부분의 사람은 **역경**을 견딜 수 있다. 하지만 어떤 사람의 진짜 모습을 알고 싶다면 그에게 권력을 줘 보라.

adverse ㊞ 불리한, 반대의 **adversary** ㊔ 적, 반대자

0099 **hue**

[hju:]

㊔ **색조, 빛깔** a gradation or variety of a color; tint

We are like chameleons. We take our **hue** and the color of our moral character from those who are around us. *- John Locke*
우리는 카멜레온과 같다. 우리는 우리의 **빛깔**과 도덕적 특성의 색깔을 주변인들로부터 취한다.

0100 **monetary**

[mánitèri]

㊞ **금전(상)의, 재정의; 화폐의**

In general, people accept offers where the **monetary** compensation is near the amount that they were hoping for. 수능
일반적으로, 사람들은 **금전적** 보상이 그들이 기대했던 금액에 가까운 경우에 제안을 받아들인다.

monetary unit 화폐 단위

0101 **preservation**
[prèzərvéiʃən]

㉮ **보존, 보호**

In wildness is the **preservation** of the world. *- Henry David Thoreau*
세상의 **보존**은 야생에 있다(= 자연 그대로 두는 것이다).

⊞ **preserve** ㉯ 보존하다, 보호하다 **preservative** ㉮ 방부제

pre(= before) + serve(= keep) + tion(명사 접미사) → 미리 지키는 것

0102 **regain**
[rigéin]

㉯ **되찾다, 회복하다** to take or get back; recover

Jim might never **regain** the full use of his right arm. 모평
Jim은 그의 오른팔의 완전한 사용을 **회복하지** 못할 것이다.

⊟ **retrieve, recover** ㉯ 되찾다, 회복하다

0103 **vegetation**
[vèdʒitéiʃən]

㉮ **(특정 지역·환경의) 초목, 식물** the plants of an area or a region; plant life

Heavy rains could carry away soil and plant nutrients, hindering the growth of **vegetation**. EBS
폭우는 토양과 식물의 영양분을 휩쓸어 **초목**의 성장을 방해할 수 있다.

⊞ **vegetate** ㉯ 생장하다; 무위도식하다 **vegetarian** ㉮ 채식주의자 ㉱ 채식주의자의

0104 **affection**
[əfékʃən]

㉮ **애착, 애정** a feeling of tenderness for a person or thing; attachment

We can live without religion and meditation, but we cannot survive without human **affection**. *- Dalai Lama*
우리는 종교와 명상 없이 살 수 있지만, 인간의 **애정** 없이는 생존할 수 없다.

If you follow your **affections**, you will write well and will engage your readers. 학평
만약 당신이 당신의 **애착**을 따른다면, 당신은 글을 잘 쓸 것이고 독자의 관심을 사로잡을 것이다.

⊞ **affectionate** ㉱ 다정한, 애정 어린 **affective** ㉱ 감정적인, 정서적인
affect ㉯ 영향을 주다 ㉮ 정서, 감정

0105 **endurance**
[indjúərəns]

㉮ **지구력; 인내력, 참을성**

Competitive **endurance** athletes need just enough body fat to provide fuel and insulate the body. EBS
지구력을 요하는 경기에 참여하는 운동선수들은 에너지원을 제공하고 몸을 단열할 만큼의 체지방이 필요하다.

⊞ **endure** ㉯ 견디다, 참다 **endurable** ㉱ 견딜 수 있는

en(= make) + dur(= last ← dudare(라틴어)) + ance(명사 접미사) → 지속하게 만드는 것

0106 **explicit**
[iksplísit]

[형] **명시적인, 명백한; 솔직한** precisely and clearly expressed, leaving nothing to implication

Some send **explicit** messages directly, whereas others communicate indirectly by sending more implicit messages. [EBS]
일부는 **명시적인** 메시지를 직접적으로 보내지만, 다른 일부는 더 암묵적인 메시지를 보냄으로써 간접적으로 의사소통한다.

[반] **implicit** [형] 암묵의, 암시적인, 내포된

ex(= out) + plic(= fold) + it(형용사 접미사) → 밖으로 펼치는

0107 **hinder**
[híndər]

[동] **방해하다, 못 하게 하다**

When traveling into the wilderness, the type of gear you carry can either help or **hinder** your efforts. [EBS]
황무지 안으로 들어갈 때, 당신이 휴대하는 장비의 유형은 당신의 노력을 돕거나 **방해할** 수 있다.

[+] **hindrance** [명] 방해, 장애(물)

0108 **inadequate**
[inǽdəkwit]

[형] **불충분한, 부적절한**

People with low self-esteem often see themselves as **inadequate** or feel like victims. [학평]
자존감이 낮은 사람들은 종종 스스로를 **부적절하다고** 생각하거나 피해자처럼 느낀다.

[+] **inadequacy** [명] 부적절함, 불충분함
[반] **adequate** [형] 충분한, 적절한

0109 **retrieve**
[ritríːv]

[동] **되찾아오다, 회수하다** to get back into one's grasp, or control from somewhere

The inability to **retrieve** information from long-term memory is forgetting.
장기 기억으로부터 정보를 **불러오지** 못하는 것이 망각이다.

When you begin to tell a story again that you have retold many times, what you **retrieve** from memory is the index to the story itself. [모평]
당신이 여러 번 반복해서 말했던 이야기를 다시 말하기 시작할 때 기억에서 **회수하는** 것은 그 이야기 자체에 대한 지표이다.

[+] **retrieval** [명] 회수; (정보) 불러오기[검색]

re(= again) + tri(= try) + eve → 다시 시도하다

0110 **compensation**
[kɑ̀mpənséiʃən]

[명] **보상, 배상**

Part of the **compensation** could be monetary, but often times recognition is just as important. [학평]
보상의 일부는 금전적일 수도 있지만, 종종 인정도 그만큼 중요하다.

[+] **compensate** [동] 배상하다, 보상하다

0111 **flourish** [flɔ́:riʃ]

[동] **번성[번영, 번창]하다**

Don't focus on negative things; focus on the positive, and you will **flourish**.
- Alek Wek

부정적인 것들에 초점을 맞추지 말고 긍정적인 것들에 초점을 맞춰라. 그러면 당신은 **번창할** 것이다.

[파] **flourishing** [형] 번영하는, 번창하는
[동] **thrive** [동] 번영하다

0112 **friction** [fríkʃən]

1. [명] **마찰**

Moving objects eventually stop because of a force called **friction**.
움직이는 물체는 **마찰**이라고 불리는 힘 때문에 결국 멈춘다.

2. [명] **충돌, 불화**

Sara sensed that there had been **friction** between her children.
Sara는 자녀들 사이에 **충돌**이 있었음을 감지했다.

[파] **frictionless** [형] 마찰 없는

0113 **integrate** [íntəgreit]

[동] **통합하다, 통합되다** to make into a whole by bringing all parts together

Globalization is the process by which markets **integrate** worldwide.
세계화는 시장이 전 세계적으로 **통합되는** 과정이다. *- Michael Spence*

[파] **integrated** [형] 통합된 **integration** [명] 통합, (수학) 적분 **integrity** [명] 진실성

integer(완전한 것, 완전체) + ate(동사 접미사) → 완전체로 만들다

0114 **interference** [ìntərfíərəns]

[명] **개입, 간섭, 방해**

I have a private life in which I do not permit **interference**.
나는 **참견**을 허용하지 않는 사생활이 있다.

[파] **interfere** [동] 방해하다, 간섭하다

inter(= between) + fer(= strike) + ence(명사 접미사) → 사이에서 치다

0115 **maneuver** [mənú:vər]

1. [명] **책략, 술책; (군대의) 기동**

A professional footballer is able to suggest to the coach a new way of practicing an attacking **maneuver**. [EBS]
프로 축구 선수는 코치에게 공격 **책략**을 연습하는 새로운 방식을 제안할 수 있다.

2. [동] **(능숙한 조작·조종으로) 움직이다; (군대를) 기동시키다**

Bob managed to **maneuver** expertly into the parking space.
Bob은 능숙하게 주차 공간에 차를 **집어넣었다**.

0116 **jeopardize**
[dʒépərdàiz]

[동] 위태롭게 하다, 위험에 빠뜨리다

Telling the whole truth may be honest, but it can **jeopardize** you. [EBS]
모든 진실을 말하는 것이 정직한 것일 수 있지만, 그것이 당신을 **위태롭게 할** 수 있다.

jeopardize the future of one's government 정부의 미래를 **위태롭게 하다**
[+] **jeopardy** [명] 위험
[=] **endanger** [명] 위험에 빠뜨리다

0117 **lurk**
[ləːrk]

[동] 숨다, 잠복하다

Early humans did not possess any natural weapons to defend themselves against the dangers **lurking** on the savannas. [EBS]
초기 인류는 사바나에 **잠복하고 있는** 위험으로부터 자기 자신을 방어하기 위한 어떤 타고난 무기도 지니고 있지 않았다.

[=] **hide** [동] 숨다 **sneak** [동] 살금살금 움직이다

0118 **marginalize**
[máːrdʒənəlàiz]

[동] 사회적으로 무시[과소평가]하다, 소외시키다

In the past, art photography remained **marginalized**; there were no markets, buyers, or collectors. [EBS]
과거 예술 사진술은 **사회적으로 무시되었는데**, 시장도, 구매자도, 수집가도 없었다.

[+] **marginalized** [형] 소외된 **margin** [명] 가장자리; 여유; 이익

0119 **maternity**
[mətə́ːrnəti]

[명] 어머니임, 모성; 임신(상태)

According to the dress code, pregnant female employees are allowed to wear **maternity** dress during the period of their pregnancy.
복장 규정에 따라 임신한 여성 직원들은 임신 기간 중에 **임부**복을 입는 것이 허용된다.

[+] **maternal** [형] 어머니의, 모성의; 산모의
[↔] **paternity** [명] 아버지임, 부성

mater(= mother) + nity(명사 접미사) → 어머니의 자격, 모성

0120 **mischievous**
[místʃivəs]

[형] 장난꾸러기의, 짓궂은; 유해한

My son is so **mischievous** that I can't take my eyes off him for a moment. 내 아들은 너무 **장난기가 심해서** 나는 한순간도 그에게서 눈을 뗄 수가 없다.

mischievous influence 악영향
[+] **mischief** [명] 장난, (사람·평판에 대한) 해 **mischievously** [부] 장난기 있게

Review TEST

Q 빈칸에 알맞은 단어를 보기에서 골라 쓰시오. 수능 변형

보기			
inadequate	interference	preservation	explicit

We argue that the ethical principles of justice provide an essential foundation for policies to protect unborn generations and the poorest countries from climate change. Related issues arise in connection with current and persistently (1) ______ aid for these nations, in the face of growing threats to agriculture and water supply, and the rules of international trade that mainly benefit rich countries. Increasing aid for the world's poorest peoples can be an essential part of effective mitigation. With 20 percent of carbon emissions from (mostly tropical) deforestation, carbon credits for forest (2) ______ would combine aid to poorer countries with one of the most cost-effective forms of abatement. Perhaps the most cost-effective but politically complicated policy reform would be the removal of several hundred billions of dollars of direct annual subsidies from the two biggest recipients in the OECD — destructive industrial agriculture and fossil fuels. Even a small amount of this money would accelerate the already rapid rate of technical progress and investment in renewable energy in many areas, as well as encourage the essential switch to conservation agriculture.

* mitigation: 완화 ** abatement: 감소 *** subsidy: 보조금

해석

우리는 정의의 윤리적 원칙이 아직 태어나지 않은 세대와 가장 가난한 나라들을 기후 변화로부터 보호하기 위한 정책에 대한 근본적인 기초를 제공한다고 주장하는 바이다. 농업과 물 공급에 대한 점점 증가하는 위협과 주로 부유한 국가들에게만 이득을 주는 국제 무역의 규칙에 직면하여, 이 (가난한) 국가들을 위한 현재의 끈질기게 (1) **부족한** 원조와 관련하여 연계된 문제들이 발생한다. 세계의 가장 가난한 국민들에 대한 원조를 증가시키는 것은 효과적인 (탄소 배출) 완화의 필수적인 부분이다. 탄소 배출량의 20%는 (대개 열대 지역의) 벌채로부터 오므로, 삼림 (2) **보존**을 위한 탄소 배출권은 더 가난한 국가들에 대한 원조와 비용 효율성이 가장 높은 (탄소 배출) 감소의 형태 중의 하나와 결합시켜 줄 것이다. 아마 비용 효율성이 가장 높지만 정치적으로 복잡한 정책 개혁은, OECD에서 두 가지의 가장 큰 수혜 분야, 곧 파괴적인 산업화 농업과 화석 연료로부터 오는 연간 수천억 달러의 직접적인 보조금을 없애는 일일 것이다. 이 돈의 적은 양이라도 보존 농업으로의 근본적인 변화를 촉진할 뿐만 아니라, 많은 지역에서 이미 빠르게 진행되고 있는 재생 가능한 에너지에 대한 기술적 진보와 투자를 가속할 것이다.

정답

(1) inadequate (2) preservation

| Preview | 영영풀이에 해당하는 단어를 ⓐ~ⓒ에서 고르시오.

01 **easy to see through, understand, or recognize**
ⓐ involuntary ⓑ spiritual ⓒ transparent

02 **to change from a liquid or solid state into vapor**
ⓐ evaporate ⓑ exploit ⓒ withstand

03 **to call up or produce memories, feelings, etc**
ⓐ accommodate ⓑ evoke ⓒ inspector

04 **inconsistent with reason or logic; illogical; absurd**
ⓐ subordinate ⓑ arbitrary ⓒ irrational

05 **to arrange in order of importance**
ⓐ probe ⓑ prioritize ⓒ fabricate

06 **insufficiency of amount or supply; shortage**
ⓐ dominance ⓑ prevention ⓒ scarcity

07 **a residential area or community located outside a city**
ⓐ suburb ⓑ prospect ⓒ inconsistent

08 **to destroy something completely**
ⓐ liken ⓑ litter ⓒ devastate

09 **lack of agreement among persons, groups, or things**
ⓐ subsidiary ⓑ lament ⓒ discord

10 **anxious or afraid; not confident or certain**
ⓐ niche ⓑ insecure ⓒ adhesive

|정답| 1 ⓒ 2 ⓐ 3 ⓑ 4 ⓒ 5 ⓑ 6 ⓒ 7 ⓐ 8 ⓒ 9 ⓒ 10 ⓑ

가리개를 사용하여 뜻을 잘 암기했는지 확인하세요.

0121 **prospect** [práspèkt]

명 **예상, 기대; 전망; 유망한 후보**

The very **prospect** of losing everything and having to start all over again would be overwhelming for anybody. 모평
모든 것을 잃고 다시 새로 시작해야만 한다는 **예상**은 누구든 압도할 것이다.

We'll be interviewing four more **prospects** for the positions this morning.
우리는 오늘 아침에 그 위치에 적합한 **유력 후보자** 4명을 더 면접 볼 것입니다.

+ **prospective** 형 장래의, 가망이 있는

pro(= forward) + spect(= look) → 앞을 보는 것

0122 **transparent** [trænspέərənt]

형 **투명한; 명백한** easy to see through, understand, or recognize

Transparent plastic panels covered the roof of the stadium, but the bright sunlight coming through them made it difficult for baseball players to catch fly balls. EBS
투명한 플라스틱 패널이 경기장의 지붕을 덮었으나 그 패널을 뚫고 들어온 밝은 햇빛이 야구 선수들이 뜬공 잡는 것을 어렵게 했다.

+ **transparency** 명 투명도
반 **opaque** 형 불투명한

trans(= through) + par(= appear) + ent(형용사 접미사) → 통과하여 보이다

0123 **arbitrary** [ά:rbitrèri]

형 **임의의, 제멋대로의, 자의적인**

The Neanderthals were able to string some words together but could do so only in a nearly **arbitrary** fashion. 학평
네안데르탈인은 몇몇 단어들을 함께 연결할 수 있었지만 거의 **임의적인** 방식으로만 그렇게 할 수 있었다.

파 **arbitrarily** 부 임의로, 독단적으로

0124 **dominance** [dámənəns]

명 **우세, 지배, 우월함**

From a cross-cultural perspective the equation between public leadership and **dominance** is questionable. 수능
비교 문화적 관점에서 대중적인 지도력과 **지배력** 사이의 방정식은 의심스럽다.

+ **dominant** 형 우세한, 지배적인 **dominate** 동 (~보다) 우세하다, 지배하다

0125 **evaporate**
[ivǽpərèit]

㊐ **증발시키다, 증발하다** to change from a liquid or solid state into vapor

During the winter in the northern hemisphere, water **evaporates** from the ocean and accumulates as ice and snow on the high mountains. 학평
북반구에서 겨울 동안에 물은 바다에서 **증발하여** 높은 산에 얼음과 눈으로 쌓인다.

+ **evaporation** ⓜ 증발 **vapor** ⓜ 수증기

e(= ex) + vapor(증기) + ate(동사 접미사) → 증기를 밖으로 내보내다

0126 **evoke**
[ivóuk]

㊐ **(기억·감정을) 일깨우다, 불러일으키다** to call up or produce memories, feelings, etc

Like fragments from old songs, clothes can **evoke** both cherished and painful memories. 수능
옛 노래의 구절처럼 옷은 소중하고 가슴 아픈 기억을 모두 **불러일으킬** 수 있다.

+ **evocative** ⓗ 감정[기억]을 환기시키는 **evocation** ⓜ 환기, 유발

0127 **exploit**
[iksplɔ́it]

㊐ **이용하다; 착취하다**

Seizing every opportunity to **exploit** the chances and variety of their surroundings, some animals in a zoo cage are constantly exploring. 학평
동물원 우리에 갇힌 일부 동물들은 주변 환경의 기회와 다양성을 **이용하기** 위해 모든 기회들을 잡으면서 끊임없이 탐험하고 있다.

+ **exploitation** ⓜ (부당한) 이용, 착취

0128 **irrational**
[irǽʃənəl]

ⓗ **비이성적인, 불합리한** inconsistent with reason or logic; illogical; absurd

When considered in terms of evolutionary success, many of the seemingly **irrational** choices that people make do not seem so foolish after all. 모평
진화적 성공의 관점에서 고려해 볼 때, 사람들이 하는 **비이성적인** 것처럼 보이는 선택들 중 많은 것들이 결국에는 그다지 어리석어 보이지 않는다.

+ **irrationality** ⓜ 불합리, 부조리
↔ **rational** ⓗ 이성적인, 합리적인

0129 **prevention**
[privénʃən]

ⓜ **예방, 방지**

Prevention is better than cure. *- Desiderius Erasmus*
예방이 치료보다 낫다.

Control over direct discharge of mercury from industrial operations is clearly needed for **prevention** of Minamata disease. 수능
미나마타병의 **방지**를 위해서 산업 활동으로부터 나오는 수은을 직접적으로 방출하는 것에 대한 통제가 절실하게 필요하다.

+ **prevent** ㊐ 막다, 예방하다 **preventive** ⓗ 예방적인

0130 **prioritize**
[praiɔ́:rətàiz]

㊂ **우선순위를 매기다, 우선시키다** to arrange in order of importance

Many individuals struggle with reaching goals due to an inability to **prioritize** their own needs. 모평
많은 사람은 자신만의 필요한 사항에 **우선순위를 매기지** 못해 목표에 도달하는 일로 고심하고 있다.

+ **priority** ⓝ 우선 (사항), 우선순위 **prior** ⓐ 이전의

0131 **transition**
[trænzíʃən]

ⓝ **이행, 전환, 변화, 과도기**

A **transition** to clean energy is about making an investment in our future.
무공해 에너지로의 **전환**은 우리의 미래에 투자하는 것에 관한 것이다. *- Gloria Reuben*

The ancient-to-modern **transition** would tend to reduce the significance of a class of important features of ancient forager lifeways. EBS
고대에서 현대로의 **전환**은 고대의 수렵 채집인의 생활 방식이 가지는 한 부류의 중요한 특징의 중요성을 줄이는 경향이 있곤 했다.

0132 **scarcity**
[skέərsəti]

ⓝ **부족, 결핍** insufficiency of amount or supply; shortage

Economics deals with **scarcity**, prices, and resource allocation.
경제학은 **희소성**, 가격, 그리고 자원 배분을 다룬다.

+ **scarce** ⓐ 희귀한, 드문, 부족한 **scarcely** ⓐⓓ 거의 ~ 않다

0133 **spiritual**
[spíritʃuəl]

ⓐ **영적인, 정신의; 종교적인**

Some aspects of life have social or **spiritual** worth that cannot be measured. EBS
삶의 일부 측면은 측정될 수 없는 사회적 또는 **정신적** 가치를 가지고 있다

+ **spirit** ⓝ 정신, 영혼 **spirituality** ⓝ 영성, 종교성

0134 **suburb**
[sʌ́bə:rb]

ⓝ **교외, 변두리** a residential area or community located ouside a city

People move to the **suburbs** because they want to stay out of the cities.
사람들은 도시에서 벗어나기를 원하기 때문에 **교외**로 이사한다.

+ **suburban** ⓐ 교외의

0135 **subordinate**
[səbɔ́ːrdənət]

1. ⓗ **종속하는; 하위의, 하급자의** ⓜ **부하 직원**

Life is sacred, that is to say, it is the supreme value, to which all other values are **subordinate**. *- Albert Einstein*
삶은 성스러운 것, 즉 그것은 최상의 가치로, 모든 다른 가치는 그것에 **종속한**다.

2. ⓢ **종속시키다, (~보다) 아래에 두다**

Mothers **subordinate** their own needs to those of their children.
어머니들은 그들 자신의 욕구를 자녀들의 욕구보다 **아래에 둔다**.

sub(= under) + ordin(= order) + ate(동사 접미사) → 아래 순서에 두다

0136 **withstand**
[wiðstǽnd]

ⓢ **견뎌[이겨]내다, 버티다**

No problem can **withstand** the assault of sustained thinking. *- Voltaire*
어떤 문제도 지속적인 사고의 공격을 **견뎌낼** 수는 없다.

with(= against) + stand(서다) → 맞서서 서다

0137 **accommodate**
[əkɑ́mədèit]

1. ⓢ **(환경 등에) 부응하다, 순응하다**

The earth just can't **accommodate** such an increase in animal-product demand. EBS 지구는 동물성 식품 수요의 그러한 증가에 도저히 **부응할** 수 없다.

2. ⓢ **(사람·물건을) 수용하다; 숙박시키다**

We need to build extra classrooms so that we can **accommodate** the increasing number of students to our school. EBS
우리는 증가하고 있는 학생들을 우리 학교에 **수용할** 수 있도록 교실을 증축할 필요가 있다.

⊞ **accommodation** ⓜ 숙박 (시설); 적응

0138 **devastate**
[dévəstèit]

ⓢ **완전히 파괴하다, 황폐화시키다** to destroy something completely

The quake **devastated** the city and killed 309 people.
지진이 그 도시를 **폐허로 만들었고** 309명을 죽게 했다.

⊞ **devastation** ⓜ 대대적인 파괴[손상], 황폐화 **devastating** ⓗ 파괴적인, 처참한

0139 **discord**
[dískɔːrd]

ⓜ **불협화음, 불화, 다툼** lack of agreement among persons, groups, or things

The more cohesive the group, the greater the urge of the group members to avoid creating any **discord**. EBS
집단이 더 단결될수록 어떠한 **다툼**도 만들지 않으려는 집단 구성원들의 충동이 더 크다.

0140 **inconsistent**
[ìnkənsístənt]

㉲ **모순된, 불일치하는, 일관성이 없는**

You feel value conflict when you do something that is consistent with one value but **inconsistent** with another equally important value. 모평
여러분은 하나의 가치와는 일치하지만, 똑같이 중요한 또 다른 하나의 가치와는 **일치하지 않는** 어떤 것을 할 때 가치 갈등을 느낀다.

➕ inconsistency ㉮ 불일치
↔ consistent ㉲ 일관된, 모순 없는

0141 **insecure**
[ìnsikjúər]

㉲ **불안한; 자신이 없는** anxious or afraid; not confident or certain

I felt nervous and **insecure** when I had to speak in English in front of my classmates. 나는 학급 친구들 앞에서 영어로 말을 해야만 했을 때 초조하고 **불안했다**.

➕ insecurity ㉮ 불안(감), 불안정
↔ secure ㉲ 안전한, 안심하는

in(= not) + se(= apart) + cure(= care, 걱정) → 걱정에서 멀어지지 못하는

0142 **inspector**
[inspéktər]

㉮ **감독관, 검사관**

Generally, public health **inspectors** inspect the sanitary conditions of restaurants. 일반적으로 공중보건 **검사관들**은 식당의 위생 상태를 점검한다.

➕ inspect ㉯ 검사하다, 점검하다 inspection ㉮ 검사, 점검

in(안) + spect(= look) + or(행위자) → 안을 들여다 보는 사람

0143 **fabricate**
[fǽbrəkèit]

㉯ **날조하다, 위조[조작]하다; 제작하다**

Fabricating evidence is a criminal offence punishable with up to 5 years' imprisonment. 증거를 **조작하는 것**은 5년까지 징역형을 받을 수 있는 형사 범죄이다.

➕ fabricator ㉮ 날조자, 위조자

0144 **litter**
[lítər]

1. ㉮ **쓰레기**

The lack of a **litter** bin is no excuse for dropping **litter**.
쓰레기통이 없다는 것이 **쓰레기**를 버리는 핑계가 되지는 않는다.

2. ㉯ **어지럽게 흩뜨리다, 어지르다**

History is **littered** with people who have tried to impede the flow of progress. 역사에는 발전의 흐름을 훼방 놓으려고 하는 사람들이 **널려 있다**.

be littered with ~(으)로 어질러져 있다, ~(으)로 넘쳐나다

0145 **niche**

[nitʃ]

1. ⓜ **적소; 틈새 (시장)**

Another argument often offered by experts is that organic farming can supply food for **niche** markets of wealthy consumers. 모평
전문가들이 흔히 제시하는 또 다른 주장은 유기 농업이 부유한 소비자들의 **틈새** 시장에 먹을 거리를 제공해 줄 수 있다는 것이다.

2. ⓜ **생태적 지위**

Each species occupies both a **niche** and a habitat. EBS
각각의 종은 **생태적 지위**와 서식지 둘 다를 차지한다.

niche industry 틈새 산업

0146 **adhesive**

[ædhíːsiv]

1. ⓜ **접착제**

You'll need a strong **adhesive** to mend that chair.
그 의자를 고치기 위해서는 강력 **접착제**가 필요할 것이다.

2. ⓗ **접착성의, 끈끈한**

Adhesive tapes are used to assemble materials or parts together.
접착 테이프는 재료나 부품들을 서로 모으기 위해서 사용된다.

+ **adhere** ⓓ 들러붙다; 고수하다, 집착하다 **adherence** ⓜ 고수, 집착

0147 **involuntary**

[inválәntèri]

ⓗ **무의식적인, 본의가 아닌**

One neural system is under voluntary control and the other works under **involuntary** control. 모평
하나의 신경 체계는 자발적인 통제 하에 있고 다른 하나는 **비자발적인** 통제 하에서 작동한다.

↔ **voluntary** ⓗ 임의의, 자발적인

0148 **lament**

[lәmént]

ⓓ **한탄하다, 탄식하다, 애도하다**

The entire country **lamented** the death of their leader.
온 나라가 그들 지도자의 죽음을 **애도했다**.

+ **lamentation** ⓜ 비탄, 애도

0149 **subsidiary**

[sәbsídièri]

ⓗ **부차적인; 자회사의**

A **subsidiary** company is a business owned by a parent company.
자회사는 모회사에 의해서 소유되는 회사이다.

+ **subsidy** ⓜ 보조금 **subsidize** ⓓ 보조금을 주다

sub(= under) + sid(= sit) + ary(형용사 접미사) → 아래에 가라앉아 있는

0150 **liken**

[láikәn]

ⓓ **~에 비유하다**

I often **liken** fundamental science to doing a crossword puzzle. 모평
나는 종종 기초 과학을 십자 낱말 수수께끼**에 비유한다**.

Review TEST

Q 빈칸에 알맞은 단어를 보기에서 골라 쓰시오. 학평 변형

보기				
inconsistent	devastate	accommodate	involuntary	subsidiary

Hypothesis is a tool which can cause trouble if not used properly. We must be ready to abandon or modify our hypothesis as soon as it is shown to be (1) __________ with the facts. This is not as easy as it sounds. When delighted by the way one's beautiful idea offers promise of further advances, it is tempting to overlook an observation that does not fit into the pattern woven, or to try to explain it away. It is not at all rare for investigators to adhere to their broken hypotheses, turning a blind eye to contrary evidence, and not altogether unknown for them to deliberately suppress contrary results. If the experimental results or observations are definitely opposed to the hypothesis or if they necessitate overly complicated or improbable (2) __________ hypotheses to (3) __________ them, one has to discard the idea with as few regrets as possible. It is easier to drop the old hypothesis if one can find a new one to replace it. The feeling of disappointment too will then vanish.

해석

가설은 적절하게 사용되지 않으면 문제를 일으킬 수 있는 도구이다. 우리는 가설이 사실들과 (1) **일치하지 않는**다고 드러나자마자 우리의 가설을 폐기하거나 수정할 준비가 되어 있어야 한다. 이것은 말처럼 쉽지는 않다. 훌륭한 아이디어가 더 나아간 발전에 대한 가능성을 제공하는 방식에 의해 즐거울 때, 그 짜인 패턴에 들어맞지 않는 관찰을 간과하거나, 그것을 변명하며 넘어가려는 것은 솔깃한 일이다. 연구자들이 반대되는 증거에 눈을 감으면서 자신들의 무너진 가설에 집착하는 것은 전혀 드문 일이 아니며, 그들이 반대되는 결과를 의도적으로 감추는 것이 전혀 알려지지 않은 것은 아니다. 만약 실험의 결과나 관찰들이 확실하게 가설에 반대되거나 그것들을 (3) **수용하기** 위해 그것들이 지나치게 복잡하거나 있을 법하지 않은 (2) **부차적인** 가설들을 필요로 한다면, 가능한 한 후회 없이 그 아이디어를 폐기해야 한다. 이전 가설을 대체할 새로운 것을 찾을 수 있다면 그것을 버리기가 더 쉽다. 그러면 실망감도 사라질 것이다.

정답

(1) inconsistent (2) subsidiary (3) accommodate

| Preview | 영영풀이에 해당하는 단어를 ⓐ~ⓒ에서 고르시오.

01 **important or unusual enough to be noticed or mentioned**
ⓐ notable ⓑ exemplary ⓒ autocratic

02 **important or well-known; easily seen**
ⓐ calamity ⓑ greed ⓒ prominent

03 **relating separately to each of the people or things**
ⓐ awe ⓑ respective ⓒ implicit

04 **the path of an object moving through the path**
ⓐ realm ⓑ transit ⓒ trajectory

05 **the quality or practice of moral excellence or righteousness**
ⓐ virtue ⓑ raid ⓒ texture

06 **the act of acquiring or gaining possession**
ⓐ accordance ⓑ acquisition ⓒ debris

07 **not controlled by others or by outside forces; independent**
ⓐ resume ⓑ autonomous ⓒ enclosure

08 **a fault or a weakness**
ⓐ flaw ⓑ buzzword ⓒ equilibrium

09 **to change continually; shift back and forth or up and down**
ⓐ distorted ⓑ fluctuate ⓒ illuminate

10 **to conclude by reasoning from evidence**
ⓐ infer ⓑ deception ⓒ absurd

|정답| 1 ⓐ 2 ⓒ 3 ⓑ 4 ⓒ 5 ⓐ 6 ⓑ 7 ⓑ 8 ⓐ 9 ⓑ 10 ⓐ

가리개를 사용하여 뜻을 잘 암기했는지 확인하세요.

0151 **notable** [nóutəbl]

㉺ **눈에 띄는, 주목할 만한, 유명한** important or unusual enough to be noticed or mentioned

Richard Porson, one of Britain's most **notable** classical scholars, was born on Christmas in 1759. 모평
영국의 가장 **유명한** 고전학자들 중 한 명인 Richard Porson은 1759년 성탄절에 태어났다.

➕ **notably** ㉫ 눈에 띄게, 현저히

0152 **prominent** [prɑ́mənənt]

㉺ **두드러진, 눈에 띄는, 저명한** important or well-known; easily seen

The more laws and order are made **prominent**, the more thieves and robbers there will be. *- Lao Tzu*
법과 질서가 더 **두드러지게** 될수록 더 많은 도둑과 강도가 있을 것이다.

➕ **prominence** ㉻ 두드러짐, 현저함, 중요성
〓 **noticeable, notable** ㉺ 눈에 띄는, 주목할 만한

pro(= forward) + minent(= mount) → 앞에 돌출해 있는

0153 **raid** [reid]

1. ㉻ **습격, 기습; 약탈**

People didn't produce more goods for stockpiling, as there was little incentive to do so where there was little security from **raids**. 모평
사람들은 비축을 위해 더 많은 농작물을 생산하지 않았는데, **약탈**로부터의 안전 보장이 거의 없는 곳에서 그렇게 할 장려책이 거의 없었기 때문이다.

2. ㉯ **습격하다, 급습하다**

Israeli police **raided** terrorist hideouts in the West Bank.
이스라엘 경찰들이 웨스트뱅크의 테러리스트 비밀 은신처를 **급습했다**.

0154 **realm** [relm]

㉻ **영역, 범위; 왕국**

In the **realm** of culture some consumers prefer the visual to the performing arts. EBS
문화의 **영역**에서 일부 소비자들은 공연 예술보다 시각 예술을 선호한다.

0155 **respective** [rispéktiv]

㉺ **각자의, 각각의** relating separately to each of the people or thing

Neither prosecutor nor defender is obliged to consider anything that weakens their **respective** cases. 모평
검찰관과 피고 측 변호사 중 그 어느 누구도 자신들 **각자의** 입장을 약화시키는 것을 고려해야 할 의무는 없다.

➕ **respectively** ㉫ 각각, 제각기

0156 **resume**
[rizjúːm]

㊁ **다시 시작하다, 재개하다**

An employee is entitled to **resume** work after maternity leave.
피고용인은 출산 휴가 후에 일을 **재개할** 권리가 있다.

cf. **résumé** ㊂ 이력서
resumable ㊆ 되찾을 수 있는 **resumption** ㊂ 재개, 다시 시작함

0157 **texture**
[tékstʃər]

㊂ **직물, 천; 질감, 감촉**

The **texture** of silk is soft and very smooth, but it is not slippery like many artificial fabrics. 비단의 **질감**은 부드럽고 매끈하지만 많은 인공 직물처럼 반들반들하지 않다.

0158 **trajectory**
[trədʒéktəri]

㊂ **이동 경로, 궤도, 궤적** the path of an object moving through the path

In a penalty situation in soccer, there is not enough time for the goalkeeper to watch the ball's **trajectory**. 학평
축구의 페널티킥 상황에서 골키퍼가 공의 **경로**를 관찰할 만한 충분한 시간이 없다.

Given the accelerating velocity of history, we should begin charting deliberately the next phase in its **trajectory**. - *Zbigniew Brzezinski*
역사의 가속도를 감안할 때, 우리는 그 **궤도** 안의 다음 단계에 대한 차트 그리기를 신중하게 시작해야 한다.

tra(= beyond ← trans) + ject(= throw) + ory → 저 멀리로 던진 물건이 그리는 선

0159 **transit**
[trǽnsit]

1. ㊂ **대중교통, 운반, 운송; 통행, 통과**

City dwellers have the option of walking or taking **transit** to work, shops, and school. 모평
도시 거주자들은 일터, 상점 그리고 학교로 걸어가거나 **대중교통**을 선택할 수 있다.

Damage to goods in **transit** can happen at any time due to various circumstances.
운송 중인 상품의 손상은 다양한 사정으로 인해 어느 때든 발생할 수 있다.

2. ㊁ **통과하다, 통행하다**

A solar eclipse occurs when the moon **transits** the sun.
일식은 달이 태양을 **통과할** 때 발생한다.

transition ㊂ 바뀜, 변화; 과도기

0160 **virtue**
[vɔ́ːrtʃuː]

㊂ **선행, 미덕** the quality or practice of moral excellence or righteousness

Wisdom is knowing what to do next; **virtue** is doing it. - *David Starr Jordan*
지혜는 다음에 무엇을 할지를 아는 것이고 **미덕**은 실천하는 것이다.

by virtue of ~의 힘으로, ~의 덕분으로
virtuous ㊆ 덕망 있는
vice ㊂ 악, 악덕

0161 **acquisition**
[ækwizíʃən]

㊐ **획득, 습득, 취득(물)** the act of acquiring or gaining possession

The **acquisition** of citizenship knowledge constitutes a complex process that spans from cradle to grave. EBS
시민 의식에 관한 지식의 **습득**은 요람에서 무덤까지 이어지는 복잡한 과정을 이룬다.

⊞ **acquire** ㊍ 얻다, 획득하다 **acquired** ㊌ 습득한, 후천적인

0162 **accordance**
[əkɔ́ːrdəns]

㊐ **일치, 부합**

If happiness is activity in **accordance** with excellence, it is reasonable that it should be in **accordance** with the highest excellence. - *Aristotle*
행복이 탁월함에 **따른** 행동이라면, 최고의 탁월함에 **따라야** 하는 것이 합리적이다.

in accordance with ~에 따라, ~와 일치하여
⊞ **accord** ㊍ 일치하다, 부합하다 **accordingly** ㊎ 그 결과로, 그에 따라

0163 **autonomous**
[ɔːtɑ́nəməs]

㊌ **독립된, 자율의, 자율적인** not controlled by others or by outside forces; independent

Autonomous vehicles are already out performing human-driven vehicles in terms of safety.
자율 주행 차량은 안전성에서 이미 인간이 운전하는 차량을 넘어서고 있다.

local autonomous body 지방 자치 단체
⊞ **autonomy** ㊐ 자율권, 자율성

auto(= self) + nom(= law) + ous → 스스로 법을 지키는

0164 **awe**
[ɔː]

㊐ **경외심**

If you can't be in **awe** of Mother Nature, there's something wrong with you. - *Alex Trebek*
대자연에 **경외심**을 느끼지 못한다면, 당신에게 뭔가 문제가 있는 것이다.

We are expected to be in **awe** of the original master and appreciate the art, the value and the historical significance. 학평
우리는 원작을 **경외**하고 그 미술 작품과 가치, 그리고 역사적 의의를 높이 평가할 것으로 기대된다.

in awe of ~을 경외하여
⊞ **awesome** ㊌ 멋진

0165 **debris**
[dəbríː]

㊐ **잔해, 파편; 쓰레기**

Space **debris** is anything in orbit that is man-made and is no longer in use. 우주 **잔해**는 인간이 만들고 더는 사용하지 않는 궤도상에 있는 모든 것들이다.

㊂ **remains** ㊐ 나머지, 잔재; 유물

0166 **deception**
[disépʃən]

㉮ **속임(수), 기만**

Art is a **deception** that creates real emotions — a lie that creates a truth. And when you give yourself over to that **deception**, it becomes magic. *- Marco Tempest*
예술은 진정한 감정을 만드는 **속임수**이다. 즉, 진실을 만드는 거짓말이다. 그리고 그 **속임수**에 자신을 넘겨주면 그것은 마법이 된다.

Some people are better than others at uncovering **deception**. EBS
어떤 사람들은 다른 사람들보다 **속임수**를 더 잘 알아낸다.

⊞ **deceptive** ㉭ 기만적인, 현혹하는 **deceive** ㉯ 속이다, 기만하다

0167 **distorted**
[distɔ́:rtid]

㉭ **삐뚤어진, 왜곡된**

Scientists who offer advice to policy makers often complain that their input is ignored or **distorted** during the policy making process. EBS
정책 입안자에게 조언을 제공하는 과학자들은 정책 입안 과정에서 자신들의 조언이 무시되거나 **왜곡된다고** 흔히 불평한다.

distorted views 편견 **distorted vision** 난시
⊞ **distortion** ㉮ 왜곡, 곡해 **distort** ㉯ 비틀다, 왜곡하다

0168 **enclosure**
[inklóuʒər]

㉮ **둘러쌈, (울타리로 쳐 놓은) 지역; 동봉물**

It's unclear how the animal escaped from the **enclosure**.
그 동물이 어떻게 **울타리**를 탈출했는지는 분명하지 않다.

⊞ **enclose** ㉯ 동봉하다; 둘러싸다 **enclosed** ㉭ 에워싸인; 동봉된

en(= in) + close(닫다, 가두다) + ure(명사 접미사) → 안에 가두는 것

0169 **equilibrium**
[ì:kwəlíbriəm]

㉮ **균형, 평형 (상태)**

'Homeostasis' is the word we use to describe the ability of an organism to maintain internal **equilibrium** by adjusting its physiological processes.
수능 '항상성'은 생리적인 과정들을 조절하여 내적인 **평형 상태**를 유지하는 생명체의 능력을 묘사하기 위해서 우리가 사용하는 단어이다.

0170 **flaw**
[flɔ:]

㉮ **결점, 결함** a fault or a weakness

Better a diamond with a **flaw** than a pebble without. *- Confucius*
흠이 있는 다이아몬드가 흠이 없는 조약돌보다 낫다.

We all have a tendency to look at our own **flaws** with a magnifying glass.
학평 우리 모두는 돋보기로 자기 자신의 **결점들**을 들여다보는 경향이 있다.

⊞ **flawed** ㉭ 흠[결함]이 있는 **flawless** ㉭ 결점 없는, 완벽한
⊟ **defect** ㉮ 결함, 단점

0171 fluctuate [flʌ́ktʃuèit]

㊐ 변동하다, 오르내리다 to change continually; shift back and forth or up and down

Recently, interest rates and exchange rates **fluctuate** more rapidly than at any time. 학평 최근에 이자율과 환율이 어느 때보다 빠르게 **요동치고** 있다.

+ fluctuation ㊔ 변동, 오르내림
↔ stabilize ㊐ 안정되다, 고정되다

fluct(= flow) + uate(동사 접미사) → 흐르듯 변화하다

0172 greed [gri:d]

㊔ 욕심, 탐욕

There is a sufficiency in the world for man's need but not for man's **greed**. - *Mahatma Gandhi*
세상은 인간의 필요를 위해서는 충분하지만, 인간의 **탐욕**을 위해서는 부족하다.

A large majority of people wanted society to 'move away from **greed** and excess toward a way of life more centred on values, community, and family'. 학평
대다수의 사람들은 사회가 '**탐욕**과 과잉에서 벗어나 좀 더 가치, 공동체 그리고 가족 중심의 삶의 방식으로 향하기'를 원했다.

+ greedy ㊕ 탐욕스러운

0173 illuminate [iljú:mənèit]

㊐ 밝게 비추다; 명백히 밝히다; 계몽하다

You should quote what will best serve to **illuminate** your point, neither more nor less. EBS
당신은 요점을 **설명하는** 데 가장 도움이 될 것을 더 많지도 더 적지도 않게 인용해야 한다.

+ illumination ㊔ 빛, 조명; 설명; 계몽

il(= in) + lumin(= light) + ate(동사 접미사) → 안에 빛을 비추다

0174 implicit [implísit]

㊕ 암묵적인, 내포된

Human brains have a vast capacity for **implicit** memory, even though memories may not readily be brought to consciousness. EBS
인간의 뇌는 기억이 쉽게 의식으로 소환되지는 않을지라도, **암묵적인** 기억을 위한 어마어마한 수용력을 갖고 있다.

+ implication ㊔ 영향; 함축, 암시
↔ explicit ㊕ 명시적인, 명백한

0175 infer [infə́:r]

㊐ 추론하다, 추측하다 to conclude by reasoning from evidence

You cannot **infer** a general rule from a single experience — especially someone else's. EBS
단 한 가지 경험, 특히 어떤 다른 사람의 경험으로부터 일반적인 규칙을 **추론할** 수는 없다.

+ inference ㊔ 추론, 추측

0176 **exemplary**
[igzémpləri]

[형] **모범적인, 귀감이 되는**

My mother lived an **exemplary** life as wife, mother, and dedicated volunteer, and made it seem effortless. *- Barbara Harris*
나의 어머니는 아내, 어머니, 그리고 헌신적인 자원봉사자로 **모범적인** 삶을 사셨고, 힘들어 보이지 않게 이 모두를 하셨다.

[+] exemplify [동] 전형적인 예이다, 예시를 들다

0177 **autocratic**
[ɔ̀:təkrǽtik]

[형] **독재적인, 전제적인**

Autocratic leaders like to keep things under their control.
독재적인 지도자들은 모든 것을 그들의 통제 하에 두는 것을 좋아한다.

Where there is little or no public opinion, there is likely to be bad government, which sooner or later becomes **autocratic** government.
- William Lyon Mackenzie King
여론이 거의 없거나 전무한 곳은 조만간 **독재** 정부가 될 수 있는 나쁜 정부가 있기 십상이다.

[+] autocracy [명] 독재 정치, 전제 정치 autocrat [명] 전제 군주, 독재자

0178 **absurd**
[əbsə́:rd]

[형] **터무니없는, 불합리한, 어리석은**

It is human nature to think wisely and act in an **absurd** fashion.
현명하게 생각하고 **어리석은** 방식으로 행동하는 것은 인간의 본성이다. *- Anatole France*

[+] absurdity [명] 불합리, 부조리
[=] ridiculous [형] 터무니없는 irrational [형] 불합리한

0179 **buzzword**
[bʌ́zwə̀:rd]

[명] **(특정 분야의) 유행어**

"Sustainability" became a popular **buzzword** by those who wanted to be seen as pro-environmental. [모평]
'지속 가능성'은 친환경적으로 보이기를 원했던 사람들에 의해 인기 있는 **유행어**가 되었다.

0180 **calamity**
[kəlǽməti]

[명] **재앙, 재해**

It isn't a **calamity** to die with dreams unfulfilled, but it is a **calamity** not to dream. *- Benjamin E. Mays*
꿈을 이루지 못하고 죽는 것은 **재앙**이 아니지만, 꿈을 꾸지 않는 것이 **재앙**이다.

An optimist sees an opportunity in every **calamity**; a pessimist sees a **calamity** in every opportunity. *- Winston Churchill*
낙관론자들은 모든 **재앙**의 상황에서 기회를 보고, 비관론자들은 모든 기회의 상황에서 **재앙**을 본다.

financial calamity 금융 재난
[=] disaster [명] 재앙 catastrophe [명] 대참사, 큰 재앙

Review TEST

Q 빈칸에 알맞은 단어를 보기에서 골라 쓰시오. **모평 변형**

보기

prominent　　awe　　illuminate　　infer

Albert Einstein sought relentlessly for a so-called unified field theory — a theory capable of describing nature's forces within a single, all-encompassing, coherent framework. Einstein was not motivated by the things we often associate with scientific undertakings, such as trying to explain this or that piece of experimental data. Instead, he was driven by a passionate belief that the deepest understanding of the universe would reveal its truest wonder: the simplicity and power of the principles on which it is based. Einstein wanted to (1) .... the workings of the universe with a clarity never before achieved, allowing us all to stand in (2) .... of its sheer beauty and elegance. In his day, however, Einstein never realized this dream, mainly because a number of essential features of matter and the forces of nature were either unknown or, at best, poorly understood.

해석

Albert Einstein은 여러 가지 자연의 힘을 모든 것을 아우르는 시종일관된 하나의 체계 속에서 기술할 수 있는 이론, 즉 소위 말하는 통일장이론(unified field theory)을 찾으려고 무진 애썼다. Einstein은 실험 데이터 중의 이것 아니면 저것으로 설명하려는 시도와 같은 우리가 과학적 작업과 종종 연관시키는 그러한 것들에 의해 동기가 부여된 것이 아니었다. 대신에 그는 우주에 대해 가장 깊이 있게 이해하게 되면 우주는 자신의 가장 진정한 경이 즉, 단순성과 그 단순성의 바탕이 되는 원칙들의 힘을 드러내게 되리라는 열렬한 믿음이 원동력이 되었다. Einstein은 이전에는 단 한 번도 성공한 적이 없을 정도로 명확하게 우주의 활동을 (1) **조명해 보기**를 원했으며, 그로써 우리 모두는 우주의 순수한 아름다움과 우아함에 대해 (2) **경외심**을 가지고 서 있게 되었다. 그러나 그가 살던 당시에는 Einstein은 자신의 꿈을 실현하지 못했는데, 그 주된 이유는 물질의 몇몇 필수적인 특성과 자연의 여러 힘들이 알려져 있지 않았거나 아니면 기껏해야 아주 부족하게 이해가 되고 있었기 때문이었다.

정답

(1) illuminate (2) awe

| Preview | 영영풀이에 해당하는 단어를 ⓐ~ⓒ에서 고르시오.

01 **not corrupted or tainted with evil or unpleasant emotion**
ⓐ intangible ⓑ innocent ⓒ legitimate

02 **essential or necessary for completeness**
ⓐ integral ⓑ reflex ⓒ tangled

03 **a brother or a sister**
ⓐ sibling ⓑ freight ⓒ leisurely

04 **making someone feel calmer and less anxious**
ⓐ chronological ⓑ nomadic ⓒ soothing

05 **existing in a place from the earliest known period; indigenous**
ⓐ analytical ⓑ archival ⓒ aboriginal

06 **generously supplied with money, property, or possessions**
ⓐ controversial ⓑ affluent ⓒ yearn

07 **clumsy and uncomfortable**
ⓐ awkward ⓑ affirmative ⓒ authorize

08 **the concealing of personnel or equipment from an enemy by making them appear to be part of the natural surroundings**
ⓐ authenticity ⓑ affiliate ⓒ camouflage

09 **a violent impact of moving objects**
ⓐ procrastination ⓑ vulnerability ⓒ collision

10 **to have an intense desire for; desire eagerly**
ⓐ crave ⓑ reign ⓒ abhor

|정답| 1 ⓑ 2 ⓐ 3 ⓐ 4 ⓒ 5 ⓒ 6 ⓑ 7 ⓐ 8 ⓒ 9 ⓒ 10 ⓐ

가리개를 사용하여 뜻을 잘 암기했는지 확인하세요.

0181 **innocent**
[ínəsənt]

[형] **무해한; 무죄인, 결백한** not corrupted or tainted with evil or unpleasant emotion

Even proven toxins, such as lead and mercury, were presumed **innocent** for years. [EBS]
심지어 납과 수은 같이 검증된 독성 물질도 수년 동안 **무해하다고** 여겨졌다.

[+] **innocence** [명] 무죄, 결백, 순진
[↔] **guilty** [형] 유죄의

0182 **intangible**
[intǽndʒəbl]

1. [형] **무형의**

Korea's traditional folk song 'Arirang' was added to UNESCO's **intangible** cultural heritage list in 2012.
한국의 전통 민요인 '아리랑'은 2012년에 유네스코 **무형** 문화유산으로 등재되었다.

2. [명] **무형 자산**

Patents, copyrights, and trademarks are examples of **intangibles**.
특허권, 저작권, 그리고 상표권은 **무형 자산**의 예들이다.

[↔] **tangible** [형] 만질 수 있는, 유형(有形)의, 명백한

in(반대) + tang(= touch) + ible(형용사 접미사) → 만질 수 없는

0183 **integral**
[íntəgrəl]

[형] **필수적인; 완전한** essential or necessary for completeness

Genre mixing is not an innovation of the past few decades; it was already an **integral** part of the film business in the era of classical cinema. [학평]
장르 혼합은 지난 몇 십 년의 혁신이 아니라, 고전 영화 시대에 이미 영화 산업의 **필수적인** 부분이었다.

0184 **legitimate**
[lidʒítəmit]

1. [형] **정당한, 타당한; 합법적인**

In order to be seen as **legitimate**, the media must be seen as truthful, accurate, unbiased, and fair. [EBS]
언론이 **정당하다고** 여겨지려면, 진실하고 정확하며 편견이 없고 공정하게 보여져야 한다.

2. [동] **인정하다, 정당화하다; 합법화하다**

It is the museum and the curatorial decision that **legitimate** the artists. [EBS]
미술가를 **인정하는** 것은 바로 미술관과 큐레이터의 결정이다.

[+] **legitimation** [명] 정당화, 합법화 **legitimize** [동] 합법적으로 인정하다, 정당화하다
legitimacy [명] 합법성, 정당성

0185 **leisurely**
[lí:ʒərli]

1. ⓗ **느긋한, 여유로운**

Wine is a victim of the disappearance of the **leisurely** meal. 모평
포도주는 **느긋한** 식사가 사라진 것의 희생양이다.

2. ⓑ **느긋하게, 여유롭게**

Trish made an appointment to discuss the matter **leisurely** with Andrea in a comfortable setting. EBS
Trish는 편안한 환경에서 Andrea와 **느긋하게** 그 일을 논하기 위해 약속을 잡았다.

⊞ **leisure** ⓜ 여가

0186 **nomadic**
[noumǽdik]

ⓗ **유목민의, 유목 생활을 하는**

Early human societies were **nomadic**, based on hunting and gathering. 모평
초기 인간 사회는 사냥과 채집에 기반을 둔 **유목 생활**이었다.

⊞ **nomad** ⓜ 유목민, 방랑자

0187 **procrastination**
[proukræ̀stənéiʃən]

ⓜ **(일을) 미루기; 지연, 연기**

Procrastination is like a credit card: it's a lot of fun until you get the bill.
미루기는 신용카드와 같다. 청구서를 받을 때까지는 매우 즐거우니까. *- Christopher Parker*

⊞ **procrastinate** ⓓ (일을) 미루다

pro(= forward) + cras(= tomorrow(라틴어)) + tination(명사 접미사) → 내일 이후로 미루기

0188 **reflex**
[rí:fleks]

ⓜ **반사 작용, 반사 행동**

Injury-avoidance behavior is often based on **reflexes**. EBS
부상-회피 행동은 흔히 **반사 작용**에 근거한다.

What is history? An echo of the past in the future, a **reflex** from the future on the past. *- Victor Hugo*
역사란 무엇인가? 미래에 대한 과거의 메아리요, 과거에 대한 미래로부터의 **반사 작용**이다.

⊞ **reflexive** ⓗ 반사적인, 역행성의

0189 **sibling**
[síbliŋ]

ⓜ **형제자매, 동기** a brother or a sister

In some cultures, it is expected that **siblings** will care for their younger brothers or sisters. EBS
어떤 문화에서는 **형제자매**가 자신들의 더 어린 남동생이나 여동생을 돌볼 것으로 기대된다.

0190 **soothing** [sú:ðiŋ]

㉻ **진정시키는, 달래는** making someone feel calmer and less anxious

Many of us still find something **soothing** and satisfying about handling physical objects. 학평
우리 중 많은 사람들이 여전히 물리적인 사물을 다루는 것에 대한 무언가가 마음을 **달래 주고** 만족스럽게 해 준다고 여긴다.

in a soothing voice 달래는 듯한 목소리로
➕ **soothe** ⑧ 달래다, 진정시키다; 완화시키다

0191 **vulnerability** [vʌ̀lnərəbíləti]

⑲ **취약성, 상처 받기 쉬움**

Owning our **vulnerability** and pain makes us all more human. EBS
우리의 **취약성**과 고통을 인정하는 것이 우리 모두를 더 인간적으로 만든다.

Differences in genetic makeup mean that not every postmenopausal woman has the same **vulnerability**. EBS
유전적 체질의 차이는 폐경 후의 모든 여성에게 동일한 **취약성**이 있는 것은 아니라는 것을 의미한다.

➕ **vulnerable** ㉻ 상처 입기 쉬운, 취약한, 연약한

0192 **aboriginal** [æbərídʒənəl]

㉻ **원주민의, 토착민의** existing in a place from the earliest known period

Most traditional **aboriginal** people work far fewer hours, at most two or three days out of each week. EBS
대부분의 전통적인 **원주민**들은 훨씬 더 적은 시간 동안 일을 하는데, 기껏해야 한 주에 2~3일 일을 한다.

➕ **Aborigine** ⑲ 호주 원주민

0193 **authenticity** [ɔ̀:θentísəti]

⑲ **진정성, 진품성**

The story he told in the first ten minutes of his speech demonstrated his **authenticity**. EBS
그가 연설 첫 10분 동안 들려준 이야기가 그의 **진정성**을 입증했다.

➕ **authentic** ㉻ 진정한, 진짜의

0194 **affluent** [ǽfluənt]

㉻ **부유한, 풍부한** generously supplied with money, property, or possessions

The only truly **affluent** are those who do not want more than they have.
진정으로 **부유한** 사람들은 가진 것 이상으로 원하지 않는 사람들이다. *- Erich Fromm*

The concept of thrift emerged out of a more **affluent** money culture. 모평
절약이라는 개념은 보다 **풍부한** 화폐 문화로부터 등장했다.

➕ **affluence** ⑲ 부, 풍부

at(= to) + flu(= flow) + ent(형용사 접미사) → 넘쳐 흐르는

0195 **analytical**
[ænəlítikəl]

㉻ **분석적인, 분해의**

Experimental studies have shown that insight is actually the result of ordinary **analytical** thinking. 모평
실험 연구는 통찰력이 실제로 일상의 **분석적** 사고의 결과라는 것을 보여 주었다.

A little anxiety can sometimes even help people solve problems — when **analytic** thought suffices. EBS
약간의 불안은 때때로 사람들이 문제를 해결하는 데 심지어 도움을 줄 수 있는데, **분석적** 사고가 충분할 때 그렇다.

+ **analyze** ㉯ 분석하다 **analysis** ㉰ 분석
↔ **synthetic** ㉻ 종합의, 통합적인

0196 **archival**
[ɑːrkáivəl]

㉻ **기록(보관소)의, 고문서의, 공문서의**

It can be difficult to decide the place of fine art, such as oil paintings, watercolours, sketches or sculptures, in an **archival** institution. 모평
유화, 수채화, 스케치, 또는 조각과 같은 미술의 위치를 **기록 보관** 기관에서 정하는 것은 어려울 수 있다.

+ **archive** ㉰ 기록 보관소, 아카이브

0197 **authorize**
[ɔ́ːθəràiz]

㉯ **위임하다, 권한을 주다**

Democratic politics at its best is the use of publicly **authorized** power to advance the common good. EBS
최상의 민주 정치는 공적으로 **위임받은** 권력을 사용하여 공익을 증진시키는 것이다.

I **authorize** you to release any test results or related documentation to confirm your medical opinions and recommendations. 학평
저는 박사님에게 의학적 견해와 권고를 확인해주는 어떠한 검사 결과나 관련된 서류 공개를 **위임합니다**.

+ **authorization** ㉰ 허가(증) **authority** ㉰ 권한; (*pl.*) (정부) 당국

0198 **awkward**
[ɔ́ːkwərd]

㉻ **(기분이) 어색한; (솜씨가) 서투른** clumsy and uncomfortable

A tool may be **awkward** to use and inefficient, or possibly even dangerous. EBS
어떤 도구는 사용하기에 **불편하고** 비효율적이거나 어쩌면 심지어 위험할 수도 있다.

Middle age is the **awkward** period when Father Time starts catching up with Mother Nature. - *Harold Coffin*
중년은 시간이 대자연을 따라잡기 시작하는 **어색한[이상한]** 시기이다.

+ **awkwardly** ㉭ 어색하게, 서투르게

0199 **tangled**
[tǽŋgld]

㉻ **엉킨; 얽힌**

Tangled hair is extremely frustrating and can cause a lot of stress to anyone. **엉킨** 머리는 매우 짜증나게 하며 누구에게나 많은 스트레스를 야기할 수 있다.

+ **tangle** ㉯ 엉키게 하다; 얽히게 하다

0200 **camouflage**
[kǽməflɑ̀ːʒ]

1. 명 **위장** the concealing of personnel or equipment from an enemy by making them appear to be part of the natural surroundings

Sometimes different species adopt the same **camouflage** to suit a specific environment. EBS
때때로 서로 다른 종(種)이 특정한 환경에 맞추기 위하여 동일한 **위장 수단**을 택한다.

2. 동 **위장하다**

Color matching is one of the most basic ways animals **camouflage** themselves. 색상 조합은 동물들이 자신을 **위장하는** 가장 기본적인 방법 중 하나이다.

ca(= head) + moufl(= muffle 천) + age(명사 접미사) → 천으로 머리를 (가리려고) 감싸는 것

0201 **chronological**
[krɑ̀nəlɑ́dʒikəl]

형 **시간 순으로 일어나는, 연대순의**

Chronological age refers to the actual amount of time a person has been alive. **연대적** 나이(생활 연령)는 사람이 살아온 실제 시간을 나타낸다.

+ **chronic** 형 (질병이) 만성적인, 장기간에 걸친

chron(= time) + logy(= theory) + ical(형용사 접미사) → 시간 이론적인

0202 **collision**
[kəlíʒən]

명 **충돌 (사고), 부딪침** a violent impact of moving objects

A **collision** will occur unless you each move out of the other's way. 학평
당신들 각자가 반대편에서 오는 상대방의 길을 피해 이동하지 않는다면 **충돌**은 발생할 것이다.

+ **collide** 동 충돌하다, 부딪치다

0203 **controversial**
[kɑ̀ntrəvə́ːrʃəl]

형 **논란을 불러일으키는, 논란의 여지가 있는**

Many containers soft drinks have been found to contain a **controversial** chemical called bisphenol A (BPA). EBS
청량음료의 많은 용기들은 비스페놀 A (BPA)라고 불리는 **논란이 많은** 화학 물질을 함유하고 있는 것으로 밝혀졌다.

+ **controversy** 명 논란, 논쟁

contro(= against) + verse(= turn) + ial(형용사 접미사) → 반대 방향으로 돌아서는

0204 **crave**
[kreiv]

동 **열망하다, 갈망하다** to have an intense desire for; desire eagerly

We **crave** sugar because it makes us feel good.
설탕이 우리를 기분 좋게 만들기 때문에 우리는 설탕을 **갈망한다**.

crave pardon 용서를 빌다
+ **craving** 명 열망, 갈망

0205 **freight**
[freit]

㉢ **화물 (운송)**

The majority of **freight** in the U.S. is transported by **freight** trucks.
미국에서 대부분의 **화물**은 **화물** 트럭에 의해서 운송된다.

Waste is transported by **freight** in empty shipping containers used for exporting Chinese goods. EBS
폐기물은 중국 물건을 수출하기 위해 사용되는 빈 선적 컨테이너에 넣어 **화물**로 운반된다.

0206 **reign**
[rein]

1. ㉢ **지배하다, 군림하다**

Better to **reign** in hell than serve in heaven. - *John Milton*
천국에서 봉사하는 것보다는 지옥에서 **지배하는** 것이 낫다.

2. ㉢ **치세, 통치 (기간)**

Buffon was a famous zoologist and botanist during the **reign** of the French monarch Louis XVI. 모평
Buffon은 프랑스 군주 루이 16세의 **통치 기간**에 유명한 동물학자이자 식물학자였다.

0207 **yearn**
[jəːrn]

㉢ **간절히 바라다, 갈망하다**

We **yearn** for the beautiful, the unknown, and the mysterious. - *Issey Miyake*
우리는 미, 미지의 것, 그리고 신비한 것을 **갈망한다**.

0208 **abhor**
[æbhɔ́ːr]

㉢ **혐오하다**

I **abhor** war and view it as the greatest scourge of mankind.
나는 전쟁을 **혐오하며** 그것을 인류의 가장 큰 재앙이라고 본다. - *Thomas Jefferson*

+ abhorrence ㉢ 혐오

0209 **affiliate**
[əfílièit]

1. ㉢ **제휴하다; ~에 소속되다**

We're honored to be **affiliated** with such a well-respected and admired company. 우리는 그렇게 존경받고 칭송받는 회사와 **제휴하게** 되어 영광입니다.

2. ㉢ **자회사, 계열사**

Many multinational corporations have **affiliates** in several countries.
많은 다국적 기업들은 몇몇 나라에 **자회사**를 가지고 있다.

+ affiliated ㉢ 제휴를 맺은

af(= to) + fil(= son) + iate(형용사 접미사) → 아들이 되다

0210 **affirmative**
[əfə́ːrmətiv]

㉢ **긍정의, 동의의**

Affirmative action means ensuring equal opportunity for all in education and employment.
차별 철폐(긍정적) 정책은 교육과 고용에서 모두에게 평등한 기회를 보장하는 것을 의미한다.

affirmative action (소수자·여성) 차별 철폐 정책
+ affirm ㉢ 단언하다

Review TEST

Q **빈칸에 알맞은 단어를 보기에서 골라 쓰시오.** **학평 변형**

보기

procrastination vulnerable controversial yearn authorize authenticity

(1) ____________ is one of the keys to leadership effectiveness. We want realness in the executive suite, in the superintendent's office, and in our religious leaders. We (2) ____________ for leaders who are themselves rather than a copy of someone else. We want leaders who will be fully human with us, men and women who are (3) ____________ enough to acknowledge their strengths and weaknesses, their gifts and limits, and who are appropriately transparent about their hopes and fears, their motivations and their agendas. We trust leaders who are real, who walk their talk, who act on their core values, and who tell us the truth. We (4) ____________ others to lead who author their own life. Those we deem not trustworthy we don't (4) ____________ to lead.

해석

(1) **진정성**은 리더십의 효과의 비결 중 하나이다. 우리는 임원실에서, 관리자의 사무실에서, 그리고 우리의 종교 지도자에게서 진실함을 원한다. 우리는 다른 어느 누군가의 복사품이 아닌 그들 자신인 지도자를 (2) **동경한다**. 우리는 우리에게 완전히 인간적일 지도자들, 자신들의 장점과 단점, 자신들의 재능과 한계를 인정할 만큼 (3) **취약하고**, 자신들의 희망과 두려움, 자신들의 동기부여와 자신들의 계획에 있어서 타당하게 솔직한 사람들을 원한다. 우리는 진실하고, 언행이 일치되고, 자신들의 핵심 가치에 따라 행동하고, 그리고 우리에게 진실을 말하는 지도자를 신뢰한다. 우리는 그들 자신의 삶을 써 나가는 다른 사람들에게 (우리를) 이끄는 (4) **권한을 부여한다**. 우리는 우리가 신뢰할 수 있다고 여기지 않는 사람들에게 (우리를) 이끄는 (4) **권한을 부여하지** 않는다.

정답

(1) Authenticity (2) yearn (3) vulnerable (4) authorize

| Preview | 영영풀이에 해당하는 단어를 ⓐ~ⓒ에서 고르시오.

01 **the quality or state of being worthy of respect**
ⓐ faculty ⓑ dignity ⓒ cuisine

02 **to change something so that it has more different kinds of people or things**
ⓐ extract ⓑ diversify ⓒ discern

03 **a small part or amount of something**
ⓐ fraction ⓑ thrust ⓒ commence

04 **easily deceived or cheated; naive**
ⓐ screech ⓑ gullible ⓒ internalize

05 **consisting of parts that are very similar or the same**
ⓐ inefficient ⓑ inferior ⓒ homogeneous

06 **reasonable grounds for complaint, defence, etc**
ⓐ justification ⓑ vista ⓒ exemplar

07 **very dangerous and able to kill someone**
ⓐ pervasive ⓑ lethal ⓒ pronounced

08 **to go or come before in time, place, rank, etc**
ⓐ precede ⓑ retreat ⓒ alleviate

09 **willing to receive, take in, or admit suggestions**
ⓐ receptive ⓑ generalize ⓒ entreaty

10 **involving a lot of sitting and not much exercise**
ⓐ wrench ⓑ stubborn ⓒ sedentary

|정답| 1 ⓑ 2 ⓑ 3 ⓐ 4 ⓑ 5 ⓒ 6 ⓐ 7 ⓑ 8 ⓐ 9 ⓐ 10 ⓒ

가리개를 사용하여 뜻을 잘 암기했는지 확인하세요.

0211 **cuisine** [kwizíːn]

㉠ **요리(법)**

The restaurant will offer main dishes from particular **cuisines**, such as Mexican or Chinese. 학평
그 식당은 멕시코 요리나 중국 요리 같은 특별한 **요리법**으로 주 요리를 제공한다.

0212 **dignity** [dígnəti]

㉠ **존엄(성); 위엄** the quality or state of being worthy of respect

Human life has a special **dignity** and value that is worth preserving even at the expense of self-interest. 학평
인간의 삶은 자기 이익을 희생하고서라도 보존할 가치가 있는 특별한 **존엄**이자 가치를 지닌다.

+ **dignify** ㉣ 위엄 있어 보이게 하다
↔ **indignity** ㉠ 모욕, 치욕

0213 **discern** [disə́ːrn]

㉣ **식별하다, 분별하다, 인식하다**

When fake news is repeated, it becomes difficult for the public to **discern** what's real. *- Jimmy Gomez*
가짜 뉴스가 반복될 때, 대중은 무엇이 진실인지를 **식별하는** 것이 어렵게 된다.

+ **discernible** ㉢ 구분할 수 있는, 식별할 수 있는

0214 **diversify** [divə́ːrsəfài]

㉣ **다양화하다** to change something so that it has more different kinds of people or things

It is important that farmers **diversify** their crops to maintain healthy soils.
농부들이 건강한 토양을 유지하기 위해서 작물을 **다양화하는** 것이 중요하다.

+ **diverse** ㉢ 다양한, 여러 가지의 **diversity** ㉠ 다양성, 포괄성

0215 **extract** ㉣[ikstrǽkt] ㉠[ékstrækt]

1. ㉣ **추출하다, 뽑다; 발췌하다**

Scientists try to **extract** knowledge by devising theories. 학평
과학자들은 이론을 고안함으로써 지식을 **추출하려고** 한다.

2. ㉠ **추출물; 발췌**

The Korean Ginseng **extract** is bitter but good for health.
한국 인삼 **추출물**은 쓰지만 건강에 좋다.

ex(= out) + tract(끌다) → 밖으로 끌어내다

0216 **faculty**
[fǽkəlti]

1. ⓜ (타고난 신체적·정신적) 능력, 재능

The primary perceptual **faculty** in human beings, as in all primates, is vision. EBS
모든 영장류에서와 같이, 인간의 일차적인 지각 **능력**은 시각이다.

2. ⓜ 교수진, 교직원

A helpful way to create a school in which the **faculty** works together as a team is to think of employees as volunteers. EBS
교직원이 한 팀으로 함께 일하는 학교를 만드는 데 도움이 되는 방법은 직원들을 자원봉사자라고 생각하는 것이다.

0217 **fraction**
[frǽkʃən]

ⓜ 부분, 일부; 분수 a small part or amount of something

There are well over 150,000 health apps, yet only a tiny **fraction** can enhance their users' health. EBS
건강 관련 앱이 15만 개를 훌쩍 넘지만, 극히 **일부**만이 그 이용자들의 건강을 증진할 수 있다.

This recipes include **fraction** like 1/2 cup and 3/4 teaspoon. EBS
이 조리법은 1/2 컵과 3/4 티스푼 같은 **분수**를 포함한다.

0218 **generalize**
[dʒénərəlàiz]

ⓢ 일반화하다, 보편화하다

Researchers want to **generalize** their findings from the sample in their study to a larger population.
연구원들은 그들 연구의 표본으로부터 더 큰 모집단으로 그들의 발견을 **일반화하고** 싶어한다.

⊞ generalization ⓜ 일반화, 귀납적 결과

0219 **gullible**
[gʌ́ləbl]

ⓗ 쉽게 속는, 속기 쉬운 easily deceived or cheated; naive

He was so **gullible** that she had little difficulty in selling the property to him. 그는 너무 **쉽게 속는** 사람이어서 그녀는 물건을 그에게 파는 데 어려움이 거의 없었다.

0220 **inefficient**
[ìnifíʃənt]

ⓗ 비효율적인

An **inefficient** virus kills its host. A clever virus stays with it. *- James Lovelock*
비효율적인 바이러스는 숙주를 죽인다. 영리한 바이러스는 숙주 안에 머무른다.

⊞ inefficiency ⓜ 비효율성; 무능력
⊟ efficient ⓗ 효율적인, 능률적인

0221 **inferior**
[infíəriər]

1. ㉿ (~보다) 열등한; 하급의

No one can make you feel **inferior** without your consent. *- Eleanor Roosevelt*
누구도 당신의 동의 없이 당신이 **열등하게** 느끼게 할 수는 없다.

2. ⓜ 하급자, 열등한 사람

He regarded most men as his social, moral, and intellectual **inferiors**.
그는 대부분의 사람들을 그의 사회적, 도덕적 그리고 지적 **열등자**로 여겼다.

➕ **inferiority** ⓜ 열등; 하위
↔ **superior** ㉿ 우월한; 상급의

0222 **homogeneous**
[hòuməd͡ʒíːniəs]

㉿ **동질적인, 동종의** consisting of parts that are very similar or the same

As athletes move up the competitive ladder, they become more **homogeneous** in terms of physical skills. EBS
선수들이 경쟁의 사다리를 올라갈수록 신체 능력의 측면에서는 더 **균등해진다**.

↔ **heterogeneous** ㉿ 이질적인

0223 **internalize**
[intə́ːrnəlàiz]

㊍ **내면화하다, 내재화하다**

Children **internalize** social rules and values through socialization.
아이들은 사회화를 통해서 사회 규칙과 가치관을 **내면화한다**.

➕ **internal** ㉿ 내부의, 내면의 **internalized** ㉿ 내면화된
↔ **externalize** ㊍ 표면화하다

0224 **justification**
[d͡ʒʌ̀stəfəkéiʃən]

ⓜ **정당성, 정당화** reasonable grounds for complaint, defence, etc

Some theorists consider Utopian political thinking to be a dangerous undertaking, since it has led in the past to **justifications** of totalitarian violence. 모평
일부 이론가는 유토피아적 정치 사상을 위험한 일이라고 여기는데, 그것이 과거에 전체주의적인 폭력의 **정당화**로 이어졌기 때문이다.

➕ **justify** ㊍ 정당성을 증명하다, 정당화하다 **justice** ⓜ 정의, 정당성

just(= law, right) + ify(동사 접미사) + cation(명사 접미사) → 올바르게 만드는 것

0225 **lethal**
[líːθəl]

1. ㉿ **치명적인** very dangerous and able to kill someone

The traffic accident was **lethal** and tragic.
그 교통사고는 **치명적**이고 비극적이었다.

2. ⓜ **치사(致死) 유전자**(= lethal gene)

Equally evidently a late-acting **lethal** will be more stable in the gene pool than an early-acting **lethal**. 학평
마찬가지로 분명히 늦게 발현하는 **치사 유전자**가 일찍 발현하는 **치사 유전자**보다 유전자 공급원에서 더 안정적일 것이다.

0226 **pervasive**
[pərvéisiv]

㉕ **만연하는, 널리 스며드는**

Metaphors are **pervasive** in every language and throughout human thought. EBS 은유는 모든 언어와 인간의 사고 전반에 **만연해 있**다.

➕ **pervade** ㉯ 만연하다, 스며들다
☰ **widespread, prevalent** ㉕ 널리 퍼진, 유행하는

per(= through) + vade(= go) + ive(형용사 접미사) → 통과하여 나아가는

0227 **precede**
[prisíːd]

㉯ **~보다 먼저 일어나다, 선행하다** to go or come before in time, place, rank, etc

Always remember that striving and struggle **precede** success, even in the dictionary. *- Sarah Ban Breathnach*
심지어 사전에서도 노력과 분투가 성공**보다 먼저 온다는** 것을 늘 기억하라.

➕ **precedent** ㉢ 전례, 선례 ㉕ 선행하는 **preceding** ㉕ 이전의, 선행하는
☰ **antedate, antecede** ㉯ ~보다 선행하다

pre(= before) + cede(= go) → 앞서서 나아가다

0228 **pronounced**
[prənáunst]

㉕ **두드러진, 현저한, 뚜렷한**

As one ages, the hearing loss becomes more **pronounced**.
나이가 듦에 따라 청력 상실은 더 **두드러진다**.

➕ **pronounce** ㉯ 발음하다; 선언하다 **pronouncement** ㉢ 공표, 선언
☰ **noticeable, marked, obvious** ㉕ 두드러진, 현저한

0229 **receptive**
[riséptiv]

㉕ **잘 받아들이는, 이해력이 빠른** willing to receive, take in, or admit suggestions

Creative people are more **receptive** to new ideas.
창의적인 사람들은 새로운 아이디어를 더 잘 **받아들인다**.

➕ **reception** ㉢ 수용; 접수처; 환영 연회
☰ **acceptable** ㉕ 용인되는, 허용할 수 있는

0230 **vista**
[vístə]

㉢ **(아름다운) 경치, 전경; 예상, 전망**

The **vista** from the top was well worth it and we stopped to take some pictures. 정상에서의 **경치**는 몹시 가치가 있어서 우리는 사진을 찍으려고 멈췄다.

open up new vistas to ~에 대해 새로운 전망을 제시하다
☰ **panorama** ㉢ 전경 **prospect** ㉢ 조망, 전망

0231 **retreat**
[ritríːt]

1. ㉰ **물러나다, 후퇴하다, 도피하다**

Faced with increased uncertainty, individuals tend to **retreat** to the cocoon of family and friends. EBS
불확실성의 증대에 직면하여, 개인은 가족과 친구들의 보호막으로 **도피하는** 경향이 있다.

2. ㉱ **후퇴, 퇴각; 휴양지, 휴식처**

The castle was constructed as a private **retreat** from public life for Ludwig II of Bavaria. 학평
그 성은 Bavaria의 Ludwig 2세를 위해 공적인 삶에서 벗어날 수 있는 개인적인 **휴식처**로서 건축되었다.

반 **advance** ㉰ 전진하다, 나아가다

re(= back) + treat(= draw) → 뒤에서 끌어내다

0232 **screech**
[skriːʧ]

1. ㉰ **날카로운 소리를 내다, 비명을 지르다**

The barn owl **screeches**, sometimes with a tremulous effect, often described as *shrrreeee*. 학평
외양간 올빼미는 흔히 '쉬리이이이'라고 묘사되는, 이따금 떨림 효과를 내는 **날카로운 소리를 낸다**.

2. ㉱ **비명, 날카로운 소리; (브레이크의) 끼익 소리**

The **screech** was so loud that they had to cover their ears.
비명 소리가 너무 커서 그들은 귀를 막아야만 했다.

0233 **sedentary**
[sédəntèri]

㉻ **주로 앉아서 하는, 이주하지 않는** involving a lot of sitting and not much exercise

Birds of the same species may be migratory in one area, but **sedentary** elsewhere. 모평
같은 종의 새들이 한 지역에서는 이주를 하고, 그 밖의 지역에서는 **이주를 하지 않을** 수도 있다.

sed(= sit) + entary(형용사 접미사) → 앉아서 하는

0234 **stubborn**
[stʌ́bərn]

㉻ **고집 센, 완고한**

Being **stubborn** can be a good thing. Being **stubborn** can be a bad thing. It just depends on how you use it. *- Willie Aames*
완고함은 좋은 것일 수 있다. **완고함**은 나쁠 것일 수 있다. 그것은 그저 당신이 그것을 어떻게 사용하는지에 달려 있다.

파 **stubbornly** ㉮ 완강하게, 고집스럽게 **stubbornness** ㉱ 완고함, 고집
반 **compliant** ㉻ 유순한, 순응하는

0235 **thrust**

[θrʌst]

1. ㊐ **밀다; (무기 등으로) 찌르다**

The pilum was a heavy spear, used for **thrusting** or throwing by Roman soldiers. 학평
투창은 무거운 창으로 로마 군인들이 **찌르거나** 던지는 데 사용하였다.

2. ㊕ **찌르기; 추진력**

The heavier the rocket, the more **thrust** is needed to get it off the ground.
로켓이 무거울수록, 이륙을 위해서 더 큰 **추진력**이 필요하다.

0236 **alleviate**

[əlíːvièit]

㊐ **(고통을) 경감하다, 완화하다**

There are various pain relief medicines that you can take to **alleviate** the pain that you're feeling.
당신이 느끼는 통증을 **경감하기** 위해 복용할 수 있는 다양한 진통제가 있다.

➕ **alleviation** ㊕ 경감, 완화

al(= to) + lev(= light) + iate(동사 접미사) → 가볍게 하다

0237 **commence**

[kəméns]

㊐ **시작하다, 개시하다**

The festival will **commence** with an opening ceremony.
그 축제는 개회식과 함께 **시작할** 것이다.

➕ **commencement** ㊕ 시작, 개시; 학위 수여식, 졸업식

0238 **exemplar**

[igzémplər]

㊕ **본보기, 모범**

Her life was an **exemplar** of love and kindness.
그녀의 삶은 사랑과 친절함의 **본보기**였다.

➕ **exemplify** ㊐ 예시를 들다　**exemplary** ㊔ 전형적인, 모범적인

0239 **wrench**

[rentʃ]

㊐ **비틀어 떼어 내다; (발목·무릎·어깨를) 삐다**

I tried to **wrench** the knife from his hand.
나는 그의 손에서 칼을 **비틀어 빼내려고** 했다.

wrench one's ankle 발목을 삐다

0240 **entreaty**

[intríːti]

㊕ **간청, 애원**

Ms. Sebring knew that she had received the horse's cry for help, and she was there to answer that desperate **entreaty**. 학평
Sebring 씨는 도와달라는 말의 울음소리를 들었고, 그 필사적인 **간청**에 응답하기 위해서 자신이 그 자리에 있다는 것을 알았다.

➕ **entreat** ㊐ 간청하다, 애원하다

Review TEST

Q 빈칸에 알맞은 단어를 보기에서 골라 쓰시오. **수능 변형**

보기 pronounced efficient sedentary homogeneous receptive

Time spent on on-line interaction with members of one's own, preselected community leaves less time available for actual encounters with a wide variety of people. If physicists, for example, were to concentrate on exchanging email and electronic preprints with other physicists around the world working in the same specialized subject area, they would likely devote less time, and be less (1) ____________ to new ways of looking at the world. Facilitating the voluntary construction of highly (2) ____________ social networks of scientific communication therefore allows individuals to filter the potentially overwhelming flow of information. But the result may be the tendency to overfilter it, thus eliminating the diversity of the knowledge circulating and diminishing the frequency of radically new ideas. In this regard, even a journey through the stacks of a real library can be more fruitful than a trip through today's distributed virtual archives, because it seems difficult to use the available "search engines" to emulate (3) ____________ly the mixture of predictable and surprising discoveries that typically result from a physical shelf-search of an extensive library collection.

* emulate: 따라 하다

해석

자신의 미리 정해진 공동체의 구성원들과 온라인 상호작용을 하는 데 소비되는 시간으로 인해 폭넓은 다양한 사람들과의 실제적인 만남을 위해 쓸 수 있는 시간이 더 줄어들게 된다. 예를 들어, 물리학자들이 같은 전문화된 주제 분야에서 연구하는 전 세계의 다른 물리학자들과 이메일과 전자 예고(豫稿)를 주고받는 일에 집중한다면, 그들은 세상을 보는 새로운 방식에 더 적은 시간을 쏟고 그것을 덜 (1) **받아들이려고** 할 가능성이 크다. 따라서 과학 학술 커뮤니케이션에 있어서 고도로 (2) **동질적인** 사회적 네트워크를 자발적으로 구축하는 것을 촉진하는 것은 개인들로 하여금 잠재적으로 압도적인 정보의 흐름을 걸러낼 수 있게 한다. 하지만 그 결과는 그것을 과도하게 걸러내는 경향이 될 수 있고, 그래서 순환하는 지식의 다양성을 없애고 근본적으로 새로운 생각이 나타나는 빈도를 줄일 수 있다. 이러한 면에서, 심지어 실제 도서관의 서가를 훑고 다니는 것마저도 오늘 배포된 가상의 기록 보관소를 뒤지는 것보다 더 유익할 수 있는데, 왜냐하면 도서관의 방대한 장서가 있는 실제 서가에서 찾다가 흔히 달성할 수 있는 예측 가능한 발견과 놀라운 발견들이 섞여 있는 것을 (3) **효과적으로** 따라 하기 위해 이용 가능한 '검색 엔진'을 사용하는 것이 어려워 보이기 때문이다.

정답

(1) receptive (2) homogeneous (3) efficient

DAY 09

| Preview | 영영풀이에 해당하는 단어를 ⓐ~ⓒ에서 고르시오.

01 **a device or instrument designed for household use**
ⓐ tyrant ⓑ transfusion ⓒ appliance

02 **paying attention; listening carefully; observant**
ⓐ attentive ⓑ interconnected ⓒ masculine

03 **used or shared in common by everyone in a group**
ⓐ transformation ⓑ peripheral ⓒ communal

04 **to slow down or cause to slow down**
ⓐ booster ⓑ decelerate ⓒ permanent

05 **to restrain or hinder**
ⓐ inhibit ⓑ comply ⓒ domesticate

06 **to make poor**
ⓐ aviation ⓑ definitive ⓒ impoverish

07 **to cover something to prevent electricity, heat, or sound from passing through it**
ⓐ immerse ⓑ insulate ⓒ inhabitant

08 **a significant event in life, history, etc**
ⓐ vanguard ⓑ impulsive ⓒ milestone

09 **having or expressing innocence and credulity**
ⓐ undeserved ⓑ populate ⓒ naive

10 **to dislike very much**
ⓐ allure ⓑ detest ⓒ reinforcement

|정답| 1ⓒ 2ⓐ 3ⓒ 4ⓑ 5ⓐ 6ⓒ 7ⓑ 8ⓒ 9ⓒ 10ⓑ

가리개를 사용하여 뜻을 잘 암기했는지 확인하세요.

0241 **transformation**
[trӕ̀nsfərméiʃən]

명 **변신, 변화, 변형**

You can't have a physical **transformation** until you have a spiritual **transformation**. - *Cory Booker*

정신의 **변화** 없이 육체의 **변화**를 가질 수는 없다.

+ **transform** 동 완전히 바꾸다, 변형하다 **transformative** 형 변화시키는, 변형의

0242 **transfusion**
[trænsfjúːʒən]

명 **수혈; (자금 등의) 투입**

Blood **transfusion** is vital for survival of many critically ill patients.

수혈은 많은 심각한 병세의 환자들의 생존에 매우 중요하다.

+ **transfuse** 동 수혈하다; 주입하다

trans(= through) + fuse(= pour) + ion(명사 접미사) → 안쪽으로 붓다

0243 **appliance**
[əpláiəns]

명 **(가정용) 전기 제품, 기기** a device or instrument designed for household use

As the population ages and there are fewer young adults, purchases of big-ticket items such as homes, furniture, cars and **appliances** decrease. EBS

인구는 고령화되고 청년층은 더 적기 때문에 주택, 가구, 자동차 그리고 **가전 제품**과 같은 돈이 많이 드는 품목들의 구매가 줄어든다.

0244 **attentive**
[əténtiv]

형 **주의 깊은, 주의를 기울이는** paying attention; listening carefully; observant

Higher-status individuals can be indifferent while lower-status persons are required to be **attentive** with their gaze. 수능

더 낮은 직급의 사람들은 그들의 시선에 **주의를 기울이도록** 요구받는 반면, 더 높은 직급의 사람들은 무관심할 수 있다.

at(= to) + ten(d)(= stretch) + ive(형용사 접미사) → ~쪽으로 (마음이) 뻗는

0245 **aviation**
[èiviéiʃən]

명 **항공(술)**

Aviation experts are urging the more rapid introduction of more efficient jet engines that burn less fuel. EBS

항공 전문가들은 연료를 덜 연소하는 더 효율적인 제트 엔진의 보다 신속한 도입을 촉구하고 있다.

+ **aviate** 동 비행하다; 비행기를 조종하다 **aviator** 명 비행사

avis(새) + -ation(명사 접미사) → 새 같이 나는 것

0246 **booster** [bú:stər]

㉮ **증폭기; (사기·자신감 등을) 높이는 것**

Rhythm and rhyme are potent memory **boosters**. EBS
리듬과 운율은 강력한 기억력 **증폭기**이다.

⊞ **boost** ⓢ 신장시키다, 북돋우다 ㉮ 밀어올림; 증가
⊟ **amplifier** ㉮ 증폭기

0247 **communal** [kəmjú:nəl]

㉱ **공동(체)의, 공용의** used or shared in common by everyone in a group

Music began by serving **communal** purposes, of which religious ritual and warfare are two examples. EBS
음악은 **공동의** 목적에 이바지함으로써 시작되었고, 종교 의식과 전쟁이 그것의 두 가지 사례이다.

⊞ **communally** ㉱ 공동으로 **coummunism** ㉮ 공산주의
⇔ **private** ㉱ 사적인, 사유의

0248 **comply** [kəmplái]

ⓢ **순응하다, 따르다**

The public may well begin to **comply** with the trend. 학평
대중은 당연히 그 트렌드에 **순응하기** 시작한다.

comply with trend 추세를 따르다
⊞ **compliance** ㉮ 따름, 순종 **compliant** ㉱ 순응하는, 잘 따르는
⊟ **obey** ⓢ 복종하다 **submit to** ~에 따르다[복종하다]

com(= together) + ply(= fold) → 함께 (마음을) 접다

0249 **decelerate** [di:sélərèit]

ⓢ **감속하다** to slow down or cause to slow down

The driver kept a steady pace and didn't **decelerate** until we collided.
그 운전자는 끊임없이 속도를 유지했고 우리가 충돌할 때까지 **감속하지** 않았다.

⇔ **accelerate** ⓢ 속도를 높이다, 가속하다

0250 **definitive** [difínitiv]

㉱ **결정적인, 최종적인**

Some discoveries seem to entail numerous phases and discoverers, none of which can be identified as **definitive**. 수능
일부 발견들은 무수한 단계와 발견자들을 수반하는 것으로 보이며, 그 중 어느 것도 **결정적인** 것으로 확인될 수 없다.

definitive edition 결정판
⊞ **define** ⓢ 정의하다 **definition** ㉮ 정의, 명시

de(= from) + fin(= limit) + (i)tive(형용사 접미사) → ~로부터 완전히 경계를 긋는

0251 **domesticate** [dəméstəkèit]

㉰ 사육하다, 길들이다

Not only did agricultural man add grains and beans to his diet, he began to **domesticate** animals. EBS

농사를 짓는 인간은 식단에 곡물과 콩을 추가했을 뿐만 아니라, 동물들을 **사육하기** 시작했다.

+ **domestic** ㉻ 가정의; 국내의; (동물이) 길들여진, 집에서 키우는

dom(est)(= home, house) + icate(동사 접미사) → 집에서 하다

0252 **inhibit** [inhíbit]

㉰ 막다, 억제하다, 방해하다 to restrain or hinder

Superstitions and fears **inhibit** rational judgment.

미신과 두려움이 합리적인 판단을 **막는다**.

+ **inhibition** ㉹ 방해, 억제 **inhibitive** ㉻ 금지의, 억제하는

in(안에) + hibit(= hold) → 안에서 잡다

0253 **immerse** [imə́ːrs]

㉰ (액체에) 담그다; 몰두(하게)하다

Adolescents have been quick to **immerse** themselves in technology with most using the Internet to communicate. 모평

청소년들은 대부분 의사소통을 하기 위해 인터넷을 사용하면서 빠르게 과학 기술에 **몰두해** 왔다.

+ **immersion** ㉹ 담금; 몰두 **immersed** ㉻ (액체에) 담가진; 몰두한, 열중한

0254 **impoverish** [impɑ́vəriʃ]

㉰ 가난하게 만들다 to make poor

By creating new ideas, we can enrich all of us on the planet, while **impoverishing** none. EBS

새로운 아이디어를 창출해냄으로써, 우리는 누구도 **가난하게 만들지** 않으면서도 지구상의 우리 모두를 풍요롭게 할 수 있다.

+ **impoverished** ㉻ 빈곤한

↔ **enrich** ㉰ 풍요롭게 하다, 부유하게 만들다

0255 **impulsive** [impʌ́lsiv]

㉻ 충동적인, 즉흥적인

Impulsive actions led to trouble, and trouble could have unpleasant consequences. *- Stieg Lasson*

충동적인 행동은 문제를 초래했고, 문제는 불쾌한 결과를 낳았다.

+ **impulse** ㉹ 충동

im(= in) + puls(= push) + ive(형용사 접미사) → 안에서 미는

0256 □□ **inhabitant**

[inhǽbitənt]

[명] **거주자, 주민; 서식 동물**

Environmental activists try to elevate the priority given to the protection of the environment and its **inhabitants**. [EBS]

환경 운동가들은 환경과 환경에 **서식하는 동물들**의 보호에 부여되는 우선순위를 격상시키려고 노력한다.

[+] **inhabit** [동] ~에 살다, 거주〔서식〕하다

[=] **resident, dweller** [명] 거주자

0257 □□ **insulate**

[ínsjəlèit]

[동] **절연〔방음·단열〕 처리하다; ~(으)로부터 보호하다**

to cover something to prevent electricity, heat, or sound from passing throught it

An Alaskan fisherman, needs a blanket of extra fat to **insulate** against the cold. [EBS]

알래스카의 어부는 추위로부터 **보호하기** 위해 두꺼운 층의 추가 지방을 필요로 한다.

[+] **insulation** [명] 단열 (처리), 단열(재)

insul(= island) + ate(동사 접미사) → 섬에 가두어 고립시키다

0258 □□ **interconnected**

[intərkənéktid]

[형] **상호 연결된**

The world is a place that is so **interconnected** that what happens in another part of the world will impact us. *- Anthony Fauci*

세계는 **서로 연결된** 장소여서 세계의 다른 지역에서 일어나는 것이 우리에게 영향을 줄 것이다.

[+] **interconnect** [동] 서로 연결하다

0259 □□ **masculine**

[mǽskjəlin]

[형] **남성적인, 남성의**

One particular problem that people sometimes struggle with is avoiding the use of **masculine** pronouns to refer to both men and women. [EBS]

사람들이 때로 고심하는 한 가지 특정한 문제는 남성과 여성을 모두 지칭하는 **남성** 대명사의 사용을 피하는 것이다.

[↔] **feminine** [형] 여성적인, 여성의

0260 □□ **milestone**

[máilstòun]

[명] **중요한 일〔사건, 단계〕, 획기적 사건** a significant event in life, history, etc

The domestication of animals occurred some 10,000 years ago and represented a **milestone** for the history of human civilization. [EBS]

동물의 가축화는 약 10,000년 전에 일어났으며, 인류 문명사에서의 **획기적 사건**에 해당했다.

0261 **naive**
[nɑːíːv]

㉠ (경험·지식 부족으로) 순진한, 순진무구한 having or expressing innocence and credulity

Most of us are **naive** realists: we tend to believe our culture mirrors a reality shared by everyone. 학평
우리들 대부분은 **순진한** 현실주의자들이다. 즉, 우리는 우리의 문화가 모든 사람에 의해서 공유되는 현실을 반영한다고 믿는 경향이 있다.

동 innocent ㉠ 순수한

0262 **peripheral**
[pərífərəl]

1. ㉠ 주위의, 주변의

Peripheral vision is what you see out of the corner of your eyes when looking straight ahead.
주변 시야는 정면을 바라볼 때, 눈의 가장자리로 보는 것이다.

2. ㉡ (컴퓨터의) 주변 장치, 주변 기기

Printers, monitors and keyboards are examples of **peripherals**.
프린터, 모니터, 그리고 키보드는 **주변 장치**의 예들이다.

파 periphery ㉡ 주변

0263 **permanent**
[pə́ːrmənənt]

㉠ 영원한, 영속적인, 영구적인

Success is never **permanent**, and failure is never final. - *Mike Ditka*
성공은 절대로 **영원하지** 않고, 실패는 절대로 끝이 아니다.

파 permanence ㉡ 영속성, 불변성 permanently ㉢ 영구히
반 temporary ㉠ 일시적인

0264 **populate**
[pɑ́pjəlèit]

㉣ ~에 살다, 거주시키다

Mediterranean Sea, which is warm down to a depth of over 5,000m, is **populated** by deep-sea fishes. 학평
5,000미터가 넘는 깊이까지 내려가도 따뜻한 지중해에는 심해 어류가 **서식한다**.

파 population ㉡ 인구; 모집단; 개체군 populous ㉠ 인구가 많은

0265 **reinforcement**
[rìːinfɔ́ːrsmənt]

㉡ (감정·생각 등 심리적인) 강화, 보강

In popular use, positive **reinforcement** is often used as a synonym for reward. 대중적인 사용에서, 긍정적 **강화**는 종종 보상의 동의어로 사용된다.

파 reinforce ㉣ 강화하다, 보강하다

re(= again) + in(= en 만들다) + force(힘) + ment(명사 접미사) → 다시 힘을 만드는 것

0266 **detest**

[ditést]

[동] **혐오하다** to dislike very much

I have three kinds of friends: those who love me, those who pay no attention to me, and those who **detest** me. *- Nicolas Chamfort*

내겐 세 부류의 친구가 있다. 나를 사랑하는 친구, 나에게 무관심한 친구, 그리고 나를 **혐오하는** 친구.

[+] **detestable** [형] 혐오스러운

[=] **despise, loathe** [동] 혐오하다, 경멸하다

de(= away) + test(= witness 보다) → 멀리서 볼 정도로 싫어하다

0267 **allure**

[əljúər]

[동] **유혹하다, 매혹시키다, 사로잡다**

Her natural beauty has always **allured** her fans.

그녀는 타고난 아름다움은 늘 그녀의 팬들을 **매혹시켜 왔다**.

[=] **charm, entice** [동] 꾀다, 유인하다

al(= to 방향) + lure(미끼) → 미끼로 유혹하다

0268 **undeserved**

[ʌndizə́ːrvd]

[형] **받을 자격이 없는, 과분한**

I think people hate him because he got **undeserved** credit.

나는 그가 **받을 자격이 없는** 칭찬을 받았기 때문에 사람들이 그를 싫어한다고 생각한다.

[+] **deserve** [동] ~을 받을 만하다, ~할 자격이 있다

[↔] **deserving** [형] ~을 받을 만한

0269 **vanguard**

[vǽngɑ̀ːrd]

[명] **선구자, 선도자, 선봉**

The **vanguard** of such a migration must have been small in number and must have traveled comparatively light. [수능]

이러한 이주의 **선발대**는 숫자가 매우 적었음에 틀림이 없고 비교적 짐을 가볍게 해서 다녔음에 틀림없다.

van(= forward) + guard(지키다, 경계) → 앞에서 지키는 것

0270 **tyrant**

[táiərənt]

[명] **폭군, 독재자**

The country was ruled by a corrupt **tyrant** for decades.

그 나라는 수십 년 동안 부패한 **독재자**에 의해서 통치되었다.

[+] **tyranny** [명] 압제, 독재 (정치) **tyrannize** [동] 폭정을 하다

[=] **dictator, autocrat** [명] 독재자

Review TEST

Q 빈칸에 알맞은 단어를 보기에서 골라 쓰시오. 학평 변형

보기				
naive	communal	milestone	permanent	population

Since the 1970s, more and more Maasai have given up the traditional life of mobile herding and now dwell in (1) ________ huts. This trend was started by government policies that encouraged subdivision of commonly held lands. In the 1960s, conventional conservation wisdom held that the Maasai's roaming herds were overstocked, degrading the range and Amboseli's fever-tree woodlands. Settled, commercial ranching, it was thought, would be far more efficient. The Maasai rejected the idea at first — they knew they could not survive dry seasons without moving their herds to follow the availability of water and fresh grass. The Maasai, however, are a small minority, and their (2) ________ly held lands have often been taken by outsiders. As East Africa's human (3) ________ grows, Maasai people are subdividing their lands and settling down, for fear of otherwise losing everything.

해석

1970년대 이래로 점점 더 많은 마사이족은 유목이라는 전통적인 생활을 버리고 지금은 (1) **영구적인** 오두막에서 거주한다. 이러한 경향은 공동으로 소유된 토지의 분할을 장려하는 정부 정책에 의해 시작되었다. 1960년대에 전통적인 보존 지식은 마사이족의 이동하는 가축이 너무 많아서 방목 구역과 Amboseli의 fever-tree 산림 지대를 황폐화했다고 주장했다. 정착된 상업적인 목축이 훨씬 더 효율적이라고 생각되었다. 마사이족은 처음에 그 생각을 거부했는데, 즉 물과 신선한 풀의 이용 가능성을 따라 자신들의 가축을 이동하지 않으면 그들이 건기에 생존할 수 없다는 것을 그들이 알았던 것이다. 그러나 마사이족은 작은 소수 집단이고, 그들의 (2) **공동으로** 소유된 토지는 종종 외부인들에 의해 점유되었다. 동아프리카의 (3) **인구**가 증가함에 따라 마사이족 사람들은 그렇지 않으면 모든 것을 잃어버린다는 두려움에 자신들의 토지를 분할하고 정착하고 있다.

정답

(1) permanent (2) communal (3) population

| Preview | 영영풀이에 해당하는 단어를 ⓐ~ⓒ에서 고르시오.

01 **noticeable conspicuous, or striking**
ⓐ superficial ⓑ repertoire ⓒ salient

02 **to think over what might happen; guess**
ⓐ speculate ⓑ scribble ⓒ replicate

03 **to make something stable or steadfast**
ⓐ adhere ⓑ stabilize ⓒ elated

04 **tiring and boring**
ⓐ synthetic ⓑ thermal ⓒ tedious

05 **to cause to slope, as by raising one end**
ⓐ tilt ⓑ utilitarian ⓒ dispatch

06 **an arrival; a start or a beginning**
ⓐ resentment ⓑ assemble ⓒ advent

07 **extreme pain or misery; agony**
ⓐ adverse ⓑ anguish ⓒ connectivity

08 **to have the opposite result of what was desired**
ⓐ backfire ⓑ delinquency ⓒ divulge

09 **puzzled; confused**
ⓐ automotive ⓑ bewildered ⓒ weary

10 **a sudden, extensive, or notable disaster**
ⓐ catastrophe ⓑ binoculars ⓒ complementary

|정답| 1 ⓒ 2 ⓐ 3 ⓑ 4 ⓒ 5 ⓐ 6 ⓒ 7 ⓑ 8 ⓐ 9 ⓑ 10 ⓐ

가리개를 사용하여 뜻을 잘 암기했는지 확인하세요.

0271 **repertoire** [répərtwɑ̀ːr]

㊔ **연주[노래·공연] 곡목[목록], 레퍼토리**

By the turn of the twentieth century, the permanent **repertoire** of musical classics dominated almost every field of concert music. 모평

20세기로 바뀔 무렵, 고전 음악 작품의 영구적인 **연주 목록**은 콘서트 음악의 거의 모든 분야를 지배했다.

0272 **salient** [séiliənt]

㊔ **두드러진, 현저한** noticeable, conspicuous, or striking

Negotiators may focus only on the largest, most **salient** issues, leaving more minor ones unresolved. 학평

협상자들은 더 사소한 것들은 미제로 내버려 두고, 가장 크고 가장 **두드러진** 문제에만 집중한다.

+ **saliently** ㊔ 두드러지게, 눈에 띄게

0273 **scribble** [skríbl]

1. ㊔ **낙서하다, 휘갈겨 쓰다**

It was a birthday card from his students, decorated with all kinds of odd-shaped but colorful hearts and **scribbled** names. 모평

그것은 그의 학생들로부터 온 생일 카드였는데, 모든 종류의 이상한 모양을 한 다채로운 하트와 **휘갈겨 쓴** 이름들로 장식되어 있었다.

2. ㊔ **낙서**

Our children's drawings and **scribbles** can tell many things about them.

우리 아이들의 그림과 **낙서**는 그들에 관한 많은 것들을 말해 줄 수 있다.

= **scrawl** ㊔ 휘갈겨 쓰다 ㊔ 휘갈겨 쓰기

0274 **assemble** [əsémbl]

㊔ **모으다; 조립하다**

A psychologist **assembled** groups of twelve university students and announced that they were taking part in an experiment on visual perception. 수능

한 심리학자가 20명의 대학생들로 이루어진 집단들을 **모아서**, 그들이 시각적 지각에 관한 실험에 참여할 거라고 알렸다.

+ **assembly** ㊔ 집회; 의회

↔ **disassemble** ㊔ 해체하다; 분해하다

0275 **speculate** [spékjəlèit]

㊔ **추정하다, 추측하다; 사색하다** to think over what might happen; guess

Some scholars **speculate** that Homer's *Iliad* was originally an oral text. EBS

일부 학자들은 Homer의 〈일리아드〉는 원래 구전 텍스트였다고 **추측한다**.

+ **speculation** ㊔ 사색, 추측

0276 **stabilize**
[stéibəlàiz]

[동] **안정시키다, 안정되다** to make something stable or steadfast

The Chinese government has been forced to find a way to **stabilize** grain prices and increase farmers' incomes. [EBS]
중국 정부는 곡물 가격을 **안정시키고** 농민들의 소득을 증가시킬 방법을 찾아야 했다.

[+] **stability** [명] 안정성 **stable** [형] 안정된

sta(= stand) + able(~할 수 있는) + ize(동사 접미사) → 서 있을 수 있게 하다

0277 **superficial**
[sjù:pərfíʃəl]

[형] **깊이 없는; 피상적인**

Superficial analogies between the eye and a camera obscure the much more fundamental difference between the two, which is that the camera merely records an image, whereas the visual system interprets it. [수능]
눈과 카메라 사이의 **피상적인** 비유는 둘 사이의 훨씬 더 근본적인 차이를 가리게 되는데, 그 차이는 카메라는 단지 상을 기록할 뿐이지만, 반면에 시각 체계는 그것을 해석한다는 점이다.

[+] **superficially** [부] 표면적으로는, 피상적으로는

0278 **synthetic**
[sinθétik]

[형] **합성의, 인조의**

The amount of **synthetic** chemicals in use all over the world has increased twofold over the last ten years. [EBS]
전 세계에서 사용하고 있는 **합성** 화학 물질의 양은 지난 십 년간 두 배로 증가했다.

[+] **synthesize** [동] 합성하다 **synthesis** [명] 합성
[=] **artificial** [형] 인공의, 인위적인

0279 **tedious**
[tí:diəs]

[형] **지루한, 싫증나는** tiring and boring

Anyone who cooks a lot at home knows that peeling garlic is a **tedious** task. 집에서 요리를 자주하는 누구든지 마늘을 까는 것은 **지루한** 일이라는 것을 안다.

[+] **tedium** [명] 지루함, 권태
[=] **dreary, dull** [형] 지루한, 따분한

0280 **thermal**
[θə́:rməl]

[형] **열의, 온도의**

Production of the energy from solar **thermal** power was at its peak in 2004, and then decreased steadily. [학평]
태양**열** 발전로부터의 에너지 생산은 2004년에 정점을 찍었고, 그 뒤로 점점 감소했다.

thermal springs 온천

therm(= heat) + al(형용사 접미사) → 열의

0281 **tilt**
[tilt]

㊍ **기울다, 기울게 하다** to cause to slope, as by raising one end

The axis of Earth is **tilted** at an angle of 23.5° from the vertical position.
지구의 자전축은 수직에서 23.5° **기울어져** 있다.

㊀ **incline, tip** ㊍ 기울다

0282 **resentment**
[rizéntmənt]

㊔ **분노, 분개**

Resentment is like drinking poison and waiting for the other person to die. *- Saint Augustine*
분노는 (자신이) 독약을 먹고 상대방이 죽기를 기다리는 것과 같다.

㊉ **resent** ㊍ 분개하다 **resentful** ㊎ 분개하는, 원망하는
㊀ **grudge** ㊔ 원한, 유감

re(= again, completely) + sent(= feel) + ment(명사 접미사) → 다시[강하게] 느끼기

0283 **utilitarian**
[juːtìlitέəriən]

㊎ **실용(주의)적인; 공리주의의**

Policymaking is seen to be more objective when **utilitarian** rationality is the dominant value that guides policy. 수능
정책 결정은 **공리주의적** 합리성이 정책을 이끄는 지배적인 가치일 때 더 객관적으로 보인다.

㊉ **utility** ㊔ 실용성 **utilitarianism** ㊔ 공리주의
㊀ **pragmatic** ㊎ 실용적인

0284 **adhere**
[ædhíər]

㊍ **들러붙다; 고수하다, 집착하다**

People gradually internalize norms to which they initially **adhere** for reputational reasons. EBS
사람들은 평판과 관련된 이유로 처음에 **고수하는** 규범을 점차 내면화한다.

㊉ **adherence** ㊔ 고수, 집착 **adhesive** ㊎ 접착성의, 들러붙는 ㊔ 접착제
㊀ **cling, stick** ㊍ 꼭 붙잡다, 매달리다

ad(= to) + here(= stick) → 달라붙다

0285 **advent**
[ǽdvent]

㊔ **(중요한 사건·인물의) 출현, 도래** an arrival; a start or a beginning

With the **advent** of the printing press, people began to think of memory as a library that stores events and facts for later retrieval. 학평
인쇄기의 **출현**과 함께 사람들은 기억을 사건과 사실을 나중에 다시 찾기 위해 저장하는 도서관으로 생각하기 시작했다.

with the advent of ~의 도래로

0286 **adverse**
[ædvə́:rs]

㉻ **해로운, 불리한; 부정적인, 반대의**

Pesticides will have an **adverse** effect on plants and wildlife.
살충제는 식물과 야생 동물들에게 **해로운** 영향을 미칠 것이다.

➕ **adversary** ⓜ 적수, 상대방 **adversity** ⓜ 역경, 불행, 불운
↔ **beneficial** ㉻ 유익한, 해로운
= **negative** ㉻ 부정적인 **unfavorable** ㉻ 불리한

ad(= to) + verse(= turn) → 반대쪽으로 돌리는

0287 **anguish**
[ǽŋgwiʃ]

ⓜ **고통, 괴로움** extreme pain or misery; agony

The existentialist Jean-Paul Sartre thought that human beings live in **anguish**.
실존주의 철학자 Jean-Paul Sartre(장 폴 사르트르)는 인간이 **고뇌** 속에 살고 있다고 생각했다.

= **distress, torment, agony** ⓜ 고뇌, 고통

ang(u)(= choke) + ish(명사 접미사) → 질식할 정도의 누르기

0288 **automotive**
[ɔ̀:təmóutiv]

㉻ **자동차의, 자동차 관련의**

Automotive industries are forced to reduce carbon dioxide emissions.
자동차 산업은 이산화탄소 배출을 줄이도록 강요당하고 있다.

➕ **automobile** ⓜ 자동차

auto(= self) + mot(= move) + ive(형용사 접미사) → 스스로 움직이는

0289 **backfire**
[bǽkfàiər]

㉣ **역효과를 일으키다** to have the opposite result of what was desired

His insincere apology **backfired** and made the situation worse.
그의 불성실한 사과는 **역효과를 냈고** 상황을 악화시켰다.

= **have an adverse effect** 역효과를 내다

0290 **bewildered**
[biwíldərd]

㉻ **몹시 당황한, 어리둥절한** puzzled; confused

I felt **bewildered** because I didn't know what I'd done to make him angry.
내가 무엇을 잘못해서 그를 화나게 했는지 몰랐기 때문에 나는 **당황스러웠다**.

➕ **bewilder** ㉣ 당황하게 하다, 어리둥절하게 하다 **bewildering** ㉻ 당황하게 하는
= **perplexed** ㉻ 당혹스러운

0291 **binoculars** [bainάkjulərz]

㉮ **쌍안경**

If you put the **binoculars** on a tripod, you'll get a more stable image.
쌍안경을 삼각대에 올려 두면, 더 안정된 이미지를 얻게 될 것이다.

➕ binocular ㉱ 두 눈으로 보는

bi(= two) + ocul(= eye) + ar(명사 접미사) → 두 개의 눈을 가진 것

0292 **catastrophe** [kətǽstrəfi]

㉮ **큰 재해, 재앙** a sudden, extensive, or notable disaster

Wild globalization has benefited some, but it's been a **catastrophe** for most. - *Marine Le Pen*
거센 세계화는 일부에게는 이익을 주었지만 대부분에게는 **재앙**이다.

➕ catastrophic ㉱ 큰 재해의, 파멸의

0293 **complementary** [kɑ̀mpləméntəri]

㉱ **상호 보완적인, 보충하는**

According to a recent study in the journal *Flavour*, when we experience a strong **complementary** aroma with our food, we take smaller bites. 학평
'Flavour' 지의 최근 연구에 따르면, 음식을 **보완하는** 강한 향을 맡게 되면 우리는 더 적게 먹는다.

cf. complimentary ㉱ 칭찬하는; 무료의
➕ complement ㉯ 보완하다, 보충하다

com(= completely) + ple(= fill) + ment(명사 접미사) + ary(형용사 접미사)
→ (부족한 것을) 채워서 완전하게 하는

0294 **connectivity** [kɑ̀nektívəti]

㉮ **연결(성)**

The influence of online communities has drastically increased with the ubiquity of digital **connectivity** afforded by smartphones. EBS
스마트폰이 제공하는 디지털 **연결**이 도처에서 가능해짐으로써 온라인 공동체의 영향력은 급격히 증가했다.

➕ connection ㉮ 연결, 접속; 관계 connective ㉱ 연결[결합]하는

0295 **delinquency** [dilíŋkwənsi]

㉮ **(청소년의) 비행, 탈선, 범죄**

Juvenile **delinquency** is becoming very prevalent in today's society.
청소년 **비행**이 오늘날의 사회에 매우 만연해지고 있다.

➕ delinquent ㉱ 탈선의, 비행의 delinquently ㉶ 태만하여

0296 **dispatch**

[dispǽtʃ]

1. ⓢ **파견하다, 발송하다**

The U.S. military **dispatched** two B-52 bombers to the Middle East.
미군은 2대의 B-52 폭격기를 중동 지방으로 **파견했다**.

2. ⓜ **발송, 급보**

The journalist in Lebanon sent a **dispatch** to a newspaper organization of his country. 레바논에 있는 기자가 본국의 신문사에 **급보**를 보냈다.

dispatcher ⓜ 발송 담당자

dis(= away) + patch(= foot) → 발을 빼다

0297 **divulge**

[divʌ́ldʒ]

ⓢ **폭로하다, 발설하다**

You should not **divulge** information about our new product to a competitor.
당신은 우리의 신제품에 관한 정보를 경쟁사에 **누설해서는** 안 된다.

divulgence ⓜ 비밀 누설, 폭로
reveal, disclose ⓢ (비밀 등을) 드러내다, 밝히다

0298 **elated**

[iléitid]

ⓗ **매우 기뻐하는, 의기양양한**

I will not be discouraged by failure; I will not be **elated** by success.
- Joseph Barber Lightfoot
나는 실패 때문에 낙담하지 않을 것이며, 성공 때문에 **의기양양하지도** 않을 것이다.

elate ⓢ 기운을 북돋우다 **elatedness** ⓜ 의기양양함, 우쭐함(= elation)
euphoric, exhilarated ⓗ 극도로 행복한, 아주 신나는

0299 **weary**

[wíəri]

ⓗ **지친, 피곤한; 싫증 난**

The old man looked **weary** from years of hard work.
그 노인은 수 년간의 과로로 **지쳐** 보였다.

wearisome ⓗ 지치게 하는; 지루한 **weariness** ⓜ 피곤; 싫증
exhausted, fatigued ⓗ 피곤한, 지친

0300 **replicate**

[répləkeit]

ⓢ **재연하다, 반복하다; 복제하다**

If an experiment cannot be **replicated**, then it is not a well-designed experiment. 만일 실험이 **재연될** 수 없으면, 그것은 잘 설계된 실험이 아니다.

replication, replica ⓜ 복제, 사본
duplicate ⓢ 복사하다, 복제하다

re(= again) + pl(= fill) + (ic)ate(동사 접미사) → 다시 채워지게 하다

Review TEST

Q 빈칸에 알맞은 단어를 보기에서 골라 쓰시오. 수능 변형

보기

replicate dispatch advent weary utilitarian

Over the past 60 years, as mechanical processes have (1) ____________(e)d behaviors and talents we thought were unique to humans, we've had to change our minds about what sets us apart. As we invent more species of AI, we will be forced to surrender more of what is supposedly unique about humans. Each step of surrender — we are not the only mind that can play chess, fly a plane, make music, or invent a mathematical law — will be painful and sad. We'll spend the next three decades — indeed, perhaps the next century — in a permanent identity crisis, continually asking ourselves what humans are good for. If we aren't unique toolmakers, or artists, or moral ethicists, then what, if anything, makes us special? In the grandest irony of all, the greatest benefit of an everyday, (2) ____________ AI will not be increased productivity or an economics of abundance or a new way of doing science — although all those will happen. The greatest benefit of the (3) ____________ of artificial intelligence is that AIs will help define humanity.

해석

지난 60년 동안, 기계적 공정이 우리가 생각하기에 인간에게만 있는 행동과 재능을 (1) **복제해** 왔기 때문에, 우리는 우리를 다르게 만드는 것에 관한 우리의 생각을 바꿔야만 했다. 더 많은 종의 AI(인공지능)를 발명하면서, 우리는 아마도 인간에게만 있는 것 중 더 많은 것을 내 줘야만 할 것이다. 매번 내 주는 일(우리가 체스를 둘 줄 알거나, 비행기를 날릴 줄 알거나, 음악을 만들거나, 아니면 수학 법칙을 발명할 줄 아는 유일한 존재가 아니라는 것)은 고통스럽고 슬플 것이다. 우리는 앞으로 올 30년(사실, 아마도 앞으로 올 한 세기)를 영속적인 정체성 위기 속에서 보내며, 계속 우리 자신에게 인간이 무엇에 소용이 있을지를 질문하게 될 것이다. 우리가 유일한 도구 제작자나 예술가, 혹은 도덕 윤리학자가 아니라면, 도대체 무엇이 우리를 특별하게 만드는가? 가장 아이러니하게도, 일상적이고 (2) **실용적인** AI의 가장 큰 이점은, 비록 그 모든 것이 일어날 것이지만, 향상된 생산성이나 풍요의 경제학, 혹은 과학을 행하는 새로운 방식이 아닐 것이다. 인공 지능의 (3) **도래**가 주는 가장 큰 이점은 AI가 인간성을 정의하는 데 도움을 줄 것이라는 것이다.

정답

(1) replicate (2) utilitarian (3) advent

| Preview | 영영풀이에 해당하는 단어를 ⓐ~ⓒ에서 고르시오.

01 **a person or animal that is descended from a specific ancestor**
ⓐ disbelief ⓑ legislation ⓒ descendant

02 **hard to express or define**
ⓐ elusive ⓑ generic ⓒ glare

03 **to make or regard as similar, especially in order to compare or balance**
ⓐ equate ⓑ embellish ⓒ dissipate

04 **to remove or destroy utterly**
ⓐ engrave ⓑ eradicate ⓒ incorporate

05 **very busy; full of activity**
ⓐ hectic ⓑ loom ⓒ archaic

06 **to involve oneself in a situation so as to alter or hinder an action or development**
ⓐ deviate ⓑ infinity ⓒ intervene

07 **to make somebody very interested**
ⓐ innovate ⓑ intrigue ⓒ overstate

08 **something handed down from one generation to another**
ⓐ inventory ⓑ kinship ⓒ legacy

09 **a declaration of truth or fact**
ⓐ testimony ⓑ merchandise ⓒ pendulum

10 **strongly and clearly expressed in a way that influences what people believe**
ⓐ cogent ⓑ disjointed ⓒ cohesive

|정답| 1ⓒ 2ⓐ 3ⓐ 4ⓑ 5ⓐ 6ⓒ 7ⓑ 8ⓒ 9ⓐ 10ⓐ

가리개를 사용하여 뜻을 잘 암기했는지 확인하세요.

0301 **descendant**
[diséndənt]

[명] **자손, 후예, 후손** a person or animal that is descended from a specific ancestor

The wise man must remember that while he is a **descendant** of the past, he is a parent of the future. *- Herbert Spencer*
현명한 사람은 자신이 과거의 **자손**이면서 미래의 부모라는 것을 기억해야 한다.

Evolution works to maximize the number of **descendants** that an animal leaves behind. [수능]
진화는 동물이 남기는 **후손들**의 수를 최대화하기 위해 작용한다.

[+] descend [동] 내려오다, 하강하다; 유래하다

0302 **disbelief**
[dìsbilí:f]

[명] **불신, 의혹**

Truth will always be truth, regardless of lack of understanding, **disbelief** or ignorance. *- W. Clement Stone*
진리는 이해 부족, **불신** 또는 무지와 관계없이 언제나 진리일 것이다.

[+] disbelieve [동] 믿지 않다

0303 **dissipate**
[dísəpèit]

[동] **(구름·연기 등이) 흩어지다; (재산을) 탕진하다**

Body heat is **dissipated** most efficiently through the evaporation of sweat on exposed skin surfaces. [EBS]
체열은 노출된 피부 표면에서 땀의 증발을 통해 가장 효율적으로 **방산(放散)된다.**

0304 **elusive**
[ilú:siv]

[형] **규정하기 어려운, 난해한** hard to express or define

The term 'love' is **elusive** and cannot be given an exact definition.
'사랑'이라는 용어는 **규정하기 어렵고** 정확한 정의가 주어질 수 없다.

[+] elude [동] (교묘하게) 피하다, 이해되지 않다 elusion [명] 도피, 회피

0305 **embellish**
[imbéliʃ]

[동] **꾸미다, 장식하다, 윤색하다**

He **embellishes** his story to impress his readers.
그는 독자들에게 깊은 인상을 주기 위해서 그의 이야기를 **윤색한다[꾸민다]**.

The singer is apt to **embellish** that vocal line to give it a "styling," just as the accompanist will fill out the piano part to make it more interesting. [모평]
반주자가 피아노 파트를 채워 넣어 그것을 더 흥미롭게 하는 것과 마찬가지로, 가수도 노래 파트를 **꾸며서** 그것에 '모양내기'를 제공하는 경향이 있다.

[+] embellishment [명] 꾸밈, 장식(물)

0306 **engrave**
[ingréiv]

㊐ **새기다, 조각하다**

He **engraved** his initials into the bark of the tree.
그는 나무껍질에 그의 이름 첫 글자를 **새겼다**.

➕ **engraved** ㊎ 새겨진, 조각된

en(= into) + grave(= dig) → 안쪽에 파다

0307 **equate**
[ikwéit]

㊐ **동일시하다, 동등하게 다루다** to make or regard as similar, especially in order to compare or balance

In the United States, we tend to **equate** creativity with novelty and originality. EBS 미국에서 우리는 창의성을 참신함 및 독창성과 **동일시하는** 경향이 있다.

➕ **equation** ㊔ 동일시; 방정식, 등식

0308 **eradicate**
[irǽdəkèit]

㊐ **근절하다, 퇴치하다** to remove or destroy utterly

We should **eradicate** discrimination against disabled people.
우리는 장애인에 대한 차별을 **근절해야** 한다.

Some men, under the notion of weeding out prejudice, **eradicate** virtue, honesty and religion. *- Jonthan Swift*
어떤 사람들은 편견을 제거한다는 개념의 명목 하에 미덕, 정직 및 종교를 **근절한다**.

➕ **eradication** ㊔ 근절, 퇴치

0309 **infinity**
[infínəti]

㊔ **무한대; 무한한 공간[시간, 거리]**

Remember, in the vast **infinity** of life, all is perfect, whole, and complete ... and so are you. *- Louise L. Hay*
광활한 생명의 **무한함**에 있어서 모든 것은 완벽하고, 완전하고, 완성되었는다는 것, 그리고 당신도 그렇다는 것을 기억하라.

to infinity 무한히

in(= not) + fin(= finish) + ity(명사 접미사) → 끝이 없는 것

0310 **generic**
[dʒenérik]

1. ㊎ **포괄적인, 일반적인, 총칭적인**

Economists often use the **generic** term "utility" to refer to the pleasure, value, or usefulness of something that is consumed or experienced. 학평
경제학자들은 종종 기쁨, 가치, 혹은 소비되거나 경험되어지는 무언가의 유용성을 가리키기 위해서 '효용'이라는 **포괄적인** 용어를 종종 사용한다.

2. ㊎ **(약품 등이) 상표 등록이 되어 있지 않은**

Generic drugs are not inferior to brand-name drugs.
상표 등록이 되어 있지 않은 약품이 유명 상표의 약품보다 나쁘지 않다.

0311 **glare**
[glɛər]

1. ⓢ **노려보다; 눈부시게 빛나다**

She **glared** at him without saying anything to him.
그녀는 그에게 아무 말도 하지 않은 채 그를 **노려보았다**.

2. ⓜ **노려봄; 눈부신 빛**

The **glare** of sunlight made him quickly close his eyes.
눈부신 **햇빛**이 그로 하여금 재빨리 눈을 감도록 했다.

give a person a glare ~을 노려보다
⊞ **glaring** ⓗ 노려보는; 번쩍이는

0312 **hectic**
[héktik]

ⓗ **정신없이 바쁜** very busy; full of activity

We all seek to escape from our **hectic** daily routines from time to time.
우리 모두는 때때로 **정신없이 바쁜** 매일의 일상으로부터 탈출하기를 추구한다.

The birds are consulting about their migrations, the trees are putting on the **hectic** or the pallid hues of decay. *- Geroge Elliot*
새들은 그들의 이동에 대해 상의하고 있고, 나무들은 **바쁘거나** 썩어가는 창백한 색을 띠고 있다.

0313 **incorporate**
[inkɔ́:rpəreit]

ⓢ **섞다, 결합하다; 법인으로 만들다**

Religious ceremonies were **incorporated** with music and dance, and performed in public spaces.
종교 의식은 음악 및 무용과 **결합되었고**, 공공장소에서 행해졌다.

⊞ **incorporated** ⓗ 법인 회사의 **incorporation** ⓜ 합병; 법인 설립

in(안에서) + corp(= body) + ate(동사 접미사) → 안에서 한 몸이 되다

0314 **innovate**
[ínəvèit]

ⓢ **혁신하다, 쇄신하다**

When you **innovate**, you've got to be prepared for everyone telling you you're nuts. *- Larry Ellison*
당신이 **혁신할** 때 당신은 모든 사람이 당신이 바보라고 말하는 것에 준비되어 있어야 한다.

⊞ **innovation** ⓜ 혁신

in(안에서) + nov(= new) + ate(동사 접미사) → 안에서부터 새롭게 하다

0315 **intervene**
[ìntərví:n]

ⓢ **간섭하다; 개입하다, 중재하다** to involve oneself in a situation so as to alter or hinder an action or development

The government **intervened** and put together a monetary aid package to keep the airline industry alive. EBS
정부는 항공 산업을 계속 유지시키기 위해 **개입해서** 재정적 원조 종합 정책을 준비했다.

⊞ **intervention** ⓜ 간섭; 개입, 중재

0316 **intrigue**
[intríːg]

㉿ **흥미[호기심]를 자극하다** to make somebody very interested

Exactly how cicadas keep track of time has always **intrigued** researchers.
수능 정확히 어떻게 매미가 시간을 추적하는지는 늘 연구자들의 **호기심을 자극해** 왔다.

+ **intrigued** ⓗ 흥미로워 하는 **intriguing** ⓗ 흥미로운

0317 **inventory**
[ínvəntɔ̀ːri]

ⓜ **목록; 재고(품)**

We made an **inventory** of the museum's collection.
우리는 박물관 소장품의 **목록**을 만들었다.

When the supply of a manufactured product exceeds the demand, the manufacturer cuts back on output, and the merchant reduces **inventory** to balance supply and demand. 모평
어떤 공산품의 공급이 수요를 초과하면, 수요와 공급의 균형을 맞추기 위해 제조자는 생산량을 줄이고 상인은 **재고**를 줄인다.

in(안에) + vent(= come) + ory(명사 접미사) → 안에 들어와 있는 것

0318 **kinship**
[kínʃip]

ⓜ **연대감, 유대감, 친족 (관계)**

She evidently felt a sense of **kinship** with the girl.
그녀는 분명히 그 소녀와 **연대감**을 느꼈다.

People living in groups can help one another beyond the immediate **kinship** group. EBS
집단 속에서 사는 사람들은 직계 **친족** 집단의 범위를 넘어 서로 도울 수 있다.

0319 **legacy**
[légəsi]

ⓜ **유산, 유물** something handed down from one generation to another

No **legacy** is so rich as honesty - *William Shakespeare*
정직만큼 풍요로운 **유산**은 없다.

Rome left an enduring **legacy** in many areas and multiple ways. 학평
로마는 많은 분야에서 다양한 방식으로 오래 지속되는 **유산**을 남겼다.

0320 **loom**
[luːm]

1. ㉿ **(특히 무섭게) 어렴풋이 나타나다, 불안하게 다가오다**

Concerns of the present tend to **loom** larger than potentially greater concerns that lie farther away. EBS
현재의 우려는 더 멀리 떨어져 있는 잠재적으로 더 큰 우려보다 더 크게 **다가오는** 경향이 있다.

2. ⓜ **베틀, 방직기, 직조기**

The power **loom** was used to weave threads into cloth.
동력 **직조기**는 실을 천으로 짜기 위해서 사용되었다.

0321 **merchandise**
[mə́ːrtʃəndàiz]

명 **상품, 제품**

He estimates that $300,000 worth of **merchandise** was stolen.
그는 30만 달러 이상의 **상품**이 도난당했다고 추정한다.

➕ **merchandiser** 명 판매업자, 상인

0322 **overstate**
[òuvərstéit]

동 **과장하다**

The role of science can sometimes be **overstated**, with its advocates slipping into scientism. 수능
과학의 역할은 때때로 **과장될** 수 있고, 그 옹호자들은 과학만능주의에 빠진다.

동 **exaggerate** 동 과장하다, 지나치게 강조하다

over(지나친) + state(= tell) → 과장하여 말하다

0323 **pendulum**
[péndʒələm]

명 **(괘종시계의) 추**

Politics swings like a **pendulum**. - *Ed Gillespie*
정치는 (시계) **추**처럼 흔들린다.

Galileo discovered that a **pendulum** always takes the same amount of time to swing whether the swing is narrow or wide. 학평
Galileo는 **시계추**가 그 흔들림이 좁든 넓든 상관없이 흔들리는 데 항상 같은 양의 시간이 걸린다는 것을 발견했다.

0324 **testimony**
[téstəmòuni]

명 **증언, 증거** a declaration of truth or fact

The historian has to seek independent validation of their **testimony** from archaeology or other texts. EBS
역사학자는 고고학이나 다른 문서로 그것들의 **증거**에 대한 독자적인 확인을 추구해야 한다.

bear testimony for[against] ~에게 유리한[불리한] 증언을 하다
동 **proof, evidence, demonstration** 명 증거; 증명

test(= witness) + mony(상태) → 증언하는 상태

0325 **legislation**
[lèdʒisléiʃən]

명 **법률, 입법, 법률 제정**

Some city planning experts called for **legislation** against texting while walking that would be followed by a deep change of norms. 학평
몇몇 도시 계획 전문가들은 규범의 큰 변화가 뒤따르게 될, 보행 중 문자 보내기를 금지하는 **법률**을 요구했다.

➕ **legislate** 동 법을 제정하다 **legislator** 명 입법자, 국회의원

0326 **archaic**
[ɑːrkéiik]

㊗ 고대의, 원시적인

Archaic words usually refer to those that were used in the past but are out of use today.
고어는 과거에는 사용되었지만 오늘날에는 사용되지 않는 글자를 가리킨다.

archaic words 고어

arch(= ancient) + aic(형용사형 접미사) → 고대의

0327 **cogent**
[kóudʒənt]

㊗ 설득력이 있는, 타당한 strongly and clearly expressed in a way that influences what people believe

The most **cogent** reason for restricting the interference of government is the great evil of adding unnecessarily to its power. *- John Stuart Mill*
정부의 간섭을 제한하는 가장 **타당한** 이유는 그 권력에 불필요하게 추가되는 거대 악이다.

The separation between public and private life is a **cogent** characteristic of individualistic contemporary societies. EBS
공적인 삶과 사적인 삶의 분리는 개인주의적인 현대 사회의 **납득할 만한** 특징이다.

0328 **deviate**
[díːvieit]

㊐ 벗어나다(from), 일탈하다

They are only allowed to **deviate** if there's an emergency.
그들은 비상일 경우에만 **벗어나도록** 허용되었다.

You have to be careful to react when you start to **deviate** from your course. *- Carlos Ghosn*
당신의 진로에서 **벗어나기** 시작할 때 당신은 꼭 대응해야 한다.

⊞ deviation ㊔ 일탈

0329 **disjointed**
[disdʒɔ́intid]

㊗ 연결이 안 되는, 일관성이 없는

What she found in her paper was scribbled words, half sentences, and a pile of seemingly strange and **disjointed** ideas. 모평
그녀의 논문에서 그녀가 발견한 것은 마구 갈겨쓴 단어들, 반쪽짜리 문장들 그리고 보기에 이상하고 **일관성이 없는** 개념들의 더미였다.

0330 **cohesive**
[kouhíːsiv]

㊗ 단결력 있는, 결속된

The more **cohesive** the group, the greater the urge of the group members to avoid creating any discord. EBS
집단이 더 **단결될수록**, 어떠한 의견 충돌도 만들지 않으려는 집단 구성원들의 충동은 더 커진다.

⊞ cohesion ㊔ 단결력, 결속력　coherent ㊗ 일관성 있는, 논리 정연한

co(= together) + hes(= sting 묶다) + ive(형용사 접미사) → 함께 묶여 있는

Review TEST

Q 빈칸에 알맞은 단어를 보기에서 골라 쓰시오. **수능 변형**

보기

descendant innovated overstated incorporated legislation

Individual authors and photographers have rights to their intellectual property during their lifetimes, and their heirs have rights for 70 years after the creator's death, so any publication less than 125 years old has to be checked for its copyright status. The duration of copyright protection has increased steadily over the years; the life-plus-70-years standard was set by the Copyright Term Extension Act of 1998, which increased the 50-year limit established by the 1976 Copyright Act. Supporters of such (1) ________ like to defend these increases with tales of starving writers and their impoverished (2) ________s, but in reality the beneficiaries are more likely to be transnational publishing companies. And note that copyright laws serve a dual purpose. In addition to protecting the rights of authors so as to encourage the publication of new creative works, copyright is also supposed to place reasonable time limits on those rights so that outdated works may be (3) ________ into new creative efforts. Therefore, the extended copyright protection frustrates new creative endeavors such as including poetry and song lyrics on Internet sites.

* heir: 상속인

해석

개인 작가와 사진작가는 평생 동안 자신들의 지적 재산에 대한 권리를 갖고, 그들의 상속인은 창작자가 사망한 후 70년 동안 권리를 갖게 되어, 125년이 넘지 않는 출판물이라면 어떤 것이든 판권 상태를 확인해 보아야 한다. 판권 보호를 위한 지속 기간은 수년에 걸쳐 꾸준히 늘어나서 1998년의 판권 기간 연장법에 의해 평생 동안에 추가해서 70년이라는 기준이 정해졌는데, 이는 판권법이 설정한 50년이라는 기한을 늘린 것이었다. 그런 (1) **입법**을 지지하는 사람들은 굶주리는 작가와 그들의 빈곤한 (2) **후손들**의 이야기를 들어 이렇게 늘어난 것에 대해 옹호하는 것을 좋아하지만, 실제로 수혜자는 다국적 출판사가 될 가능성이 더 많다. 그리고 판권 법률들은 이중의 목적에 기여한다는 점에 주목하라. 새로운 창의적인 작품의 출판을 촉진하기 위해 작가의 권리를 보호하는 것 외에 판권은 또한 시대에 뒤진 작품이 새로운 창의적인 노력 속에 (3) **편입되도록** 그런 권리에 적당한 기한을 두어야 한다는 것이다. 따라서 연장된 판권 보호는 인터넷 사이트에 시와 노래 가사를 함께 넣는 것과 같은 새로운 창의적인 노력을 좌절시킨다.

정답

(1) legislation (2) descendant (3) incorporated

| Preview | 영영풀이에 해당하는 단어를 ⓐ~ⓒ에서 고르시오.

01 **the state or quality of being careless**
ⓐ scenic ⓑ suspicious ⓒ negligence

02 **grave or very serious**
ⓐ straightforward ⓑ solemn ⓒ ripen

03 **great physical pain or mental anguish**
ⓐ torment ⓑ turbulence ⓒ cuddle

04 **having no previous example**
ⓐ addictive ⓑ unprecedented ⓒ affordable

05 **mean-spirited or deliberately hurtful; malicious**
ⓐ fortify ⓑ punctuate ⓒ vicious

06 **a natural attraction, liking, or feeling of kinship**
ⓐ hemisphere ⓑ affinity ⓒ bandwagon

07 **a set of instruments or a machine used for a particular purpose**
ⓐ apparatus ⓑ antecedent ⓒ apparel

08 **having a feeling of opposition or distaste; strongly unwilling to do something**
ⓐ aristocrat ⓑ averse ⓒ barren

09 **of or relating to the sky or physical universe as understood in astronomy**
ⓐ celestial ⓑ evade ⓒ revolve

10 **lacking physical coordination, skill, or grace; awkward**
ⓐ rebellion ⓑ clumsy ⓒ recurrent

|정답| 1ⓒ 2ⓑ 3ⓐ 4ⓑ 5ⓒ 6ⓑ 7ⓐ 8ⓑ 9ⓐ 10ⓑ

가리개를 사용하여 뜻을 잘 암기했는지 확인하세요.

0331 **revolve**
[riválv]

㉠ **돌다, 회전하다; 공전하다**

The history of the twentieth century **revolved** to a large extent around the reduction of inequality between classes, races, and genders. 학평
20세기의 역사는 주로 계급, 인종, 그리고 성별 간 불평등의 감소를 중심으로 **돌아갔다**.

➕ **revolution** ⓜ 혁명; 회전, 공전 **revolutionary** ⓗ 획기적인, 혁명적인

re(= again) + volve(= roll) → 계속 구르다

0332 **ripen**
[ráipən]

㉠ **(곡식·과일이) 익다, 여물다, 숙성하다**

Ripe fruits produce ethylene, and unripe fruits **ripen** faster when exposed to ethylene.
익은 과일은 에틸렌을 생산하며, 익지 않은 과일은 에틸렌에 노출되면 더 빠르게 **익는다**.

Minds **ripen** at very different ages. *- Stevie Wonder*
마음은 매우 다른 연령대에서 **여문다**.

➕ **ripe** ⓗ 익은, 숙성한

0333 **scenic**
[síːnik]

ⓗ **경치의, 풍경의; 경치가 아름다운**

Enjoy the view of Alaska's **scenic** highlights on a flightseeing tour with Denali's Flying Service. 학평
Denali's 항공 서비스와 함께 하는 비행 관광으로 알래스카 **풍광의** 절정을 즐기세요.

🟰 **picturesque, spectacular** ⓗ 경치가 아름다운, 장관의

0334 **negligence**
[néglidʒəns]

ⓜ **과실, 태만, 부주의** the state or quality of being careless

If a person is seriously injured as a result of someone else's **negligence**, then they are entitled to compensation. *- Robert Rinder*
만일 어떤 사람이 다른 누군가의 **과실**로 심한 부상을 입으면, 그들은 보상을 받을 권리가 있다.

➕ **negligent** ⓗ 태만한, 소홀한

0335 **solemn**
[sáləm]

ⓗ **근엄한, 엄숙한** grave or very serious

He looked **solemn** when he stood in front of the judge.
판사 앞에 섰을 때 그는 **엄숙해** 보였다.

A marriage is no amusement but a **solemn** act, and generally a sad one.
결혼은 즐거움이 아니라 **엄숙한** 행동이며 일반적으로 슬픈 행위이다. *- Queen Victoria*

0336 **straightforward**
[strèitfɔ́ːrwərd]

[형] 간단한, 쉬운; 솔직한; 똑바른

Where words and eloquence are highly valued, people strive to communicate in a way that is precise, **straightforward**, and unambiguous. [EBS]
말과 화술이 매우 중시되는 곳에서 사람들은 정확하고 **솔직하고**, 그리고 모호하지 않은 방식으로 의사소통하고자 노력한다.

0337 **suspicious**
[səspíʃəs]

[형] 미심쩍은, 의심스러운

Better to be occasionally cheated than perpetually **suspicious**. *- B. C. Forbes*
이따금 속는 것이 계속 **의심하는** 것보다 낫다.

Consumers were **suspicious** of food that had been kept in cold storage. [학평]
소비자들은 냉장실에 보관되어 있던 식품에 대해 **의심스러워** 했다.

[+] **suspicion** [명] 의심, 불신

0338 **torment**
[명][tɔ́ːrment]

1. [명] 고통, 괴로움 great physical pain or mental anguish

He said he was suffering the **torments** of hell.
그는 지옥의 **고통**을 겪고 있다고 말했다.

[동][tɔːrmént]

2. [동] 고통을 주다, 괴롭히다

It seems that it's the nature of people to be **tormented** by incomplete information. [EBS] 불완전한 정보로 **괴로워하는** 것은 사람들의 본성인 것처럼 보인다.

0339 **turbulence**
[tə́ːrbjələns]

[명] 난기류; (정치·사회적) 혼란, (심리적) 동요, 폭풍 상태

Please fasten your seatbelt for **turbulence**.
난기류에 대비해서 안전벨트를 착용해 주세요.

The first reaction to a period of **turbulence** is to try to build a wall that shields one's own garden from the cold winds outside. [학평]
폭풍이 몰아칠 때 첫 번째 대응책은 바깥의 찬바람으로부터 자신의 정원을 보호해 주는 담을 쌓도록 노력하는 것이다.

[+] **turbulent** [형] 격동의, 혼란스러운

0340 **unprecedented**
[ʌnprésidèntid]

[형] 전례가 없는, 미증유의 having no previous example

With the Internet, we can communicate and share ideas in **unprecedented** ways. [학평]
인터넷으로 우리는 **전례가 없는** 방식으로 의사소통을 하고 생각을 공유할 수 있다.

[+] **precedent** [명] 전례, 선례

un(= not) + pre(= before) + ced(= go) + ented(형용사 접미사) → 미리 가 보지 않은

0341 **vicious**
[víʃəs]

㉠ **사악한, 악덕의, 악의가 있는** mean-spirited or deliberately hurtful; malicious

Human nature is not of itself **vicious**. - *Thomas Paine*
인간의 본성은 그 자체로 **악하지는** 않다.

The number of people having any connection with the project must be restricted in an almost **vicious** manner. 학평
그 프로젝트에 조금이라도 관련되어 있는 사람들의 수는 거의 **악랄하다** 싶을 정도로 제한되어야 한다.

vicious circle 악순환
⊞ **vice** ㉢ 악, 악덕, 범죄
⊟ **malicious** ㉠ 악의 있는 **brutal, cruel** ㉠ 잔인한; 난폭한

0342 **addictive**
[ədíktiv]

㉠ **습관성의, 중독성의**

One characteristic of addiction is that it is experienced as wanting, not simply liking, the **addictive** substance. EBS
중독의 한 가지 특징은 그것이 그 **중독성** 물질을 단순히 좋아하는 것으로써가 아니라 그것을 원하는 것으로 경험된다는 것이다.

⊞ **addict** ㉢ 중독자 ㉣ 중독되게 하다 **addiction** ㉢ 중독

ad(= to) + dict(= speak) + ive(형용사 접미사) → 계속해서 말하는

0343 **affinity**
[əfínəti]

㉢ **친밀감; 유사성** a natural attraction, liking, or feeling of kinship

We can learn from history because earlier times and thinkers were confronted with problems, ideas and circumstances which have **affinities** to those that confront us today. EBS
이전 시대와 사상가들은 오늘날 우리가 직면하고 있는 것들과 **유사성**을 갖고 있는 문제, 개념, 상황에 직면했었기 때문에 우리는 역사로부터 배울 수 있다.

0344 **affordable**
[əfɔ́:rdəbl]

㉠ **(가격 등이) 알맞은, 감당할 수 있는**

Because of the large number of products available, climbing equipment is now much more **affordable**. EBS
구매 가능한 제품이 대단히 많기 때문에, 등반 장비는 현재 훨씬 더 **저렴하다**.

⊞ **afford** ㉣ 제공하다, ~할 여유가 있다

0345 **fortify**
[fɔ́:rtəfài]

㉣ **요새화하다, 강화하다**

You need to take care of you and **fortify** yourself and then move out to take care of others. - *India Arie*
당신은 자신을 돌보고 **강하게 하고** 나서 다른 사람들을 돌보기 위해 행동할 필요가 있다.

⊞ **fortified** ㉠ 요새화된, 방비된; (음식의 영양소)가 강화된

0346 **antecedent**

[æ̀ntəsíːdənt]

1. ㉮ **전례, 선례**

Historical **antecedents** help us understand the current debate.
역사적 **선례들**은 우리가 현재의 논쟁을 이해하는 것을 도와준다.

2. ㉯ **선행하는, 앞서 일어난**

Antecedent events are also described as triggers, or events that guide behavior. **선행** 사건은 또한 유발 요인 또는 행동을 가이드하는 사건으로 묘사된다.

ante(= forward) + cede(= go) + ent(접미사) → 앞에서 가는 (것)

0347 **apparatus**

[æ̀pərǽtəs]

㉮ **장치, 기구, 기기** a set of instruments or a machine that used for a particular purpose

Repeated measurements with the same **apparatus** neither reveal nor do they eliminate a systematic error. 학평
동일한 **도구**를 가지고 반복적으로 측정해도 계통 오차가 드러나거나 제거되지도 않는다.

heating apparatus 난방 장치 **wireless apparatus** 무선 장치

ap(= to) + para(= arrange) + tus(명사 접미사) → 잘 정돈되게 하는 것

0348 **apparel**

[əpǽrəl]

㉮ **의류, 의복**

The sports **apparel** industry is becoming increasingly competitive.
스포츠 **의류** 산업은 점점 경쟁이 심해지고 있다.

Today's **apparel** supplier must look for new ways to offer customers top-quality goods at highly competitive prices. 학평
오늘날의 **의류** 공급 회사는 고객들에게 최고 품질의 상품을 매우 경쟁력 있는 가격으로 제공하는 새로운 방법을 찾아야 한다.

0349 **aristocrat**

[ərístəkræ̀t]

㉮ **귀족**

Part of his apparel as an **aristocrat** was to wear a sword. EBS
귀족으로서 그의 복장의 한 부분은 칼을 착용하는 것이었다.

+ **aristocratic** ㉯ 귀족 정치의 **aristocracy** ㉮ 귀족 (계층)

aristo(= best) + crat(= member) → 최고층의 일원

0350 **averse**

[əvə́ːrs]

㉯ **싫어하는, 꺼리는** having a feeling of opposition or distaste; strongly unwilling to do something

I am not **averse** to politics, but that does not mean that I am going to join politics. *- Rahul Gandhi*
나는 정치를 **싫어하지** 않지만 그것이 내가 정치를 하겠다는 의미는 아니다.

+ **aversion** ㉮ 몹시 싫어함, 질색

0351 **bandwagon**
[bǽndwæ̀gən]

㉮ **악대차; 유행, (시류) 편승**

If you see a **bandwagon**, it's too late. - *James Goldsmith*
당신이 **악대차**를 본다면, 너무 늦은 것이다.

How the **bandwagon** effect occurs is demonstrated by the history of measurements of the speed of light. 수능
편승 효과가 어떻게 발생하는지는 빛의 속도 측정의 역사로 입증된다.

hop[jump] on the bandwagon 시류에 편승하다
bandwagon effect 편승 효과

0352 **barren**
[bǽrən]

㉸ **불모의, 척박한; 불임의**

If the land is **barren**, plants can't grow well.
토양이 **척박하면** 식물이 잘 자랄 수 없다.

Wind blew across the **barren** landscapes and water ran down from the mountaintops and slopes, taking the soil with them. 수능
바람이 **척박한** 풍경을 가로질러 불었고, 물은 산꼭대기와 산비탈로부터 흘러내리며 흙을 쓸어가 버렸다.

㊐ **unfruitful, unproductive** ㉸ 불모의
㊉ **fertile** ㉸ 비옥한; 다산의

0353 **celestial**
[səléstʃəl]

㉸ **천체의; 천상의, 하늘의** of or relating to the sky or physical universe as understood in astronomy

Labor to keep alive in your breast that little spark of **celestial** fire, called conscience. - *George Washington*
양심이라고 불리는 **천상의** 작은 불꽃을 가슴 속에 새기도록 노력하십시오.

The Babylonians could calculate the movements of the **celestial** bodies.
EBS 바빌로니아인들은 **천체의** 움직임을 계산할 수 있었다.

0354 **punctuate**
[pʌ́ŋktʃuèit]

㉯ **구두점을 찍다; (활동·대화에) 간간이 끼어들다**

Please learn how to **punctuate** and spell.
구두점 찍는 법과 철자를 배우세요.

Even for the professionals, long track records of success are **punctuated** by slips and slides. 수능
전문가들에게조차도, 성공의 긴 기록에 작은 실수와 하락이 **끼어든다**.

㊉ **punctuation** ㉮ 구두점

punc(= point) + uate(동사형 접미사) → 점을 찍다

0355 **cuddle**
[kʌ́dl]

㉯ **꼭 껴안다**

Cuddle a koala and have your photo taken any time of the day. 학평
하루 중 어느 때라도 코알라를 **끌어안고** 사진을 찍으세요.

0356 **clumsy**
[klʌ́mzi]

㊗ **서투른, 솜씨 없는, (물건이) 사용이 불편한** lacking physical coordination, skill, or grace; awkward

Penguins may be **clumsy** on land. 학평
펭귄은 육지에서는 **서툴** 수도 있다.

The craft or art of writing is the **clumsy** attempt to find symbols for the wordlessness. - *John Steinbeck*
글쓰기의 기술이나 예술은 무언의 상징을 찾기 위한 **서투른** 시도이다.

0357 **hemisphere**
[hémisfìər]

명 **(뇌[지구]의) 반구**

Biologists report that many birds and sea mammals have the ability to sleep with only one **hemisphere** of the brain at a time.
생물학자들은 많은 조류와 해양 포유류가 한 번에 뇌의 한쪽 **반구**만을 가지고 잠을 잘 수 있는 능력을 가지고 있다고 보고한다.

the right hemisphere of the brain 우뇌
the Northern hemisphere 북반구

hemi(= half) + sphere(= globe) → 지구의 반

0358 **evade**
[ivéid]

동 **회피하다, 모면하다**

He **evaded** the responsibility to learn from the experience.
그는 그 경험에서 배우는 책임을 **회피했다**.

evasion 명 회피, 기피 **evasive** 형 대답을 회피하는, 둘러대는

e(x)(= out) + vade(= go) → 밖으로 나가다

0359 **rebellion**
[ribéljən]

명 **반란, 저항, 반항**

A **rebellion** is not a revolution. It may ultimately lead to that end. - *Bhagat Singh*
반란은 혁명이 아니다. 그것은 궁극적으로 그 목적으로 향한다.

rebellious 형 반역하는, 반란을 일으키는 **rebel** 동 반역을 일으키다

re(= back) + bel(= war) + ion(명사형 접미사) → 맞서 싸움

0360 **recurrent**
[rikə́:rənt]

형 **반복되는, (병이) 재발되는**

Recurrent viral infections are part of the growing up process of any child.
반복되는 바이스러성 감염은 아이의 성장 과정의 일부이다.

recurring 형 되풀이하여 발생하는

Review TEST

Q 빈칸에 알맞은 단어를 보기에서 골라 쓰시오. 모평 변형

보기			
straightforward	bandwagon	hemisphere	averse

Experts have found that reading classical texts benefits the mind by catching the reader's attention and triggering moments of self-reflection. The brain activity of volunteers was monitored as they read classical works. These same texts were then "translated" into more (1) ...., modern language and again the readers' brains were monitored as they read the words. Scans showed that the more challenging prose and poetry set off far more electrical activity in the brain than the more pedestrian versions. Scientists were able to study the brain activity as it responded to each word and record how it lit up as the readers encountered unusual words, surprising phrases or difficult sentence structures. This lighting up lasts long enough to shift the brain into a higher gear, encouraging further reading. The research also found that reading the more challenging version of poetry, in particular, increases activity in the right (2) .... of the brain, helping the readers to reflect on and reevaluate their own experiences in light of what they have read. The academics said this meant the classics were more useful than self-help books.

해석

전문가들은 고전 텍스트를 읽는 것이 독자들의 관심을 사로잡아 자기 성찰의 순간을 촉발함으로써 정신에 유익하다는 것을 발견했다. 지원자들이 고전 작품들을 읽을 때에 그들의 뇌 활동이 추적 관찰되었다. 그런 다음에 이 동일한 텍스트가 더 (1) **쉽고** 현대적인 언어로 '번역'되어 독자들이 그 글을 읽을 때에 그들의 뇌가 다시 추적 관찰되었다. 정밀 검사는 더 어려운 산문과 시가 더 평범한 버전보다 뇌 속에서 훨씬 더 많은 전기적 활동을 유발한다는 것을 보여 주었다. 과학자들은 뇌가 각 단어에 반응할 때에 뇌의 활동을 연구하여 독자들이 특이한 단어, 놀라운 구절, 혹은 어려운 문장 구조를 만났을 때에 그것이 어떻게 점화되는지 기록할 수 있었다. 이 점화는 뇌를 고단 기어로 전환할[더 활발하게 활동하도록 전환할] 만큼 충분히 오래 지속되어, 더 심화된 독서를 권장한다. 연구는 또한 더 어려운 버전의 시를 읽는 것이 특히 두뇌의 우측 (2) **반구**[우뇌]의 활동을 증가시켜서 독자들이 자신이 읽은 것에 비추어 자신의 경험을 되돌아보고 재평가하도록 돕는다는 것을 발견했다. 교수들은 이것이 고전 작품들이 자습서보다 더 유용하다는 것을 의미한다고 말했다.

정답

(1) straightforward (2) hemishpere

| Preview | 영영풀이에 해당하는 단어를 ⓐ~ⓒ에서 고르시오.

01 **to lose or cause to lose water**
ⓐ dehydrate ⓑ deflate ⓒ discharge

02 **agreed on by everyone**
ⓐ geothermal ⓑ formidable ⓒ unanimous

03 **lasting a very short time; short-lived**
ⓐ entrepreneur ⓑ ephemeral ⓒ inadvertently

04 **to record thought, speech or data in a written form**
ⓐ falsify ⓑ transcribe ⓒ emulate

05 **to give a large, cheerful smile**
ⓐ grin ⓑ obsolete ⓒ gallop

06 **very great in size, extent, or amount**
ⓐ implementation ⓑ immense ⓒ assimilation

07 **unable to exist together in harmony**
ⓐ instructional ⓑ incompatible ⓒ incidental

08 **not possessing the necessary ability, skill, etc to do or carry out a task**
ⓐ mountainous ⓑ incompetent ⓒ adaptation

09 **to expand or cause to expand by filling with gas or air**
ⓐ inflate ⓑ inefficiency ⓒ invalidate

10 **a small piece that is left from a larger original piece**
ⓐ indecision ⓑ loaded ⓒ remnant

|정답| 1 ⓐ 2 ⓒ 3 ⓑ 4 ⓑ 5 ⓐ 6 ⓑ 7 ⓑ 8 ⓑ 9 ⓐ 10 ⓒ

가리개를 사용하여 뜻을 잘 암기했는지 확인하세요.

0361 **deflate**
[difléit]

㊐ **(풍선 등이) 바람이 빠지다; (자신감을) 꺾다; (통화를) 수축시키다**

The reason why your vehicle's tires **deflate** during the cold season is simple: air contracts when it is cooled.
추운 계절에 차량 타이어의 **바람이 빠지는** 이유는 단순하다. 공기는 냉각될 때 수축한다.

+ **deflated** ⓗ (풍선 등이) 바람이 빠진; 기분이 상한
↔ **inflate** ㊐ 부풀리다

0362 **dehydrate**
[di:háidreit]

㊐ **수분을 제거하다, 건조시키다** to lose or cause to lose water

Foods are **dehydrated** to reduce their transport weight and to increase their shelf life. 식품은 운송 무게를 줄이고 유통 기간을 늘리기 위해서 **건조된다**.

+ **dehydration** ⓜ 탈수(증)

de(= down) + hydr(= water) + ate(형용사형 접미사) → 물을 빼다

0363 **discharge**
㊐[distʃáːrdʒ]

1. ㊐ **(기체·액체 등을) 방출하다; 제대[퇴원]시키다**

He was **discharged** from hospital after recovering from COVID-19.
그는 코로나19에서 회복한 후에 병원에서 **퇴원했다**.

Factories were **discharging** mercury into the waters of Minamata Bay. 수능
공장들이 Minamata 만의 수역으로 수은을 **방출하고** 있었다.

ⓜ[dístʃaːrdʒ]

2. ⓜ **배출(물), 방출(물); 제대; 퇴원**

Control over direct **discharge** of mercury from industrial operations is clearly needed. 수능
산업 가동으로부터의 수은의 직접 **배출**에 대한 통제가 분명히 필요하다.

0364 **unanimous**
[juːnǽnəməs]

ⓗ **만장일치의** agreed on by everyone

Unanimous votes are rare in parliament. *- Clive Lewis*
의회에서 **만장일치** 투표는 드물다.

+ **unanimously** ⓑ 만장일치로 **unanimity** ⓜ 만장일치

un(i)(= one) + anim(= mind) + ous(형용사 접미사) → 하나의 마음인

0365 **emulate**
[émjəlèit]

㊐ **모방하다, 따라 하다**

Don't try to **emulate** what someone is doing. Play to your strengths.
타인이 하는 것을 **모방하려고** 하지 말라. 당신의 강점을 잘 이용하라. *- Anjelah Johnson*

+ **emulative** ⓗ 따라 잡으려는, 지지 않으려는
= **mimic, imitate** ㊐ 모방하다

0366 **entrepreneur**
[ɑ̀:ntrəprənə́:r]

[명] 기업가, 사업가

The **entrepreneur** always searches for change, responds to it, and exploits it as an opportunity. *- Peter Drucker*
기업가는 늘 변화를 추구하고 그것에 반응하고 그것을 기회로 이용한다.

[+] **entrepreneurial** [형] 기업가의

0367 **ephemeral**
[ifémərəl]

[형] **순간적인, 덧없는; 단명하는** lasting a very short time; short-lived

Success is extremely **ephemeral** and very hard to hold onto. *- Scott Rudin*
성공은 매우 **순간적이라** 붙잡아 두기가 아주 어렵다.

ep(= upon) + mera(= day) + al(형용사 접미사) → (생명이) 하루인

0368 **falsify**
[fɔ́:lsəfài]

[동] **그릇됨을 입증하다; (문서 등을) 위조하다**

Evidence can be used to **falsify** a theory, and a good theory is one that is open to criticism in this way.
증거는 이론이 **틀렸음을 입증하기** 위해서 사용될 수 있으며, 좋은 이론은 이런 식으로 비판에 열려 있는 이론이다.

What is distinctive about science is the search for negative instances — the search for ways to **falsify** a theory, rather than to confirm it. [수능]
과학과 관련하여 특징적인 것은 부정적인 사례들을 찾는 것, 즉 이론이 옳다는 것을 증명하기보다 오히려 그 이론이 **틀렸음을 입증하기** 위한 방법들을 찾는 것이다.

0369 **transcribe**
[trænskráib]

[동] **글로 옮기다, 필사하다** to record thought, speech or data in a written form

A well-trained monk could **transcribe** around four pages of text per day. [수능]
잘 훈련된 수도승은 하루에 약 4쪽의 문서를 **필사할** 수 있었다.

[+] **transcript** [명] 받아 적은 기록, 필기록; 성적 증명서
transcription [명] 필사, 그대로 받아 적기

0370 **formidable**
[fɔ́:rmidəbl]

[형] **가공할, 어마어마한**

Large numbers of fishes in a school might even discourage hungry predators with the illusion of an impressively large and **formidable** opponent. [모평]
수많은 물고기 떼는 엄청나게 크고 **어마어마한** 적으로 보이는 착각을 만들어내서 심지어 배고픈 포식자를 좌절시킬 수도 있다.

formido(= fear) + able → 공포스러운

0371 **gallop**
[gǽləp]

[동] (말이) 질주하다

A lie will **gallop** halfway round the world before the truth has time to pull its breeches on. *- Cordell Hull*
거짓말은 진실이 바지를 입을 시간을 갖기 전에 세계를 반 바퀴 쯤 **질주할** 것이다.

The evolution of a horse's hoof from a five-toed foot has enabled the horse to **gallop** rapidly over open plains. [수능]
발가락이 다섯 개 달린 말로부터 말발굽으로의 진화는 말이 탁 트인 평야를 빠르게 **질주하는** 것을 가능하게 했다.

at full gallop 전속력으로

0372 **geothermal**
[dʒìːouθə́ːrməl]

[형] 지열의, 지열에 의한

Geothermal power is generated from underground heat.
지열 발전은 지하의 열로부터 만들어진다.

geo(= earth) + therm(= heat) + al(형용사 접미사) → 지열의

0373 **grin**
[grin]

1. [동] **활짝 웃다** to give a large, cheerful smile

She **grinned** at me when she saw me staring at her.
그녀는 내가 그녀를 쳐다보는 것을 보았을 때 **활짝 웃었다**.

2. [명] **활짝 웃음** a broad smile

With a nervous **grin** on her face, Phyllis masks the anger she feels. [학평]
긴장된 **웃음**을 얼굴에 머금으며 Phyllis는 그녀가 느끼는 분노를 감춘다.

grin from ear to ear (좋아서) 입이 귀에 걸리다

0374 **assimilation**
[əsìməléiʃən]

[명] 동화(同化)

Most governments favor **assimilation** over the accommodation of cultural differences. [EBS]
대부분의 정부는 문화적 차이의 수용보다는 **동화**를 선호한다.

[+] **assimilate** [동] (사회, 집단 등에) 동화되다, 융화되다
[↔] **dissimilation** [명] 이화(異化)

as(= to) + simil(비슷한) + ate(동사 접미사) + tion(명사 접미사) → 비슷하게 하는 것

0375 **adaptation**
[æ̀dəptéiʃən]

[명] 적응 (과정); 각색 (작품)

Another direction for **adaptation** to the problem was provided by city councils via better urban planning and interventions to generate awareness. [학평]
인식을 불러일으키기 위한 더 나은 도시 계획과 개입들을 통해 그 문제에 **적응**을 위한 또 다른 방침이 시 의회들에 의해 제시되었다.

[+] **adapt** [동] 조정하다; 적응하다; 각색하다 **adaptability** [명] 융통성, 적응성

0376 **immense**

[iméns]

[형] **막대한, 거대한, 엄청난** very great in size, extent, or amount

The pyramids, effectively **immense** tombstones, served a practical burial purpose, but were also indicative of the Pharaohs' power. [EBS]
사실상 **거대한** 돌무덤인 피라미드는 실제적인 매장의 목적을 달성했을 뿐만 아니라, 아울러 파라오의 권력을 나타내기도 했다.

[+] **immensity** [명] 방대함, 엄청남 **immensely** [부] 막대하게; 아주, 굉장히

0377 **implementation**

[ìmpləməntéiʃən]

[명] **실행, 수행, 이행**

Policymaking is seen to be more objective when experts play a large role in the creation and **implementation** of the policy. [수능]
정책 결정은 전문가들이 정책을 만들고 **시행**하는 데 큰 역할을 할 때 더 객관적인 것으로 여겨진다.

[+] **implement** [동] 이행하다, 실행하다

0378 **inadvertently**

[inədvə́ːrtntli]

[부] **본의 아니게, 무심코**

Help me! I deleted important files **inadvertently**.
도와줘! 중요한 파일을 **무심코** 삭제했어.

I personally think that if you deny something or if you hide something you're **inadvertently** admitting it's wrong. *- Amber Heard*
나는 개인적으로 당신이 무언가를 부정하거나 숨긴다면 **무심결에** 당신이 틀렸음을 인정하는 거라고 생각한다.

[+] **inadvertent** [형] 본의 아닌, 무심코 행한

0379 **incidental**

[ìnsədéntl]

[형] **부수적인, 이차적인**

Incidental learning happens outside formal teaching environments.
부수적 학습은 공식적인 교수 환경 밖에서 일어난다.

[+] **incident** [명] (일어난) 일, 사건 **incidentally** [부] 우연히; 부수적으로

0380 **incompatible**

[ìnkəmpǽtəbl]

[형] **양립할 수 없는** unable to exist together in harmony

Striving for peace and preparing for war are **incompatible** with each other. *- Albert Einstein*
평화를 위해 애쓰는 것과 전쟁을 준비하는 것은 서로 **양립할 수 없다**.

[+] **incompatibleness** [명] 양립하지 못함; 모순됨
[↔] **compatible** [형] 양립 가능한

0381 **incompetent** [inkάmpitənt]

㊗ **무능(력)한** not possessing the necessary ability, skill, etc to do or carry out a task

A failure in one area can make one feel **incompetent** in all other areas as well. EBS 한 영역에서의 실패는 다른 모든 영역에서도 **무능하다고** 느끼게 만들 수 있다.

Problems communicating with a hearing-impaired older person can frustrate others or lead them to view the older person as confused or **incompetent**, reactions that can undermine the older person's confidence or feelings of self-worth. EBS
청력이 손상된 노인과 대화할 때의 문제는 다른 사람들을 실망시키거나 그들이 노인을 혼미하거나 **무능하다고** 간주하게 할 수 있는데, 이는 노인의 자신감이나 자존감을 훼손할 수 있는 반응이다.

⊞ **incompetence** ㊐ 무능력
⇔ **competent, capable, proficient** ㊗ 능숙한, 유능한

0382 **indecision** [ìndisíʤən]

㊐ **망설임, 주저함, 우유부단함**

The risk of a wrong decision is preferable to the terror of **indecision**.
잘못된 결정의 위험은 **결정을 내리지 못하는 것**의 끔찍함보다 더 낫다. *- Maimonides*

If you are indecisive and plan to do something about it, you can take immediate comfort in the fact that **indecision** is not necessarily due to ignorance and slow thinking. 학평
당신이 우유부단하고 그 점에 대해 어떤 조치를 취하려 한다면, **우유부단함**이 반드시 무지하거나 사고가 느린 것 때문만은 아니라는 사실에 당장 위안을 얻을 수 있다.

⊞ **indecisive** ㊗ 결단력이 없는, 우유부단한

0383 **inefficiency** [ìnifíʃənsi]

㊐ **비능률성, 비효율성**

The solution to the **inefficiency** of monopoly is to break up the monopoly firm. 독점의 **비효율성**에 대한 해법은 독점 회사를 해체하는 것이다.

⇔ **efficiency** ㊐ 효율(성)

0384 **inflate** [infléit]

㊎ **부풀리다; (통화를) 팽창시키다** to expand or cause to expand by filling with gas or air

A balloon **inflates** when air is blown into it.
풍선 안에 공기를 불어 넣으면 풍선은 **부풀어 오른다**.

⊞ **inflated** ㊗ 부풀린; 과장된; (물가가) 폭등한 **inflation** ㊐ 인플레이션, 통화팽창
⇔ **deflate** (풍선의) 바람이 빠지다; 자신감을 꺾다; (통화를) 수축시키다

in(안에서) + flate(= blow) → 안에서 불다

0385 **instructional** [instrʌ́kʃənəl]

㊗ **교육(상)의; 교육적인**

Learning and memorizing facts was the key component to the mathematics **instructional** program. 모평
사실을 학습하고 암기하는 것은 수학 **교육** 프로그램의 핵심 요소였다.

⊞ **instruction** ㊐ 지시, 설명, 지도

0386 **mountainous**

[máuntənəs]

[형] 산이 많은; 거대한

Landscape protection in the US focuses on protecting areas of wilderness, typically in **mountainous** regions. [모평]
미국에서 경관 보호는 전형적으로 **산악** 지대의 황무지 지역을 보호하는 데 초점을 둔다.

[유] **massive, gigantic** [형] 거대한

0387 **obsolete**

[àbsəlí:t]

[형] 구식의; 쓸모없는, 한물간

Digitalization of communication has made letters **obsolete**.
커뮤니케이션의 디지털화는 편지를 **구식으로** 만들었다.

Most deadly errors arise from **obsolete** assumptions. *- Frank Herbert*
가장 치명적인 오류는 **쓸모없는** 가정에서 발생한다.

0388 **invalidate**

[invǽlidèit]

[동] (생각·주장 등이) 틀렸음을 입증하다, 무효화하다

The new theories **invalidate** the older ones by proving them false.
새 이론은 오래된 이론이 틀렸음을 증명함으로써 오래된 이론을 **무효화한다**.

You completely **invalidate** God's command in order to maintain your tradition!
당신은 당신의 전통을 유지하기 위해 하나님의 말씀을 완전히 **무효화하고** 있습니다!

[+] **invalid** [형] 무효의, 효력이 없는

0389 **loaded**

[lóudid]

[형] 가득 찬; 유도적인, 숨은 뜻이 있는; 장전된

Loaded questions are questions which force people to provide an answer in a specific way.
유도 질문은 사람들로 하여금 특정한 방식으로 대답을 하도록 강제하는 질문이다.

Great artists are like **loaded** guns. They are dangerous in anybody's hand. *- Peter M. Brant*
위대한 예술가는 **장전된** 총과 같다. 그들은 누군가의 손에서는 위험하다.

loaded questions 유도 질문[심문]
[+] **load** [동] 적재하다, 싣다; 장전하다 [명] 짐

0390 **remnant**

[rémnənt]

[명] 잔여물, 잔존물, 나머지 a small piece that is left from a larger original piece

Remnants of food must be carefully disposed of to avoid attracting vermin.
음식물 **잔여물**은 해충을 끌어들이는 것을 피하기 위해서 신중하게 처리되어야 한다.

The majority of salt in the Great Salt Lake is a **remnant** of dissolved salts that are present in all fresh water. [수능]
Great Salt Lake에 있는 대부분의 소금은 모든 담수에 있는 용해된 소금의 **잔존물**이다.

[유] **remainder** [명] 나머지, 잔여

Review TEST

Q 빈칸에 알맞은 단어를 보기에서 골라 쓰시오. 수능 변형

보기 adaptation implementation obsolete incidental

Apocalypse Now, a film produced and directed by Francis Ford Coppola, gained widespread popularity, and for good reason. The film is an (1) ________ of Joseph Conrad's novel *Heart of Darkness*, which is set in the African Congo at the end of the 19th century. Unlike the original novel, *Apocalypse Now* is set in Vietnam and Cambodia during the Vietnam War. The setting, time period, dialogue and other (2) ________ details are changed but the fundamental narrative and themes of *Apocalypse Now* are the same as those of *Heart of Darkness*. Both describe a physical journey, reflecting the central character's mental and spiritual journey, down a river to confront the deranged Kurtz character, who represents the worst aspects of civilisation. By giving *Apocalypse Now* a setting that was contemporary at the time of its release, audiences were able to experience and identify with its themes more easily than they would have if the film had been a literal (1) ________ of the novel.

* deranged: 제정신이 아닌

해석

Francis Ford Coppola가 제작하고 감독한 영화인 *Apocalypse Now*는 폭넓은 인기를 얻었는데, 그럴 만한 이유가 있었다. 그 영화는 19세기 말 아프리카의 콩고를 배경으로 한 Joseph Conrad의 소설 *Heart of Darkness*를 (1) **각색**한 것이다. 원작 소설과는 달리 *Apocalypse Now*는 베트남 전쟁 당시의 베트남과 캄보디아를 배경으로 한다. 배경, 시기, 대화, 그리고 다른 (2) **부수적** 세부 사항은 바뀌어 있지만, *Apocalypse Now*의 기본적인 줄거리와 주제는 Heart of Darkness의 그것들과 같다. 둘 다 문명의 최악의 측면을 나타내는 제정신이 아닌 Kurtz라는 인물을 대면하기 위해 강을 따라 내려가는 물리적 여정을 묘사하는데, 주인공의 정신적 그리고 영적인 여정을 나타낸다. *Apocalypse Now*에 그것이 개봉될 당시와 같은 시대적 배경을 제시함으로써, 관객들은 영화가 소설을 원문에 충실하게 (1) **각색**한 것이었다면 그들이 그랬을 것보다 더 쉽게 그것의 주제를 경험하고 그것과 동질감을 느낄 수 있었다.

정답

(1) adaptation (2) incidental

| Preview | 영영풀이에 해당하는 단어를 ⓐ~ⓒ에서 고르시오.

01 **easily broken or damaged**
ⓐ kinesthetic ⓑ fragile ⓒ modify

02 **getting annoyed quickly or easily**
ⓐ irritable ⓑ outlaw ⓒ sacred

03 **a large number of things**
ⓐ multitude ⓑ podium ⓒ interrupt

04 **a response with loud applause and cheering**
ⓐ ovation ⓑ petition ⓒ lease

05 **seemingly or apparently valid, likely, or acceptable**
ⓐ ritualize ⓑ plausible ⓒ override

06 **producing a large amount of something**
ⓐ prohibit ⓑ recuperation ⓒ prolific

07 **relationship, especially one of mutual trust or emotional affinity**
ⓐ rapport ⓑ rationale ⓒ recess

08 **a review or contemplation of things in the past**
ⓐ retrospect ⓑ salvation ⓒ headwind

09 **a sacred place, such as a church, temple, or mosque**
ⓐ instill ⓑ forerunner ⓒ sanctuary

10 **to drink a liquid slowly by taking only small amounts**
ⓐ infest ⓑ sip ⓒ volatile

|정답| 1 ⓑ 2 ⓐ 3 ⓐ 4 ⓐ 5 ⓑ 6 ⓒ 7 ⓐ 8 ⓐ 9 ⓒ 10 ⓑ

[책] 가리개를 사용하여 뜻을 잘 암기했는지 확인하세요.

0391 □□ **fragile**
[frǽdʒəl]

[형] **부서지기 쉬운, 연약한** easily broken or damaged

With your donation, we can preserve **fragile** coral reefs around the world.
[모평] 귀하의 기부로 우리는 전 세계의 **손상되기 쉬운** 산호초를 보호할 수 있습니다.

[+] **fragility** [명] 깨지기 쉬움, 약함

frag(= break) + ile(형용사 접미사) → 깨지는 것과 관계 있는

0392 □□ **interrupt**
[ìntərʌ́pt]

[동] **방해하다, 가로막다, 중단시키다**

It is very rude to **interrupt** someone when they are speaking. [EBS]
누군가 말하고 있을 때 그의 말을 **가로막는** 것은 매우 무례한 것이다.

[+] **interruption** [명] 방해 (요소), 중단

inter(= between) + rupt(= break) → 중간에서 깨다

0393 □□ **irritable**
[íritəbl]

[형] **짜증난, 화가 난** getting annoyed quickly or easily

Leaders who emit negative emotional states of mind, who are **irritable** and bossy, repel people and have few followers. [모평]
짜증을 내고 우두머리 행세를 하며 부정적 마음의 감정 상태를 내보이는 지도자들은 사람들을 쫓아 버리고 따르는 사람이 거의 없다.

[+] **irritate** [동] 짜증나게 하다, 화나게 하다　**irritation** [명] 짜증, 불쾌, 화

0394 □□ **kinesthetic**
[kìnəsθétik]

[형] **운동 감각의**

I am a **kinesthetic** learner, so I need action and movement to get something into my head.
나는 **운동 감각적** 학습자여서 무엇인가를 내 머릿속에 넣기 위해서는 활동이나 움직임이 필요하다.

0395 □□ **lease**
[li:s]

1. [동] **임차하다, 임대하다, ~을 빌려 쓰다**

If you want to **lease** a car and have bad credit, it could be difficult to get approved.
만일 당신이 자동차를 **임대하고** 싶은데 신용이 나쁘다면, 승인을 받기가 어려울 것이다.

2. [명] **임대차 계약**

The hassle of moving once my **lease** was up was a huge roadblock for me.
[학평] 일단 **임대차 계약**이 끝나면 이사를 해야 하는 번거로움이 나에게는 커다란 어려움이었다.

0396 **modify**
[mɑ́dəfài]

㉮ **바꾸다, 변경하다, 수정하다**

A round man cannot be expected to fit in a square hole right away. He must have time to **modify** his shape. *- Mark Twain*
둥근 남자는 정사각형 구멍에 바로 들어갈 수 없다. 그는 자신의 모양을 **수정할** 시간을 가져야 한다.

A traditional filmmaker has limited means of **modifying** images once they are recorded on film. 모평
전통적인 영화 제작사는 일단 영상이 필름에 녹화되고 나면 그것을 **수정할** 수 있는 제한적인 수단을 가진다.

⊕ **modification** ⑲ 수정, 변경 **modifier** ⑲ 수식어

0397 **multitude**
[mʌ́ltitjùːd]

⑲ **다수, 수많음** a large number of things

Considering the **multitude** of ways people benefit from insects, it is curious that insects continue to suffer from such an unfavorable reputation. 학평
사람들이 곤충으로부터 이익을 얻는 **많은** 방식을 고려해 보면, 곤충이 계속해서 그렇게 호의적이지 않은 평판을 얻고 있는 것은 이상하다.

a multitude of 많은 ~, 다수의 ~

0398 **outlaw**
[áutlɔ̀ː]

㉮ **불법화하다, 금지하다**

The Swedish government has **outlawed** television advertising of products aimed at children under 12. 모평
스웨덴 정부는 12세 이하의 어린이들을 겨냥한 제품의 TV 광고를 **금지했다**.

0399 **ovation**
[ouvéiʃən]

⑲ **박수갈채** a response with loud applause and cheering

When someone throws up while watching one of your movies, it's like a standing **ovation**. *- Eli Roth*
누군가가 당신의 영화 중 한 편을 보면서 토한다면 그것은 기립 **박수**와 같은 것이다.

0400 **override**
[óuvərràid]

㉮ **무효화하다; ~에 우선하다**

President issued a new order **overriding** previous instructions.
대통령은 이전의 지시를 **무효화하는** 새로운 명령을 내렸다.

Your intelligence doesn't **override** your desire to destroy yourself.
당신의 지능은 스스로를 파괴하려는 당신의 욕망**에 우선하지** 않는다. *- John Darnielle*

over(= above) + ride(타다) → 위에 타다

0401 □□ **petition**
[pitíʃən]

1. ⓢ **청원하다, 탄원하다**

Citizens **petitioned** against the discharge of radioactive wastes.
시민들은 방사선 폐기물 방출에 반대하는 **청원을 했다**.

2. ⓜ **탄원(서), 청원서**

50 psychologists signed a **petition** calling for a ban on the advertising of children's goods. 모평
50명의 심리학자들이 아동 상품의 광고에 대한 금지를 요청하는 **탄원서**에 서명했다.

the Petition of Right (영국) 권리 청원

0402 □□ **plausible**
[plɔ́:zəbl]

ⓗ **타당한, 그럴듯한** seemingly or apparently valid, likely, or acceptable; credible

When telling an outright lie or when exaggerating, a liar should invent a story that sounds **plausible**. EBS
노골적인 거짓말을 하거나 과장할 때, 거짓말쟁이는 **그럴듯하게** 들리는 이야기를 꾸며 내야 한다.

plausible alibi 그럴듯한 알리바이
+ **plausive** ⓗ 찬사를 보내는

plaud(박수) + ible(형용사 접미사) → 박수칠 만한

0403 □□ **podium**
[póudiəm]

ⓜ **연단, 지휘대, 시상대**

He stepped on the **podium** and waved hands to the audience.
그는 **연단**에 올라서서 청중에게 손을 흔들었다.

How many points, how many races you can win, how many times you be on the **podium**. That's the name of the game. - *Valtteri Bottas*
얼마나 많은 점수를 낼 수 있는지, 얼마나 많은 시합을 이길 수 있는지, 몇 번이나 **시상대**에 올랐는지, 그것이 게임의 이름이다.

0404 □□ **prohibit**
[prouhíbit]

ⓢ **금지하다, 못하게 하다**

In both places, jaywalking or crossing against the light, is technically **prohibited**. 학평
두 곳 모두에서 무단횡단, 즉 신호를 어기고 건너는 것은 엄밀히 **금지되어 있다**.

+ **prohibition** ⓜ 금지, 금지령
= **ban, forbid, outlaw** ⓢ 금지하다
↔ **authorize** ⓢ 허가하다, 인가하다

0405 □□ **prolific**
[proulífik]

ⓗ **다작의, 열매를 많이 맺는** producing a large amount of something

Wundt wrote over 490 works and was probably the world's most **prolific** scientific writer. EBS
Wundt는 490편이 넘는 작품을 썼으며 아마 세계에서 가장 **다작하는** 과학 작가였을 것이다.

0406 **rapport**
[ræpɔ́:r]

㉥ **(친밀한) 관계** relationship, especially one of mutual trust or emotional affinity

Carter and Begin began to establish **rapport** at their first meeting. EBS
Carter와 Begin은 그들의 첫 만남에서 **친분**을 쌓기 시작했다.

Many good friends have little in common except a warm loving feeling of respect and **rapport**. 수능
많은 좋은 친구들이 존경과 **친밀한 관계**의 따뜻한 사랑하는 감정을 빼고는 공통적인 것이 거의 없다.

be in rapport with ~와 화합하고 있다

0407 **rationale**
[ræ̀ʃənǽl]

㉥ **논리적 근거, 이유**

Parents sometimes try to justify a child's bad behavior with the **rationale**, "Robert was running around with the wrong crowd." EBS
부모는 가끔 "Robert가 나쁜 무리와 어울리고 있었어요."라는 **이유**를 들어 아이의 나쁜 행동을 정당화하려고 애쓴다.

0408 **recess**
[risés]

㉥ **쉬는 시간, 휴식 (시간), 휴회 기간**

Sometimes we learn more during **recess** than we do in the classroom.
때때로 우리는 교실에서보다 **쉬는 시간** 중에 더 많이 배운다.

During **recess** one day, Andrew got involved in a card game of Uno with three other boys. 학평
어느 날 **쉬는 시간** 동안, Andrew는 다른 세 명의 소년들과 우노라는 카드 게임에 참여했다.

re(= back) + cess(= go) → 물러나서 쉬다

0409 **recuperation**
[rikjù:pəréiʃən]

㉥ **(부상·질병 등에서의) 회복; 만회**

During the **recuperation** period, you are required to stay in the facility or at home without going out.
회복 기간 중에 당신은 병원에 머무르거나 외출하지 말고 집에 머물러야 합니다.

파 **recuperative** ㉻ 회복력이 있는(= recuperatory)
유 **recovery** ㉥ 회복

0410 **retrospect**
[rétrəspèkt]

㉥ **회고, 회상** a review or contemplation of things in the past

In **retrospect**, it seems like everything in my life led to me becoming a writer. *- Kate Morton*
회고해 보면, 내 인생의 모든 것이 내가 작가가 되도록 이끈 것 같다.

In **retrospect**, it might seem surprising that something as mundane as the desire to count sheep was the driving force for an advance as fundamental as written language. 수능
회고해 보면 양의 수를 세고자 하는 욕구처럼 세속적인 것이 문자 언어처럼 근본적인 진보의 원동력이었다는 것은 놀라운 일로 보일지도 모른다.

retro(= back) + spect(= look) → 되돌아보다

0411 **ritualize**
[rítʃuəlàiz]

㊍ **의식화하다, 의례화하다**

All societies **ritualize** birth, marriage and death with communal activities.
모든 사회는 공동체 활동으로 출생, 결혼 그리고 사망을 **의례화한다**.

⊞ **ritualized** ㊕ 의식적인, 의례적인

0412 **sacred**
[séikrid]

㊕ **신성한, 성스러운**

In Hinduism, cows are seen as **sacred**, and in Islam, pork is seen as unclean.
힌두교에서 소는 **신성한** 것으로 여겨지며, 이슬람에서 돼지고기는 불결한 것으로 여겨진다.

Every clan represented in a village has a clan house in which the masks and other **sacred** items used in the ceremonies are kept when not in use. 모평 한 마을을 대표하는 모든 씨족은, 의식들에 사용되는 가면과 다른 **신성한** 도구들을 쓰지 않을 때 보관해 두는 씨족 회관을 보유한다.

⊞ **sacredness** ㊔ 신성함, 성스러움

0413 **salvation**
[sælvéiʃən]

㊔ **구원(자); 구제, 구조**

Most Protestants believe that **salvation** is achieved through God's grace alone. 대부분의 개신교도들은 **구원**은 오직 신의 은총에 의해서 성취된다고 믿는다.

Music has always been my constant, my **salvation**. It's cliche to write that, but it's true. - *Carrie Brownstein*
음악은 항상 나의 변함없는 **구원**이었다. 그런 표현을 쓰는 것이 진부하지만 사실이다.

⊞ **salvational** ㊕ 구제의, 구출해 주는

0414 **sanctuary**
[sǽŋktʃuèri]

㊔ **(동식물의) 보호 구역; (교회 등의) 지성소** a sacred place, such as a church, temple, or mosque

The Namibia wildlife **sanctuary** was established to improve the lives of Namibia's animals.
Namibia 야생 동물 **보호 구역**은 Namibia 동물들의 삶을 증진시키기 위해서 설립되었다.

sanct(= holy) + uary(명사 접미사) → 성스러운 장소

0415 **sip**
[sip]

1. ㊍ **(음료를) 조금씩 마시다** to drink a liquid slowly by taking only small amounts

She **sipped** her coffee and put the mug down.
그녀는 커피를 **한 모금 마셨고** 머그잔을 내려 놓았다.

2. ㊔ **(음료의) 한 모금** a small quantity taken by sipping

She took a **sip** of the sweet tea. 학평
그녀는 달콤한 차 **한 모금**을 마셨다.

0416 **instill**
[instíl]

[동] (생각 등을) 심어 주다, 서서히 불어넣다

A good teacher can inspire hope, ignite the imagination, and **instill** a love of learning. *- Brad Henry*
훌륭한 선생님은 희망을 불어넣고, 상상력에 불을 붙이고, 배움에 대한 사랑을 **심어준다**.

We need to **instill** a sense of geologic time into our culture and our planning, to incorporate truly long-term thinking into social and political decision making. [EBS]
우리는 우리의 문화와 우리의 설계에 지질학적 시간 감각을 서서히 **불어넣을**, 사회적이고 정치적인 의사 결정에 진정으로 장기적인 사고를 포함할 필요가 있다.

[+] **instillment** [명] 주입(= installation)

0417 **forerunner**
[fɔ́ːrrʌ̀nər]

[명] 선구자, 선각자; 선조

Chaucer is generally regarded as the **forerunner** of English realism.
Chaucer는 일반적으로 영국 사실주의의 **선구자**로 여겨진다.

You need to have extraordinary wisdom to be the **forerunner**. *- Ma Huateng*
선구자가 되기 위해서는 특별한 지혜가 필요하다.

0418 **infest**
[infést]

[동] (벌레·쥐 등이) ~에 들끓다, (병이) 만연하다

The prison was **infested** with rats, flies, mosquitoes and cockroaches.
그 감옥은 쥐, 파리, 모기 그리고 바퀴벌레로 **들끓었다**.

[+] **infestation** [명] 침략; 횡행; 만연 **infestant** [명] 기생충(= parasite)

0419 **volatile**
[válətil]

[형] 휘발성의, (상황 등이) 급격하게 변하는

As we trap more heat in the atmosphere, weather patterns become more **volatile**. [EBS]
우리가 대기 중에 더 많은 열을 가둘 때, 날씨 패턴은 더 **급격하게 변하게** 된다.

volatile disposition 변덕스러운 성질
[+] **volatility** [명] 급격한 변동; 휘발성

0420 **headwind**
[hédwìnd]

[명] 맞바람, 역풍(逆風)

Running into a **headwind** takes more effort than running with a tailwind pushing you.
맞바람을 안고 달리는 것은 당신을 밀어주는 뒷바람과 함께 달리는 것보다 더 많은 노력이 든다.

[↔] **tailwind** [명] 뒷바람, 순풍

Review TEST

Q 빈칸에 알맞은 단어를 보기에서 골라 쓰시오. **학평 변형**

보기			
modify	kinesthetic	volatile	prohibit

From the chemical point of view magma is an extremely complex system. The chemical composition of magma does not remain constant over time but varies in response to variations in the environment in which it is located. In contact with colder rocks, magma loses heat. This change in temperature causes certain minerals to begin to crystallize, depriving the magma of those chemical components that are involved in the formation of the crystals while at the same time enriching the magma with other components that are not involved in the formation of the crystals. Aside from heat, magma also exchanges chemical components with the surrounding rock, (1) ____________ing both the composition of the magma and the surrounding rock. Portions of rock can be incorporated into the magma, becoming molten or remaining as solid fragments within it. In response to variations in chemical composition, temperature and most of all pressure, (2) ____________ substances contained in the magma like water or carbon dioxide can be released to form gas bubbles, producing great changes in the properties of the magma and in many cases leading to an eruption.

해석

화학적인 관점에서, 마그마는 극도로 복잡한 체계이다. 마그마의 화학적 구성은 오랜 시간 동안 일정한 것이 아니라 그것이 위치한 환경의 변화에 반응하여 달라진다. 더 차가운 암석과 접촉할 때, 마그마는 열기를 잃는다. 이러한 온도의 변화는 특정한 광물들이 결정체를 이루기 시작하게 하여, 마그마에서 그 결정체의 형성과 관련된 그런 화학적 성분을 빼앗는 한편 동시에 마그마에서 그 결정체의 형성과 관련되지 않은 다른 성분들을 풍부하게 한다. 열기와 별개로, 마그마는 또한 주변의 암석과 화학적 성분을 교환하여 마그마와 그 주변 암석의 구성을 (1) **변경한다**. 암석 일부가 마그마로 통합되어 녹거나 마그마 안의 고체 파편으로 남을 수 있다. 화학적 구성, 온도, 그리고 무엇보다 압력의 변화에 반응하여, 물이나 이산화탄소와 같은, 마그마에 포함된 (2) **휘발성** 물질들이 방출되어 기포를 형성할 수 있는데, 이것은 마그마의 성질에 커다란 변화를 가져오고, 많은 경우 분출로 이어진다.

정답

(1) modify (2) volatile

DAY 15

| Preview | 영영풀이에 해당하는 단어를 ⓐ~ⓒ에서 고르시오.

01 to move silently and secretly to avoid being seen or heard
ⓐ sneak ⓑ slump ⓒ specify

02 appearing or happening at irregular intervals in time
ⓐ vulgar ⓑ absent-minded ⓒ sporadic

03 a plan or action for achieving a goal
ⓐ tactic ⓑ supervision ⓒ visibility

04 to go above or beyond a limit, expectation, etc, as in degree or excellence
ⓐ utter ⓑ transcend ⓒ backbreaking

05 capable of doing many things competently
ⓐ atmospheric ⓑ versatile ⓒ bothersome

06 the process or result of making or becoming different
ⓐ alteration ⓑ blunder ⓒ specialization

07 to make impure or unclean by contact or mixture
ⓐ manifestation ⓑ contaminate ⓒ corrupt

08 to shout in a deep voice
ⓐ bellow ⓑ vigorous ⓒ brutality

09 to prevent a person or animal from seeing by covering the eyes
ⓐ insanity ⓑ viable ⓒ blindfold

10 to make a long, loud, high-pitched cry, as in grief, sorrow, or fear
ⓐ swirl ⓑ wail ⓒ missionary

|정답| 1 ⓐ 2 ⓒ 3 ⓐ 4 ⓑ 5 ⓑ 6 ⓐ 7 ⓑ 8 ⓐ 9 ⓒ 10 ⓑ

가리개를 사용하여 뜻을 잘 암기했는지 확인하세요.

0421 **slump**
[slʌmp]

1. 동 **급락하다, 폭락하다**

The global stock markets **slumped** because of Covid-19 pandemic.
세계 주식 시장이 코로나19 전염병 때문에 **폭락했다.**

2. 명 **급락, 폭락; 불황; (운동 선수의) 슬럼프, 부진(한 시기)**

He hit a mild **slump** in his shooting and the team lost three in a row. EBS
그는 슈팅에서 가벼운 **슬럼프**를 겪고 있었고, 그래서 그의 팀은 3경기 연속 패배했다.

0422 **sneak**
[sniːk]

동 **슬그머니 움직이다, 살금살금 가다** to move silently and secretly to avoid being seen or heard

I was so naive as a kid I used to **sneak** behind the barn and do nothing.
나는 어렸을 때 너무 순진해서 헛간 뒤로 **몰래 들어가서는** 아무것도 안 했다. *- Johnny Carson*

These thieving bees sneak into the nest of an unsuspecting "normal" bee, lay an egg and then **sneak** back out. 모평
도둑질하는 이런 벌들은 이상한 낌새를 못 챈 '보통' 벌의 집으로 몰래 들어가서 알을 낳은 다음 **몰래 빠져** 나온다.

+ **sneaky** 형 몰래 하는, 엉큼한, 비열한

0423 **specialization**
[spèʃəlizéiʃən]

명 **전문화**

Specialization leads to efficient use of capital, land and labor.
전문화는 자본, 토지, 노동의 효율적인 사용을 초래한다.

God and the Devil are an effort after **specialization** and the division of labor. *- Samuel Butler*
하나님과 악마는 노동의 **전문화**와 분업화 이후의 결과이다.

specialize in ~을 전문으로 하다

0424 **specify**
[spésəfài]

동 **명확히 말하다, 명시하다**

International maritime codes **specify** that more maneuverable vessels must keep out of the way of less maneuverable vessels. EBS
국제 해양법은 조종하기가 더 어려운 선박에게 조종하기가 더 쉬운 선박이 길을 비켜 주어야 한다고 **명시한다.**

0425 **sporadic**
[spərǽdik]

형 **산발적인, 간헐적인** appearing or happening at irregular intervals in time

In spite of the truce, there have been **sporadic** bombings here and there.
휴전 협정에도 불구하고 이곳저곳에서 **산발적인** 폭격이 있었다.

0426 **supervision**
[sùːpərvíʒən]

[명] 감시, 관리, 감독

She liked her job and was fortunate to work under the **supervision** of an easygoing supervisor. [EBS]
그녀는 자기 일을 좋아했고 다행히 성격이 느긋한 상관의 **관리** 하에 근무했다.

[+] supervise [동] 감독하다, 관리하다　supervisor [명] 감독관, 관리자

0427 **tactic**
[tǽktik]

[명] 전술, 책략 a plan or action for achieving a goal

Stealing thunder is a **tactic** whereby you are the first to introduce information that is injurious to your position. [EBS]
선수 치기는 여러분이 자신의 입장에 해가 되는 정보를 먼저 알리는 **책략**이다.

[+] tactical [형] 전술적인, 전략적인

0428 **transcend**
[trænsénd]

[동] 초월하다, 능가하다 to go above or beyond a limit, expectation, etc, as in degree or excellence

Like all successful artists, his sculpture **transcends** race and language.
[학평] 다른 성공한 예술가들처럼 그의 조각 작품은 언어와 인종을 **초월한다**.

[+] transcendent [형] 초월하는, 뛰어넘는　transcendence [명] 초월

trans(= beyond) + scend(= climb) → 위로 올라가다

0429 **utter**
[ʌ́tər]

1. [동] (소리 따위를) 내다, 말하다

As a child's lexicon grows, she begins to **utter** simple sentences and to acquire new vocabulary at a very rapid pace. [EBS]
자신의 어휘 목록이 늘어나면서, 아이는 간단한 문장을 **말하고** 매우 빠른 속도로 새로운 어휘를 습득하기 시작한다.

2. [형] 완전한, 순전한

Nothing can be seen in the **utter** darkness.
완전한 어둠 속에서 아무것도 보이지 않는다.

[+] utterance [명] 발화, 발언　utterly [부] 완전히

0430 **versatile**
[və́ːrsətil]

[형] 다용도의; 다재다능한 capable of doing many things competently

The personal computer may well be the most useful and **versatile** tool ever to come into common organizational use. [EBS]
개인용 컴퓨터는 아마도 조직체에서 일상적으로 사용하게 된 지금까지 가장 유용하고 **다용도의** 도구일 것이다.

0431 **vigorous**
[vígərəs]

[형] **강력한, 원기 왕성한, 활발한**

We assume that our governments regulate cosmetic makers and demand **vigorous** safety testing. [EBS]
우리는 정부가 화장품 제조사를 규제하고 **강력한** 안전 검사를 요구한다고 생각한다.

vigorous exercises 격심한 운동
[+] **vigor** [명] 활력, 원기 **vigorously** [부] 강력하게, 힘차게

0432 **visibility**
[vìzəbíləti]

[명] **시계(視界), 가시성, 눈에 잘 보임**

The search for survivors was abandoned because of poor **visibility**.
생존자 수색은 **시계**가 불량해서 포기되었다.

The smoke and low **visibility** from fires causes massive traffic pile-ups and has prompted highway closures. [EBS]
화재로 인한 연기와 낮은 **가시성**은 극심한 교통 정체를 야기하고 고속 도로 폐쇄를 촉발해 왔다.

[+] **visible** [형] 가시적인, 볼 수 있는, (눈에) 보이는

0433 **vulgar**
[vʌ́lgər]

[형] **저속한, 천박한**

His novel was criticized upon release because of its **vulgar** language.
그의 소설은 **저속한** 언어 때문에 출간 즉시 비판받았다.

vulgar words 비어(卑語)
[+] **vulgarize** [동] 품격을 떨어뜨리다, 통속화하다

0434 **absent-minded**
[ǽbsənt-máindid]

[형] **멍하고 있는, 정신이 다른 데 가 있는**

A child may often look confused or appear **absent-minded** because he is unable to process information at the rate it's being delivered. [EBS]
아이는 정보가 전달되는 속도로 그것을 처리할 수 없기 때문에 자주 혼란스러워 보이거나 **멍해 보일** 수 있다.

[+] **absent-mindedly** [부] 방심하여 **absent-mindedness** [명] 방심 상태, 넋을 잃음

0435 **alteration**
[ɔ̀:ltəréiʃən]

[명] **변경, 개조, 고침** the process or result of making or becoming different

Clothing **alteration** is a great way to customise or update a garment to a wearer's preference.
옷 **수선**은 착용자의 기호대로 옷을 맞추거나 최신화하는 훌륭한 방법이다.

[+] **alter** [동] 바꾸다, 변경하다

alter(= other) + ation(명사 접미사) → 다른 것으로 만드는 것

0436 **contaminate**

[kəntǽmənit]

㉯ **오염시키다** to make impure or unclean by contact or mixture

Japan is going to decide to **contaminate** the Pacific Ocean with radioactive wastes. 일본은 방사성 폐기물로 태평양을 **오염시키기로** 결정하려 한다.

The father **contaminates** his connection with his teenager by provoking his/her increased resentment and dislike. EBS
아버지는 자녀의 분노와 반감이 커지게 함으로써 자신의 십 대 자녀와의 관계에 **나쁜 영향을 미친다**.

⊞ **contamination** ㉮ 오염 **contaminated** ㉱ 오염된

con(= together) + tam(= tag) + inate(동사 접미사) → 여럿이 만져서 (세균 등이) 붙다

0437 **atmospheric**

[æ̀tməsférik]

㉱ **대기의; 분위기 있는**

Ozone, carbon dioxide, and water vapour are the three main **atmospheric** constituents which absorb radiation.
오존, 이산화탄소, 그리고 수증기는 방사선을 흡수하는 3개의 주요 **대기** 구성 물질이다.

⊞ **atmosphere** ㉮ 대기; 분위기

0438 **backbreaking**

[bǽkbrèikiŋ]

㉱ **(체력을) 소모시키는, 몹시 힘든, 고된**

Berry picking was **backbreaking** and tedious work.
베리를 따는 것은 **매우 힘들고** 지루한 일이었다.

0439 **bellow**

[bélou]

㉯ **고함치다** to shout in a deep voice

"Amy! You're going to be late! Come on! Now!" Mom **bellowed** from downstairs.
"Amy! 넌 늦을 거야! 어서 와! 지금!" 엄마가 아래층에서 **고함을 질렀다**.

0440 **blindfold**

[bláindfòuld]

1. ㉯ **눈을 가리다** to prevent a person or animal from seeing by covering the eyes

With my eyes **blindfolded**, I was wondering to what fantastic place she was taking me. 학평
눈이 가려진 채, 나는 그녀가 나를 어떤 멋진 장소로 데려가는지 궁금해 하고 있었다.

2. ㉮ **눈가리개, 안대**

When Mary pulled off my **blindfold**, my jaw dropped and I gasped at the sight before me.
Mary가 내 **안대**를 벗겨 냈을 때, 내 앞에 있는 광경에 입이 딱 벌어졌고 숨이 막혔다.

⊞ **blindfolded** ㉱ 눈을 가린

0441 **blunder**
[blʌ́ndər]

1. 명 (큰) 실수, 과실

A **blunder** at the right moment is better than cleverness at the wrong time. *- Carolyn Wells*
알맞은 순간의 **실수**는 잘못된 순간의 영리함보다 낫다.

2. 동 크게 실수하다; 더듬거리며 가다, 머뭇거리다

Those who are emotionally illiterate **blunder** their way through lives marked by misunderstanding, frustrations, and failed relationships. 학평
정서적으로 소양이 없는 사람들은 오해, 좌절 그리고 실패한 관계로 점철된 인생을 **머뭇거리며** 살아간다.

0442 **bothersome**
[bɑ́ðərsəm]

형 성가신, 짜증나게 하는

It is very **bothersome** to take out food waste everyday.
음식물 쓰레기를 매일 버리는 것은 매우 **성가시다**.

He knew that I had worked in law enforcement for the FBI, and he asked whether I had noticed anything **bothersome** about his new staff members. 학평
그는 내가 FBI 법 집행부에서 일했다는 것을 알고는 그의 새 간부들에 대해 내가 **성가신** 것들을 알고 있는지 물었다.

동 annoying 형 성가신, 귀찮은

0443 **brutality**
[bruːtǽləti]

명 잔인(성), 야만성

A newly released movie shows the **brutality** of humans.
새로 개봉된 한 영화는 인간의 **잔인성**을 보여준다.

+ brutal 형 잔인한, 야만적인

0444 **corrupt**
[kərʌ́pt]

1. 동 부패하게 하다, 타락시키다

Power tends to **corrupt** and absolute power **corrupts** absolutely.
권력은 **부패하는** 경향이 있으며 절대 권력은 절대 **부패한다**. *- John Dalberg-Acton*

2. 형 부패한, 썩은, 타락한

Corrupt politicians should be banned from public life permanently.
부패한 정치인들은 공직 생활로부터 영원히 금지되어야 한다.

+ corruption 명 부패, 타락

0445 **manifestation**
[mæ̀nəfestéiʃən]

명 징후, 나타남

The impressive **manifestations** of nature stimulated the personifying fantasy of man. EBS 자연의 인상적인 **현시(나타남)**는 인간의 의인화하는 공상을 자극했다.

+ manifest 동 표명하다, 나타내다, 드러내 보이다

mani(= hand) + fest(= grip) + ation(명사 접미사) → 손안에 쥠으로써 확실히 하는 것

0446 **viable**
[váiəbl]

㉻ **생존 가능한; 실행 가능한**

The chemical industry denied that there were **viable** alternatives to ozone-depleting chemicals. EBS
화학 업계는 오존을 고갈시키는 화학 물질에 대한 **실행 가능한** 대안이 있다는 것을 부인했다.

⊞ **viability** ㉮ 실행[실현] 가능성

vi(= vital) + able(할 수 있는) → 생존할 수 있는

0447 **wail**
[weil]

1. ㉯ **울부짖다, 통곡하다; (사이렌이) 울리다** to make a long, loud, high-pitched cry, as in grief, sorrow, or fear

Families of the victims **wailed** at the funeral.
희생자들의 가족들은 장례식에서 **울부짖었다**.

2. ㉮ **울부짖음, 통곡**

The drama of life begins with a **wail** and ends with a sigh. *- Minna Antrim*
인생이라는 드라마는 **울부짖음**으로 시작하여 한숨으로 끝난다.

0448 **insanity**
[insǽnəti]

㉮ **미친 짓; 정신 이상[착란]**

Insanity: doing the same thing over and over again and expecting different results. *- Albert Einstein*
미친 짓이란 같은 일을 반복하면서, 다른 결과를 기대하는 것이다.

⊞ **insane** ㉻ 제정신이 아닌

in(부정) + san(= health) + ity(명사 접미사) → (정신) 건강이 좋지 않음

0449 **swirl**
[swəːrl]

1. ㉯ **소용돌이치다**

I saw the tornado **swirling** and debris flying in the air.
나는 토네이도가 **소용돌이치고** 파편이 공중에 날아가는 것을 보았다.

2. ㉮ **소용돌이, 회오리, 빙빙 돎**

She stirred **swirls** of cream in her coffee for several seconds.
그녀는 몇 초 동안 커피에 넣은 크림을 **소용돌이** 모양으로 저었다.

⊟ **whirl, eddy** ㉯ 소용돌이치다

0450 **missionary**
[míʃənèri]

㉮ **선교사**

Missionaries established schools wherever they went.
선교사들은 그들이 가는 곳마다 학교를 세웠다.

Review TEST

Q 빈칸에 알맞은 단어를 보기에서 골라 쓰시오. 학평 변형

보기			
utterance	backbreaking	tactic	specific

According to Derek Bickerton, human ancestors and relatives such as the Neanderthals may have had a relatively large lexicon of words, each of which related to a mental concept such as 'meat', 'fire', 'hunt' and so forth. They were able to string such words together but could do so only in a nearly arbitrary fashion. Bickerton recognizes that this could result in some ambiguity. For instance, would 'man killed bear' have meant that a man has killed a bear or that a bear has killed a man? Ray Jackendoff, a cognitive scientist, suggests that simple rules such as 'agent-first' (that is, the man killed the bear) might have reduced the potential ambiguity. Nevertheless, the number and complexity of potential (1) ______s would have been severely limited. The transformation of such proto-language into language required the evolution of grammar — rules that define the order in which a finite number of words can be strung together to create an infinite number of (1) ______s, each with a (2) ______ meaning.

* lexicon: 어휘 목록 ** protolanguage: 원시 언어

해석

Derek Bickerton에 따르면, 네안데르탈인과 같은 인간의 조상들과 친척들은 비교적 큰 어휘 목록을 가지고 있었을 것이고, 각 단어는 '고기', '불', '사냥' 등과 같은 정신적인 개념과 관련이 있었다. 그들은 그 단어들을 함께 연결할 수 있었지만 거의 임의적인 방식으로만 그렇게 할 수 있었다. Bickerton은 이것이 약간의 모호함을 일으킬 수 있다고 인식한다. 예를 들어, 'man killed bear'는 사람이 곰을 죽였다는 것을 의미했을까, 아니면 곰이 사람을 죽였다는 것을 의미했을까? 인지과학자인 Ray Jackendoff는 '행위자 우선'(즉, 사람이 곰을 죽였다)과 같이 단순한 규칙이 잠재적인 모호함을 줄였을지도 모른다고 제안한다. 그럼에도 불구하고, 가능한 (1) **발화**의 수와 복잡성은 굉장히 제한적이었을 것이다. 그러한 원시 언어에서 언어로의 변형은 제한된 수의 단어들이 각각 (2) **특정한** 의미를 지닌 무한한 수의 (1) **발화**를 하기 위해 연결될 수 있는 순서를 규정하는 규칙인 문법의 발달을 필요로 했다.

정답

(1) utterance (2) specific

| Preview | 영영풀이에 해당하는 단어를 ⓐ~ⓒ에서 고르시오.

01 **ordinary; undistinguished or uninteresting**
ⓐ commonplace ⓑ conjure ⓒ congested

02 **happening, existing, or done at the same time as something else**
ⓐ threshold ⓑ designate ⓒ concurrent

03 **to keep within certain limits; confine or limit**
ⓐ conceive ⓑ constrain ⓒ convergence

04 **to crush together or press into wrinkles**
ⓐ crumple ⓑ derail ⓒ evacuate

05 **commonly practiced, used, or encountered; usual**
ⓐ continuity ⓑ customary ⓒ disclosure

06 **polite or respectable; proper and suitable**
ⓐ disrespect ⓑ decent ⓒ discontent

07 **difficult to understand; obscure; complex; puzzling**
ⓐ intricate ⓑ deceit ⓒ discrepancy

08 **paying careful attention to every detail**
ⓐ meticulous ⓑ diagonal ⓒ captivity

09 **to make or become worse or lower in quality, value, character, etc.**
ⓐ divert ⓑ deteriorate ⓒ encompass

10 **to make an exact copy of something**
ⓐ duplicate ⓑ delicacy ⓒ femininity

|정답| 1 ⓐ 2 ⓒ 3 ⓑ 4 ⓐ 5 ⓑ 6 ⓑ 7 ⓐ 8 ⓐ 9 ⓑ 10 ⓐ

가리개를 사용하여 뜻을 잘 암기했는지 확인하세요.

0451 **captivity** [kæptívəti]

명 **가두어 둠, 속박, 감금 (상태)**

Richard Bulliet, professor of history at Columbia University, argues that animals were probably first kept in **captivity** for use in sacrificial rites. EBS
Columbia 대학교의 역사학 교수 Richard Bulliet은 동물은 아마도 처음에는 제물로 바치는 의식에 사용할 목적으로 **가두어** 길러졌을 것이라고 주장한다.

in captivity 사로잡혀, 감금되어
+ **captive** 형 우리에 갇힌, 사로잡힌 명 포로

capt(= catch) + ive(형용사 접미사) + ity(명사 접미사) → 잡아 가둠

0452 **commonplace** [kɑ́mənplèis]

형 **아주 흔한, 일반적인** ordinary; undistinguished or uninteresting

Something **commonplace**, like a name, which is only encountered once, is unlikely to be stored as a strong memory. EBS
이름 같이, 오로지 한 번만 접하게 되는 **아주 흔한** 것은 강한 기억으로 저장될 가능성이 없다.

0453 **conceive** [kənsí:v]

동 **생각하다, 상상하다; 구상하다, 계획하다**

If my mind can **conceive** it, and my heart can believe it, I know I can achieve it. *- Jesse Jackson*
내 마음이 **생각할** 수 있고, 내 심장이 믿을 수 있다면, 나는 그것을 성취할 수 있음을 안다.

Ancient maps were not **conceived** through the same processes as modern maps. 모평 고대의 지도들은 현대의 지도와 동일한 과정을 거쳐서 **구상되지** 않았다.

+ **conception** 명 개념; 생각
= **devise** 동 (방법을) 궁리하다, 고안하다

con(= together) + ceive(= take) → 함께 (생각을) 가지다

0454 **concurrent** [kənkə́:rənt]

형 **동시에 발생하는, 공존하는** happening, existing, or done at the same time as something else

The coronavirus pandemic and **concurrent** social changes are fundamentally altering how people see their shelters.
코로나바이러스 팬데믹 그리고 (그것과) **동시에 발생하는** 사회 변화는 사람들이 그들의 주거지[집]를 보는 방식을 근본적으로 바꾸고 있다.

+ **concurrently** 부 동시에
= **simultaneous** 형 동시의, 동시에 일어나는

con(=together) + cur(= flow) + (r)ent(형용사 접미사) → 동시에 흐르는

0455 **conjure**
[kándʒər]

㊂ (마음에) 그려내다, 생각해내다; 마술을 하다

If you are lying, it is not easy to **conjure** up lots of details. EBS
만약 당신이 거짓말을 하고 있다면, 많은 세부 내용을 **떠올리기**가 쉽지 않다.

I would want to be able to **conjure** yummy meals by wiggling my nose!
코를 씰룩 거려서 맛있는 음식을 만들어 내는 **마술을 부리고** 싶다! - *Jessica Parker Kennedy*

0456 **congested**
[kəndʒéstid]

㊅ 혼잡한, 붐비는

To achieve high building density, massive high-rise buildings are inevitable, and these massive structures, crammed into small sites, can conversely result in very little open space and a **congested** cityscape. 학평
높은 건축 밀도를 얻기 위해서는 거대한 고층 건물이 불가피하며, 작은 부지로 밀어 넣은 이런 거대한 구조물은 역으로 매우 적은 공지와 **혼잡한** 도시 경관을 야기한다.

⊞ congestion ㊔ (교통의) 혼잡, 정체

0457 **constrain**
[kənstréin]

㊂ 제약하다, 억누르다 to keep within certain limits; confine or limit

Politics and the law **constrain** our freedom and thus should be kept at a minimum. 정치와 법은 우리의 자유를 **제약하므로** 최소한으로 유지되어야 한다.

⊞ constraint ㊔ 제약, 제한, 규제

con(= together) + strain(= bind) → 같이 묶다

0458 **continuity**
[kàntənjúːəti]

㊔ 지속성, 연속성

Providing **continuity** of learning is important when unexpected events happen. 예상치 못한 사건이 생길 때 학습의 **연속성**을 제공하는 것은 중요하다.

⊞ continuance ㊔ 계속, 연속　continuous ㊅ 지속적인

0459 **convergence**
[kənvə́ːrdʒəns]

㊔ (한 점으로) 집합; (의견 등의) 수렴

Edutainment is defined as the **convergence** of education and entertainment. 에듀테인먼트는 교육과 오락의 **결합**으로 정의된다.

⊞ converge ㊂ 모여들다; 수렴하다　convergent ㊅ 점차 집합하는; 수렴(성)의

con(= together) + verge(= turn) + ence(명사 접미사) → 함께 도는 것

0460 **crumple**
[krʌ́mpl]

㊂ 구기다 to crush together or press into wrinkles

He **crumpled** up the letter and threw it in the bin.
그는 편지를 **구겨서** 쓰레기통에 던져 버렸다.

⊞ crumpled ㊅ 구겨진

0461 **customary** [kʌ́stəmèri]

㉻ **관례적인; 습관적인** commonly practiced, used, or encountered; usual

It has become **customary** to wear a mask in public.
공공장소에서 마스크를 착용하는 것이 **관례적인** 것이 되었다.

When parents are required to judge their children, it is perhaps their **customary** thoughtlessness that makes them judge so mistakenly. 모평
부모들이 자신의 자녀들에 대해 평가하도록 요구받을 때 그들이 그렇게 틀리게끔 평가하게 만드는 것은 어쩌면 그들의 **습관적인** 무심함 때문일 것이다.

customary law 관습법

0462 **deceit** [disíːt]

㉹ **속임수, 사기, 기만**

When induced to give spoken or written witness to something they doubt, people will often feel bad about their **deceit.** 모평
사람들은 그들이 의심스러워하는 무엇인가에 대해 말이나 글로 증언을 해 달라고 권유를 받을 때, 종종 그들의 **속임수**에 대해 기분 나쁘게 느낄 것이다.

⊕ **deceive** ⓢ 기만하다, 속이다 **deceptive** ㉻ 기만하는, 현혹하는

0463 **decent** [díːsənt]

㉻ **예의 바른, 품위 있는; (수준·질이) 제대로 된** polite or respectable; proper and suitable

A healthy democracy requires a **decent** society. *- Charles W. Pickering*
건강한 민주주의는 **품위 있는** 사회를 필요로 한다.

Genes, development, and learning all contribute to the process of becoming a **decent** human being. 수능
유전자, 발달, 그리고 학습은 모두 **예의 바른** 인간이 되는 과정에 기여한다.

decent language 점잖은 말
⊕ **decency** ㉹ 예의 (바름); 품위

0464 **delicacy** [délәkәsi]

㉹ **섬세(함); 맛있는 것, 진미**

The man who entered was young, some two-and-twenty at the outside, well-groomed and trimly clad, with something of refinement and **delicacy** in his bearing. 학평
밖에서 들어온 사람은 스물 두 살쯤 되어 보이는 젊은이로, 어쩐지 고상하고 **섬세함**을 지닌 듯, 의복을 단정하게 잘 차려입고 있었다.

⊕ **delicate** ㉻ 민감한; 정교한; 섬세한

0465 **derail** [diréil]

ⓢ **(기차를) 탈선시키다; 무산시키다**

Amazingly, the train did not **derail** and none of its passengers was hurt.
놀랍게도, 그 기차는 **탈선하지** 않았고 다친 승객도 없었다.

All too often, plans were **derailed** by unanticipated events. 학평
너무나 자주, 계획은 예상치 못한 사건들에 의해 **틀어졌다**.

0466 **intricate**
[íntrəkit]

㉠ **복잡한, 뒤얽힌** difficult to understand; obscure; complex; puzzling

David Rock has described in fascinating detail the **intricate** mechanics of the brain on creativity and stress. EBS
David Rock은 창의력과 스트레스에 대한 뇌의 **복잡한** 메커니즘을 대단히 흥미롭게 상세하게 묘사했다.

⊕ **intricacy** ㉡ 복잡함, 복잡한 내용

in(= inside) + tric(= entangle) + ate(형용사 접미사) → 안에서 엉킨

0467 **meticulous**
[mətíkjələs]

㉠ **세심한, 꼼꼼한** paying careful attention to every detail

I think Ryan Gosling is really great actor who's **meticulous** about his work. *- Ashton Kutcher*
나는 Ryan Gosling이 그의 작품에 대해 **세심한**, 진정으로 훌륭한 배우라고 생각한다.

Her mother was stern and **meticulous** about house cleaning. 모평
그녀의 어머니는 집 청소에 대해 엄격했고 **꼼꼼했다**.

0468 **femininity**
[fèmənínəti]

㉡ **여자다움, 여성스러움**

African American women defined themselves as "softly strong" — owning both strength and **femininity** without conflict. 모평
흑인 여성들은 힘과 **여자다움**을 서로 상충하지 않게 둘 다 지니면서 자신들을 '부드럽게 강하다'고 규정했다.

⊕ **feminine** ㉠ 여자의, 여성스러운
⇔ **masculinity** ㉡ 남자다움, 남성스러움

0469 **evacuate**
[ivǽkjuèit]

㉢ **(위험 지역에서 사람들을) 대피시키다, 피난시키다**

The police **evacuated** the building when a fire alarm was triggered.
경찰은 화재경보기가 작동했을 때 그 건물에서 사람들을 **대피시켰다**.

⊕ **evacuation** ㉡ 대피, 피난

e(= ex) + vac(= empty) + uate(동사 접미사) → 밖으로 내보내 (장소를) 비우다

0470 **discontent**
[dìskəntént]

1. ㉡ **불만**

Discontent is the first necessity of progress. *- Thomas A. Edison*
불만은 진보의 첫 번째 필요조건이다.

2. ㉠ **불만인, 불만스러운**

He was **discontent** with his small pay increase.
그는 봉급이 적게 올라서 **불만스러웠다**.

0471 **designate** □□
[dézignit]

[동] 지정하다; (특정 자리나 직책에) 지명하다

Her house in Jackson has been **designated** as a National Historic Landmark. [학평]
Jackson에 있는 그녀의 자택은 (미국) 국가 사적으로 **지정되었다**.

designated hitter (야구) 지명 타자
[+] **designated** [형] 지정된, 임명된 **designation** [명] 지정, 임명

0472 **deteriorate** □□
[ditíəriərèit]

[동] **악화되다, 더 나빠지다** to make or become worse or lower in quality, value, character, etc.

The environment will continue to **deteriorate** until pollution practices are abandoned. *- B. F. Skinner*
오염 관행이 버려질 때까지 환경은 계속 **악화될** 것이다.

There were some ancient wall paintings which had **deteriorated** over the centuries. [EBS] 수세기 동안 상태가 **악화된** 몇 점의 아주 오래된 벽화가 있었다.

[+] **deterioration** [명] 악화, (가치의) 하락

de(= down) + ter(= earth) + iorate(동사형 접미사) → 땅 밑으로 떨어지다

0473 **diagonal** □□
[daiǽgənəl]

1. [명] **대각선**

You can draw two **diagonals** in a square, and its **diagonals** are equal in length. 너는 정사각형 안에 두 개의 **대각선**을 그릴 수 있으며, 그 **대각선**은 길이가 같다.

2. [형] **대각선의**

Draw a **diagonal** line from the upper left corner to the lower right corner.
좌측 상단 모서리로부터 우측 하단 모서리까지 **대각**선을 그려라.

[+] **diagonally** [부] 대각선으로

0474 **threshold** □□
[θréʃhould]

[명] **문지방, 문턱; 한계점**

Hope smiles from the **threshold** of the year to come, whispering, "It will be happier." *- Alfred Lord Tennyson*
다가올 해의 **문턱**에서 희망이 웃으며 '더 행복할 거야'라고 속삭였다.

0475 **disclosure** □□
[disklóuʒər]

[명] **누설, 폭로**

Since the health information is sensitive for users, any inappropriate **disclosure** may violate user privacy. [EBS]
건강 정보는 사용자에게 민감하므로 어떤 부적절한 **누설**도 사용자의 사생활을 침해할 수 있다.

[+] **disclose** [동] 드러내다, 폭로하다, 노출하다
[=] **exposure** [명] 폭로

0476 **discrepancy**

[diskrépənsi]

㉧ **괴리, 불일치, 차이**

The **discrepancy** between the understanding of the writer and that of the audience is the single greatest impediment to accurate communication. EBS

저자의 이해와 독자의 이해 사이의 **불일치**는 정확한 소통에 유일한 가장 큰 장애이다.

When there is a **discrepancy** between the verbal message and the nonverbal message, the latter typically weighs more in forming a judgment. 학평

언어적인 메시지와 비언어적인 메시지 사이에 **차이**가 있을 때, 판단을 형성하는 데 있어서 후자가 보통 더 큰 비중을 차지한다.

0477 **disrespect**

[dìsrispékt]

㉧ **무례, 실례, 경시(輕視)**

Preservation of one's own culture does not require contempt or **disrespect** for other cultures. *- Cesar Chavez*

자신의 문화를 보존하는 것은 다른 문화에 대한 경멸이나 **경시**를 요구하지 않는다.

➕ **disrespectful** ㉧ 무례한, 불경스러운

0478 **divert**

[divə́:rt]

㉧ **(방향을) 전환시키다; (생각·관심 등을) 다른 데로 돌리다**

Most line waits can be made more enjoyable and made to feel less lengthy if guests can be distracted or **diverted** in some way. EBS

손님들이 어떤 식으로든 주의를 분산시키거나 **다른 곳으로 돌릴** 수 있으면, 대부분의 줄 대기 시간은 더 즐겁고 덜 지루하게 느껴지게 만들어질 수 있다.

➕ **diversion** ㉧ 전환 **diverted** ㉧ 주의를 돌리게 된, 기분 전환이 된

di(= dis) + vert(= turn) → 떨어져서 방향을 돌리다

0479 **duplicate**

㉧[djú:pləkit]

1. ㉧ **복제하다, 복사하다; 그대로 재현하다** to make an exact copy of something

Always be original. Never **duplicate** what you've seen another actor do.

늘 독창적이어야 한다. 절대 다른 배우의 연기를 **그대로 재현하지** 마라.

㉧[djú:plәkәt]

2. ㉧ **복제품, 복사본** an exact copy; double

This document is a **duplicate** of the original document, and a spare key is a **duplicate** of the original key.

이 문서는 원본 문서의 **복사본**이고, 예비 열쇠는 원래 열쇠의 **복제품**이다.

0480 **encompass**

[inkʌ́mpəs]

㉧ **포함하다, 아우르다; 둘러싸다**

Globalization is simply opening the free marketplace to **encompass** the entire world. *- P. J. O'Rourke*

세계화는 그저 전 세계를 **아우르는** 자유 시장을 여는 것이다.

➕ **encompassment** ㉧ 에워싸기, 포위

Review TEST

Q 빈칸에 알맞은 단어를 보기에서 골라 쓰시오. **학평 변형**

보기

threshold duplicate encompass delicacy

According to Johann Herbart, a German philosopher, ideas form as information from the senses combines. The term he used for ideas — *Vorsfellung* — (1) ....(e)s thoughts, mental images, and even emotional states. These make up the entire content of the mind, and Herbart saw them not as static but dynamic elements, able to move and interact with one another. Ideas, he said, can attract and combine with other ideas or feelings, or repulse them, rather like magnets. Similar ideas, such as a color and tone, attract each other and combine to form a more complex idea. However, if two ideas are unalike, they may continue to exist without association. This causes them to weaken over time, so that they eventually sink below the "(2) .... of consciousness." Should two ideas directly contradict one another, "resistance occurs" and "concepts become forces when they resist one another." They repel one another with an energy that propels one of them beyond consciousness, into a place that Herbart referred to as "a state of tendency"; and we now know as "the unconscious."

* repulse: 물리치다

해석

독일 철학자 Johann Herbart에 따르면, 감각에서 오는 정보가 결합할 때 생각이 형성된다. 그가 생각을 위해 사용했던 용어 'Vorsfellung(표상, 表象)'은 사고, 정신적인 이미지, 심지어 감정적인 상태도 (1) **아우른다**. 이것들은 마음의 전체 내용을 구성하고, Herbart는 그것들을 정적인 요소가 아니라, 이동하면서 서로 교류할 수 있는 역동적인 요소로 보았다. 그가 말하기를, 생각은 어느 정도는 자석처럼, 다른 생각이나 느낌을 끌어당기고 그것들과 결합하거나 그것들을 물리칠 수 있다. 색과 색조와 같은 비슷한 생각은 서로를 끌어당기고 결합하여 더 복잡한 생각을 이룬다. 그러나 두 생각이 비슷하지 않으면, 그것들은 연관성 없이도 계속 존재할 수 있다. 이 때문에 그것들은 시간이 지나면서 약해지고, 그래서 그것들은 결국 '의식의 (2) **경계**' 아래로 가라앉는다. 두 생각이 서로와 직접적으로 모순될 경우에는 '저항이 발생하고' '서로에 저항할 때 개념은 힘이 된다.' 그것들은 그것 중 하나를 의식 너머로, 즉 Herbart가 '성향의 상태'라고 지칭했고, 우리가 지금은 '무의식'으로 알고 있는 곳으로 몰아내는 힘으로 서로를 밀어낸다.

정답

(1) encompass (2) threshold

| Preview | 영영풀이에 해당하는 단어를 ⓐ~ⓒ에서 고르시오.

01 **extremely pleasing or successful**
ⓐ fleeting ⓑ fabulous ⓒ envision

02 **lacking in knowledge or training; unlearned**
ⓐ frail ⓑ nominal ⓒ ignorant

03 **lack of patience**
ⓐ impatience ⓑ inscription ⓒ interdependence

04 **lack of ability, qualification, or strength**
ⓐ incapacity ⓑ exhale ⓒ immoral

05 **to cause very strong feelings**
ⓐ inflame ⓑ obliged ⓒ inferiority

06 **excessively curious, especially about the affairs of others**
ⓐ infrared ⓑ indulge ⓒ inquisitive

07 **impossible to separate or part**
ⓐ inseparable ⓑ drastic ⓒ inattentive

08 **opposite or contrary in effect, sequence, direction, etc.**
ⓐ leash ⓑ inverse ⓒ descriptive

09 **to attract or tempt customers, workers, money etc**
ⓐ infuse ⓑ lure ⓒ localize

10 **to draw or bring out**
ⓐ elicit ⓑ premise ⓒ medieval

|정답| 1 ⓑ 2 ⓒ 3 ⓐ 4 ⓐ 5 ⓐ 6 ⓒ 7 ⓐ 8 ⓑ 9 ⓑ 10 ⓐ

가리개를 사용하여 뜻을 잘 암기했는지 확인하세요.

0481 **envision** [invíʒən]

㊍ **상상하다, 구상하다, 마음속에 그리다**

Story was the world's first virtual reality. It allowed us to step out of the present and **envision** the future. EBS
이야기는 세상 최초의 가상 현실이었다. 그것은 우리가 현재에서 벗어나 미래를 **상상하게** 해 주었다.

The universities **envision** breeding enough silicon and solar panels by 2050 to supply half the world's energy. 학평
그 대학들은 2050년까지 전 세계 에너지의 절반을 공급하는 데 충분한 실리콘과 태양열 패널을 만들어낼 **구상을 하고 있다.**

0482 **exhale** [ekshéil]

㊍ **(숨을) 내쉬다**

I closed my eyes and **exhaled** a deep breath.
나는 눈을 감고 깊은 숨을 **내쉬었다.**

반 **inhale** ㊍ (숨을) 들이쉬다

ex(= out) + hale(끌어내다) → 밖으로 내보내다

0483 **fabulous** [fǽbjələs]

㊌ **믿어지지 않는, 아주 멋진** extremely pleasing or successful

Come and enjoy the **fabulous** drawings, sculptures, photographs, digital works, and the great music! 수능
오셔서 **멋진** 그림, 조각, 사진, 디지털 작품, 그리고 훌륭한 음악을 즐기세요!

유 **superb** ㊌ 최고의, 대단히 훌륭한

0484 **fleeting** [flíːtiŋ]

㊌ **순간적인, 찰나의, 잠깐 동안의**

Athletes who are able to create accurate and lifelike images benefit more than those who can create only a blurry, **fleeting** image. EBS
정확하고 실제와 똑같은 이미지를 만들어 낼 수 있는 운동선수는 오로지 흐릿한 **찰나의** 이미지를 만들어 낼 수 있는 운동선수보다 더 많은 혜택을 얻는다.

0485 **frail** [freil]

㊌ **노쇠한, 연약한**

His wife's health was **frail**, and Allen held various teaching positions to help pay for her medical care. 학평
그의 아내의 몸은 **노쇠했고** Allen은 그녀의 의료비를 대는 데 도움이 되도록 여러 가지 가르치는 일을 했다.

+ **frailty** ㊔ 노쇠함, 연약함

0486 **nominal**

[námənl]

㉻ **명목상의, 이름뿐인**

His **nominal** income increased but his real income decreased.
그의 **명목상** 소득은 증가했지만 실질 소득은 감소했다.

The single most important aspect of "authorship" is the vaguely apprehended presence of human creativity, personality, and authority that **nominal** authorship seems to provide. 학평
'작가 정체성'의 가장 중요한 단 하나의 측면은, **명목상의** 작가 정체성이 제공한다고 여겨지는, 막연하게 이해되는 인간의 창조성, 개성, 그리고 권위의 존재이다.

0487 **ignorant**

[ígnərənt]

㉻ **무지한, 무식한** lacking in knowledge or training; unlearned

The first step towards knowledge is to know that we are **ignorant**.
지식으로 가는 첫걸음은 우리가 **무지하다는** 것을 아는 것이다. *- Richard Cecil*

⊞ **ignore** ㊐ 무시하다, 못 본 체하다 **ignorance** ㊔ 무지, 무식

I(n)(부정) + gno(= know) + rant(형용사 접미사) → 알지 못하는

0488 **immoral**

[imɔ́(:)rəl]

㉻ **비도덕적인, 부도덕한**

Love is moral even without legal marriage, but marriage is **immoral** without love. *- Ellen Key*
심지어 법적인 결혼 없는 사랑은 도덕적이지만 사랑 없는 결혼은 **비도덕적이다**.

Criminalizing a behavior does not make it **immoral**, nor is all **immoral** behavior necessarily criminalized. EBS
어떤 행동을 법으로 금지하는 것은 그것을 **비도덕적으로** 만드는 것이 아니며, 모든 **비도덕적인** 행동이 반드시 법으로 금지되는 것도 아니다.

⇔ **moral** ㉻ 도덕적인

0489 **impatience**

[impéiʃəns]

㊔ **조급함, 성급함** lack of patience

Tilted head shows your interest while tapping your fingers is a sign of **impatience**.
기울어진 머리는 당신의 흥미를 보여주는 반면에 손가락을 두드리는 것은 **조급함**의 신호이다.

⊞ **impatient** ㉻ 참을성 없는, 조바심이 나는
⇔ **patience** ㊔ 참을성, 인내력

0490 **obliged**

[əbláidʒd]

㉻ **어쩔 수 없이 ~해야 하는**

Neither prosecutor nor defender is **obliged** to consider anything that weakens their respective cases. 모평
검사나 피고 측 변호사 중 아무도 그들 각자의 입장을 약화시키는 어떤 것을 고려해야 할 **의무가 있는** 것은 아니다.

be obliged to ~할 의무가 있다
⊞ **obligatory** ㉻ 의무적인

0491 **incapacity**
[ìnkəpǽsəti]

명 **무능(함), 할 수 없음** lack of ability, qualification, or strength

Our **incapacity** to comprehend other cultures stems from our insistence on measuring things in our own terms. - *Arthur Erickson*
다른 문화를 이해하지 **못하는 것**은 우리 자신의 관점으로 사물을 판단하는 우리의 고집에서 생겨난다.

반 **capacity** 명 능력; 수용력, 용량

0492 **indulge**
[indʌ́ldʒ]

동 **탐닉하다, 빠지다**

These children enjoy better health and are less likely to **indulge** in risky behavior such as smoking cigarettes or engaging in fights. EBS
이런 아이들은 더 나은 건강을 누리며, 흡연이나 싸움 가담과 같은 위험한 행동에 **빠져들** 가능성이 더 적다.

indulge in ~에 빠지다, 탐닉하다
파 **indulgence** 명 빠짐, 탐닉 **indulgent** 형 멋대로 하게 하는, 관대한

0493 **inferiority**
[infìərió(:)rəti]

명 **열등, 열세**

We must interpret a bad temper as a sign of **inferiority**. - *Alfred Adler*
우리는 고약한 성미를 **열등감**의 표시로 해석해야만 한다.

sense of inferiority 열등감
파 **inferior** 형 열등한, 하급의
반 **superiority** 명 우수성, 우세, 우월성

0494 **inflame**
[infléim]

동 **자극하다; 흥분시키다** to cause very strong feelings

My idea of education is to unsettle the minds of the young and **inflame** their intellects. - *Robert Maynard Hutchins*
교육에 대한 내 생각은 젊은이들의 마음을 안정시키고 그들의 지성을 **자극하는** 것이다.

파 **inflammable** 형 타기 쉬운, 가연성의 **inflammation** 명 연소; (신체 부위의) 염증

0495 **infrared**
[ìnfrəréd]

형 **적외선의**

Visible light is squeezed in between the invisible **infrared** and ultraviolet wavelengths. EBS
가시광선은 보이지 않는 **적외선** 파장과 자외선 파장 사이에 끼워져 있다.

반 **ultraviolet** 형 자외선의

0496 **infuse**
[infjúːz]

㉠ **주입하다, 불어넣다**

I daily **infuse** my mind with positive thoughts and wisdom.
나는 매일 내 마음에 긍정적인 생각과 지혜를 **주입한다**.

Material goods **infused** with bits increasingly act as if they were intangible services. 모평
비트가 **주입된** 물질적 상품들은 점점 마치 그것들이 무형의 서비스인 것처럼 행동한다.

+ **infusion** ⓜ 주입, 투입

in(안에) + fuse(도화선) → 도화선을 안에 넣다

0497 **premise**
[prémis]

ⓜ **(주장의) 전제**

No matter how good an argument is, the truth of the conclusion cannot be established if any of the argument's **premises** is false. EBS
아무리 주장이 훌륭할지라도, 주장의 **전제** 중 어느 것이라도 거짓이라면 결론의 참은 성립될 수 없다.

major premise 대전제

0498 **inquisitive**
[inkwízətiv]

ⓗ **탐구적인, 알고 싶어하는** excessively curious, especially about the affairs of others

We think of curiosity as exploration: being **inquisitive**, seeking to learn and understand. 학평
우리는 호기심을 탐구로 생각하는데, 즉 배우고 이해하려고 하면서 **알고 싶어하는** 것이다.

0499 **inscription**
[inskrípʃən]

㉠ **(책·비석 등에) 새겨진 글, 비문**

Let there be no **inscription** upon my tomb.
내 무덤에 **비문**을 새기지 마라.

The bell tower is relatively new, from 1897, but the church building, as the **inscription** above the western entrance tells us, dates from 1851. 수능
그 종탑은 1897년부터 해서 비교적 새 것이지만 그 교회 건물은 서구적 입구 위의 **비문**이 우리에게 말해 주듯이 1851년부터이다.

+ **inscribe** ㉠ (이름 등을) 새기다

in(안에) + scribe(새기다) + tion(명사 접미사) → 안에 새기는 것

0500 **inseparable**
[insépərəbl]

ⓗ **분리할 수 없는, 불가분의** impossible to separate or part

Economics, politics and personalities are often **inseparable**. *- Charles Edison*
경제, 정치 그리고 성격은 종종 **분리할 수 없다**.

Music is a human art form, an **inseparable** part of the human experience everywhere in the world. 모평
음악은 인간의 예술 형태로서, 세계 어디에서나 인간 경험에서 **분리할 수 없는** 부분이다.

0501 □□ **interdependence** [ìntərdipéndəns]

㉮ **상호 의존(성)**

Interdependence means that change in one part of the system will impact change in another part of the system.
상호 의존성은 시스템 한쪽에서의 변화가 다른 쪽의 변화에 영향을 줄 것임을 의미한다.

+ interdependent ㉬ 상호 의존적인

inter(= between) + depend(의존하다) + ence(명사 접미사) → 서로 의존하는 것

0502 □□ **inverse** [invə́:rs]

㉬ **역의, 정반대의** opposite or contrary in effect, sequence, direction, etc.

The demand curve shows the **inverse** relationship between quantity demanded and the price of the item.
수요 곡선은 상품의 수요량과 가격 사이에 **역의** 상관관계를 보여 준다.

+ inversely ㉯ 반대로, 역비례하여

0503 □□ **leash** [li:ʃ]

1. ㉮ **(개의) 목줄**

The law requires that dogs be kept on a **leash** at all times when on public property. 법은 공공장소에서 항상 개가 **목줄**에 채워질 것을 요구한다.

2. ㉰ **(개에게) 목줄을 채우다**

You should make sure you **leash** your dog!
당신의 개에 **목줄을 채우는** 것을 확실히 하세요!

+ unleash ㉰ (감정 따위를) 촉발시키다, 불러일으키다

0504 □□ **localize** [lóukəlàiz]

㉰ **(영향·작용 등을) 국한시키다**

Usually, neck pain is **localized** to one area and goes away on its own after a few days. 대개 목의 통증은 한쪽에 **국한되며** 며칠 후면 저절로 사라진다.

As you emphasize your life, you must **localize** and define it... you cannot do everything. *- Phillips Brooks*
당신의 삶을 강조하면서, **국한시키고** 정의해야 합니다… 모든 것을 할 수는 없습니다.

+ localized ㉬ 국지화된, 국부적인

0505 □□ **lure** [luər]

1. ㉰ **유인하다, 유혹하다, 꾀다** to attract or tempt customers, workers, money etc

In Greek mythology, the Sirens **lured** sailors with their enchanting music.
그리스 신화에서 Siren들은 그들의 매혹적인 음악으로 선원들을 **유혹했다**.

2. ㉮ **유혹(물)** anything that attracts, entices, or allures

I find the **lure** of the unknown irresistible. *- Sylvia Earle*
나는 미지의 것에 대한 **유혹**을 억누를 수가 없다.

= seduce, tempt, entice ㉰ 부추기다, 꾀다

0506 **drastic**
[drǽstik]

㉻ **급격한, 대폭적인, 과감한**

Small choices in our lives could have **drastic** effects on our future.
우리 인생의 작은 선택이 우리 미래에 **큰** 영향을 미칠 수 있다.

Removing the germs could have **drastic** possibly fatal effects on the host. 학평
그 세균을 제거하는 것은 숙주에게 **극단적인**, 어쩌면 치명적인 영향을 미칠 수 있다.

0507 **medieval**
[mìːdiíːvəl]

㉻ **중세(시대)의; 구식의**

In ancient and **medieval** times philosophy was everything, and the philosopher was the caretaker of human wisdom. EBS
고대와 **중세** 시대 때는 철학이 가장 중요한 것이었고, 철학자가 인간의 지혜의 관리인이었다.

Porto still carries the features of a busy **medieval** town in a strategically important location for defense. 모평
Porto는 여전히 전략적으로 중요한 방어 위치에 있는 분주한 **중세** 도시의 특징을 지고 있다.

0508 **inattentive**
[ìnəténtiv]

㉻ **부주의한, 주의가 산만한**

My sister was hit by an **inattentive** driver while riding her bicycle.
내 여동생은 자전거를 타다가 **부주의한** 운전자에 의해서 사고를 당했다.

The teacher tried getting him interested in what the class was doing, but he was **inattentive**. 학평
선생님은 그가 학급에서 이루어지는 수업에 관심을 갖게 하려고 해 보았지만 그는 **관심이 없었다**.

⊞ inattentively ㊌ 건성으로, 주의가 산만하게
⇔ attentive ㉻ 주의 깊게 보는[듣는]

0509 **descriptive**
[diskríptiv]

㉻ **기술적인, 서술적인**

A **descriptive** grammar is a set of rules about language based on how it is actually used.
기술 문법은 언어가 실제로 사용되는 방식에 기반을 둔 언어에 관한 규칙들의 세트이다.

⊞ describe ㊍ 서술하다, 묘사하다 description ㉹ 서술, 묘사, 설명

0510 **elicit**
[ilísit]

㊍ **(반응을) 끌어내다, 유도하다** to draw or bring out

Even the exact same question can **elicit** very different responses depending on the context in which the question occurs. EBS
아주 똑같은 질문조차 질문이 발생하는 상황에 따라 매우 다른 응답을 **끌어낼** 수 있다.

⊞ elicitor ㉹ 유도하는 사람; 유도체

Review TEST

Q 빈칸에 알맞은 단어를 보기에서 골라 쓰시오. **수능 변형**

보기 immoral attentively inflame nominal fabulously

Apologies often fail. One reason apologies fail is that the "offender" and the "victim" usually see the event differently. Examining personal narratives, researchers have found that those who cause harm tend to minimize the offense — probably to protect themselves from shame and guilt. They also tend to downplay the consequences of their actions. These tendencies can (1) ________ the anger of the hurt person, who, in contrast, may see an offense as bigger than it really is. Those who are hurt tend to see the act as one with severe consequences and as part of an ongoing pattern that is inexcusable and (2) ________. Each person has his or her own truth, and there is distortion on both sides. Therefore, to apologize sincerely we must first listen (3) ________ to how the other person really feels about what happened — not simply assert what we think happened.

해석

사과는 흔히 실패한다. 사과가 실패하는 한 가지 이유는 "잘못한 사람"과 "당한 사람"이 대개 사건을 다르게 보기 때문이다. 개인적인 이야기들을 검토하면서, 연구자들은 해를 가한 사람들은 아마도 수치심과 죄책감으로부터 스스로를 보호하기 위해, 잘못한 일을 축소하려는 경향이 있다는 것을 알아냈다. 그들은 또한 자신들의 행동 결과를 대단치 않게 생각하는 경향이 있다. 이러한 경향은 상처 입은 사람의 노여움을 (1) **악화시킬** 수 있는데, 상처 입은 사람은 반대로 (기분이 상하게 된) 사건을 실제보다 더 크게 생각할 수도 있다. 상처 입은 사람들은 그러한 행위를 심각한 결과를 수반하는 것으로, 그리고 용서할 수 없고 (2) **비도덕적인** 진행 중에 있는 패턴의 일부로 바라보는 경향이 있다. 각 사람은 그들만의 진실을 가지고 있고, 양쪽 모두에 왜곡이 있다. 따라서 진정으로 사과하기 위해서는, 우리가 일어났다고 생각하는 것을 단순히 주장할 것이 아니라 일어난 일에 대해서 상대방이 정말로 어떻게 느끼는지에 대해 우선적으로 (3) **주의 깊게** 들어야 한다.

정답

(1) inflame (2) immoral (3) attentively

| Preview | 영영풀이에 해당하는 단어를 ⓐ~ⓒ에서 고르시오.

01 **obligatory or demanded by law**
ⓐ nocturnal ⓑ parallel ⓒ mandatory

02 **to speak in a quiet voice that is difficult to hear**
ⓐ mediate ⓑ mutter ⓒ strangle

03 **to make something difficult to understand or know**
ⓐ obscure ⓑ outperform ⓒ omission

04 **most favorable or desirable; best**
ⓐ remainder ⓑ parliament ⓒ optimum

05 **contrary to what is right or good**
ⓐ perverse ⓑ pessimism ⓒ clan

06 **to consider something deeply and thoroughly; meditate**
ⓐ pledge ⓑ ponder ⓒ incur

07 **to break up, drive away, or cause to disappear**
ⓐ dispel ⓑ miser ⓒ disobedience

08 **occurring before or in preparation; introductory**
ⓐ retention ⓑ preliminary ⓒ prosperous

09 **the foretelling or prediction of what is to come**
ⓐ resonance ⓑ prophecy ⓒ bliss

10 **to give up an office or position**
ⓐ resign ⓑ regime ⓒ restraint

|정답| 1ⓒ 2ⓑ 3ⓐ 4ⓒ 5ⓐ 6ⓑ 7ⓐ 8ⓑ 9ⓑ 10ⓐ

가리개를 사용하여 뜻을 잘 암기했는지 확인하세요.

0511 **strangle** [strǽŋgl]

㊐ **목 졸라 죽이다, 질식시키다; (발전을) 억누르다**

I didn't allow my kids to play with rope, string, balloons — anything that might **strangle** them.

나는 내 아이들이 로프, 끈, 풍선과 같은 그들을 **질식시킬** 수 있는 어떤 것이든 가지고 노는 것을 허락하지 않았다.

+ strangled ㊎ 억눌린 (듯한); 목이 꽉 막힌 듯한

0512 **mandatory** [mǽndətɔ̀:ri]

㊎ **의무적인, 필수의** obligatory or demanded by law

The human body developed to function in an environment where food was scarce and high levels of physical activity were **mandatory** for survival. EBS

인체는 음식이 부족하고 생존을 위해 높은 수준의 신체 활동이 **필수인** 환경에서 기능하도록 발달되었다.

0513 **mediate** [mí:dieit]

㊐ **조정하다, 중재하다**

Even the regulation of the body's autonomic nervous system is primarily **mediated** by right-brain mechanisms. EBS

몸의 자율 신경계의 조절조차도 주로 우뇌 메커니즘에 의해 **조정된다**.

+ mediation ㊔ 매개, 중개, 조정 mediator ㊔ 중재자, 조정자

med(= middle) + iate(동사 접미사) → 중간에서 역할을 하다

0514 **mutter** [mʌ́tər]

㊐ **중얼거리다** to speak in a quiet voice that is difficult to hear

"It's not a big deal," he **muttered** to himself.

"이것은 대단한 일이 아니군." 그는 혼잣말로 **중얼거렸다**.

Those of us of a certain age think of memory as a library, **muttering** about where we "filed" information in our mental cabinets. 학평

우리 중 특정 연령의 사람들은 기억을 도서관처럼 생각해서, 우리의 머릿속 캐비닛 어디에 정보를 '(정리하여) 철했는지'에 대해서 **중얼거린다**.

0515 **nocturnal** [nɑktə́:rnl]

㊎ **야행성의**

Animals that are active at night are called **nocturnal** animals.

밤에 활동적인 동물들은 **야행성** 동물이라고 불린다.

+ nocturn ㊔ 야상곡(夜想曲)

↔ diurnal ㊎ 낮의, 주행성의

noct(= night) + urnal(형용사 접미사) → 밤과 관련 있는

0516 **obscure**
[əbskjúər]

1. ⓢ **가리다, 모호하게 하다** to make something difficult to understand or know

In classical Freudian terms, denial is simply a defense mechanism that we employ to **obscure** or revoke our basest impulses. EBS
고전적인 프로이드의 용어로, 부정은 단순히 우리가 우리의 가장 원초적인 충동을 **가리거나** 철회하기 위해 사용하는 방어 기제이다.

2. ⓗ **모호한, 이해하기 힘든** not clear or plain; ambiguous, vague, or uncertain

A century ago, petroleum — what we call oil — was just an **obscure** commodity; today it is almost as vital to human existence as water.
- James Buchan
1세기 전에 우리가 오일이라고 부르는 석유는 그저 **이해하기 힘든** 상품이었다. 오늘날 그것은 거의 물만큼이나 인간 존재에 필수적이다.

0517 **omission**
[oumíʃən]

ⓜ **누락, 생략; 부작위(不作爲)**

Reading out loud will reveal errors and **omissions** that you didn't notice the previous day. EBS
큰 소리로 읽으면 여러분이 전날 알아차리지 못한 오류와 **누락**이 드러날 것이다.

➕ omit ⓢ 빠뜨리다, 생략하다

0518 **optimum**
[ɑ́ptəməm]

ⓗ **최적의, 가장 알맞은** most favorable or desirable; best

For **optimum** health, people should be encouraged to take control to a point but to recognize when further control is impossible. 모평
최적의 건강을 위해, 사람들은 어느 정도까지 통제하지만, 더 이상의 통제가 불가능한 때를 인식하도록 권장되어야 한다.

= optimal ⓗ 최적의, 최상의

0519 **outperform**
[àutpərfɔ́ːrm]

ⓢ **~보다 뛰어나다, ~을 능가하다**

When it comes to innovation, small teams consistently **outperform** larger organizations. 학평
혁신에 관한 한 소규모 그룹은 더 큰 조직들을 지속적으로 **능가한다**.

0520 **parallel**
[pǽrəlèl]

1. ⓢ **평행을 이루다; 유사하다, 필적하다**

The architecture of a quantum computer system **parallels** that of a conscious brain. 양자 컴퓨터 시스템의 구조는 의식이 있는 뇌의 그것과 **유사하다**.

2. ⓜ **평행선; 유사점**

There is a **parallel** between a coin toss and stock investments. 수능
동전 던지기와 주식 투자에는 **유사점**이 있다.

0521 **parliament**
[pá:rləmənt]

명 의회, 국회

The South Korean **parliament** passed a resolution condemning North Korea's nuclear test. 남한 **국회**는 북한의 핵실험을 비난하는 결의안을 통과시켰다.

+ **parliamentary** 형 의회의

0522 **perverse**
[pərvə́:rs]

형 비뚤어진, 상식 밖의 contrary to what is right or good

There seems to be some **perverse** human characteristic that likes to make easy things difficult. - *Warren Buffett*
인간은 쉬운 일을 어렵게 만드는 **엉뚱한** 특성이 있는 듯하다.

+ **pervert** 동 왜곡하다

per(완전히) + verse(= turn) → 완전히 (잘못된 방향으로) 돌아선

0523 **pessimism**
[pésəmìzəm]

명 비관주의

Low self-confidence may turn you into a pessimist, but when **pessimism** teams up with ambition it often produces outstanding performance. 학평
낮은 자신감은 여러분을 비관론자로 만들 수도 있지만, **비관주의**가 야망과 어우러질 때, 그것은 흔히 뛰어난 성과를 이루어낸다.

+ **pessimist** 명 비관론자
↔ **optimism** 명 낙관주의, 낙천주의

0524 **pledge**
[pledʒ]

1. 동 서약하다, 맹세하다, 공약하다

The President **pledged** to be a voice for the voiceless.
대통령은 목소리를 낼 수 없는 사람들의 목소리가 될 것이라고 **공약했다**.

2. 명 서약, 맹세, 공약

There is much more to being a patriot and a citizen than reciting the **pledge** or raising a flag. - *Jesse Ventura*
애국자와 시민이 되는 데에는 (국기에 대한) **맹세**를 암송하거나 국기를 게양하는 것 그 이상의 것이 있다.

0525 **ponder**
[pɑ́ndər]

동 숙고하다, 곰곰이 생각하다 to consider something deeply and thoroughly; meditate

Even if a piece of information was successfully delivered, it doesn't mean it's been noticed, understood, internalised and **pondered**. EBS
비록 어떤 정보 하나가 성공적으로 전달되었다고 해도, 그것이 주목을 받고, 이해되고, 내면화되고, **신중히 고려되었다**는 말은 아니다.

0526 **incur**
[inkə́ːr]

㉬ (비용을) 발생시키다; (안 좋은 일을) 초래하다

He had preferred to **incur** her anger rather than cause her pain. He had kept all the pain for himself. *- Victor Hugo*
그는 그녀의 고통을 야기하기보다 분노를 **초래하는** 것을 선호했다. 그는 자신을 위해 모든 고통을 감내했다.

All movement **incurs** a cost of some sort, which is usually measured in terms of time or money. EBS
모든 이동은 어떤 종류의 비용을 **발생시키는데**, 그것은 대개 시간이나 돈의 관점에서 측정된다.

0527 **miser**
[máizər]

㉮ 구두쇠, 수전노(守錢奴)

I'm a rich man, but I don't want to be a **miser**. *- Chen Guangbiao*
나는 부자이지만 **구두쇠**가 되길 원하지 않는다.

If you have a talent, use it in every which way possible. Don't dole it out like a **miser**. *- Brendan Francis*
재능이 있다면 모든 방법으로 사용하라. **구두쇠**처럼 아끼지 마라.

0528 **dispel**
[dispél]

㉬ (느낌·믿음을) 몰아내다, 물리치다 to break up, drive away, or cause to disappear

Knowledge can **dispel** superstition and blind belief.
지식은 미신과 맹목적인 믿음을 **몰아낼** 수 있다.

Faith and doubt cannot exist in the same mind at the same time, for one will **dispel** the other. *- Thomas S. Monson*
믿음과 의심은 같은 마음에 동시에 존재할 수 없다. 왜냐하면 하나가 다른 하나를 **몰아낼** 것이기 때문이다.

dis(= away) + pel(= push) → 떼어내려 밀어내다

0529 **clan**
[klæn]

㉮ 씨족; 문중

The ties of kinship eventually combined to create larger connected groups called **clans**. EBS
친족의 (유대) 관계가 결국 결합되어 **씨족**으로 불리는 더 크게 연결된 집단을 형성하였다.

유 **tribe** ㉮ 부족, 종족

0530 **bliss**
[blis]

㉮ (더 없는) 행복, 기쁨

A shiver of joy ran down his spine and he felt a **bliss** he had never known. EBS
기쁨의 전율이 그의 척추를 타고 흘렀고 그는 전에 알지 못했던 **행복**을 느꼈다.

bliss out 더없는 행복을 맛보다, 황홀해지다

0531 **preliminary** [prilímənèri]

㉻ **예비의, 준비의** occuring before or in preparation; introductory

Preliminary talks are needed to set an agenda and other details.
의제와 다른 세부 사항을 정하기 위해서 **예비** 회담이 필요하다.

This **preliminary** structural analysis and acquaintance with the site chosen for the sculpture is compulsory before working on its design. 학평
이러한 **예비적인** 구조적 분석과 조형물을 위해 선정된 부지에 대해 아는 것은 설계 작업에 들어가기 전에 필수적이다.

preliminary vote 사전(事前) 투표

pre(= before) + limin(= boundary) + ary(형용사 접미사) → 경계를 넘기 전에

0532 **prophecy** [prɑ́fisi]

㉹ **예언; 예언서** the foretelling or prediction of what is to come

To do a scientific study of dream **prophecy**, we would need to establish some base of how commonly correspondences occur between dream and waking reality. 수능
꿈의 **예언**을 과학적으로 연구하기 위해서는 꿈과 깨어 있는 현실 사이에서 우연의 일치가 얼마나 흔하게 발생하는지에 대한 토대를 확립할 필요가 있을 것이다.

prophet ㉹ 예언자, 선지자 **prophesy** ㉸ 예언하다

pro(= in advance) + phe(= tell) + cy(명사 접미사) → 미리 말하기

0533 **prosperous** [prɑ́spərəs]

㉻ **번창하는, 번영하는**

An idealist is a person who helps other people to be **prosperous**. *- Henry Ford*
이상주의자는 다른 사람들이 **번창하는** 것을 도와주는 사람이다.

prosper ㉸ 번창하다, 번영하다 **prosperity** ㉹ 번영

0534 **disobedience** [dìsəbí:diəns]

㉹ **불순종, 불복종**

Whenever there is authority, there is a natural inclination to **disobedience**.
권위가 있을 때마다 **불복종**의 자연스러운 성향이 있다. *- Thomas Chandler Haliburton*

obedience ㉹ 복종, 순종

0535 **regime** [reiʒí:m]

㉹ **정부, 정권; 제도**

The fundamental competitive dynamic of the global free-market system will compel all **regimes** to conform to free-trade rules. EBS
세계 자유 시장 체제의 근본적인 경쟁의 동력이 모든 **정부**가 자유 무역 규칙을 따르도록 강제할 것이다.

the ancient regime 구제도 (앙시앙레짐)

0536 **remainder**
[riméindər]

㊔ **나머지, 잔류물**

He worked the **remainder** of the year away from us, not returning until the deep winter. 모평
그는 우리와 떨어져서 깊은 겨울까지 돌아오지 않으면서 그 해의 **나머지** 기간 동안 일을 했다.

0537 **resign**
[rizáin]

㊐ **사임하다, 사직하다** to give up an office or position

I strongly suggest you not **resign** from your current job with only the verbal agreement or an informal email telling you that you have the future job. EBS
나는 당신이 구두 합의나 미래의 직장을 구했음을 일려주는 비공식적인 이메일만을 가지고 현재의 직장에서 **사직하지** 말 것을 강력하게 제안한다.

+ **resignation** ㊔ 사임, 사직 **resigned** ㊕ 사직한; 체념한

0538 **resonance**
[rézənəns]

㊔ **(소리의) 울림, 반향; (심정적인) 여운; 공명(共鳴)**

The poem is full of emotional **resonance**.
그 시는 정서적인 **여운**이 가득하다.

His left hand produced thundering, repetitive bass riffs as a way of covering up the piano's lack of **resonance**. 수능
그의 왼손은 피아노 **울림**의 결핍을 감추기 위한 하나의 방편으로 뇌성같이 울리는, 반복적인 저음 반복 악절을 연주했다.

+ **resonate** ㊐ 반향을 일으키다; (소리가) 울려 퍼지다

0539 **restraint**
[ristréint]

㊔ **억제, 규제, 자제(력)**

Police showed great **restraint** in the face of provocation by protesters.
경찰은 시위자들의 도발에도 불구하고 엄청난 **자제력**을 보여줬다.

+ **restrain** ㊐ 억제하다, 제지하다 **restrained** ㊕ 차분한, 절제된

re(= back) + strain(= string) + t → 뒤에서 줄로 잡아끄는 것

0540 **retention**
[riténʃən]

㊔ **보유, 유지; 기억력**

Regular recalling of stored information helps to improve memory **retention**.
저장된 정보를 정기적으로 상기하는 것은 기억 **유지**를 향상하는 것을 도와준다.

+ **retain** ㊐ 간직하다; 보유하다

Review TEST

Q **빈칸에 알맞은 단어를 보기에서 골라 쓰시오.** **모평 변형**

보기

restraint　　retention　　omission　　resonance

Not all Golden Rules are alike; two kinds emerged over time. The negative version instructs (1) ________; the positive encourages intervention. One sets a baseline of at least not causing harm; the other points toward aspirational or idealized beneficent behavior. While examples of these rules abound, too many to list exhaustively, let these versions suffice for our purpose here: "What is hateful to you do not do to another" and "Love another as yourself." Both versions insist on caring for others, whether through acts of (2) ________, such as not injuring, or through acts of commission, by actively intervening. Yet while these Golden Rules encourage an agent to care for an other, they do not require abandoning self-concern altogether. The purposeful displacement of concern away from the ego nonetheless remains partly self-referential. Both the negative and the positive versions invoke the ego as the fundamental measure against which behaviors are to be evaluated.

* an other: 타자(他者)

해석

모든 황금률이 다 같은 것은 아니다. 시간이 지나면서 두 종류가 나타났다. 부정적인 버전은 (1) **자제**를 지시하고, 긍정적인 버전은 개입을 장려한다. 하나는 최소한 해를 끼치지 않는 기준선을 설정하고, 다른 하나는 염원하거나 이상화된 선행을 베푸는 행위를 가리킨다. 이러한 규칙의 예는 많아서, 너무 많아서 남김없이 열거할 수 없을 정도지만, 여기서는 우리의 목적을 위해 다음의 버전, 즉 "자신이 싫은 것은 다른 사람에게 행하지 말라."와 "타인을 자신처럼 사랑하라."로 충분한 것으로 하자. 해치지 않는 것과 같은 (2) **부작위**를 통해서든, 아니면 적극적으로 개입함에 의한 작위를 통해서든, 이 두 버전은 모두 다른 사람을 배려할 것을 주장한다. 그러나 이러한 황금률이 행위자에게 타자를 배려하도록 권장하는 반면, 그것들은 자신에 대해 마음 쓰는 것을 완전히 버리는 것을 요구하지는 않는다. 의도적으로 관심을 자아로부터 멀어지도록 옮긴다 해도, 그럼에도 불구하고 부분적으로는 자신을 가리키는 상태로 남아 있다. 부정적인 버전과 긍정적인 버전은 둘 다 행동 평가의 기준이 되는 본질적인 척도로서 자아를 언급한다.

정답

(1) restraint (2) omission

| Preview | 영영풀이에 해당하는 단어를 ⓐ~ⓒ에서 고르시오.

01 **mentally or physically weak on account of old age**
ⓐ senile ⓑ sovereign ⓒ theoretical

02 **the feeling or expression of union in a group formed by a common interest**
ⓐ migratory ⓑ solidarity ⓒ carpentry

03 **very impressive**
ⓐ adjacent ⓑ spectacular ⓒ virtuous

04 **to walk with long steps**
ⓐ savor ⓑ resilience ⓒ stride

05 **to be in sympathy or agreement of feeling; share in a feeling**
ⓐ terrestrial ⓑ sway ⓒ sympathize

06 **to occur at the same time; be simultaneous**
ⓐ surveillance ⓑ synchronize ⓒ wreck

07 **a state of peace and quiet; the quality or state of being tranquil**
ⓐ tranquility ⓑ abstraction ⓒ adept

08 **to cause (a friend, etc) to become indifferent, unfriendly, or hostile**
ⓐ deflect ⓑ alienate ⓒ abusive

09 **filled with anger at a person who is regarded as unjust, mean, or unworthy**
ⓐ excavate ⓑ indignant ⓒ admittedly

10 **to cause suffering or unhappiness to somebody; distress greatly**
ⓐ accentuate ⓑ shatter ⓒ afflict

|정답| 1ⓐ 2ⓑ 3ⓑ 4ⓒ 5ⓒ 6ⓑ 7ⓐ 8ⓑ 9ⓑ 10ⓒ

가리개를 사용하여 뜻을 잘 암기했는지 확인하세요.

0541 **savor** [séivər]

1. ⓢ (음식을) 음미하다, ~의 맛을 천천히 즐기다

He pushed a piece of candy into his mouth hungrily and **savored** its sweet flavor. 그는 입안에 사탕 한 조각을 게걸스럽게 넣고는 그 달콤한 맛을 **음미했다**.

2. ⓜ 맛, 풍미; 재미

I close my eyes to feel the **savor** of the coffee.
나는 커피의 **맛**을 느끼기 위해서 눈을 감는다.

0542 **senile** [síːnail]

ⓗ **노망한, 노쇠한** mentally or physically weak on account of old age

The dullness found in the **senile**, their isolation and withdrawal, their clinging to the past and lack of interest in worldly affairs were characteristically represented as the symptoms of senility. 모평
노쇠한 이들에게서 발견되는 활기 부족, 그들의 고립과 위축, 과거에 대한 연연, 그리고 세상사에 대한 관심 결여는 노쇠의 증상으로써 특징적으로 기술되었다.

+ **senility** ⓜ 노쇠, 노령

0543 **solidarity** [sàlidǽrəti]

ⓜ **연대, 결속** the feeling or expression of union in a group formed by a common interest

Solidarity building is functional for society in times of crisis. EBS
연대 의식의 구축은 위기의 시기에 사회를 위한 기능적 역할을 한다.

+ **solid** ⓗ 단단한; 고체의 **solidify** ⓢ 확고히 하다, 굳건히 하다; 굳히다

0544 **sovereign** [sάvərin]

ⓗ **(국가가) 자주적인, 독립된; 최고 권력을 가진**

Many of those who oppose globalization reserve their highest loyalties to the **sovereign** state, which they believe exists to protect their interests. EBS
세계화에 반대하는 사람 중 많은 수는 **주권** 국가에 대해 최고의 충성심을 가지는데, 그들은 그것이 자신들의 이익을 보호하기 위해 존재한다고 믿는다.

+ **sovereignty** ⓜ 주권, 통치권

0545 **spectacular** [spektǽkjələr]

ⓗ **극적인, 장관을 이루는, 화려한** of or like a spectacle; impressive

In the popular media, archaeology is mainly identified with **spectacular** discoveries of artifacts from prehistoric and ancient cultures. EBS
대중 매체에서, 고고학은 선사 시대와 고대 문화에서 출토된 인공 유물의 **극적인** 발견과 주로 동일시된다.

+ **spectacle** ⓜ 굉장한 구경거리, 장관 **spectator** ⓜ 관중, 구경꾼

spect(= look) + acular(형용사 접미사) → 구경할 만한

0546 **resilience**
[rizíljəns]

명 **회복력; 탄력, 탄성**

Resilience is defined as the ability to bounce back from adversity, frustration, and misfortune.
회복력은 역경, 좌절 그리고 불행으로부터 회복하는 능력으로 정의된다.

Instead of seeing stress as a threat, the military culture derives pride from the shared **resilience** it creates. 학평
스트레스를 위협적인 것으로 바라보는 대신에, 군대 문화는 그것이 만들어내는 공유된 **회복력**에서 자부심을 끌어낸다.

+ **resilient** 형 회복력이 있는; 탄력 있는

re(= again) + sil(= spring) + ience(명사 접미사) → 다시 샘솟는 것

0547 **stride**
[straid]

1. 동 **성큼성큼 걷다** to walk with long regular or measured paces, as in haste, etc

He did not turn and he **strode** on as if he had heard nothing. 모평
그는 마치 아무것도 듣지 못한 것처럼 뒤돌아 보지 않고 **성큼성큼 걸어갔다**.

2. 명 **큰 걸음; 진보, 진전** a long step or pace; progress or development

The length of our **strides** and the amount of time we spend talking and smiling mark us as introverts and extroverts. 수능
우리의 **보폭**과 우리가 이야기하고 미소를 짓는 데 보내는 시간의 양은 우리를 내성적인 사람과 외향적인 사람으로 특징짓는다.

0548 **surveillance**
[səːrvéiləns]

명 **감시, 감독**

Surveillance cameras are so ubiquitous now that it's almost impossible to escape them.
이제 **감시** 카메라가 도처에 있어서 그것들로부터 도망치는 것은 거의 불가능하다.

sur(= over) + veil(= look) + iance(명사 접미사) → 위에서 보는 것

0549 **sway**
[swei]

동 **흔들다, 동요시키다, 흔들리다**

There's going to be people that try to **sway** you to do things that you shouldn't do. - *Ally Brooke*
당신이 해서는 안 되는 것들을 하도록 당신을 **흔들려고** 하는 사람들이 있을 것이다.

hold sway 지배하다, 영향력을 갖다

0550 **sympathize**
[símpəθàiz]

동 **동정하다; 공감하다** to be in sympathy or agreement of feeling; share in a feeling

The ability to **sympathize** with those around us seems crucial to our survival. 우리 주변의 사람들과 **공감하는** 능력은 우리의 생존에 중요한 것으로 보인다.

+ **sympathy** 명 동정(심), 연민

sym(= together) + path(= pain) + ize(형용사 접미사) → 함께 아파하다

0551 **synchronize**
[síŋkrənàiz]

㉯ **동시에 발생하다, ~을 서로 일치시키다** to occur at the same time; be simultaneous

Schools of fishes and flocks of birds often move very quickly in a highly **synchronized** fashion. 학평
물고기 떼와 새 떼들은 종종 매우 **일치된** 방식으로 아주 빠르게 이동한다.

syn(= together) + chron(= time) + ize(동사 접미사) → 함께 시간을 맞추다

0552 **migratory**
[máigrətɔ̀:ri]

㉱ **(새 등이) 이동하는**

Many **migratory** birds can sleep while flying.
많은 **철**새들은 비행하는 동안에 잠을 잘 수 있다.

Birds of the same species may be **migratory** in one area, but sedentary elsewhere. 모평
같은 종의 새들이 한 지역에서 **이주할지는** 모르지만 그 밖의 다른 곳에서는 이주하지 않을 수도 있다.

➕ **migration** ㉮ 이민, 이주
↔ **sedentary** ㉱ 정착해 있는, 이주하지 않는

0553 **terrestrial**
[təréstriəl]

㉱ **육생(陸生)의, 지상의, 지구(상)의**

When nitrogen-containing chemicals from **terrestrial** sources reach the ocean they support an enormous increase in the growth of algae. EBS
지상에서 나온 질소 함유 화학물질들이 바다에 도달하면, 그것들은 해조류의 엄청난 성장을 뒷받침한다.

↔ **extraterrestrial** ㉱ 외계의

0554 **theoretical**
[θì:ərétikəl]

㉱ **이론적인, 이론상으로 존재하는**

Some students claim to be taking a course in social psychology because of a **theoretical** interest in the subject matter. EBS
일부 학생들은 주제에 대한 **이론적** 관심 때문에 사회심리학을 수강하고 있다고 주장한다.

0555 **tranquility**
[træŋkwíləti]

㉮ **평정, 차분함, 고요함** a state of peace and quiet; the quality or state of being tranquil

Poetry is the spontaneous overflow of powerful feelings: it takes its origin from emotion recollected in **tranquility**. *- William Wordsworth*
시는 강력한 감정의 자발적 넘쳐흐름이며, 이것은 **고요** 속에 회상된 정서로부터 시작된다.

Many do not blame tourism for traffic problems, over crowded out door recreation, or the disturbance of peace and **tranquility** of parks. 수능
많은 이들이 교통 문제, 초만원인 야외 오락 활동이나 공원의 평화로움과 **고요함**을 방해하는 것에 대해 관광 산업을 탓하지는 않는다.

➕ **tranquil** ㉱ 고요한, 평온한

0556 embark

[imbɑ́ːrk]

[동] (배에) 승선하다; 짐을 싣다; 착수하다, 시작하다

We are about to **embark** on creating one of the most important habits of all: gratitude. [EBS]
이제 우리는 가장 중요한 습관 중 하나, 즉 감사하는 마음을 (습관으로) 만들기 **시작하려고** 한다.

embark on ~을 시작하다

0557 carpentry

[kɑ́ːrpəntri]

[명] 목수 일, 목공 기술

Ultimately, literature is nothing but **carpentry**. With both you are working with reality, a material just as hard as wood. *- Gabriel Garcia Marquez*
궁극적으로 문학은 **목공 기술**일 뿐이다. (작가나 목수) 둘 다 목재만큼 단단한 재료인 실재로 작업하고 있다.

[+] **carpenter** [명] 목수

0558 deflect

[diflékt]

[동] 굴절시키다, 방향을 변화시키다, 빗나가게 하다

One confusing passage will **deflect** the reader's attention from where you want it to be. [EBS]
혼란스러운 문단 하나가 독자의 주의가 있기를 여러분이 원하는 곳으로부터 독자의 주의를 **빗나가게 할** 것이다.

[+] **deflection** [명] 굴절, 빗나감

de(= apart) + flect(= bend) → (원래의 방향에서) 벗어나 구부리다

0559 excavate

[ékskəvèit]

[동] 발굴하다; (구멍 등을) 파다

To **excavate** a pyramid is the dream of every archaeologist.
피라미드를 **발굴하는** 것은 모든 고고학자의 꿈이다.

The drop **excavates** the stone, not with the force but by falling often *- Ovid*
빗방울은 힘으로가 아니라 자주 떨어짐으로써 돌에 **구멍을 판다**.

[+] **excavation** [명] (유적·유물 등의) 발굴; (땅·암석 등의) 굴착

ex(= out) + cave(동굴) + ate(동사 접미사) → 동굴 밖으로 꺼내다

0560 indignant

[indígnənt]

[형] 분노한, 분개한 filled with anger at a person who is regarded as unjust, mean, or unworthy

He was so **indignant** that his face was twitching.
그는 너무 **분노해서** 그의 얼굴이 실룩거렸다.

[+] **indignation** [명] 분노, 적개심 **indignantly** [부] 분개하여, 화가 나서

0561 **virtuous**
[vəːrtʃuəs]

㉠ **덕망 있는, 고결한**

The person who talks most of his own virtue is often the least **virtuous**.
자신의 덕을 말하는 사람은 종종 가장 덜 **덕망 있다**. *- Jawaharlal Nehru*

+ **virtue** ㉡ 장점, 미덕 **virtuoso** ㉡ 거장, 명인

0562 **wreck**
[rek]

1. ㉢ **난파시키다; 파괴시키다**

One of those **wrecked** ships had a cat, and the crew went back to save it. 학평 **난파된** 배들 중 하나에 고양이가 있어서 선원들이 그 고양이를 구하러 되돌아갔다.

2. ㉡ **충돌 사고; 난파(선)**

The train **wreck** was caused by engineer fatigue and caused the death of 23 lives. 그 열차 **충돌 사고**는 기관사의 피로 때문에 발생했고 23명의 사망을 야기했다.

+ **wreckage** ㉡ 난파 잔해 **wrecked** ㉠ 난파된, 망가진

0563 **abstraction**
[æbstrǽkʃən]

㉡ **추상적 개념[관념]; 추상(화)**

Drawing is a form of **abstraction** which may be compared with the formation of verbal concepts. EBS
그림은 언어적인 개념의 형성에 필적할 수 있는 **추상화**의 한 형태이다.

+ **abstract** ㉠ 추상적인 ㉢ 추출하다

abs(= away) + tract(= draw) + tion(명사 접미사) → 뭔가를 끄집어 빼내는 것

0564 **abusive**
[əbjúːsiv]

㉠ **모욕적인, 학대하는**

Swearing or **abusive** language is not allowed at any time.
욕설이나 **폭**언은 어떤 경우에도 허용되지 않는다.

Power without love is reckless and **abusive**, and love without power is sentimental and anemic. *- Martin Luther*
사랑이 없는 힘은 무모하고 **모욕적이며**, 힘 없는 사랑은 감성적이고 빈혈적이다.

+ **abuse** ㉢ 학대하다, 오용[남용]하다 ㉡ 남용, 오용; 학대

0565 **accentuate**
[əksέntʃuèit]

㉢ **강조하다, 두드러지게 하다**

The lecturer used hand gestures to **accentuate** his words.
그 강사는 그의 말을 **강조하기** 위해서 손동작을 사용했다.

+ **accent** ㉡ (단어의) 강세, 악센트

0566 **shatter**

[ʃǽtər]

㊂ 산산이 부수다, 산산조각을 내다

The stillness of the summer evening was **shattered** by a roar that sounded like boilers exploding. EBS
보일러가 터지는 것처럼 들리는 고함 소리로 여름날 저녁의 고요함이 **산산이 깨졌다**.

+ **shattered** ㊅ 산산조각 난

0567 **adept**

[ədépt]

1. ㊅ **능숙한, 숙달된**

He was **adept** at fishing and hunting.
그는 낚시와 사냥에 **능숙했다**.

2. ㊇ **숙련자, 노련가**

In literature the ambition of the novice is to acquire the literary language, the struggle of the **adept** is to get rid of it. *- George Bernard Shaw*
문학에서 초보자의 야망은 문학적 언어를 습득하는 것이고, **숙련자**의 투쟁은 그것을 제거하는 것이다.

0568 **adjacent**

[ədʒéisənt]

㊅ **이웃의, 인접한**

Fire crews are currently stopping fire spread to **adjacent** buildings.
소방관들은 현재 **인접한** 건물로의 화재 확산을 막고 있다.

If the chimp pointed to the plate having more treats, it would immediately be given to a fellow chimp in an **adjacent** cage, and the frustrated subject would receive the smaller amount. 모평
침팬지가 더 많은 맛있는 먹이가 있는 접시를 가리키면, 그것은 **인접한** 우리에 있는 동료 침팬지에게 주어지며, 실망한 실험 대상 침팬지는 더 적은 양을 받았다.

ad(= to) + jac(= throw) + ent(형용사 접미사) → 던져서 닿을 만큼 가까운

0569 **admittedly**

[ədmítidli]

㊄ **분명히, 인정하건대**

Admittedly, smoking is a disgusting habit and it ought not to be encouraged. **분명히** 흡연은 역겨운 습관이며 장려되어서는 안 된다.

Although the Egyptians **admittedly** achieved many amazing things in some respect, many modern structures exceed those of Egypt in terms of purely physical size. 수능
비록 이집트인들이 어떤 점에서 많은 대단한 것들을 달성했다고 **인정하지만**, 많은 현대 구조물은 순전히 물리적인 크기의 면에서는 이집트의 구조물들을 능가한다.

0570 **afflict**

[əflíkt]

㊂ **괴롭히다, 피해를 입다** to cause suffering or unhappiness to; distress greatly

Millions of people are **afflicted** by diabetes around the world.
전 세계에서 수백만 명의 사람들이 당뇨병으로 **고생하고** 있다.

On a long and rough sea voyage in 1882, many of the ship's passengers were **afflicted** with seasickness. EBS
1882년 어느 길고 거친 항해에서 그 배의 많은 승객들은 뱃멀미에 **시달렸다**.

+ **affliction** ㊇ 고통, 괴로움

Review TEST

Q 빈칸에 알맞은 단어를 보기에서 골라 쓰시오. **학평 변형**

보기

tranquility　resilience　resilient　abuse　solidarity

Building (1) ________ depends on the opportunities children have and the relationships they form with parents, caregivers, teachers, and friends. We can start by helping children develop four core beliefs: they have some control over their lives; they can learn from failure; they matter as human beings; and they have real strengths to rely on and share. These four beliefs have a real impact on kids. One study tracked hundreds of at-risk children for three decades. They grew up in environments with severe poverty, alcohol (2) ________, or mental illness, and two out of three developed serious problems by adolescence and adulthood. Yet despite these extreme hardships, a third of the kids matured into "competent, confident, and caring young adults" with no record of delinquency or mental health problems. These (3) ________ children shared something: they felt a strong sense of control over their lives. They saw themselves as the masters of their own fate and viewed negative events not as threats but as challenges and even opportunities.

* delinquency: 범죄

해석

(1) **회복탄력성**을 기르는 것은 아이들이 갖는 기회와 그들이 부모, 양육자, 교사, 그리고 친구들과 형성하는 관계에 달려 있다. 우리는 아이들이 "자신은 삶에 대한 통제력을 가지고 있다.", "자신은 실패로부터 배울 수 있다.", "자신은 인간으로서 중요하다.", "자신은 의지하고 공유할 수 있는 진정한 힘을 가지고 있다."라는 네 개의 핵심 생각을 발달시키도록 도움으로써 시작할 수 있다. 이러한 네 개의 생각은 아이들에게 진정한 영향을 끼친다. 한 연구가 위기에 처한 수백 명의 아이들을 30년간 추적했다. 그들은 극심한 빈곤, 알코올 (2) **남용** 또는 정신 질환의 환경 속에서 성장했고, 셋 중에 둘은 청소년기와 성인기에 심각한 문제를 일으켰다. 하지만 이러한 극심한 역경에도 불구하고 이 아이들의 3분의 1은 범죄 기록이나 정신 건강의 문제없이 '유능하고 자신감 있으며 배려하는 청년'으로 성장했다. 이러한 (3) **회복탄력성이 있는** 아이들이 공통으로 가지고 있는 것이 있었다. 즉 그들은 그들의 삶에 대한 강한 통제력을 느끼고 있었다. 그들은 자신을 자기 운명의 주인으로 보았고 부정적인 사건을 위협이 아닌 도전, 심지어 기회로 보았다.

정답

(1) resilience (2) abuse (3) resilient

| Preview | 영영풀이에 해당하는 단어를 ⓐ~ⓒ에서 고르시오.

01 **the power of moving quickly and easily**
ⓐ agility ⓑ aftermath ⓒ aggregate

02 **characterized by kindness and concern for others**
ⓐ aloof ⓑ veterinarian ⓒ altruistic

03 **similar or corresponding in some respect**
ⓐ ancillary ⓑ analogous ⓒ unification

04 **to separate or isolate from others or from a main body or group**
ⓐ segregate ⓑ attest ⓒ sue

05 **on top of; at the top of**
ⓐ bilateral ⓑ atop ⓒ unimpeded

06 **to confuse, bewilder, or puzzle**
ⓐ weird ⓑ underpin ⓒ baffle

07 **a visual image that persists after a period of exposure to the original image**
ⓐ argumentation ⓑ broad-mindedness ⓒ afterimage

08 **to make worse or more troublesome**
ⓐ attrition ⓑ aggravate ⓒ attainable

09 **not very good; of only average standard**
ⓐ mediocre ⓑ aesthetic ⓒ benevolent

10 **to support or reinforce; strengthen**
ⓐ bolster ⓑ verify ⓒ assurance

|정답| 1ⓐ 2ⓒ 3ⓑ 4ⓐ 5ⓑ 6ⓒ 7ⓒ 8ⓑ 9ⓐ 10ⓐ

가리개를 사용하여 뜻을 잘 암기했는지 확인하세요.

0571 **aftermath**
[ǽftərmæ̀θ]

㉑ **여파, 영향**

After seeing the frightened looks on the children's faces and feeling the **aftermath** of the hurricane that just overtook her, she drives to the movies in a state of shock and disbelief. 학평
아이들의 얼굴에서 겁먹은 표정을 보고 방금 그녀를 덮친 폭풍의 **여파**를 느끼고 나서, 충격을 받고 믿기지 않는 상태로 그녀는 영화관으로 차를 운전한다.

0572 **aggregate**
[ǽgrəgit]

1. ㉠ **총계가 ~이다**

His estate now **aggregates** one hundred acres.
그의 토지는 현재 **총** 100에이커**이다**.

2. ㉑ **총합, 총계**

Life is an **aggregate** of experience, which continually surprises us.
인생은 경험의 **총합**으로 그것은 계속 우리를 놀라게 한다. *- Ron Carlson*

3. ㉡ **총계의, 합계의**

Better-paid workers buy more goods and services, increasing **aggregate** demand.
더 높은 임금을 받는 노동자들은 더 많은 상품과 서비스를 구매하여, **총** 수요를 증가시킨다.

in the aggregate 총합하여, 전체적으로

0573 **agility**
[ədʒíləti]

㉑ **민첩함, 기민함** the power of moving quickly and easily

Planning experts, who recommend strategic **agility**, say managers need to balance planned action with flexibility to take advantage of opportunities. 학평
전략적인 **민첩성**을 주장하는 계획 전문가들은 기회를 이용하기 위해서는, 실무자들이 계획된 행동과 융통성의 균형을 맞출 필요가 있다고 말한다.

agile ㉡ 민첩한, 기민한

0574 **aloof**
[əlú:f]

㉡ **무관심한, 초연한, 냉담한; 멀리 떨어진**

The only risk that you will face as an introvert is that people who do not know you may think that you are **aloof** or that you think you are better than them. 학평
내성적인 사람으로서 여러분이 직면할 유일한 위험은, 여러분을 모르는 사람들이 여러분이 **냉담하다거나** 여러분이 자신을 그들보다 더 낫다고 생각한다고 여길 수 있다는 것이다.

0575 **altruistic**
[ǽltruːístik]

㊗ **이타적인** characterized by kindness and concern for others

Some creatures are **altruistic** because they are driven by their genes to sacrifice themselves for the well-being of others. EBS
어떤 동물들은 다른 것들의 안녕을 위해 자기 자신을 희생하도록 자신들의 유전자에 의해 강하게 영향을 받기 때문에 **이타적이다**.

+ **altruism** ⓜ 이타주의
↔ **selfish** ⓐ 이기적인

0576 **analogous**
[ənǽləgəs]

ⓐ **유사한, 비슷한** similar or corresponding in some respect

When an **analogous** problem can be identified, then the solution of the present problem is partly a matter of mapping one element onto another. EBS
유사한 문제를 찾아낼 수 있으면, 현재 문제의 해결은 어느 정도 하나의 요소를 다른 요소로 일정하게 대응시키는 문제이다.

+ **analogy** ⓜ 비유

ana(= again) + log(= say) + ous(형용사 접미사) → 다시 말하는 듯한

0577 **ancillary**
[ǽnsəlèri]

ⓐ **보조의, 부수적인**

Many **ancillary** businesses that today seem almost core at one time started out as journey edges. 모평
오늘날 거의 핵심인 것처럼 보이는 많은 **보조** 사업들이 한때는 여정의 가장자리로 시작했다.

an(= around) + cill(= move) + ary(형용사 접미사) → 주변을 돌아다니는

0578 **argumentation**
[àːrgjumentéiʃən]

ⓜ **논증, 논쟁**

Interpersonal **argumentation** has a place in our everyday conflicts and negotiations. 학평 사람 간의 **논쟁**은 우리의 일상적인 갈등이나 협상에 존재한다.

+ **argue** ⓥ 주장하다, 논쟁하다 **argument** ⓜ 토론, 논쟁, 주장

0579 **segregate**
[ségrəgit]

ⓥ **분리하다; 차별하다** to separate or isolate from others or from a main body or group

It is not fair to **segregate** people based on country of birth.
사람들을 출생 국가에 기반해서 **차별하는** 것은 공정하지 않다.

+ **segregation** ⓜ 분리; (인종) 차별
↔ **integrate** ⓥ 통합하다

0580 **assurance**
[əʃúərəns]

ⓜ **확신, 보장**

Perhaps nature is our best **assurance** of immortality. *- Eleanor Roosevelt*
아마도 자연은 불멸에 대한 우리의 최고의 **보증**이다.

↔ **assure** ⓥ 납득시키다, 확신시키다, 보장하다

0581 □□ **atop**
[ətάp]

㉠ **~의 정상에, ~의 꼭대기에** on top of; at the top of

San Miniato is a town of about 26,000 that sits **atop** three hills in the Arno river valley in Tuscany, Italy. 학평
San Miniato는 이탈리아 Tuscany 지역의 Arno강 유역에 있는 세 개의 구릉지 **꼭대기에** 위치한 인구 약 2만 6천 명의 도시이다.

0582 □□ **attainable**
[ətéinəbl]

㉧ **달성 가능한, 이룰 수 있는**

Perfection is not **attainable**, but if we chase perfection we can catch excellence. *- Vince Lomardi*
완벽은 **달성 가능하지** 않지만 우리가 완벽을 추구하면 탁월함을 얻을 수 있다.

Curiously, from the new level of uncertainty even greater goals emerge and appear to be **attainable**. 모평
의아스럽게도 불확실성의 새로운 단계에서 훨씬 더 위대한 목표가 나타나고 **달성 가능해** 보인다.

➕ **attain** ㉢ (목표를) 달성하다, 도달하다
↔ **unattainable** ㉧ 얻기 어려운, 도달하기 어려운

0583 □□ **attest**
[ətést]

㉢ **증명하다, 입증하다**

Miracles seem to **attest** to the presence of a loving and compassionate God. 기적은 사랑이 많고 동정심이 있는 신의 존재를 **입증하는** 것처럼 보인다.

I have several witnesses that will **attest** to that.
내게는 그것을 **입증해** 줄 몇 명의 증인이 있다.

at(= toward) + test(= witness) → ~을 향해 증언하다

0584 □□ **attrition**
[ətríʃən]

㉢ **소모, (인원의) 자연 감소**

Minority students appear to have a higher **attrition** rate than do white students. 소수 집단 학생들은 백인 학생들보다 더 높은 **감소**율을 갖는 것으로 보인다.

Israel cannot afford a war of **attrition**. *- Avigdor Lieberman*
이스라엘은 **소모**전을 감당할 수 없다.

war of attrition 소모전, 지구전(持久戰)

at(= to) + trit(= rub) + ion(명사 접미사) → 문질러 마모된 것

0585 □□ **baffle**
[bǽfl]

㉢ **~을 당황하게 하다** to confuse, bewilder, or puzzle

A question that has **baffled** scientists for more than a century has now been answered. 백 년 이상 과학자들을 **당황하게 했던** 하나의 의문이 이제 풀렸다.

➕ **baffled** ㉧ 당황한
= **bewilder** ㉢ 당황하게 하다, 어리둥절하게 하다

0586 **broad-mindedness**
[brɔːd-máindidnis]

명 **너그러움, 관대함**

His **broad-mindedness** gave him tolerance of the opinions of all men.
그의 **너그러움**은 모든 사람의 의견에 관용을 베풀었다.

Broad-mindedness, when it means indifference to right and wrong, eventually ends in a hatred of what is right. *- Fulton J. Sheen*
관대함이 옳고 그름에 대한 무관심을 의미할 때 결국 옳은 것에 대한 증오로 끝난다.

+ broad-minded 형 마음이 넓은, 너그러운

0587 **afterimage**
[ǽftərìmidʒ]

명 **잔상** a visual image that persists after the stimulus caused no longer operative

Afterimages are pictures that your eyes continue to see after you've stopped looking at them.
잔상은 그림을 보는 것을 멈춘 후에 당신의 눈이 계속해서 보게 되는 그림이다.

0588 **weird**
[wiərd]

형 **기이한, 이상한**

This is kind of **weird**, but I eat lemons with salt as snack. *- Becky G*
이건 좀 **이상하지만** 나는 간식으로 레몬을 소금과 먹는다.

Before formalized science, some very smart people believed in some really **weird** things. EBS
과학이 제대로 형식을 갖추기 전에, 아주 영리한 일부 사람들은 정말로 **이상한** 것을 믿었다.

+ weirdo 명 별난 사람, 괴짜

0589 **aggravate**
[ǽgrəvèit]

동 **악화시키다** to make worse or more troublesome

Tight monetary policy can **aggravate** economic slowdown by raising real interest rates. 긴축 통화 정책은 실질 이자율을 높임으로써 경제 둔화를 **악화시킬** 수 있다.

Difficulty in assessing information is **aggravated** by the overabundance of information at our disposal. 모평
정보를 평가하는 데 있어서 어려운 우리가 마음대로 이용할 수 있는 정보의 과잉에 의해 **악화된다**.

+ aggravation 명 악화
↔ improve 동 향상시키다 = worsen 동 악화되다

ag(= add) + grav(= heavy) + ate(동사 접미사) → 무게를 더하다

0590 **aesthetic**
[esθétik]

형 **미적인, 미학의**

While there are **aesthetic** and ethical reasons for preserving biodiversity, there are practical considerations as well. 모평
생물 다양성 보존의 **미적**, 윤리적 이유가 있지만 또한 실질적인 고려 사항도 있다.

+ aesthetics 명 미학 aesthetically 부 미적으로

0591 □□ **mediocre**
[mìːdióukər]

형 **보통의, 평범한, 썩 좋지 않은** not very good; of only average standard

The **mediocre** teacher tells. The good teacher explains. The superior teacher demonstrates. The great teacher inspires. *- William Arthur Ward*
평범한 교사는 말한다. 좋은 교사는 설명한다. 훌륭한 교사는 모범을 보인다. 위대한 교사는 열정을 고취시킨다.

0592 □□ **benevolent**
[bənévələnt]

형 **인자한, 자애로운**

He is a **benevolent** man who tries to do what he can for others without anything in return.
그는 어떤 대가도 없이 다른 사람들을 위해서 그가 할 수 있는 것을 하려고 하는 **자애로운** 남자다.

A dictatorship can, in theory, be brutal or **benevolent**. 모평
독재 정권은 이론상 잔혹하거나 **자비로운** 것일 수 있다.

+ **benevolence** 명 인자함, 자애로움

bene(= good) + vol(= wish) + ent(형용사 접미사) → 좋은 의지를 가지는

0593 □□ **bilateral**
[bailǽtərəl]

형 **양자의, 쌍방의**

Bilateral contracts require both sides to agree to the terms.
쌍방 계약은 양 당사자가 계약 조건에 동의할 것을 요구한다.

When we learn Arabic numerals we build a circuit to quickly convert those shapes into quantities — a fast connection from **bilateral** visual areas to the parietal quantity area. 수능
우리가 아라비아 숫자를 배울 때 우리는 그러한 모양들을 빠르게 수량으로 변환하는 회로를 만드는데, 이것은 **양측의** 시각 영역을 정수리 부분의 수량 영역과 빠르게 연결하는 것이다.

bi(= both) + lateral(= side) → 양 방향의

0594 □□ **sue**
[sjuː]

동 **고소하다, 소송을 제기하다**

To **sue** for malpractice, you must be able to show that the doctor caused you harm.
의료 사고에 대해 **소송을 제기하기** 위해서 당신은 의사가 당신에게 피해를 야기했다는 것을 보일 수 있어야만 한다.

Proven innocent within a matter of days, Mr. Stone **sued** the old man for falsely accused him of theft. EBS
며칠 만에 무죄임이 입증된 Stone 씨는 자신을 절도 혐의를 허위로 고소한 것에 대해 그 노인을 **고소했다**.

0595 □□ **bolster**
[bóulstər]

동 **강화하다, 보강하다** to support or reinforce; strengthen

Nationalism is a tool used by leaders to **bolster** their authority, especially amid difficult economic and political conditions. *- Richard N. Haass*
국수주의는 특히 어려운 경제적, 정치적 상황 중에 자신의 권위를 **강화하기** 위해서 지도자들에 의해서 사용되는 도구이다.

0596 **underpin**
[ʌ̀ndərpín]

[동] ~의 기반[토대]이 되다; (주장을) 뒷받침하다

The economic growth achieved in the United States was **underpinned** by the manufacturing sector. 미국이 성취한 경제 성장은 제조업 분야에 **기반을 두었다.**

One might assume that what we want is plenty of weak ties, the informal networks that **underpin** online acquaintanceship. [수능]
우리가 원하는 것은 결속력이 약한 많은 인연들, 즉 온라인상에서 아는 사이임을 **지지해 주는** 비공식적인 네트워크라고 생각할 것이다.

0597 **unification**
[jùːnəfəkéiʃən]

[명] 통일, 통합

South Korea pursues peaceful **unification** of two Koreas.
남한은 남북한의 평화 **통일**을 추구한다.

German and European **unification** are two sides of the same coin.
독일과 유럽의 **통합**은 동전의 양면이다. *- Helmut Kohl*

[+] unify [동] 통합하다, 통일하다 unified [형] 통합된, 통일된

uni(= one) + fic(= make) + ation(명사 접미사) → 하나로 만드는 것

0598 **unimpeded**
[ʌnimpíːdid]

[형] 방해받지 않는, 중단되지 않는

A model of **unimpeded** economic growth is not sustainable.
중단되지 않는 경제 성장의 모델은 지속 가능하지 않다.

It is important to government, business, and the public at large that the flow of services provided by a nation's infrastructure continues **unimpeded** in the face of a broad range of natural and technological hazards. [모평]
자연과 과학 기술의 광범위한 위험에 직면해서 한 국가의 기반 시설에 의해 제공되는 서비스의 흐름이 **방해받지 않고** 계속되는 것은 정부와 사업(체) 그리고 일반 대중에게 중요하다.

[+] impede [동] 방해하다

0599 **verify**
[vérəfài]

[동] (진실임을) 검증[증명]하다, 입증하다

Once information is provided, lie detectors can **verify** the accuracy of this information by searching for further evidence that supports or contradicts it. [EBS]
일단 정보가 제공되면 거짓말 탐지기로 그것을 뒷받침하거나 반박하는 추가 증거를 찾아 이 정보의 정확성을 **입증할 수** 있다.

[+] verification [명] 검증, 입증; 확인 verifiable [형] 입증할 수 있는

0600 **veterinarian**
[vètərənέəriən]

[명] 수의사

Both domesticated and wild animals are included in a **veterinarian**'s responsibilities. 가축과 야생 동물 모두 **수의사**의 책임에 포함된다.

Review TEST

Q 빈칸에 알맞은 단어를 보기에서 골라 쓰시오. 학평 변형

보기

aesthetic　　weirdly　　unified　　mediocre　　unimpeded

Film speaks in a language of the senses. Its flowing and sparkling stream of images, its compelling pace and natural rhythms, and its pictorial style are all part of this nonverbal language. So it follows naturally that the (1) ______ quality and dramatic power of the image are extremely important to the overall quality of a film. Although the nature and quality of the story, editing, musical score, sound effects, dialogue, and acting can do much to enhance a film's power, even these important elements cannot save a film whose images are (2) ______ or poorly edited. As important as the quality of the image may be, however, it must not be considered so important that the purpose of the film as an artistic, (3) ______ whole is ignored. A film's photographic effects should not be created for their own sake as independent, beautiful, or powerful images. In the final analysis, they must be justified psychologically and dramatically, as well as aesthetically, as important means to an end, not as ends in themselves. Creating beautiful images for the sake of creating beautiful images violates a film's (1) ______ unity and may actually work against the film.

해석

영화는 감각의 언어로 말한다. 영화에서의 거침없이 흥미롭게 연속되는 이미지들, 그것의 강렬한 속도와 자연스러운 리듬, 그리고 그것의 회화적인 스타일은 모두 이러한 비언어적 언어의 일부분이다. 따라서 자연스럽게 이미지의 (1) **미적** 질과 극적 힘이 영화 전체의 질에 매우 중요하다는 결론에 이르게 된다. 이야기, 편집, 배경 음악, 음향 효과, 대화 그리고 연기의 바탕과 질이 영화의 힘을 향상하는 데 많은 것을 할 수 있지만, 이러한 중요한 요소들조차도 이미지가 (2) **썩 좋지 않거나** 서투르게 편집된 영화를 살릴 수 없다. 그러나 이미지의 질이 중요할지라도 그것이 예술적이고 (3) **통일된** 전체로서 영화의 취지가 무시될 정도로 중요하게 여겨져서는 안 된다. 영화의 촬영 효과는 독립적이거나, 아름답거나, 강력한 이미지로서 그것 자체를 위해 만들어져서는 안 된다. 결국, 그것은 미적으로뿐만 아니라 심리적으로 그리고 극적으로, 그 자체로 목적으로서가 아니라 목적을 위한 중요한 수단으로서 정당화되어야 한다. 아름다운 이미지 창출을 위해 아름다운 이미지를 창출하는 것은 영화의 (1) **미적** 조화를 침해하는 것이며 실제로 영화에 반하여 작용할 수 있다.

정답

(1) aesthetic (2) mediocre (3) unified

DAY 21

| Preview | 영영풀이에 해당하는 단어를 ⓐ~ⓒ에서 고르시오.

01 **to talk in a very proud way about your possessions or achievements**
ⓐ compartment ⓑ cram ⓒ brag

02 **one who is injured or killed in an accident**
ⓐ casualty ⓑ cloak ⓒ texation

03 **to state officially that something is true, accurate, or satisfactory**
ⓐ compulsory ⓑ disciplinary ⓒ certify

04 **willing to accept other people's opinions and demands**
ⓐ crystallize ⓑ compliant ⓒ tentative

05 **having or showing good manners; polite**
ⓐ concentric ⓑ debilitating ⓒ courteous

06 **relating to food and how to cook it**
ⓐ culinary ⓑ redundant ⓒ dinnerware

07 **the refusal to do what someone asks you to do**
ⓐ defiance ⓑ deity ⓒ depletion

08 **able to be depended on; reliable; trustworthy**
ⓐ dependable ⓑ susceptible ⓒ provisional

09 **to recognize the difference between things or people**
ⓐ deploy ⓑ hierarchical ⓒ differentiate

10 **to scatter; distribute over a wide area**
ⓐ disperse ⓑ confrontation ⓒ discrete

|정답| 1 ⓒ 2 ⓐ 3 ⓒ 4 ⓑ 5 ⓒ 6 ⓐ 7 ⓐ 8 ⓐ 9 ⓒ 10 ⓐ

가리개를 사용하여 뜻을 잘 암기했는지 확인하세요.

0601 **brag** [bræg]

동 **자랑하다, 뽐내다** to talk in a very proud way about your possessions or achievements

I am proud of my kids and happy to **brag** about their achievements.
나는 내 아이들이 자랑스럽고 그들의 성취를 **자랑하게** 되어 행복하다.

boast, show off 자랑하다

0602 **casualty** [kǽʒjuəlti]

명 **사상자, 희생자** one who is injured or killed in an accident

In a war, the first **casualty** is human dignity. - *Paulo Coelho*
전쟁에서 최초의 **사상자**는 인간의 존엄성이다.

Although no **casualties** were reported, 57,000 people were left homeless.
비록 **사상자**가 보고되지는 않았지만 57,000명의 사람들이 집을 잃었다.

0603 **certify** [sə́ːrtəfài]

동 **(공식적으로) 증명하다** to state officially that something is true, accurate, or satisfactory

If your source is simply another blog, you should continue searching for a more reputable source to clarify information or **certify** points. EBS
만약 여러분의 출처가 그저 다른 블로그라면, 정보를 명백히 밝혀 주고 논점을 **증명해** 줄 더 명망 있는 출처를 계속 찾아야 한다.

certified 형 인증된, 공인된 **certificate** 명 증명서, 자격증

cert(= sure, certain) + ify(명사 접미사) → 확실하게 하다

0604 **cloak** [klouk]

1. 명 **망토; 은폐물**

It is my conviction that killing under the **cloak** of war is nothing but an act of murder. - *Albert Einstein*
전쟁이라는 **망토**를 입고 죽이는 것은 그저 살인 행위라는 것이 나의 신념이다.

2. 동 **숨기다, 은폐하다**

The best way in the world to deceive believers is to **cloak** a message in religious language. - *Charles Stanley*
믿는 사람들을 속이는 세상에서 가장 좋은 방법은 종교적인 언어로 메시지를 **은폐하는** 것이다.

0605 **compartment** [kəmpɑ́ːrtmənt]

명 **(기차의) 객실; (칸막이로 나뉜) 칸, 구획**

First class **compartments** are more comfortable than the general class.
1등 **객실**은 일반실보다 더 편안하다.

compartmentalize 동 구획하다, 나누다

0606 **compliant**
[kəmpláiənt]

㉠ **고분고분한, 순종하는** willing to accept other people's opinions and demands

Compliant employees tend to do what is required and no more.
고분고분한 직원들은 요청받는 것을 하고 그 이상은 하지 않는 경향이 있다.

Thought, like any parasite, cannot exist without a **compliant** host.
다른 기생충과 마찬가지로 사상은 **순응하는** 숙주 없이는 존재할 수 없다. *- Bernard Beckett*

➕ comply ㉯ (명령, 요구 등에) 응하다, 따르다

com(= together) + ply(= fill) + ant(형용사 접미사) → 함께 따르는

0607 **hierarchical**
[hàiərɑ́:rkikəl]

㉠ **계층제의, 계급제의**

In some subject areas, topics build on one another in a **hierarchical** fashion, so that a learner must almost certainly master one topic before moving to the next. 모평
일부 과목 영역에서는, 주제들이 서로 **계층적** 방식으로 형성되므로, 학습자가 다음 주제로 넘어가기 전에 한 주제를 거의 확실히 통달해야 한다.

➕ hierarchy ㉮ 계급, 계층

0608 **compulsory**
[kəmpʌ́lsəri]

㉠ **의무적인, 강제적인, 필수의**

Military service in Korea is **compulsory**.
한국에서 군 복무는 **의무이다**.

This preliminary structural analysis and acquaintance with the site chosen for the sculpture is **compulsory** before working on its design. 학평
이러한 예비적인 구조적 분석과 조형물을 위해 선정된 장소에 대한 지식은 설계 작업에 들어가기 전에 **필수적이다**.

➕ compulsion ㉮ 강제, 강요; 충동 compulsive ㉠ 강박적인, 조절이 힘든

0609 **concentric**
[kənséntrik]

㉠ **동심원의, 중심이 같은**

A round hill rising above a plain would appear on the map as a set of **concentric** circles, the largest at the base and the smallest near the top. 수능
평지 위로 솟은 둥근 언덕은 지도상에 일련의 **동심**원들로 나타날 것인데, 산자락쪽이 (동심원이) 가장 크고, 산 정상 근처가 (동심원이) 가장 작다.

0610 **confrontation**
[kɑ̀nfrəntéiʃən]

㉮ **대치, 대립**

Military **confrontations** between North Korea and South Korea should be eliminated. 북한과 남한 사이의 군사적 **대립**은 종식되어야 한다.

➕ confront ㉯ 맞서다, 직면하다 confrontational ㉠ 대립의

con(= together) + front(맞서다, 마주하다) + ation(명사 접미사) → 함께 맞서는 것

0611 **courteous**
[kə́:rtiəs]

㉧ **정중한, 공손한** having or showing good manners; polite

Courteous treatment will make a customer a walking advertisement.
공손한 대접은 고객을 걸어다니는 광고로 만들 것이다. *- James Cash Penney*

Be **courteous** to all, but intimate with few, and let those few be well tried before you give them your confidence. *- George Washington*
모든 이들에게 **공손하되** 소수와 친밀한 관계를 유지하고, 신뢰를 주기 전에 그 소수의 사람들을 잘 다루도록 하라.

➕ **courtesy** ㉠ 공손함, 정중함
↔ **discourteous, impolite** ㉧ 예의 없는, 무례한

0612 **cram**
[kræm]

㉤ **밀어[쑤셔] 넣다; 벼락치기 공부를 하다**

Some students are only interested in scoring marks, so they **cram** up their lessons quickly and forget them faster. 학평
어떤 학생들은 단지 점수를 얻는 일에만 관심이 있어서, 그들은 학습 내용을 급히 **벼락치기로 공부하고** 더 빨리 잊어버린다.

0613 **crystallize**
[krístəlàiz]

㉤ **구체화하다; 결정화하다**

You need to cultivate your passion and **crystallize** your vision.
너는 너의 열정을 계발하고 너의 비전을 **구체화할** 필요가 있다.

➕ **crystal** ㉠ 결정(체); 수정 **crystallization** ㉠ 구체화; 결정체

0614 **culinary**
[kjú:lənèri]

㉧ **요리의** relating to food and how to cook it

We seek out feel-good experiences, always on the lookout for the next holiday, purchase or **culinary** experience. 모평
우리는 항상 다음 휴일, 물건 사기, 또는 **요리** 체험이 있는지 살피면서 기분을 좋게 해 주는 경험을 찾아낸다.

There are two ways to learn new **culinary** skills — one is by trial and error at home, the other is by signing up for an online course.
새 **요리** 기술을 배우는 두 가지 방법이 있는데, 하나는 집에서 시행착오를 통한 것이고 나머지 하나는 온라인 강좌에 등록하는 것이다.

0615 **debilitating**
[dibílətèitiŋ]

㉧ **(심신을) 쇠약하게 하는**

There's no question that halving someone's lifetime risk of a **debilitating** stroke or Alzheimer's disease is a humanitarian thing to do. EBS
심신을 약화시키는 뇌졸중이나 알츠하이머병에 걸릴 누군가의 평생의 위험을 절반으로 줄이는 것이 인도적인 행동이라는 것은 의심할 여지가 없다.

➕ **debilitate** ㉤ 쇠약하게 하다 **debilitated** ㉧ 쇠약해진

de(= down) + bil(= strong) + itate(동사 접미사) + ing(형용사 접미사) → 강한 것을 떨어뜨리는

0616 **defiance**

[difáiəns]

[명] **반항, 저항** refusal to do what someone asks you to do

Street art is political because it's illegal, so the very act of doing it is an act of **defiance**. - *Shepard Fairey*

거리 미술은 정치적인데 불법이므로 그것을 하는 바로 그 행위는 **저항** 행위이다.

[+] **defy** [동] 반항하다 **defiant** [형] 반항적인
[↔] **obedience** [명] 복종, 순종
[=] **resistance** [명] 저항, 반항

0617 **deity**

[dí:əti]

[명] **신(神), 신적 존재**

Each year some bagel, muffin, burnt toast, potato chip, or even ultrasound of a fetus showing the face of some **deity** is paraded as evidence for divine miracles. [EBS]

해마다 어떤 **신**의 얼굴을 보여주는 어떤 베이글, 머핀, 탄 토스트, 감자 칩, 혹은 태아의 초음파까지도 신의 기적에 대한 증거로 과시된다.

0618 **dependable**

[dipéndəbl]

[형] **믿을 수 있는, 신뢰할 만한** able to be depended on; reliable; trustworthy

Customers commonly say they want a product or service to be "reliable," "effective," "robust," "**dependable**," or "resilient." [학평]

고객들은 흔히 제품이나 서비스가 '믿을 수 있는', '효과적인', '튼튼한', '**신뢰할 만한**' 혹은 '복원력이 있는' 것이기를 원한다고 말한다.

[+] **dependence** [명] 의존; 의지
[=] **reliable, trustworthy** [형] 믿을 수 있는

0619 **depletion**

[diplí:ʃən]

[명] **고갈, 소모, 감소**

Neither oxygen **depletion** nor ammonia liberation is good for fish or other aquatic organisms. [EBS]

산소 **고갈**도 암모니아 유리도 물고기나 다른 수중 유기체에는 좋지 않다.

[+] **deplete** [동] 고갈시키다, 감소시키다

de(= down) + ple(= fill) + tion(명사 접미사) → 채워진 것이 떨어진 것

0620 **deploy**

[diplɔ́i]

[동] **배치하다; 효율적으로 사용하다**

The secret of great battles consists in knowing how to **deploy** and concentrate at the right time. - *Napoleon Bonaparte*

위대한 전투의 비결은 적시에 **배치하고** 집중하는 방법을 아는지에 있다.

[+] **deployment** [명] 전개, 배치

de(= apart) + ploy(= fold) → 접힌 것을 떼어내다

0621 **differentiate** [dìfərénʃièit]

㊍ **구분하다, 구별하다; 차별하다** to recognize the difference between things or people

Within the first year or two of life, as infants start to **differentiate** themselves from the rest of the world, the self begins to develop. EBS
삶의 처음 1~2년 이내에, 유아들이 자신을 나머지 세상과 **구분하기** 시작함에 따라 자아가 발달하기 시작한다.

➕ differentiation ㊔ 구분, 구별, 차별(화)

0622 **dinnerware** [dínərwɛ̀ər]

㊔ **식기류**

Good **dinnerware** is not only stylish but durable as well.
좋은 **식기류**는 세련될 뿐만 아니라 내구성이 있다.

I couldn't get that fascinating dish-making process out of my head so I looked forward to our return trip several months later to pick up the finished **dinnerware**. 모평
나는 그 놀라운 접시 제작 과정을 머릿속에서 지울 수 없어서 몇 달 후에 완성된 **식기류**를 찾으러 가기 위해 돌아가는 것을 학수고대했다.

0623 **disciplinary** [dísəplənèri]

㊌ **징계의; 훈련의; 학문의**

Historians' approaches to the past vary enormously, but some common **disciplinary** features unite them. EBS
과거에 대한 역사학자들의 접근법은 매우 다양하지만, 몇 가지 공통된 **학문적인** 특징이 그것들을 묶어 준다.

➕ discipline ㊔ 훈련, 훈육; (학문의) 분야, 학과 ㊍ 훈련하다, 징계하다

0624 **disperse** [dispə́ːrs]

㊍ **흩어지다; 분산시키다** to scatter; distribute over a wide area

When the stars reach the end of their lives, they explode and **disperse** carbon into space. EBS
항성은 수명이 다하면 폭발하여 탄소를 우주로 **흩뿌린다**.

➕ dispersal ㊔ 확산, 분산(= dispersion)　dispersed ㊌ 흩어진, 분산된

0625 **discrete** [diskríːt]

㊌ **별개의, 분리된**

Technological evolution cannot be treated as a **discrete**, isolated event that concerns only one artifact. EBS
기술의 발전은 오로지 하나의 인공물하고만 관련이 있는 **별개의** 고립된 사건으로 취급될 수 없다.

dis(= apart, away) + cret(e)(= separate) → 나누어 구별되는

0626 **provisional**

[prəvíʒənəl]

형 임시의, 일시적인; 잠정적인

Scientific knowledge is **provisional** because it always remains possible that new contradictory evidence will be found someday.
언젠가 새로운 상반되는 증거가 발견될 가능성이 늘 있으므로 과학 지식은 **잠정적이다**.

반 **permanent** 형 영구적인, 불변의
동 **temporary** 형 일시적인

pro(= forward) + vis(= look) + ion(명사 접미사) + al(형용사 접미사) → 앞으로 내다보고 대비하는

0627 **redundant**

[ridʌ́ndənt]

형 (반복되어서) 불필요한, 남아도는

It's best to repeat messages in different channels, even if it seems a **redundant** exercise. EBS
반복되어서 불필요한 일처럼 보인다고 해도 여러 다른 의사소통 수단으로 메시지를 반복하는 것이 최선이다.

redundant sentences 장황한 글
파 **redundancy** 명 잉여, 불필요함

re(d)(= again) + und(= flow) + ant(형용사 접미사) → 다시 흘러 넘치는

0628 **susceptible**

[səséptəbl]

형 민감한; 영향을 받기 쉬운, 취약한

The fewer perspectives you consider, the more **susceptible** you are to fallacies or misconceptions resulting from a limited view. EBS
여러분이 더 적은 관점을 고려할수록 제한된 관점으로부터 비롯된 오류나 그릇된 생각에 **영향을 받기가** 더 **쉽다**.

sus(= under) + cept(= take) + ible(형용사 접미사) → 아래에서 잡을 수 있는

0629 **taxation**

[tækséiʃən]

명 과세, 징수

Obligations are to rights what **taxation** is to public spending.
권리에 대한 의무의 관계는 공공 지출에 대한 **과세**의 관계와 같다.

0630 **tentative**

[téntətiv]

형 잠정적인, 임시의; 머뭇거리는

The tour schedule is **tentative**, so it can be changed depending on availability. 여행 일정은 **잠정적**이어서, 그것은 이용가능성에 따라 바뀔 수 있다.

tentative theory 가설
파 **tentatively** 부 잠정적으로; 망설이며 **tentativeness** 명 실험적임; 망설임
반 **confirmed** 형 확정적인
동 **provisional** 형 임시의, 잠정적인

Review TEST

Q 빈칸에 알맞은 단어를 보기에서 골라 쓰시오. **수능 변형**

보기			
dispersing	differentiate	redundant	confront

Resident-bird habitat selection is seemingly a straightforward process in which a young (1) ______ individual moves until it finds a place where it can compete successfully to satisfy its needs. Initially, these needs include only food and shelter. However, eventually, the young must locate, identify, and settle in a habitat that satisfies not only survivorship but reproductive needs as well. In some cases, the habitat that provides the best opportunity for survival may not be the same habitat as the one that provides for highest reproductive capacity because of requirements specific to the reproductive period. Thus, individuals of many resident species, (2) ______(e)d with the fitness benefits of control over a productive breeding site, may be forced to balance costs in the form of lower nonbreeding survivorship by remaining in the specific habitat where highest breeding success occurs. Migrants, however, are free to choose the optimal habitat for survival during the nonbreeding season and for reproduction during the breeding season. Thus, habitat selection during these different periods can be quite different for migrants as opposed to residents, even among closely related species.

* optimal: 최적의

해석

텃새들의 서식지 선택은 (1) **흩어지는** 어린 개체가 (생존을 위한) 필요를 충족시키기 위해 성공적으로 경쟁할 수 있는 장소를 찾을 때까지 옮겨 다니는, 외견상 간단한 과정이다. 처음에는, 이러한 필요에 먹이와 은신처만 포함된다. 그러나 궁극적으로, 그 어린 새는 생존뿐만 아니라 번식을 위한 필요조건도 충족시켜 주는 서식지를 찾고, 확인하고, 거기에 정착해야 한다. 일부의 경우, 번식기에만 특별히 요구되는 조건들 때문에, 생존을 위한 최고의 기회를 제공하는 서식지가 최고의 번식 능력을 가능하게 해 주는 서식지와 동일한 곳이 아닐 수도 있다. 따라서 많은 텃새 종의 개체들은 다산에 유리한 번식지를 장악하는 것이 갖는 합목적성에서 오는 이득과 (2) **마주하게 되면**, 가장 높은 번식 성공이 일어나는 특정 서식지에 머물러 있음으로써 더 낮은 비번식기 생존율의 형태로 대가의 균형을 맞추도록 강요당할 수 있다. 그러나 철새들은 번식기가 아닌 동안에는 생존을 위한 최적의 서식지를, 번식기 동안에는 번식을 위한 최적의 서식지를 자유롭게 선택한다. 이와 같이 서로 다른 시기 동안의 서식지 선택은, 심지어 (생물학적으로) 밀접하게 관련이 있는 종들 사이에서조차도, 텃새들과는 달리 철새들에게 있어서 상당히 다를 수 있다.

정답

(1) dispersing (2) confront

| Preview | 영영풀이에 해당하는 단어를 ⓐ~ⓒ에서 고르시오.

01 **to express strong disagreement with a prevailing or official position**
ⓐ disqualify ⓑ dissent ⓒ dismay

02 **the ability to use language with fluency**
ⓐ eloquence ⓑ fetch ⓒ defendant

03 **to officially request to appear**
ⓐ summon ⓑ ethnic ⓒ exhort

04 **able to be done or put into effect; possible**
ⓐ feasible ⓑ earthly ⓒ baggy

05 **to draw back from something dangerous or unpleasant**
ⓐ glide ⓑ forge ⓒ flinch

06 **accordance with required or traditional rules, procedures, etc**
ⓐ orthodox ⓑ formality ⓒ fatality

07 **relating to geology, or to features of the earth's surface**
ⓐ geological ⓑ extraneous ⓒ fluorescent

08 **to make, compose, or perform with little or no preparation**
ⓐ germinate ⓑ improvise ⓒ gnaw

09 **terrifying and horrific; extremely ugly**
ⓐ hideous ⓑ adrift ⓒ howl

10 **to force someone to leave a place because of their bad behavior**
ⓐ frivolity ⓑ expel ⓒ fermentation

|정답| 1 ⓑ 2 ⓐ 3 ⓐ 4 ⓐ 5 ⓒ 6 ⓑ 7 ⓐ 8 ⓑ 9 ⓐ 10 ⓑ

가리개를 사용하여 뜻을 잘 암기했는지 확인하세요.

0631 **disqualify**
[diskwάləfài]

[동] **실격시키다, 자격을 박탈하다**

Veteran British track star Linford Christie was charged with two "false starts" and **disqualified** from the race. [EBS]
영국의 베테랑 인기 육상 선수였던 Linford Christie는 '부정 출발'을 두 번 했다는 혐의를 받았고 경주에서 **실격되었다**.

[+] **disqualification** [명] 실격, 자격 박탈

0632 **dissent**
[disént]

1. [동] **반대하다** to express strong disagreement with a prevailing or official position

Right to **dissent** is essential to democracy.
반대할 권리는 민주주의에 필수적이다.

2. [명] **반대 (의견), 불찬성**

It would be a tragedy for democracy if **dissent** goes away. *- Mahesh Bhatt*
반대가 사라진다면 민주주의에는 비극일 것이다.

0633 **earthly**
[ə́:rθli]

[형] **세속적인, 현세의**

Horace, Petrarch, Shakespeare, Milton, and Keats all hoped that poetic greatness would grant them a kind of **earthly** immortality. [수능]
Horace, Petrarch, Shakespeare, Milton, 그리고 Keats는 모두 시의 위대함이 자신들에게 일종의 **세속적인** 불멸을 부여해 주기를 바랐다.

0634 **eloquence**
[éləkwəns]

[명] **화술, 웅변** the ability to use language with fluency

Where words and **eloquence** are highly valued, people strive to communicate in a way that is precise, straightforward, and unambiguous. [EBS]
말과 **화술**이 매우 중시되는 곳에서, 사람들이 정확하고 솔직하며, 그리고 모호하지 않은 방식으로 의사소통하고자 노력한다.

[+] **eloquent** [형] 달변인, 유창한

e(= out) + loque(= speak) + ence(명사 접미사) → 밖으로 말하다

0635 **ethnic**
[éθnik]

[형] **민족의, 인종의**

Racial and **ethnic** relations in the United States are better today than in the past. [모평]
오늘날 미국의 인종 및 **민족** 관계는 과거보다 더 낫다.

[+] **ethnicity** [명] 민족 집단, 민족성 **ethnically** [부] 민족적으로

0636 **orthodox**
[ɔ́:rθədɑ̀ks]

㉱ **정설의, 정통의**

Orthodox economists believe that supply and demand will determine the price. **정통** 경제학자들은 공급과 수요가 가격을 결정할 것이라고 믿는다.

⊞ orthodoxy ㉮ 정설, 통설

ortho(= right, true, straight) + dox(= opinion) → 옳은 의견이나 생각

0637 **summon**
[sʌ́mən]

㉯ **호출하다, 불러내다; (법원으로) 소환하다** to officially request to appear

A doctor was **summoned** to examine me. EBS
한 의사가 나를 검사하기 위해 **호출되었다.**

God loves us; we need only to **summon** up the humility to allow ourselves to be loved. *- Pope Benedict XVI*
하느님은 우리를 사랑하신다. 우리는 스스로 사랑받을 수 있도록 겸손을 **불러내기만** 하면 된다.

0638 **exhort**
[igzɔ́:rt]

㉯ **호소하다, 권고하다, 촉구하다**

Company officers **exhorted** the strikers to return to work.
회사 간부들은 파업 노동자들에게 직장으로 돌아갈 것을 **권고했다.**

⊞ exhortation ㉮ 호소, 권고
⊟ urge ㉯ 촉구하다

ex(강조) + hort(= urge) → 강하게 주장하다

0639 **fatality**
[feitǽləti]

㉮ **사망자(수); 치사율**

The COVID-19 **fatality** rate for people over 80-years-old was five times the global average.
80세 이상인 사람들의 코로나19 **치사율**은 세계 평균의 5배였다.

⊞ fatal ㉱ 치명적인 fate ㉮ 운명, 숙명

0640 **feasible**
[fí:zəbl]

㉱ **실현 가능한, 실행 가능한** able to be done or put into effect; possible

The greater population density of cities makes mass transit **feasible.** EBS
도시의 더 높은 인구 밀도는 대중교통을 **실현 가능하게** 한다.

Economic and social development are about figuring out how to use technology and capital, to find out not only what is possible but also **feasible.** 학평
경제적 발전과 사회적 발전은, 기술과 자본을 어떻게 사용할지 파악해내는 것, 무엇이 가능한지 뿐만 아니라 **실현성도 있는지** 알아내는 것에 관한 것이다.

⊞ feasibility ㉮ 실현 가능성, 현실성
⇔ impracticable ㉱ 실행 불가능한 ⊟ practicable ㉱ 실행 가능한

0641 **fermentation**
[fə̀ːrmentéiʃən]

[명] 발효 (작용)

The **fermentation** process is what gives *kimchi* its sour flavor.
김치에 신맛이 나게 하는 것은 **발효** 과정이다.

Every culture has its unique **fermentation** technology. [EBS]
모든 문화에는 독특한 **발효** 기술이 존재한다.

[+] **ferment** [동] 발효시키다, 발효되다

0642 **fetch**
[fetʃ]

[동] (특정 가격에) 팔리다; (어디를 가서) 가지고 오다, 데려오다

A good house in a slum district will not **fetch** a high price, no matter how good it is. [EBS]
빈민가 지역에 있는 좋은 집은 아무리 좋은 집이라도 비싼 가격으로 **팔리지** 않을 것이다.

[=] **sell for** 팔리다

0643 **flinch**
[flintʃ]

[동] 움찔하다, 주춤하다 to draw back from something dangerous or unpleasant

She **flinched** at the sight of the gun in his hand.
그녀는 그의 손에 있는 총을 보고 **움찔했다**.

Never **flinch**. Make up your own mind and do it. - *Margaret Thatcher*
절대 **주춤거리지** 마라. 마음을 정하고 행동하라.

[+] **unflinching** [형] 위축되지 않는

0644 **fluorescent**
[flùərésnt]

[형] 형광(성)의

Large energy savings are predicted when consumers replace traditional incandescent light bulbs with more efficient compact **fluorescent** bulbs. [EBS]
소비자들이 전통적인 백열전구를 보다 효율적인 소형 **형광**등으로 교체할 때 많은 에너지 절감이 예상된다.

[+] **fluorescence** [명] 형광, 발광

0645 **forge**
[fɔːrdʒ]

[동] 위조하다; (동맹을) 맺다, 구축하다

She alleged that the man had **forged** her signature on the form.
그녀는 그 남자가 양식에 있는 그녀의 서명을 **위조했다고** 주장했다.

We have been trying to **forge** peaceful and friendly relations with other countries.
우리는 다른 국가들과 평화롭고 우호적인 관계를 **구축하기** 위해서 노력하고 있습니다.

[+] **forgery** [명] 위조, 날조
[=] **fabricate** [동] 꾸며내다, 날조하다

0646 **formality**

[fɔːrmǽləti]

명 **형식상의 절차, 격식** accordance with required or traditional rules, procedures, etc

I skipped the **formalities** and got right to the point.
나는 **형식적인 절차**를 건너뛰고 바로 핵심으로 들어갔다.

Canadians often use the impersonal **formality** of a lawyer's services to finalize agreements. 모평
캐나다인은 흔히 합의를 끝내기 위해 변호사의 도움을 받는, 사사로움에 치우치지 않는 **형식상의 절차**를 이용한다.

+ **formal** 형 공식적인, 격식을 차린

0647 **frivolity**

[friválәti]

명 **경박함**

Such **frivolity** cannot, and must not, be tolerated.
그런 **경박함**은 용일될 수도, 용인되어서도 안 된다.

+ **frivolous** 형 경박스러운

0648 **geological**

[dʒìːәládʒikәl]

형 **지질학적인, 지질의** relating to geology, or to the features of the earth's surface

Mountains are among the most visually exciting and dramatic **geological** features of our planet. EBS
산은 지구에서 가장 시각적으로 흥미진진하고 극적인 **지질학적** 지형에 속한다.

+ **geology** 명 지질학 **geologist** 명 지질학자

geo(= earth) + log(학문) + ical(형용사 접미사) → 지구를 연구하는 학문의

0649 **germinate**

[dʒә́ːrmәnèit]

동 **발아하다, 싹트게 하다**

Normally, when they mature, seeds should fall down to the ground in order to **germinate**. EBS
보통 성숙하면, 씨앗은 **발아하기** 위해 땅에 떨어져야 한다.

+ **germination** 명 발아 **germinant** 형 싹트는, 움트는

germ(= seed) + inate(동사 접미사) → 씨앗을 만들다

0650 **dismay**

[disméi]

명 **절망, 낙담**

Those who depend on natural gas for heat often watch in **dismay** as a particularly cold winter sends prices skyward. EBS
천연가스에 난방을 의존하는 사람들은 특별히 추운 겨울이 가격을 치솟게 할 때 자주 **낙담하여** 지켜본다.

to one's dimay 놀랍게도, 실망스럽게도
+ **dismayed** 형 실망한
= **frustration, discouragement** 명 낙담, 좌절

0651 **glide**
[glaid]

㉯ **미끄러지듯 나아가다, 활공하다**

Eagles can **glide** while resting their wings.
독수리들은 그들의 날개를 쉬면서 **활공할** 수 있다.

A Stone Age genius realized the enormous hunting advantage he would gain by being able to **glide** over the water's surface, and built the first boat. 수능
석기 시대의 한 천재가 수면 위를 **미끄러지듯이 움직일** 수 있음으로써 자신이 얻을 엄청난 사냥의 이점을 깨닫고 최초의 배를 만들었다.

0652 **gnaw**
[nɔː]

㉯ **갉아먹다, 물어뜯다**

To keep their teeth from growing too long, rats **gnaw** on everything they can find.
이빨이 너무 길게 자라지 않도록 쥐들은 그들이 발견할 수 있는 모든 것을 **갉아먹는다**.

0653 **improvise**
[ímprəvàiz]

㉯ **즉흥 연기[연주]를 하다, 즉흥적으로 하다** to make, compose, or perform with little or no preparation

Jazz musicians like to **improvise** and transform the written parts into something new.
재즈 음악가들은 **즉흥적으로 연주를 해서** (악보에) 쓰인 부분을 새로운 어떤 것으로 변형하기를 좋아한다.

+ **improvisation** ㉢ 즉석에서 하기; 즉흥 연기[공연, 연주]

im(부정의 접두어) + provise(= provisus 미리 보다(라틴어)) → 미리 보지 않고 하다

0654 **hideous**
[hídiəs]

㉱ **무시무시한, 끔찍한, 흉측한** terrifying and horrific; extremely ugly

The crime was so **hideous** that it could not be fully described in the news.
그 범죄는 너무나 **끔찍해서** 뉴스에서 완전히 묘사될 수 없었다.

There now standing in the room, the same room Richard was in, was a man so **hideous**; it took his breath away. 학평
지금 Richard가 있는 바로 그 방에, 너무도 **흉측한** 남자가 서 있어서 그는 숨이 막혔다.

+ **hideously** ㉲ 끔찍하게, 소름끼치게

hide(숨기다) + ous(형용사 접미사) → (남에게) 숨기고 싶은

0655 **howl**
[haul]

1. ㉯ **긴 울음소리를 내다, 울부짖다**

One of the ways in which wolves interact is through **howling**.
늑대들이 상호작용을 하는 방법 중 하나는 **긴 울음소리를 내는** 것을 통해서이다.

2. ㉢ **(개·늑대 등의) 길게 울부짖는 소리**

Starting with **howls** of wind and claps of thunder, the thunderstorm soon erupted. 바람이 **휘몰아치는 소리**와 천둥의 울림이 시작되더니, 폭풍우가 몰아쳤다.

+ **howling** ㉱ 울부짖는, 몰아치는; 엄청난

0656 **adrift**
[ədríft]

[형] 표류하는 [부] 표류하여

Imagine that you are cast **adrift** at sea with only a few useful items — how would you survive until you are rescued?
몇 가지 유용한 물건만을 지닌 채 바다에 **표류한다고** 상상해 보자. 당신이 구조될 때까지 어떻게 살아남겠는가?

[유] drifting [형] 표류하는 afloat [형] (물에) 뜬, 떠도는

0657 **baggy**
[bǽgi]

[형] (옷이) 헐렁한

Wearing a **baggy** T-shirt can be very comfortable.
헐렁한 티셔츠를 입는 것은 매우 편안할 수 있다.

[반] tight [형] (옷이) 꽉 끼는
[유] loose [형] 헐거운

0658 **defendant**
[diféndənt]

[명] 피고(인)

One important type of evidence in court is character evidence, that is, evidence about a **defendant**'s traits and natural tendencies. [EBS]
법정에서 증거의 중요한 한 유형은 성격 증거, 즉 **피고인**의 성격상의 특성과 타고난 성향에 대한 증거이다.

[+] defend [동] 옹호하다, 방어하다
[반] plaintiff [명] 원고, 고소인
[유] accused [명] 피고

0659 **expel**
[ikspél]

[동] 몰아내다, 추방하다, 제명하다 to force someone to leave a place because of their bad behavior

In the junior class, 184 students were formally accused of cheating, and 152 of those were **expelled**. [EBS]
3학년 학급에서 184명의 학생이 부정행위로 정식 고발되었고, 그들 중 152명이 **퇴학당했다**.

[+] expulsion [명] 추방; 축출
[유] exile [동] (특히 국외로) 추방하다 repel [동] 쫓아내다, 물리치다

ex(= out) + pel(= drive) → 밖으로 몰아내다

0660 **extraneous**
[ikstréiniəs]

[형] 본질에서 벗어난, 무관한; 외부에서 발생한

Why is it necessary to isolate and control **extraneous** variables and manipulate the independent variable to maximize internal validity? [EBS]
내적 타당성을 극대화하기 위해 **외부에서 발행한** 변수를 격리 및 제어하고 독립 변수를 조작하는 것이 왜 필요한가?

[+] extraneously [부] 비본질적으로; 관계 없이
[유] irrelevant [형] 무관한, 관련이 없는

Review TEST

Q 빈칸에 알맞은 단어를 보기에서 골라 쓰시오. **수능 변형**

보기

improvise　　eloquence　　frivolity　　germinate

Probably the biggest roadblock to play for adults is the worry that they will look silly, improper, or dumb if they allow themselves to truly play. Or they think that it is irresponsible, immature, and childish to give themselves regularly over to play. Nonsense and silliness come naturally to kids, but they get pounded out by norms that look down on (1) "__________." This is particularly true for people who have been valued for performance standards set by parents or the educational system, or measured by other cultural norms that are internalized and no longer questioned. If someone has spent his adult life worried about always appearing respectable, competent, and knowledgeable, it can be hard to let go sometimes and become physically and emotionally free. The thing is this: You have to give yourself permission to (2) __________, to mimic, to take on a long-hidden identity.

해석

아마도 어른에게 있어서 노는 것에 가장 큰 장애물은 그들이 진정으로 놀 수 있도록 하면, 그들 자신이 어리석거나, 부적절하거나, 혹은 바보같이 보일 것이라는 걱정일 것이다. 아니면 그들이 노는 것에 자신을 아주 송두리째 맡기는 것은 무책임하고, 미숙하며, 유치하다고 그들은 생각한다. 허튼 소리와 어리석음이 아이들에게는 자연스럽게 다가오지만, (1) '**경박함**'을 경시하는 규범에 의해 그들은 뭇매를 맞는다. 이것은 부모나 교육 제도에 의해 정해졌거나, 내면화되어 더 이상 의문시되지 않는 다른 문화 규범에 의해 측정되어 온 성과 기준으로 평가되어 온 사람들에게 있어 특히 그러하다. 만약 누군가가 항상 존경할 만하고, 유능하며, 박식해 보이는 것에 대해 걱정하며 성년기를 보냈다면, 때때로 (그런 걱정을) 버리고 육체적이고 감정적으로 자유로워지는 것은 어려울 수 있다. 중요한 것은 이것이다. (2) **즉흥적으로 하고**, 흉내 내고, 오랫동안 숨겨져 있던 정체성을 나타낼 수 있도록 스스로에게 허락해야 한다는 것이다.

정답

(1) frivolity (2) improvise

| Preview | 영영풀이에 해당하는 단어를 ⓐ~ⓒ에서 고르시오.

01 **the condition of being unable to read and write**
ⓐ impart ⓑ illiteracy ⓒ liability

02 **to restrict or retard in action, progress, etc**
ⓐ impede ⓑ indiscriminate ⓒ perpetuate

03 **made or done without previous preparation**
ⓐ immortal ⓑ indulgent ⓒ impromptu

04 **absolutely necessary; essential**
ⓐ muscular ⓑ indispensable ⓒ irrigate

05 **incapable of moving or acting**
ⓐ inert ⓑ invigorating ⓒ inedible

06 **to violate or break a law, an agreement, etc**
ⓐ intertwine ⓑ inflict ⓒ infringe

07 **too difficult or too great to overcome**
ⓐ astray ⓑ insurmountable ⓒ intrude

08 **impossible to replace**
ⓐ irreplaceable ⓑ irresistible ⓒ fidelity

09 **impossible to reverse**
ⓐ complimentary ⓑ cargo ⓒ irreversible

10 **a detailed plan for a journey, especially a list of places to visit**
ⓐ sanction ⓑ itinerary ⓒ instigation

|정답| 1 ⓑ 2 ⓐ 3 ⓒ 4 ⓑ 5 ⓐ 6 ⓒ 7 ⓑ 8 ⓐ 9 ⓒ 10 ⓑ

가리개를 사용하여 뜻을 잘 암기했는지 확인하세요.

0661 **illiteracy** [ilítərəsi]

명 **문맹** the condition of being unable to read and write

One of the surest cures for scientific **illiteracy** is great scientific literature.
모평 과학 **문맹**에 대한 가장 확실한 치료법 중의 하나는 광대한 과학 문학이다.

➕ **illiterate** 형 글을 모르는, 문맹의

0662 **immortal** [imɔ́:rtəl]

형 **불멸의, 죽지 않는**

The gods are presented as **immortal** and noble, to be worshiped and honored. EBS 신들은 **불멸이고** 고귀하고 숭배되고 존경받아야 하는 것으로 제시되었다.

➕ **immortality** 명 불멸, 불후

im(부정) + mort(= death) + al(형용사 접미사) → 죽지 않는

0663 **impart** [impɑ́:rt]

동 **전하다, 알리다; (특정한 특성을) 주다**

The color of an object is perceived before the details **imparted** by its shapes and lines. EBS
사물의 모양과 선에 의해 **전해지는** 세부 사항 전에 사물의 색이 인식된다.

impart a secret 비밀을 알리다
➕ **impartment** 명 알림, 전함; 부여

0664 **impede** [impí:d]

동 **방해하다, 지연시키다** to restrict or retard in action, progress, etc

When revising, having too many words on the page can **impede** the flow of ideas. EBS
수정할 때, 그 페이지에 너무 많은 단어들이 있는 것은 생각의 흐름을 **방해할** 수 있다.

➕ **impediment** 명 방해, 장애물
〓 **hinder, obstruct** 동 방해하다, 저지하다

0665 **perpetuate** [pərpétʃuèit]

동 **영구화하다, 영속시키다**

Hollywood movies continue to **perpetuate** harmful Asian stereotypes.
할리우드 영화들은 아시아에 대한 해로운 고정관념을 **영구화시키고** 있다.

Doctors often **perpetuate** the misconception by explaining diagnoses as: "It's just part of aging, the price we pay for living so long." EBS
의사들은 흔히 "그것은 그저 노화의 일부로, 우리가 그만큼 오래 사는 것에 대해 지불하는 대가일 뿐입니다."라고 진단을 설명함으로써 그 잘못된 생각을 **영속시킨다**.

➕ **perpetual** 형 영구의, 영속하는　**perpetuity** 명 연속, 불멸

per(= thoroughly) + pet(= seek) + uate(동사 접미사) → 철저히 찾다

0666 **impromptu**
[imprámptju:]

㉿ **즉석의, 즉흥의** made or done without previous preparation

Office workers are regularly interrupted by ringing phones, **impromptu** meetings, and chattering coworkers. 학평
사무직원들은 전화벨 소리, **급작스런** 회의, 그리고 떠들어 대는 동료들 때문에 주기적으로 방해받는다.

impromptu verse 즉흥시

im(= not) + promptu(= readiness) → 준비하지 않은

0667 **liability**
[làiəbíləti]

명 **법적 책임; (~이) 되기 쉬운 성질; 빚, 부채**

Taxpayers can structure their affairs in a manner that minimizes their tax **liability**. EBS
납세자는 납세 **의무**를 최소화하는 방식으로 그들의 일(세금 신고)을 구조화할 수 있다.

⊞ **liable** 형 ~할 가능성이 있는; 배상의 책임이 있는

li(g)(= bind) + able(가능한) + ity(명사 접미사) → 끈으로 묶을 수 있는 것

0668 **indiscriminate**
[ìndiskrímənət]

형 **무분별한, 무차별적인**

The title of Carson's book, *Silent Spring*, was a reference to a world without birds that could be the ultimate outcome of **indiscriminate** pesticide use. EBS
Carson이 쓴 책의 제목인 'Silent Spring'은 **무분별한** 살충제 사용의 최종적인 결과가 될 수 있는, 새가 살지 않는 세상에 대한 언급이었다.

⊞ **indiscriminateness, indiscrimination** 명 무차별적임, 마구잡이

0669 **indispensable**
[ìndispénsəbl]

형 **없어서는 안 되는, 필수적인** absolutely necessary; essential

One culture might view love as an **indispensable** part of marriage; another culture might view love as irrelevant to marriage. EBS
어떤 문화는 사랑을 결혼에 **없어서는 안 될** 부분으로 여길 수 있지만, 또 다른 문화는 사랑을 결혼과 무관한 것으로 볼 수도 있다.

⇔ **dispensable** 형 없어도 되는, 불필요한

0670 **indulgent**
[indʌ́ldʒənt]

형 **멋대로 하게 하는, 관대한**

In a culture that prizes productivity, adult play seems to be defined as a self-**indulgent** activity. EBS
생산성을 중시하는 문화에서, 어른들의 놀이는 **방종한** 활동으로 정의되는 것처럼 보인다.

be indulgent to ~에 관대하다
⊞ **indulgence** 명 마음대로(하게) 함; 탐닉

0671 **inert**
[inə́ːrt]

[형] **비활성의; 기력이 없는, 활발하지 못한** incapable of moving or acting

Without the context provided by cells, organisms, social groups, and culture, DNA is **inert**. [수능]
세포, 유기체, 사회집단, 문화에 의해 제공되는 맥락이 없으면, DNA는 **비활성이다**.

[+] **inertia** [명] 무력; 타성; 관성
[반] **inactive** [형] 활동하지 않는

0672 **muscular**
[mʌ́skjulər]

[형] **근육(질)의** having large strong muscles

You could see his **muscular** arms through his shirt.
당신은 그의 셔츠 밑으로 그의 **근육질의** 팔을 볼 수 있다.

[+] **muscularity** [명] 강건함, 근골의 건장함

0673 **inflict**
[inflíkt]

[동] **(괴로움 등을) 가하다, 괴롭히다**

This documentary about the suffering we **inflict** on animals has changed the lives of thousands of people.
우리가 동물들에게 **가하는** 고통에 관한 이 다큐멘터리는 수천 명의 사람들의 삶을 바꿨다.

Without inflammation we would be in big trouble, with no way to repair the damage constantly being **inflicted** on us. [EBS]
염증이 없다면 우리는 끊임없이 우리에게 **가해지는** 손상을 회복할 방법 없이 큰 곤경에 처하게 될 것이다.

inflict A on B B에게 A를 가하다
[+] **infliction** [명] (고통 등을) 가함, 고통; 형벌

0674 **infringe**
[infríndʒ]

[동] **(법규를) 위반하다; (법적 권리를) 침해하다** to violate or break a law, an agreement, etc

People who **infringe** on that copyright can be taken to court and prosecuted. [수능]
그 저작권을 **위반하는** 사람들은 법정에 끌려가고 기소될 수 있다.

[+] **infringement** [명] (법규) 위반; (특허권 등의) 침해

in(= in) + fringe(= break) → 안에서 부수다

0675 **instigation**
[ìnstəgéiʃən]

[명] **부추김, 선동**

They took part in the riot at his **instigation**.
그들은 그의 **선동**으로 그 시위에 참여했다.

[+] **instigate** [동] 선동하다; (공식적으로) 착수하게 하다

in(= into) + stigate(= prick 찌르다) + ation(명사 접미사) → 안에 대고 찌르기

0676 **insurmountable**
[ìnsərmáuntəbl]

㉻ **극복할 수 없는, 이겨내기 어려운** too difficult or too great to overcome

This industry suffered huge and **insurmountable** losses that threatened the survival of the largest airline companies. EBS
이 산업은 가장 큰 항공 회사들의 생존을 위협한 거대하고도 **극복할 수 없는** 손실을 입었다.

The only barrier to human development is ignorance, and this is not **insurmountable**. *- Robert H. Goddard*
인간의 발전에 유일한 장애는 무지인데 이는 **극복할 수 없는** 것이다.

반 **surmountable** ㉻ 극복할 수 있는

in(반대) + sur(= above) + mount(오르다) + able(~할 수 있는) → 위에 오르지 못하는

0677 **intertwine**
[ìntərtwáin]

㉺ **뒤얽다, 엮다; 밀접하게 관련되다**

Therefore, it can be seen that intelligence and logic are closely **intertwined**. EBS 따라서 지능과 논리는 밀접하게 **얽혀 있다**는 것을 알 수 있다.

inter(= between) + twine(꼰 실) → 실과 실 사이가 엉켜 있다

0678 **intrude**
[intrúːd]

㉺ **침범하다, 침해하다; 방해하다**

Emotions can easily **intrude** upon the most simple messages. EBS
감정은 가장 단순한 메시지에 쉽게 **침범할** 수 있다.

How strange that nature does not knock, and yet does not **intrude**!
- Emily Dickinson
자연은 깜짝 놀라게 하지 않으면서도 **방해**하지도 않다니 어떻게 그럴 수 있을까!

intrude on ~을 침해하다, ~을 방해하다
⊕ **intrusion** ㉹ 침해, 침범 **intruder** ㉹ 침입자

0679 **invigorating**
[invígərèitiŋ]

㉻ **활력을 주는, 기운을 북돋는**

The effect might have been **invigorating** had this huge sum been poured immediately into the economy.
이 엄청난 액수가 즉시 경제에 쏟아 부어졌더라면 그 효과는 **활기를 불어넣어** 주었을지도 모른다.

⊕ **invigorate** ㉺ 활기를 북돋다 **invigorated** ㉻ 활력이 솟아나는

0680 **irreplaceable**
[ìripléisəbl]

㉻ **대체할 수 없는** impossible to replace

She had never perceived any of the receptionists who had worked there as **irreplaceable**. 학평
그녀는 그곳에서 일했던 어떤 접수원들도 **대체할 수 없다는** 것을 전혀 인식하지 못했다.

반 **replaceable** ㉻ 대체할 수 있는

0681 **irresistible**
[ìrizístəbl]

㉠ **저항할 수 없는, 억누를 수 없는**

The pressures toward conformity are subtle but **irresistible**. EBS
순응을 하도록 하는 압력은 미묘하지만 **저항할 수 없다**.

Every man should stand for a force which is perfectly **irresistible**.
모든 인간은 완벽하게 **저항할 수 없는** 힘을 견뎌내야만 한다. *- Henry David Thoreau*

irresistible impulse 억누를 수 없는 충동

0682 **irreversible**
[ìrivə́ːrsəbl]

㉠ **되돌릴 수 없는, 뒤집을 수 없는** impossible to reverse

There is no general reason for expecting genetic influences to be any more **irreversible** than environmental ones. EBS
유전의 영향이 환경의 영향보다 조금이라도 더 **되돌릴 수 없을** 것이라고 예상할 보편적인 이유가 전혀 없다.

⊞ **reverse** ㉯ 뒤바꾸다, 반대로 하다

0683 **irrigate**
[írəgèit]

㉯ **물을 대다, 관개하다**

Rice paddies have to be **irrigated**, so a complex system of channels must be dug from the nearest water source. 학평
논에는 **물을 대야** 하기 때문에 가장 가까운 수원지로부터 복잡한 수로를 파야 한다.

⊞ **irrigation** ㉮ 관개(灌漑), 물대기

ir(= into) + rig(= water) + ate(동사 접미사) → 물을 안으로 들이다

0684 **itinerary**
[aitínərèri]

㉮ **여행 계획, 여행 일정표** a detailed plan for a journey, especially a list of places to visit

You will find a number of **itineraries** with overnight port stays. EBS
당신은 항구에서 하룻밤을 묵는 **여행 일정**을 다수 발견할 것이다.

Traveling is no fool's errand to him who carries his eyes and **itinerary** along with him. *- Amos Bronson Alcott*
눈과 **여행 일정**을 함께 가지고 다니는 사람에게 여행은 결코 헛수고[바보의 심부름]가 아니다.

0685 **sanction**
[sǽŋkʃən]

1. ㉯ **용납하다, 승인하다**

Genocide is universally considered wrong even if it is **sanctioned** by a government or an entire society. EBS
집단 학살은 비록 그것이 정부나 전체 사회에 의해서 **승인된** 것이라고 하더라도, 보편적으로 잘못된 것으로 여겨진다.

2. ㉮ **제재; 인가, 승인**

Governments prefer to use incentives rather than **sanctions**, and non-discrimination principles rather than discriminatory practices in their policies towards multinational enterprises. EBS
정부는 다국적 기업에 대한 정책에서 **제재**보다는 장려책을, 차별적 관행 보다는 무차별 원칙을 사용하기를 선호한다.

0686 **astray**
[əstréi]

㊂ **정도에서 벗어나, 길을 잃고**

You have to overlook the many times when feelings led you **astray**. EBS
당신은 감정들이 당신을 **정도에서 벗어나게** 했던 많은 경우를 무시해야 한다.

go astray 길을 잃다; 타락하다

0687 **cargo**
[kάːrgou]

㊅ **화물, 짐**

On January 10, 1992, a ship traveling through rough seas lost 12 **cargo** containers. 수능
1992년 1월 10일, 거친 바다를 항해하던 배 한 척이 12개의 **화물** 컨테이너를 잃었다.

discharge (the) cargo 짐을 부리다[내리다]

0688 **complimentary**
[kὰmpləméntəri]

㊇ **칭찬하는; 무료의**

We are thankful for the **complimentary** letter you have sent to us regarding our service. 학평
저희 서비스에 관해서 저희에게 보내 주셨던 **칭찬** 편지에 대해 감사를 드린다.

Afternoon tea and snacks are **complimentary**.
오후에 제공되는 차와 간식은 모두 **무료**이다.

complimentary ticket 우대권, 초대권
➕ **compliment** ㊅ 칭찬, 찬사

0689 **inedible**
[inédəbl]

㊇ **먹을 수 없는**

Early human beings had to be good at maintaining an intimate memory of edible and **inedible** plants, insects, and small animals. 학평
초기 인류는 먹을 수 있는 그리고 **먹을 수 없는** 식물, 곤충, 그리고 작은 동물에 대한 친밀한 기억을 유지하는 데 능숙해야 했다.

↔ **edible** ㊇ 먹을 수 있는

0690 **fidelity**
[fidéləti]

㊅ **충실도, 정확도**

Many studies of social learning in children focus on the **fidelity** with which information flows from one child to another in diffusion chains. 학평
아동의 사회적 학습에 대한 많은 연구는 확산 사슬 속에서 한 아이로부터 다른 아이로 정보가 흘러가는 **정확도**에 초점을 맞춘다.

Review TEST

Q 빈칸에 알맞은 단어를 보기에서 골라 쓰시오. 수능 변형

보기			
fidelity	literacy	complimentary	itinerary

The printing press boosted the power of ideas to copy themselves. Prior to low-cost printing, ideas could and did spread by word of mouth. While this was tremendously powerful, it limited the complexity of the ideas that could be propagated to those that a single person could remember. It also added a certain amount of guaranteed error. The spread of ideas by word of mouth was equivalent to a game of telephone on a global scale. The advent of (1) .... and the creation of handwritten scrolls and, eventually, handwritten books strengthened the ability of large and complex ideas to spread with high (2) .... But the incredible amount of time required to copy a scroll or book by hand limited the speed with which information could spread this way. A well-trained monk could transcribe around four pages of text per day. A printing press could copy information thousands of times faster, allowing knowledge to spread far more quickly, with full (2) ...., than ever before.

* propagate: 전파하다

해석

인쇄기는 생각이 스스로를 복제하는 능력을 신장시켰다. 비용이 적게 드는 인쇄술이 있기 전에, 생각은 구전으로 퍼져 나갈 수 있었고 실제로 그렇게 퍼져 나갔다. 이것은 대단히 강력했지만, 전파될 수 있는 생각의 복잡성을 단 한 사람이 기억할 수 있는 것으로 제한했다. 그것은 또한 일정량의 확실한 오류를 추가했다. 구전에 의한 생각의 전파는 전 세계적인 규모의 말 전하기 놀이와 맞먹었다. (1) **글을 읽고 쓸 줄 아는 능력**의 출현과 손으로 쓴 두루마리와 궁극적으로 손으로 쓴 책의 탄생은 크고 복잡한 생각이 매우 (2) **정확**하게 퍼져 나가는 능력을 강화했다.그러나 손으로 두루마리나 책을 복사하는 데 요구된 엄청난 양의 시간은 이 방식으로 정보가 퍼져 나갈 수 있는 속도를 제한했다. 잘 훈련된 수도승은 하루에 약 4쪽의 문서를 필사할 수 있었다. 인쇄기는 정보를 수천 배 더 빠르게 복사할 수 있었는데, 그것은 지식이 이전 어느 때보다 훨씬 더 빠르고 최대한 (2) **정확**하게 퍼져 나갈 수 있게 하였다.

정답

(1) literacy (2) fidelity

| Preview | 영영풀이에 해당하는 단어를 ⓐ~ⓒ에서 고르시오.

01 **requiring or involving the use of great energy or effort**
ⓐ saturated ⓑ strenuous ⓒ armistice

02 **quiet and inactive, as during sleep**
ⓐ dormant ⓑ ravage ⓒ belittle

03 **empty and not attractive because there are no people**
ⓐ assault ⓑ evaluative ⓒ desolate

04 **to surround with hostile forces**
ⓐ besiege ⓑ oppress ⓒ stagnate

05 **performed by agreement; planned or devised together**
ⓐ snore ⓑ concerted ⓒ demeanor

06 **having achieved victory or success**
ⓐ triumphant ⓑ confer ⓒ tenacious

07 **to be enough**
ⓐ centralize ⓑ terminate ⓒ suffice

08 **very severe or strict**
ⓐ latent ⓑ rigorous ⓒ splendid

09 **deliberate deception, trickery, or cheating intended to gain an advantage**
ⓐ revelation ⓑ ventilation ⓒ fraud

10 **to be a mark or sign of**
ⓐ denote ⓑ presumption ⓒ prestige

|정답| 1 ⓑ 2 ⓐ 3 ⓒ 4 ⓐ 5 ⓑ 6 ⓐ 7 ⓒ 8 ⓑ 9 ⓒ 10 ⓐ

가리개를 사용하여 뜻을 잘 암기했는지 확인하세요.

0691 □□ **strenuous** [strénjuəs]

㊀ **힘든, 격렬한** requiring or involving the use of great energy or effort

Something like **strenuous** aerobic exercise is good for your heart.
힘든 유산소 운동 같은 것은 당신의 심장에 좋다.

Golf is a day spent in a round of **strenuous** idleness. - *William Wordsworth*
골프는 **격렬한** 게으름으로 보내는 하루이다.

make strenuous efforts 분투하다, 힘껏 노력하다

0692 □□ **saturated** [sǽtʃərèitid]

㊀ **(용액 등이) 포화된; 흠뻑 젖은**

People are advised to eat foods that are low in **saturated** fat and salt but high in fiber. EBS
사람들은 **포화** 지방과 염분은 적지만 섬유소가 많은 음식을 먹도록 권고받는다.

0693 □□ **armistice** [á:rmistis]

㊁ **휴전, 정전**

Someone shouted, "It's the **armistice**. The war is over." 학평
누군가가 "**정전(停戰)**이다. 전쟁이 끝났다."라고 외쳤다.

arm(= war) + (i) + stice(정지) → 전쟁을 정지한 상태

0694 □□ **dormant** [dɔ́:rmənt]

㊀ **(동식물이) 활동을 중단한, 동면 중인** quiet and inactive, as during sleep

Genes can be present in your body but in a **dormant** state. EBS
유전자는 여러분의 몸 안에 있을 수 있지만, **휴면** 상태이다.

dormant volcano 휴화산
+ **dormancy** ㊁ 휴면 상태, 비활동 상태

dorm(= sleep) + ant(형용사 접미사) → 잠자고 있는

0695 □□ **ravage** [rǽvidʒ]

1. ㊂ **파괴하다, 약탈하다**

Enemy soldiers **ravaged** the village.
적군이 마을을 **약탈했다**.

2. ㊁ **참혹한 피해, 파괴**

We tell jokes in the face of overwhelming odds and despite the **ravages** of time and fate. EBS
저항할 수 없는 역경에 직면해서도, 그리고 시간과 운명의 **참혹한 피해**에도 불구하고 우리는 농담을 한다.

0696 **desolate** [désəlit]

[형] **황량한, 황폐한** empty and not attractive because there are no people

It has been the belief of mankind that **desolate** places are the special haunt of supernatural beings. *- Richard Jefferies*
황량한 곳이 초자연적인 존재의 특별한 소굴이라는 것이 인류의 믿음이었다.

[+] **desolation** [명] 황량함; 황량한 곳

de(= away) + sole(= alone) + ate(형용사 접미사) → 혼자 떨어져 있는

0697 **belittle** [bilítl]

[동] **경시하다, 깎아내리다**

I shall allow no man to **belittle** my soul by making me hate him. *- Booker T. Washington*
나는 그 누구도 내가 그를 미워하게 함으로써 내 영혼을 **비하하도록** 하는 것을 용납하지 않을 것이다.

belittle oneself 자신을 낮추다

[=] **depreciate** [동] (가치를) 떨어뜨리다, 평가절하다

0698 **assault** [əsɔ́:lt]

1. [동] **공격하다, 폭행하다**

A man cannot lay down the right of resisting them that **assault** him by force, to take away his life. *- Thomas Hobbes*
사람은 자신을 무력으로 **공격하고** 목숨을 앗아가려는 사람들에게 저항할 권리를 내려놓을 수 없다.

2. [명] **공격, 습격; 폭행**

A witness might testify that the defendant is kind, suggesting that he would be unlikely to have committed a cruel **assault**. [EBS]
증인은 피고인이 친절하다고 증언을 해서 그가 잔인한 **폭행**을 저질렀을 것 같지 않다는 암시를 줄 수 있다.

0699 **revelation** [rèvəléiʃən]

[명] **폭로, (신의) 계시**

Weizman resigned under pressure due to the public **revelation** that he failed to declare a substantial sum of money. [EBS]
Weizman은 상당한 액수의 돈을 신고하지 않았다는 공개적인 **폭로**에 기인한 압력에 사임했다.

[+] **reveal** [동] 드러내다, 폭로하다 **unrevealed** [형] 숨겨진, 비밀의
[=] **disclosure** [명] 폭로

0700 **besiege** [bisí:dʒ]

[동] **포위하다** to surround with hostile forces

In fact, they are trying to surround and **besiege** the lake.
사실, 그들은 그 호수를 둘러싸고 **포위하려고** 노력하고 있다.

be besieged with questions 질문 공세를 받다

0701 **evaluative**
[ivǽljuèitiv]

㉮ 평가[사정]하는

Children's affective experiences are part of a complex **evaluative** process. EBS 아이들의 정서적인 경험은 복합적인 **평가** 과정의 일부분이다.

➕ evaluate ㉯ 평가하다　evaluation ㉰ 평가

e(x)(= out) + value(가치) + ative(형용사 접미사) → 가치가 밖으로 드러나게 하는

0702 **concerted**
[kənsə́ːrtid]

㉮ **협동의, 일치단결한** performed by agreement; planned or devised together

Mom and Dad could make a **concerted** effort to make their friendly waves especially vivid to their toddler. EBS
엄마와 아빠는 자신들의 친근한 손짓이 자신들의 아기에게 특히 생생하게 보이도록 하기 위해 **일치단결한** 노력을 할 수 있을 것이다.

take concerted action 일치된 행동을 하다

0703 **ventilation**
[vèntəléiʃən]

㉰ 통풍, 환기 (장치)

In warmer climates attention was given to the solar control of the envelope as well as to natural **ventilation** and daylighting. EBS
보다 따뜻한 기후에서는 자연 **통풍**과 자연 채광뿐만 아니라 외피의 태양광 제어에 관심이 주어졌다.

➕ ventilate ㉯ 환기하다

0704 **oppress**
[əprés]

㉯ 억압하다, 탄압하다

Wherever human beings are **oppressed** — by corrupt government, poverty or merely the specter of disease and death — jokes thrive. EBS
인간이 부패한 정부, 가난, 혹은 그저 질병과 죽음의 공포에 의해 **억압당하는** 곳은 어디든지 농담이 번성한다.

➕ oppressed ㉮ 억압받는　oppression ㉰ 억압, 압박

op(강조) + press(누르다) → 세게 누르다

0705 **triumphant**
[traiʌ́mfənt]

㉮ **의기양양한, 승리를 거둔** having achieved victory or success

There are some defeats more **triumphant** than victories.
승리보다 더 **의기양양한** 패배도 있다. - *Michel de Montaigne*

➕ triumph ㉰ 큰 성공; 승리 ㉯ 승리를 거두다

0706 **snore**

[snɔːr]

㊍ **코를 골다**

With the two dogs gently **snoring** in their favourite armchairs, we would yawningly creep up to our beds. EBS

두 마리의 개가 자기들이 가장 좋아하는 안락의자에서 부드럽게 **코를 골고** 있는 가운데, 우리는 하품을 하며 침대로 기어 올라가곤 했다.

snore away the whole night 밤새도록 코를 골다

0707 **stagnate**

[stǽgneit]

㊍ **(경제가) 침체되다, 부진해지다**

The coronavirus pandemic has caused most rents in the Seattle area to **stagnate**.

코로나바이러스 전염병은 시애틀 지역의 임대료 대부분을 **정체시켰다**.

⊞ **stagnation** ㊐ (경기) 침체, 부진
⇔ **inflate** ㊍ (물가가) 오르다; (통화를) 팽창시키다

0708 **suffice**

[səfáis]

㊍ **충분하다, 만족시키다** to be enough

A little anxiety can sometimes even help people solve problems — when analytic thought **suffices**. EBS

약간의 불안은 때때로 사람들이 문제를 해결하는 데 심지어 도움을 줄 수 있는데, 분석적 사고가 **충분할** 때 그렇다.

⊞ **sufficient** ㊔ 충분한, 흡족한

su(r)(= over) + fic(= make) + (e) → 넉넉하게 만들다

0709 **presumption**

[prizʌ́mpʃən]

㊐ **가정, 추정**

It is a common **presumption** that all fields of science are essentially the same sort of thing. EBS

모든 과학 분야가 근본적으로 동일한 종류라는 것은 흔한 **추정**이다.

⊞ **presume** ㊍ 추정하다, 여기다

pre(= before) + sume(= take) + (p)tion(명사 접미사) → 미리 생각해 보기

0710 **rigorous**

[rígərəs]

㊔ **정확한, 철저한, 엄격한** very severe or strict

Scientists do not apply **rigorous** standards to the original conception and development of an idea. EBS

과학자들은 어떤 아이디어의 초기 구상과 발전에 **엄격한** 기준을 적용하지 않는다.

⊞ **rigor** ㊐ 엄격함, 엄밀함

0711 □□ **demeanor** [dimíːnər]

[명] **품행, 태도, 표정**

These people have injured the system that controls their involuntary expressions, so that the only changes in their **demeanor** you will see are actually willed expressions. [모평]
이 사람들은 자신의 비자발적 표현을 통제하는 시스템을 다쳤으며, 그래서 당신이 보는 그들의 유일한 **표정**의 변화는 실제로 자발적인 표정일 것이다.

[유] conduct [명] 품행, 행위, 행동

0712 □□ **tenacious** [tənéiʃəs]

[형] **고집이 센, 집요한; 오래 계속되는**

I've always been **tenacious**. I don't let go of things until I think it's fixed. *- Grant Shapps*
나는 언제나 **집요했다**. 나는 해결되었다고 생각할 때까지 일을 놓아 주지 않는다.

be tenacious of old habits 오래된 습관을 고수하다

ten(= grasp) + acious(형용사 접미사) → 꽉 쥐고 있는

0713 □□ **fraud** [frɔːd]

[명] **사기 (행위)** deliberate deception, trickery, or cheating intended to gain an advantage

Rather fail with honor than succeed by **fraud**. *- Sophocles*
사기로 성공하기보다는 명예롭게 실패하라.

Although the manufacture and sale of such products do not violate the law, intentionally making false claims for a product is **fraud**. [모평]
그런 제품들의 제조와 판매가 법을 위반하는 것은 아니지만, 상품에 대해 고의적으로 거짓된 주장을 하는 것은 **사기**이다.

0714 □□ **confer** [kənfə́ːr]

[동] **수여하다, 주다; 협의하다**

Linguists define it as an endless combination of words translatable into symbols, and arbitrarily chosen to **confer** meaning. [EBS]
언어학자들은 그것을 기호로 옮길 수 있으며 의미를 **부여하기** 위해 임의로 선택한 낱말들의 끝없는 결합이라고 정의한다.

[파] conference [명] 회의

0715 □□ **prestige** [prestíːʒ]

[명] **명성, 위신**

What gives the artist real **prestige** is his imitators. *- Igor Stravinsky*
예술가에게 진정한 **명성**을 주는 것은 그의 모방자들이다.

[파] prestigious [형] 명성 있는, 일류의

pre(= before) + stige(= string 묶다) → 미리 마음에 묶어 둔 것

0716 **centralize**

[séntrəlàiz]

[동] 중앙집권화하다

Sometimes this highly **centralized** economic system is referred to as a command economy. [EBS]

때로는 이렇게 몹시 **중앙집권화된** 경제 체계를 계획 경제라고 부른다.

[+] centralized [형] 중앙집권화된

[↔] decentralize [동] 분권화하다, (권한을) 분산시키다

0717 **terminate**

[tə́ːrmənèit]

[동] 종결시키다, 끝내다

The catcher is the receiver in that his activity **terminates** it. [학평]

포수는 그의 행동이 그것을 **끝낸다는** 점에서 수신인이다.

[+] termination [명] 종료, 만료　terminal [형] 끝의, 말기의; 터미널, 종점

termin(= end) + ate(동사 접미사) → 끝을 내다

0718 **denote**

[dinóut]

[동] 의미하다, 나타내다 to be a mark or sign of

This is reflected in the original meaning of the word, which **denoted** one of equal social standing or rank. [EBS]

이는 그 말의 원래 의미에서 드러나는데, 그것은 동등한 사회적 지위나 위계를 가진 사람을 **의미했다**.

[+] denotement [명] 표시

de(= out) + note(= mark) → 바깥에 표시해 두다

0719 **latent**

[léitənt]

[형] 잠복해 있는, 잠재적인

Without passion man is a mere **latent** force and possibility, like the flint which awaits the shock of the iron before it can give forth its spark.

- Henri Frederic Amiel

열정이 없다면 인간은 불꽃을 일으키기 전에 철의 충격을 기다리는 부싯돌처럼 **잠재적인** 힘과 가능성에 불과하다.

[+] latently [부] 잠재적으로, 숨어 있어　latency [명] 잠복, 잠재

0720 **splendid**

[spléndid]

[형] 정말 멋진, 훌륭한

"**Splendid**," said the good rabbi, beaming, "that was just **splendid**. For this you deserve a prize." [EBS]

"**잘했구나**. 아주 **잘했구나**. 이에 대해 너는 상을 받을 만하다." 활짝 웃으면서 선량한 랍비가 말했다.

[+] splendor [명] 장대함, 장관

Review TEST

Q 빈칸에 알맞은 단어를 보기에서 골라 쓰시오. **수능 변형**

보기				
unrevealed	prestige	splendid	latently	demeanor

To begin with a psychological reason, the knowledge of another's personal affairs can tempt the possessor of this information to repeat it as gossip because as (1) .... information it remains socially inactive. Only when the information is repeated can its possessor turn the fact that he knows something into something socially valuable like social recognition, (2) ...., and notoriety. As long as he keeps his information to himself, he may feel superior to those who do not know it. But knowing and not telling does not give him that feeling of "superiority that, so to say, (3) .... contained in the secret, fully actualizes itself only at the moment of disclosure." This is the main motive for gossiping about well-known figures and superiors. The gossip producer assumes that some of the "fame" of the subject of gossip, as whose "friend" he presents himself, will rub off on him.

* notoriety: 악명

해석

심리적인 이유부터 시작하자면, 다른 사람의 개인적인 일에 대해 아는 것은 이 정보를 가진 사람이 그것을 뒷공론으로 반복하도록 부추길 수 있는데, 왜냐하면 (1) **숨겨진** 정보로서는 그것이 사회적으로 비활동적인 상태로 남기 때문이다. 그 정보를 소유한 사람은 그 정보가 반복될 때만 자신이 무언가를 알고 있다는 사실을 사회적 인지, (2) **명성** 그리고 악명과 같은 사회적으로 가치 있는 어떤 것으로 바꿀 수 있다. 자신의 정보를 남에게 말하지 않는 동안은, 그는 그것을 알지 못하는 사람들보다 자신이 우월하다고 느낄 수도 있다. 그러나 알면서 말하지 않는 것은 '말하자면 그 비밀 속에 (3) **보이지 않게** 들어 있다가 폭로의 순간에만 완전히 실현되는 우월감'이라는 그 기분을 그에게 주지 못한다. 이것이 잘 알려진 인물과 우월한 사람에 대해 뒷공론을 하는 주요 동기이다. 뒷공론을 만들어 내는 사람은 자신이 그의 '친구'라고 소개하는 그 뒷공론 대상의 '명성' 일부가 자신에게 옮겨질 것이라고 생각한다.

정답

(1) unrevealed (2) prestige (3) latently

| Preview | 영영풀이에 해당하는 단어를 ⓐ~ⓒ에서 고르시오.

01 **able to operate or exist without outside help**
ⓐ self-contained ⓑ mundane ⓒ majestic

02 **to continue to try to do something in spite of difficulties**
ⓐ validate ⓑ persevere ⓒ populous

03 **able to perceive; accustomed to**
ⓐ barbarous ⓑ dubious ⓒ attuned

04 **having an unknown or unacknowledged name**
ⓐ disdain ⓑ anonymous ⓒ artificiality

05 **doubting that something is true**
ⓐ skeptical ⓑ relocate ⓒ lateral

06 **strong and healthy**
ⓐ robust ⓑ sober ⓒ bereaved

07 **the fact, state, or right of coming before in time, order, or position**
ⓐ plead ⓑ arrogance ⓒ precedence

08 **a person with exceptional talent or ability**
ⓐ slacken ⓑ prodigy ⓒ humiliate

09 **a series of people or things that exist or happen one after the other**
ⓐ barrack ⓑ malevolent ⓒ succession

10 **to feel or express sadness for the death or loss of someone or something**
ⓐ mourn ⓑ outmaneuver ⓒ circulate

|정답| 1 ⓐ 2 ⓑ 3 ⓒ 4 ⓑ 5 ⓐ 6 ⓐ 7 ⓒ 8 ⓑ 9 ⓒ 10 ⓐ

가리개를 사용하여 뜻을 잘 암기했는지 확인하세요.

0721 **mundane** [mʌ́ndein]

형 **세속의; 일상적인, 평범한**

Something as **mundane** as the desire to count sheep was the driving force for an advance as fundamental as written language. 모평
양의 수를 세고자 하는 욕구만큼 **세속적인** 것이 문자 언어처럼 근본적인 진보의 원동력이었다.

Life tends to be an accumulation of a lot of **mundane** decisions, which often gets ignored. *- David Byrne*
인생이란 종종 무시당했던 수많은 **평범한** 결정들의 축적물일 수 있다.

동 **earthly, worldly** 형 세속적인

0722 **majestic** [mədʒéstik]

형 **웅장한, 장엄한**

People watch a film about the Himalayas on television and become excited by the 'untouched nature' of the **majestic** mountain peaks. EBS
사람들은 텔레비전에서 히말라야 산맥에 대한 영화를 시청하고 **장엄한** 산봉우리의 '본래 그대로의 자연'에 열광한다.

+ **majesty** 명 위엄, 장엄; (국왕·왕비에 대한 존칭) 폐하

maj(= great) + st(= stand) + ic(형용사 접미사) → 거대하게 서 있는

0723 **barbarous** [bɑ́ːrbərəs]

형 **야만적인, 미개한; 잔혹한**

A book that calls itself the novelization of a film is considered **barbarous**. 모평 영화를 소설화했다고 하는 책은 **상스럽게** 여겨진다.

동 **savage** 형 야만적인, 미개한

0724 **self-contained** [self-kəntéind]

형 **자립적인, 자족적인** able to operate or exist without outside help

The institution of family has become increasingly **self-contained** and private. EBS 가족이라는 제도는 점점 더 **자족적이고** 개인적인 것이 되었다.

self-contained accomodation 독립된 숙소

0725 **dubious** [djúːbiəs]

형 **의심스러운, 수상한, 미심쩍은**

The Bible is full of **dubious** scientific impossibilities.
성경은 **의심스러운** 과학적으로 불가능한 것들로 가득하다.

Her little butterfly soul fluttered incessantly between memory and **dubious** expectation. *- George Eliot <Adam Bede>*
그녀의 작은 나비의 영혼은 기억과 **미심쩍은** 기대 사이에서 끊임없이 흔들렸다.

dubious character 수상쩍은 사람

dubi(= doubt) + ous(형용사 접미사) → 의심스러운

0726 **validate**
[vǽlidèit]

동 **(정당함을) 인가[인정]하다, 검증하다, 입증하다**

Notice how your mind instantly produces thoughts that **validate** your point of view. EBS
마음이 어떻게 즉각적으로 당신의 가치관을 **입증하는** 생각을 만들어 내는지를 주목하라.

+ **validation** 명 확인, 입증

val(= worth) + idate(동사 접미사) → 가치 있게 하다

0727 **artificiality**
[ὰːrtəfìʃiǽləti]

명 **인위성**

It is precisely the **artificiality** created by the rules, the distinctive problem to be solved, that gives sport its special meaning. 모평
스포츠에 특별한 의미를 부여하는 것은, 바로 규칙이 만들어 낸 **인위성**, 즉 해결되어야 하는 독특한 문제이다.

+ **artificial** 형 인위적인, 인공적인, 인조의 **artifact** 명 인공물, 공예품

art(= craft) + fic(= make) + icial(형용사 접미사) + ity(명사 접미사) → 손끝으로 만든 것

0728 **persevere**
[pə̀ːrsəvíər]

동 **끈기 있게 노력하다, 인내하다** to continue to try to do something in spite of difficulties

Students will work harder and **persevere** longer for teachers they trust. EBS
학생들은 자신들이 신뢰하는 교사들을 위해 더 열심히 공부하고 더 오래 **끈기 있게 노력할** 것이다.

persevere with 끈기 있게 ~하다
+ **perseverance** 명 인내력 **persevering** 형 끈기 있는, 불굴의

0729 **populous**
[pάpjələs]

형 **인구가 많은; 붐비는**

As nations like China and India which are the most **populous** in the world become richer, many of their citizens will start to demand a more conventionally American regimen. EBS
세계에서 가장 **인구가 많은** 중국과 인도와 같은 나라들이 더 부유해짐에 따라, 그 나라 시민들 중 많은 수가 더 전통적인 미국식 식이 요법을 요구하기 시작할 것이다.

0730 **attuned**
[ətjúːnd]

형 **익숙한, 적응된** able to perceive; accustomed to

As we become more **attuned** to 'real time' events and media, we inevitably end up placing more trust in sensation and emotion than in evidence. EBS
'실시간' 사건과 미디어에 더 **익숙해짐에** 따라, 결국 우리는 필연적으로 증거보다 감각과 감정을 더 많이 신뢰하게 된다.

0731 □□ **anonymous**
[ənánəməs]

[형] **익명의** having an unknown or unacknowledged name

Because the written responses are kept **anonymous**, no one feels pressured to conform to anyone else's opinion. [EBS]
글로 쓴 응답은 **익명으로** 유지되기 때문에 아무도 다른 사람의 의견에 따라야 한다는 압박을 느끼지 않는다.

[+] **anonymity** [명] 익명성 **anonymously** [부] 익명으로

an(= not) + onym(= name) + ous(형용사 접미사) → 이름이 없는

0732 □□ **relocate**
[rilouké́it]

[동] **이사하다, 이전하다**

The king and his court **relocated** to the city of Oxford. [EBS]
왕과 그의 궁정은 Oxford 시로 **이전했다**.

[+] **relocation** [명] 재배치, 배치 전환

0733 □□ **skeptical**
[sképtikəl]

[형] **회의적인, 의심 많은** doubting that something is true

What makes us **skeptical** about history is the unending disagreement among historians over the same events. [EBS]
역사에 대해 우리를 **회의적으로** 만드는 것은 똑같은 사건들에 대한 사학자들 사이의 끝나지 않는 불일치이다.

Skeptical scrutiny is the means, in both science and religion, by which deep thoughts can be winnowed from deep nonsense. *- Carl Sagan*
회의적인[무신론적인] 정밀 조사는 과학과 종교 양쪽에서 깊은 생각을 깊은 허튼소리로부터 구별해 낼 수 있는 수단이다.

be skeptical about[of] ~을 의심하다
[+] **skepticism** [명] 의심, 회의(론) **skeptic** [형] 회의론자, 의심많은 사람

0734 □□ **bereaved**
[birí:vd]

[형] **(가족·친구 등과) 사별한**

Funerals were held, and the **bereaved** mourned their losses.
장례식이 열렸고 **유족들**은 그들의 상실을 애도했다.

the bereaved 유족

0735 □□ **robust**
[roubʌ́st]

[형] **강건한, 튼튼한** strong and healthy

The ability to disagree, without causing offense, is essential to **robust** communication and problem-solving within teams. [EBS]
감정을 상하게 하지 않으면서 의견을 달리하는 능력은 팀 내에서의 **왕성한** 의사소통과 문제 해결에 필수적이다.

0736 **precedence**
[présidəns]

㉮ **우선, 우위** the fact, state, or right of coming before in time, order, or position

We live in times when speed of reaction often takes **precedence** over slower and more cautious assessments. EBS
우리는 더 느리고 더 신중한 평가보다 반응 속도가 흔히 **우선**하는 시대에 살고 있다.

take precedence over ~보다 우선하다
➕ **precede** ㊍ ~에 앞서다, 선행하다 **precedent** ㉮ 선례, 전례; 선행하는 것
➕ **unprecedented** ㊌ 전례없는

pre(= before) + ced(= go) + ence(명사 접미사) → 앞서 가는 것

0737 **slacken**
[slǽkən]

㊍ **점점 줄어들다, 서서히 약해지다; 느슨해지다**

Positive thinking fools our minds into perceiving that we've already attained our goal, **slackening** our readiness to pursue it. 학평
긍정적인 사고는 우리의 사고가 우리의 목표를 이미 달성했다고 인식하도록 속이며, 그것을 수행하기 위한 준비를 **느슨하게 한다**.

slacken off (줄 등이) 느슨해지다

0738 **arrogance**
[ǽrəgəns]

㉮ **오만, 거만, 불손**

If you dislike the person, you might interpret the behavior as an inappropriate demonstration of **arrogance** and elitism. 학평
그 사람을 싫어한다면, 당신은 그 행동을 **거만함**과 엘리트 의식을 부적절하게 보여 주는 것으로 해석할지도 모른다.

➕ **arrogant** ㊌ 오만한

0739 **lateral**
[lǽtərəl]

㊌ **측면의, 옆의, 횡적인**

His new position was not a promotion but a **lateral** move from one superintendent position to another.
그의 새 직책은 승진이 아니라 하나의 감독 직책에서 다른 감독 직책으로의 **횡적** 이동이었다.

➕ **laterally** ㊕ 측면으로, 횡적으로

0740 **prodigy**
[prάdədʒi]

㉮ **천재, 영재** a person with exceptional talent or ability

Although child **prodigies** are often rich in both talent and ambition, what holds them back from moving the world forward is that they don't learn to be original. EBS
영재들이 흔히 재능과 야망 둘 다 많이 갖고 있지만, 그들이 세상을 발전시키지 못하게 하는 것은 그들이 독창적이 되는 법을 배우지 않는다는 것이다.

infant prodigy 신동

0741 **disdain**
[disdéin]

1. ⓢ **경멸하다**

After having won a scepter, few are so generous as to **disdain** the pleasures of ruling. *- Pierre Corneille*
왕권을 획득한 후, 통치의 즐거움을 **경멸할** 만큼 관대한 사람은 거의 없다.

2. ⓜ **경멸(감), 모멸**

For years, we look to third world countries and shed our **disdain** at their labor practices. EBS
여러 해 동안 우리는 제3세계 쪽을 보면서 그들의 노동 관행에 대하여 **경멸감**을 보이고 있다.

0742 **succession**
[səkséʃən]

ⓜ **연속** a series of people or things that exist or happen one after the other

Soup kitchens could not serve enough meals to those going hungry, banks collapsed in rapid **succession**, and children stopped going to school. EBS
무료 급식소들은 배고픈 사람들에게 충분한 음식을 제공할 수 없었고, 은행들은 빠르게 **잇달아** 파산했으며, 아이들은 등교를 중지했다.

in succession 잇달아, 연속하여

0743 **barrack**
[bǽrək]

ⓜ (주로 *pl.*) **(군인이 생활하는) 막사**

European powers in Africa and Asia were busy trekking into the dark wilderness and erecting **barrack** huts. 학평
아프리카와 아시아에서 유럽 열강들은 어두운 야생 지역으로 이동하고 **막사**를 세우느라 바빴다.

0744 **plead**
[pli:d]

ⓢ **간청하다, 애원하다**

The boy **pleaded**, "Coach, I promise I will not let you down. I beg of you, please let me play." EBS
그 소년은 "감독님, 절대로 실망시켜 드리지 않겠습니다. 아무쪼록 제발 뛰게 해 주십시오."라며 **애원했다**.

plead against ~을 반박[항변]하다
➕ **plea** ⓜ 애원, 간청; 항변, 변호

0745 **mourn**
[mɔ:rn]

ⓢ **슬퍼하다, (죽음을) 애도하다** to feel or express sadness for the death or loss of someone or something

In America, we find a long history of **mourning** practices for nonhuman animals. EBS 미국에서 우리는 인간이 아닌 동물에 대한 **애도** 관행의 오랜 역사를 보게 된다.

➕ **mourning** ⓜ 애도 **mournful** ⓗ 슬픔에 잠긴, 애도하는

0746 **malevolent**

[məlévələnt]

형 **악의가 있는, 악랄한**

To some, multinational corporations are **malevolent** monopolizers that exploit labor and avoid taxes.
일부 사람들에게 다국적 기업은 노동력을 착취하고 세금을 회피하는 **악의적인** 독점자들이다.

유 **malicious, wicked** 형 악의 있는, 사악한

male(= bad) + vol(= will) + ent(형용사 접미사) → 나쁜 의지를 가진

0747 **humiliate**

[hju:mílièit]

동 **굴욕감을 주다, 창피하게 하다**

Some data can often be of dubious reliability; it can be false; or it can be true but deeply **humiliating**. 학평
어떤 자료는 흔히 신뢰성이 의심스러울 수 있거나, 틀릴 수 있거나, 혹은 사실이지만 매우 **굴욕감을 줄** 수도 있다.

파 **humiliation** 명 창피함, 굴욕감

hum(= earth) + iliate(동사 접미사) → 땅에 닿게 아래로 향하게 하다

0748 **outmaneuver**

[àutmənú:vər]

동 **책략으로 이기다, (상대방의) 허를 찌르다**

My new supervisor knows how to **outmaneuver** the boss in most situations. 나의 새로운 감독관은 대부분의 상황에서 보스를 **능가하는** 방법을 안다.

0749 **sober**

[sóubər]

형 **술에 취하지 않은; 냉철한, 진지한**

Always do **sober** what you said you'd do drunk. That will teach you to keep your mouth shut. *- Ernest Hemingway*
당신이 취해서 했던 말을 항상 **맑은 정신에서** 해라. 그것이 당신의 입을 다물고 있도록 가르쳐 줄 것이다.

Affliction comes to us, not to make us sad but **sober**; not to make us sorry but wise. *- H. G. Wells*
고난은 우리를 슬프게 하지 않고, **냉철하게** 하며, 우리를 불쌍하게 하지 않고 지혜롭게 하기 위해 우리에게 온다.

0750 **circulate**

[sə́:rkjəlèit]

동 **순환하다, 퍼지다; 유포되다, 배포되다**

The stories that **circulate** in the media can shape a society's perceptions and attitudes. EBS
대중 매체에서 **유포되는** 기사는 사회의 인식과 태도를 형성할 수 있다.

파 **circulation** 명 순환; 유통; (신문, 잡지의) 판매 부수

Review TEST

Q **빈칸에 알맞은 단어를 보기에서 골라 쓰시오.** **학평 변형**

보기

unprecedented dubious humiliating attuned persevering

The Internet allows information to flow more freely than ever before. We can communicate and share ideas in (1) ______ ways. These developments are revolutionizing our self-expression and enhancing our freedom. But there's a problem. We're heading toward a world where an extensive trail of information fragments about us will be forever preserved on the Internet, displayed instantly in a search result. We will be forced to live with a detailed record beginning with childhood that will stay with us for life wherever we go, searchable and accessible from anywhere in the world. This data can often be of (2) ______ reliability; it can be false; or it can be true but deeply (3) ______. It may be increasingly difficult to have a fresh start or a second chance. We might find it harder to engage in self-exploration if every false step and foolish act is preserved forever in a permanent record.

해석

인터넷은 정보가 이전의 그 어느 때보다 더 자유롭게 흐르도록 한다. 우리는 (1) **전례 없는** 방법으로 의사소통을 하고 아이디어를 공유할 수 있다. 이러한 발전들은 우리의 자기표현을 혁신하고 우리의 자유를 증진하고 있다. 하지만 문제가 있다. 우리는 우리에 관한 단편적 정보의 광범위한 흔적이 인터넷에 영원히 보존되어 검색 결과에서 즉각 보이게 될 세상으로 향하고 있다. 우리는 전 세계 어느 곳에서나 검색할 수 있고 접근할 수 있는, 우리가 어디에 가든 평생 우리와 함께할, 어린 시절부터 시작하는 상세한 기록을 지니고 살 수밖에 없을 것이다. 이러한 정보는 자주 신뢰성이 (2) **의심스러울** 수 있거나, 틀릴 수 있거나, 혹은 사실이지만 매우 (3) **창피하게 할 수도** 있다. 새 출발을 하거나 다시 한 번의 기회를 갖는 것이 점점 더 어려워질 수 있다. 만약 모든 실수와 어리석은 행동이 영구적인 기록으로 영원히 보존된다면, 우리는 자기를 탐색하기가 더 어렵다는 것을 알게 될지도 모른다.

정답

(1) unprecedented (2) dubious (3) humiliating

| Preview | 영영풀이에 해당하는 단어를 ⓐ~ⓒ에서 고르시오.

01 **lasting for only a moment; very brief**
ⓐ momentary ⓑ rhetorical ⓒ proactive

02 **a number, amount, or share that is officially allowed**
ⓐ deliberation ⓑ quota ⓒ sabotage

03 **a person who is confined in a prison, hospital, etc**
ⓐ offset ⓑ inmate ⓒ clerical

04 **the quality or condition of being sincere**
ⓐ fertility ⓑ cutback ⓒ sincerity

05 **suggesting or threatening harm or evil**
ⓐ sinister ⓑ translucent ⓒ deprive

06 **spirit; mood; emotional or mental condition**
ⓐ secrecy ⓑ drainage ⓒ morale

07 **spoken, written, or given in confidence; secret; private**
ⓐ confidential ⓑ displease ⓒ secrete

08 **not allowing light to pass through**
ⓐ subsidize ⓑ imperative ⓒ opaque

09 **happening, existing, or done at the same time**
ⓐ simultaneous ⓑ democratize ⓒ circumvent

10 **unwilling to spend or give**
ⓐ unparalleled ⓑ stagger ⓒ stingy

|정답| 1ⓐ 2ⓑ 3ⓑ 4ⓒ 5ⓐ 6ⓒ 7ⓐ 8ⓒ 9ⓐ 10ⓒ

📖 가리개를 사용하여 뜻을 잘 암기했는지 확인하세요.

0751 □□ **momentary** [móuməntèri]

[형] **잠깐의, 일순간의, 순식간의** lasting for only a moment; very brief

Our **momentary** feelings of self-worth strongly depend on the extent to which others approve of us and include us. [EBS]
우리의 **매 순간의** 자존감은 다른 사람들이 우리를 (좋다고) 인정하고 우리를 포함하는 정도에 강하게 달려 있다.

momentary impulse 순간적인 충동

0752 □□ **deliberation** [dilìbəréiʃən]

[명] **숙고, 고려**

The suppression of disagreement should never be made into a goal in political **deliberation**. [모평]
의견 차이의 억압은 정치적 **고려**에서 목표로 삼아져서는 절대 안 된다.

[+] **deliberate** [동] 심사숙고하다 [형] 신중한; 의도적인

de(강조) + liber(= balance) + ation(명사 접미사) → 저울에 무게를 달 듯이 신중함

0753 □□ **quota** [kwóutə]

[명] **몫, 할당량** a number, amount, or share that is officially allowed

Many governments in Africa legally set **quotas** for hunting big game.
아프리카의 많은 정부는 합법적으로 대형 동물 사냥 **할당량**을 설정했다.

[=] **proportion** [명] 부분, 몫; 비율

0754 □□ **rhetorical** [ritɔ́(:)rikəl]

[형] **수사적인, 미사여구의**

Writers establish mood and tone by the artful selection of words and phrases and link them to **rhetorical** purposes, especially in history. [EBS]
글쓴이는 단어와 구절을 솜씨 좋게 선택함으로써 분위기와 어조를 정하고 그것들을 **수사학적인** 목적에 연결시키는데, 특히 역사에서 그러하다.

[+] **rhetoric** [명] 미사여구, 수사(修辭)

0755 □□ **inmate** [ínmèit]

[명] **(교도소의) 수감자, (병원의) 입원자** a person who is confined in a prison, hospital, etc

Most visitors to zoos are convinced that the **inmates** live in comfort, but this view is far from the truth in many cases. [학평]
대부분의 동물원 방문객들은 **갇힌 동물들**이 안락하게 생활한다고 확신하지만, 많은 경우에 이러한 견해는 사실과 거리가 멀다.

0756 **sincerity**
[sinsérəti]

㊔ **성실, 진실, 진심** the quality or condition of being sincere

Her words were filled with noble sentiments, born of her absolute **sincerity**. EBS
그녀의 말은 절대적인 **진심**에서 나온 고귀한 정서로 가득했다.

A little **sincerity** is a dangerous thing, and a great deal of it is absolutely fatal. *- Oscar Wilde*
작은 **성실함**은 위험한 것이며 과도한 성실함은 절대적으로 치명적이다.

a man of sincerity 성실한 사람
+ sincere ㊍ 진실된, 성실한 sincerely ㊏ 진심으로

0757 **proactive**
[prouǽktiv]

㊍ **(상황을 앞서서) 주도하는, 사전 대책을 강구하는**

Research has shown that **proactive** people have more positive energy flowing through their systems than reactive or inactive types. EBS
연구 결과, **상황을 앞서서 주도하는** 사람들이 (상황에) 반응하거나 소극적인 유형의 사람들보다 자신의 시스템을 통해 긍정적인 에너지가 더 많이 흐르는 것으로 나타났다.

+ proactively ㊏ 선제적으로

pro(= before) + active(활동적인) → 미리 행동하는

0758 **offset**
[ɔ́:fsèt]

㊐ **상쇄하다**

The carbon emissions are largely **offset** by planting trees.
나무를 심음으로써 탄소 방출을 크게 **상쇄시킬** 수 있다.

Social welfare is a set of activities that has, in part, been directed to **offsetting** the unequal distributions. EBS
사회 복지는 부분적으로 불평등한 분배의 **상쇄**를 지향해 온 일련의 활동이다.

offset losses by gains 이익으로 손실을 상쇄하다

0759 **cutback**
[kʌ́tbæ̀k]

㊔ (주로 *pl.*) **축소, 삭감, 감축**

In recent years, many cities have made significant **cutbacks** in the provision of municipal services.
최근 몇 해 동안에 여러 도시에서는 시에서 제공하는 봉사 업무의 상당량을 **삭감**했다.

The economic **cutbacks** caused by the pandemic would also have a serious impact on children's education.
세계적 유행병에 의해 야기된 경제 **위축**은 아이들의 교육에도 심각한 영향을 끼치게 될 것이다.

0760 **sinister**
[sínistər]

㊔ **사악한; 불길한** suggesting or threatening harm or evil

People with courage and character always seem **sinister** to the rest.
용기와 인격을 갖춘 사람들은 항상 다른 사람들에게 **악하게[나쁘게]** 보인다. *- Hermann Hesse*

sinister symptoms 불길한 징후

0761 **sabotage**
[sǽbətɑ̀ːʒ]

1. ⓢ 파괴하다; 고의로 방해하다

Anxiety also **sabotages** academic performance of all kinds. 수능
걱정은 또한 모든 종류의 학업을 **방해한다**.

2. ⓜ 고의적 방해, (노동자에 의한 기계 등의) 파괴 행위

Sabotage means an intentional destruction of something.
사보타주는 어떤 것의 의도적인 파괴를 의미한다.

commit sabotage 파괴 행위를 하다

0762 **clerical**
[klérikəl]

ⓗ 사무직의; 목사의, 성직자의

She was given a tough target of converting the **clerical** staff to the new paperless system within one year. EBS
1년 안에 **사무** 직원을 종이를 쓰지 않는 새로운 체계로 전환시켜야 하는 어려운 목표가 (관리자인) 그녀에게 주어졌다.

The **clerical** regime is nearing its end.
그 **성직** 정권은 막바지에 다다르고 있다.

the clerical staff 사무 직원

0763 **morale**
[mərǽl]

ⓜ 사기, 의욕 spirit; mood; emotional or mental condition

Motivating employees can improve their **morale** and job satisfaction.
직원들에게 동기를 부여하는 것은 그들의 **사기**와 직업 만족도를 향상시킬 수 있다.

Ohio State University football coach Woody Hayes once visited the troops in Vietnam to raise their **morale**. EBS
Ohio 주립 대학의 미식축구 감독인 Woody Hayes는 언젠가 부대의 **사기**를 높이기 위해 베트남에 있는 부대를 방문했었다.

0764 **unparalleled**
[ʌnpǽrəlèld]

ⓗ 견줄 데 없는, 유례없는

The outbreak of the coronavirus is having an **unparalleled** effect on our society and economy.
코로나바이러스의 발생은 우리 사회와 경제에 **전례가 없는** 영향을 끼치고 있다.

0765 **stagger**
[stǽgər]

ⓢ 비틀거리며 가다

The old man **staggered** into the room and collapsed.
그 노인은 방으로 **비틀거리며 들어오더니** 쓰러졌다.

유 **totter** ⓢ 비틀거리다

0766 □□ **fertility**
[fəːrtíləti]

[명] **비옥, 비옥도; 다산; 풍요**

Fertilizers tend to increase soil **fertility**, or at least soil productivity. [EBS]
비료는 토양의 **비옥도**나 적어도 토양의 생산성을 증가시키는 경향이 있다.

[+] **fertile** [형] 비옥한, 기름진 **fertilize** [동] 비옥하게 하다; 비료를 주다
[↔] **infertility** [명] 불임(증); 불모

fer(= bear) + tile(= able) + ity(명사 접미사) → 생산할 수 있는 것

0767 □□ **confidential**
[kànfidénʃəl]

[형] **기밀의, 비밀의** spoken, written, or given in confidence; secret; private

Your individual responses will be kept completely **confidential**. [EBS]
당신의 개별적인 응답은 철저히 **비밀로** 지켜질 것입니다.

[+] **confidentiality** [명] 비밀 유지, 기밀성

0768 □□ **secrecy**
[síːkrisi]

[명] **비밀 엄수, 비밀 유지**

Politicians often claim **secrecy** is necessary for good governance or national security. *- Heather Brooke*
정치인들은 종종 좋은 통치 또는 국가 안보를 위해서 **비밀 유지**가 필요하다고 주장한다.

Two thousand years later, British letter writers used exactly the same method, not to achieve **secrecy** but to avoid paying excessive postage costs. [학평]
2천 년 후에 영국에서 편지 쓰는 사람들은 **비밀 유지**를 달성하기 위해서가 아니라 과도한 우편 요금 지불을 피하기 위해 정확히 같은 방법을 사용했다.

promise secrecy 비밀 엄수를 약속하다

0769 □□ **opaque**
[oupéik]

[형] **불투명한, 빛을 통과시키지 않는** not allowing light to pass through

You cannot see through **opaque** glass.
너는 **불투명한** 유리를 통해서는 (안을) 볼 수 없다.

The doctor should be **opaque** to his patients and, like a mirror, should show them nothing but what is shown to him. *- Sigmund Freud*
의사는 환자에게 **불투명해야** 하며, 거울처럼 그에게 보이는 것만 환자들에게 보여 줘야 한다.

[↔] **transparent** [형] 투명한

0770 □□ **displease**
[displíːz]

[동] **불쾌하게 하다**

You did evil in my sight and chose what **displeases** me.
너는 내 앞에서 악을 행했고 나를 **불쾌하게 하는** 행동을 선택했다.

Pictures and shapes are but secondary objects and please or **displease** only in the memory. *- Francis Bacon*
그림과 모양은 부차적인 물체에 불과해서 기억 속에서만 즐겁거나 **불쾌하게 한다**.

[+] **displeased** [형] 마음에 들지 않는, 불쾌한

dis(반대) + please(기쁘게 하다) → 불쾌하게 하다

0771 **secrete**
[sikrí:t]

㉢ **분비하다**

Olives contain a lot of calcium, which can help to **secrete** insulin.
올리브에는 많은 칼슘이 들어있으며, 이는 인슐린의 **분비**를 도울 수 있다.

⊞ **secretion** ㉡ 분비(물)

0772 **simultaneous**
[sàiməltéiniəs]

㉥ **동시에 존재하는, 동시의** happening, existing, or done at the same time

In God's eyes, there's not before and after. Every moment of time is **simultaneous** to God. *- Michael Novak*
하나님의 눈에는 이전도 이후도 없다. 모든 순간은 하나님에게 **동시에 존재한다.**

There is evidence that fish that accumulate mercury also accumulate selenium in equivalent amounts and the **simultaneous** presence of the selenium is believed to be able to counteract the toxic effects of the mercury. EBS
수은을 축적하는 생선은 또한 동등한 양의 셀레늄을 축적한다는 증거가 있고, 셀레늄이 **동시에 존재하는** 것은 수은의 독성 효과를 없앨 수 있다고 여겨진다.

⊞ **simultaneously** ㉤ 동시에, 일제히

0773 **circumvent**
[sə̀:rkəmvént]

㉢ **회피하다; 우회하다, 피해 가다**

Eco-certification of production could **circumvent** some problems by providing a means for the socially conscious consumer to identify environmentally superior products. EBS
생산에 대한 친환경 인증을 통해 사회적으로 의식 있는 소비자에게 환경적으로 우수한 제품을 식별할 수 있는 수단을 제공함으로써 약간의 문제들을 **피할 수 있다.**

⊞ **circumvention** ㉡ 회피, 기피

circum(= around) + vent(= come) → 빙 둘러서 오다

0774 **stingy**
[stíndʒi]

㉥ **인색한, 구두쇠 같은** unwilling to spend or give

He was so **stingy** that he never spent money on clothes.
그는 아주 **인색해서** 절대 옷을 사는데 돈을 쓰지 않았다.

Courtesy is the one coin you can never have too much of or be **stingy** with. *- John Wanamaker*
예의란 너무 많이 가질 수도 **인색할** 수도 없는 하나의 동전과 같다.

be stingy with ~을 너무 아끼다
⊞ **stinginess** ㉡ 인색함

0775 **subsidize**
[sʌ́bsidàiz]

㉢ **보조금을 지급하다**

The government needs to **subsidize** farming to make sure there will be a good supply of food.
양질의 식량 공급을 확실히 하기 위해서 정부는 농업에 **보조금을 줄** 필요가 있다.

⊞ **subsidy** ㉡ 보조금, 장려금

0776 **drainage**

[dréinidʒ]

㉮ 배수 (장치)

Infrastructure such as roads, **drainage** and sewerage, electricity, telecommunication networks and so on are substantial in supporting urban development. EBS

도로, **배수** 및 하수 시설, 전기, 원격 통신망 등과 같은 기반 시설은 도시 개발을 지원하는 데 상당한 역할을 한다.

+ **drain** ⑤ (물 등을) 빼내다

0777 **translucent**

[trænslúːsənt]

㉳ 반투명한

Translucent glass is popular for use in areas like bathrooms where privacy is required, but light transmittance is still important.

반투명 유리는 사생활이 요구되지만 빛의 투과가 여전히 중요한 화장실과 같은 지역에서 사용되는데 인기가 있다.

trans(= through) + luc(= light) + ent(형용사 접미사) → 빛이 통과하는

0778 **imperative**

[impérətiv]

1. ㉮ 명령, 의무; 당면 과제

We are constantly faced with the **imperatives** of making our actions and attitudes acceptable to others. EBS

우리는 우리의 행동과 태도를 다른 사람들이 받아들일 수 있게 만들어야 하는 **당면 과제**에 끊임없이 직면하게 된다.

2. ㉳ 꼭 필요한, 긴요한

Climate change is the environmental challenge of this generation, and it is **imperative** that we act before it's too late. *- John Delaney*

기후 변화는 이 세대의 환경 문제이며 더 늦기 전에 행동해야 하는 것이 **꼭 필요하다**.

0779 **democratize**

[dimɑ́krətàiz]

⑤ 민주화하다

Advocates of e-government see the Internet as a way to **democratize** the relationship between individual citizens and their government. EBS

전자 정부의 옹호자들은 인터넷을 개별 시민과 정부 간의 관계를 **민주화하는** 방법으로 간주한다.

0780 **deprive**

[dipráiv]

⑤ 빼앗다, 박탈하다

Human beings are the only species that will deliberately **deprive** themselves of sleep without legitimate gain. 학평

인간은 합당한 이익 없이 의도적으로 자신에게서 잠을 **빼앗는** 유일한 종(種)이다.

deprive A of B A에게서 B를 빼앗다[박탈하다]

+ **deprivation** ㉮ 박탈; 결핍, 부족 **deprived** ㉳ 궁핍한, 불우한

de(= away) + priv(개인) + e(동사 접미사) → 개인을 분리하다

Review TEST

Q **빈칸에 알맞은 단어를 보기에서 골라 쓰시오.** **수능 변형**

보기			
simultaneously	democratize	confidential	circumvent

Prior to file-sharing services, music albums landed exclusively in the hands of music critics before their release. These critics would listen to them well before the general public could and preview them for the rest of the world in their reviews. Once the internet made music easily accessible and allowed even advanced releases to spread through online social networks, availability of new music became (1) ______________(e)d, which meant critics no longer had unique access. That is, critics and laypeople alike could obtain new music (2) ______________. Social media services also enabled people to publicize their views on new songs, list their new favorite bands in their social media bios, and argue over new music endlessly on message boards. The result was that critics now could access the opinions of the masses on a particular album before writing their reviews. Thus, instead of music reviews guiding popular opinion toward art (as they did in preinternet times), music reviews began to reflect — consciously or subconsciously — public opinion.

* laypeople: 비전문가

해석

파일 공유 서비스 이전에, 음악 앨범은 발매 전에 음악 비평가들의 손에 독점적으로 들어갔다. 이런 비평가들은 일반 대중들이 들을 수 있기 훨씬 전에 그것을 듣고 나머지 세상 사람들을 위해 자신의 비평에서 시사평을 쓰곤 했다. 인터넷을 통해 음악을 쉽게 접할 수 있게 되고, 미리 공개된 곡들이 온라인 소셜 네트워크를 통해 퍼질 수 있게 되자, 신곡을 접할 수 있는 것이 (1) **민주화되었는데**, 이는 비평가들이 더 이상 그들만이 유일하게 접근할 수 없게 되었다는 것을 의미했다. 즉, 비평가와 비전문가가 똑같이 (2) **동시에** 신곡을 얻을 수 있었다. 소셜 미디어 서비스는 또한 사람들이 신곡에 대한 자신의 견해를 알리고, 자신의 소셜 미디어 약력에 자신이 좋아하는 새로운 밴드의 리스트를 작성하고, 메시지 게시판에서 신곡을 놓고 끝없이 논쟁할 수 있게 했다. 그 결과 비평가들은 이제 자신의 비평을 쓰기 전에 특정 앨범에 관한 대중의 의견을 접할 수 있었다. 그리하여 (인터넷 이전 시대에 했던 것처럼) 예술에 관한 여론을 인도하는 대신에, 음악 비평은 의식적으로든 혹은 잠재의식적으로든 여론을 반영하기 시작했다.

정답

(1) democratized (2) simultaneoulsy

DAY 27

| Preview | 영영풀이에 해당하는 단어를 ⓐ~ⓒ에서 고르시오.

01 **uncertain, weak, or likely to change**
ⓐ diffuse ⓑ ruthless ⓒ tenuous

02 **a state of society without government or law**
ⓐ anarchy ⓑ dictatorship ⓒ interviewee

03 **completely clear and very firm**
ⓐ unequivocal ⓑ inaudible ⓒ fearsome

04 **having little or no rain; dry**
ⓐ afar ⓑ equalize ⓒ arid

05 **one's basic nature or character**
ⓐ temperament ⓑ neutralize ⓒ dissolve

06 **doing good or causing good to be done; charitable**
ⓐ collegiate ⓑ unattainable ⓒ beneficent

07 **to take place; happen**
ⓐ revolutionize ⓑ befall ⓒ shabby

08 **to prove to be false or incorrect; disprove**
ⓐ refute ⓑ slender ⓒ outrageous

09 **to place under one's power by magic; attract, fascinate**
ⓐ bewitch ⓑ incessant ⓒ urgency

10 **having great inventive skill and imagination**
ⓐ divisible ⓑ ingenious ⓒ spirited

|정답| 1 ⓒ 2 ⓐ 3 ⓐ 4 ⓒ 5 ⓐ 6 ⓒ 7 ⓑ 8 ⓐ 9 ⓐ 10 ⓑ

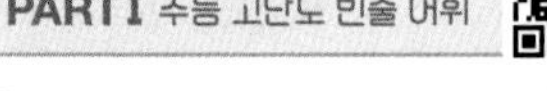

가리개를 사용하여 뜻을 잘 암기했는지 확인하세요.

0781 **tenuous** [ténjuəs]

㉿ **(연관성 등이) 미약한, (증거가) 빈약한** uncertain, weak, or likely to change

The relationship between happiness and income is **tenuous**.
행복과 소득 사이의 관계는 **미약하다**.

If I had learned anything in my life about love, it was that they were **tenuous** things that could end at any moment. *- Richelle Mead*
내 인생에서 사랑에 대해 배운 것이 있다면 그것은 어느 때든 끝날 수 있는 **빈약한** 것이라는 것이었다.

0782 **diffuse** [difjúːs]

1. ㊍ **확산시키다, 확산하다, 분산하다**

A more dominant culture **diffuses** into less developed cultures, and begins to dominate it.
좀 더 지배적인 문화는 덜 발달한 문화로 **확산해서** 그것을 지배하기 시작한다.

2. ㉿ **산만한; 분산된**

Traditional knowledge seems much more **diffuse**, messy, and likely to be forgotten. EBS
전통적인 지식은 훨씬 더 **산만하고**, 정리되어 있지 않고, 잊힐 가능성이 훨씬 더 많을 것 같다.

➕ **diffuseness** ㊔ 발산; 보급; 산만

di(s)(= away) + fus(= melt) + e(형용사 접미사) → 녹아내려 멀리 흩어지다

0783 **neutralize** [njúːtrəlàiz]

㊍ **중화하다, 중성화하다; 무효화하다**

A new test may show whether your immune system can **neutralize** the deadly virus.
새로운 실험은 당신의 면역 체계가 그 치명적인 바이러스를 **중화시킬** 수 있는지 여부를 보여 줄 것이다.

➕ **neutrality** ㊔ 중성; 중립(성) **neutral** ㉿ 중립의 ㊔ 중립

0784 **anarchy** [ǽnərki]

㊔ **무정부 (상태)** a state of society without government or law

The worst thing in this world, next to **anarchy**, is government.
이 세상에서 **무정부** 다음으로 가장 나쁜 것은 정부다. *- Henry Ward Beecher*

an(= not) + archy(통치) → 통치가 없는 (상태)

0785 **ruthless** [rúːθlis]

㉿ **무자비한**

This is a **ruthless** world and one must be **ruthless** to cope with it. *- Charlie Chaplin*
이 세상은 **무자비한** 세상이고 이것에 대처하기 위해서 사람들은 **무자비해져야** 한다.

0786 **fearsome**

[fíərsəm]

㉠ **무시무시한, 가공할; 대단한**

King Jayavarman VII, the warrior king who united Cambodia in the 12th century, made his army train in bokator, turning it into a **fearsome** fighting force. 모평

12세기에 캄보디아를 통일한 전사의 왕인 Jayavarman 7세는 그의 군대가 bokator로 훈련하도록 해서 그 군대를 **무시무시한** 전투 부대로 만들었다.

0787 **unequivocal**

[ʌ̀nikwívəkəl]

㉠ **명백한, 의심의 여지가 없는** completely clear and very firm

My answer to that question is an **unequivocal** 'no'.

그 질문에 대한 나의 대답은 **분명한** '아니오'이다.

Courage and modesty are the most **unequivocal** of virtues, for they are of a kind that hypocrisy cannot imitate; they too have this quality in common, that they are expressed by the same color. *- Johann von Goethe*

용기와 겸손은 가장 **명백한** 덕목이다. 왜냐하면 용기와 겸손은 위선이 모방할 수 없는 종류이기 때문이다. 용기와 겸손은 같은 색으로 표현된다는 공통점을 가지고 있다.

반 **equivocal** ㉠ 애매한, 모호한, 불분명한

동 **umambiguous** ㉠ 모호하지 않은, 분명한

un(= not) + equi(= equal) + vocal(= speak) → 양쪽에서 말하지 않는

0788 **interviewee**

[ìntərvjuːíː]

㉡ **피면접자, 인터뷰 대상자**

Interviewees should arrive with an understanding of the company.

피면접자들은 회사에 대해 알고 (회사에) 와야 한다.

반 **interviewer** ㉡ 면접관

0789 **afar**

[əfáːr]

㉢ **멀리서**

I've been watching you from **afar**.

나는 **멀리서** 너를 계속 보고 있다.

Our deeds still travel with us from **afar**, and what we have been makes us what we are. *- Geroge Eliot*

우리의 행위는 여전히 **멀리서부터** 우리와 함께 여행하며, 우리가 해 온 것이 우리로 하여금 현재의 모습이 되게 만들어 준다.

from afar (아주) 멀리서

0790 **arid**

[ǽrid]

㉠ **건조한** having little or no rain; dry

This area is very **arid** with barely two inches of rain annually.

이 지역은 1년에 비가 2인치도 내리지 않아 매우 **건조하다**.

Rebellion without truth is like spring in a bleak, **arid** desert. *- Khalil Gibran*

진실이 없는 반란은 황량하고 **건조한** 사막의 샘과 같다.

0791 **temperament** [témpərəmənt]

[명] **기질, 성질, 성미** one's basic nature or character

A work of art is the unique result of a unique **temperament**. *- Oscar Wilde*
예술 작품은 독특한 **기질**에서 나오는 독특한 결과(물)이다.

0792 **inaudible** [inɔ́:dəbl]

[형] **들리지 않는, 알아들을 수 없는**

When the earphone is connected, speakerphone is **inaudible**.
이어폰이 연결되면 스피커폰은 **들리지 않는다**.

The sound waves you produce travel in all directions and bounce off the walls at different times and places, scrambling them so much that they are **inaudible** when they arrive at the ear of a listener forty feet away. [모평]
당신이 만드는 음파는 모든 방향으로 이동하고 각기 다른 시간과 장소에서 벽에 반사되어, 그것들을 너무 많이 뒤섞으므로 40피트 떨어져 있는 듣는 사람의 귀에 도달할 때는 **들리지 않는다**.

[↔] **audible** [형] 들리는, 들을 수 있는

0793 **dissolve** [dizɑ́lv]

[동] **용해시키다, 녹이다; (조직을) 해산시키다**

Any wealth or any progress is relative, and quickly **dissolves** in a comparison with others. [학평]
어떠한 재산이든 어떠한 발전이든 상대적이며, 타인과의 비교 속에서 빠르게 **효력이 사라진다**.

[+] **dissolution** [명] 용해; 소멸, 해산

dis(= away) + solve(= release) → 떼어내어 풀어지게 하다

0794 **equalize** [í:kwəlàiz]

[동] **균등[평등]하게 하다; (경기에서 상대방과) 동점이 되다**

We need to **equalize** the workload of employees.
우리는 직원들의 작업량을 **균등하게 할** 필요가 있다.

Individuals who want to more nearly **equalize** the distribution of social benefits come into conflict with those who want the freedom to keep the amounts of social benefits they already have gained. [EBS]
사회적 혜택의 분배를 더 **균등하게 하고자** 하는 사람들은 이미 자신들이 얻은 사회적 혜택의 양을 유지하고자 하는 자유를 원하는 사람들과 충돌하게 된다.

[+] **equality** [명] 평등, 균등 **equal** [형] 동등한, 평등한

0795 **dictatorship** [diktéitərʃip]

[명] **독재 정권, 독재 국가**

When **dictatorship** is a fact, revolution becomes a right. *- Victor Hugo*
독재가 현실이 될 때, 혁명은 권리가 된다.

For example, a **dictatorship** can, in theory, be brutal or benevolent. [모평]
예를 들어, **독재 정권**은 이론적으로 잔혹할 수도 자비로울 수도 있다.

[+] **dictator** [명] 독재자

0796 **beneficent**
[bənéfisənt]

㉠ **선행을 행하는, 인정 많은** doing good or causing good to be done; charitable

Beneficent behavior is rewarded, and bad behavior is punished.
선행은 보상을 받으며, 악행은 처벌을 받는다.

One sets a baseline of at least not causing harm; the other points toward aspirational or idealized **beneficent** behavior. 모평
하나는 최소한 해를 끼치지 않는 기준선을 설정하고, 다른 하나는 염원하거나 이상화된 **선행을 베푸는** 행위를 가리킨다.

➕ beneficial ㉠ 유익한, 이로운

bene(= good) + fic(= make) + ent(형용사 접미사) → 착한 일을 하는

0797 **unattainable**
[ʌ̀nətéinəbl]

㉠ **이룰 수 없는, 도달할 수 없는**

Push yourself but don't set **unattainable** goals!
열심히 노력하라. 하지만 **달성할 수 없는** 목표를 세우지는 마라!

Teachers are expected to reach **unattainable** goals with inadequate tools. The miracle is that at times they accomplish this impossible task.
- Haim Ginott
교사는 적합하지 않은 도구로 **도달하기 어려운** 목표를 달성해야 한다. 기적이란 때때로 그들이 이러한 불가능한 일을 수행하는 것이다.

↔ attainable ㉠ 이룰 수 있는, 도달할 수 있는

0798 **collegiate**
[kəlíːdʒiət]

㉠ **대학(생)의**

Collegiate sports are a major industry in the U.S. and significant part of the culture.
대학 스포츠는 미국의 주요한 산업이며 문화의 중요한 일부이다.

After his **collegiate** golf days, McCormack got a law degree, and his friend Palmer turned to him for legal advice. 학평
그가 **대학**에서 골프 치던 시절 이후, McCormack은 법학 학위를 받았고, 그의 친구인 Palmer는 법률적 조언을 위해 그에게 도움을 청하였다.

0799 **revolutionize**
[rèvəlúːʃənàiz]

㉧ **근본적으로 바꾸다, 대변혁을 가져오다**

Stem cell research can **revolutionize** medicine, more than anything since antibiotics. *- Ron Reagan*
줄기세포 연구는 항생제 이후로 어떤 것보다 의학에 **혁명을 일으킬** 수 있다.

➕ revolution ㉢ 대변혁, 혁명 revolutionizer ㉢ 대변혁을 일으키는 사람

0800 **befall**
[bifɔ́ːl]

㉧ **(안 좋은 일이) 닥치다** to take place; to happen

He tried to avoid any possible danger that might **befall** him. EBS
그는 자신에게 **닥칠** 가능성이 있는 어떤 위험이든 피하려고 했다.

0801 **shabby** □□
[ʃǽbi]

㉻ **초라한, 남루한, 허름한**

Her clothing looked **shabby**, and her bag was a bit dirty. EBS
그녀의 옷은 **허름해** 보였고 가방은 약간 더러웠다.

Winter lies too long in country towns; hangs on until it is stale and **shabby**, old and sullen. - *Willa Cather*
시골 마을에서는 겨울이 너무 길다. 겨울은 낡고 **초라하며** 늙고 음침해질 때까지 지속된다.

shabby behavior 수치스러운 행동

0802 **refute** □□
[rifjúːt]

㉧ **논박하다, 반박하다** to prove to be false or incorrect; to disprove

Scientists across the world worked to gather evidence to support or **refute** Darwin's theory.
전 세계의 과학자들은 다윈의 이론을 뒷받침하거나 **반박하는** 증거를 모으기 위해서 일했다.

➕ **refutable** ㉻ 논박할 수 있는 **refutation** ㉮ 논박, 반박

re(= again) + fut(= hit) + e(동사 접미사) → 되받아 치다

0803 **bewitch** □□
[biwítʃ]

㉧ **마법을 걸다, 매혹하다** to place under one's power by magic; attract, fascinate

The prince was **bewitched** by a wicked witch.
그 왕자는 사악한 마녀에 의해서 **마법에 걸렸다**.

➕ **bewitched** ㉻ 매혹된, 마법에 걸린

0804 **outrageous** □□
[autréidʒəs]

㉻ **터무니없는, 지나친, 가혹한**

It is **outrageous** that the poor should pay more taxes than the rich.
가난한 사람들이 부자들보다 더 많은 세금을 내야 한다는 것은 **터무니없다**.

To be, or not to be, that is the question. Whether it is nobler in the mind to suffer the stings and arrows of **outrageous** fortune, or take up arms against a sea of troubles, and by opposing them, end them. - *William Shakespeare*
죽느냐 사느냐, 그것이 문제로다. **가혹한** 운명의 돌팔매와 화살을 견디는 것이 더 고귀한 행동일지, 아니면 밀려드는 역경에 맞서 싸워 이기는 게 더 고귀한 행동일지.

➕ **outrage** ㉮ 격분, 격노 ㉧ 격노하게 만들다 **outrageously** ㉮ 터무니없이, 불합리하게

0805 **slender** □□
[sléndər]

㉻ **날씬한; (양·크기가) 얼마 안 되는**

Almost all models are tall and **slender**.
거의 모든 모델들은 키가 크고 **날씬하다**.

slender income 비약한[얼마 되지 않는] 수입
㊀ **slim** ㉻ 호리호리한, 가냘픈

0806 **divisible**

[divízəbl]

㊎ **나눌 수 있는**

All even numbers are **divisible** by 2.
모든 짝수는 2로 **나눌 수 있다.**

⊞ divide ㊐ 나누다 division ㊏ 나눗셈; 분리, 분할
⇔ indivisible ㊎ 나눌 수 없는, 불가분의

0807 **incessant**

[insésənt]

㊎ **끊임없는, 그칠 줄 모르는**

The **incessant** buzzing of mosquitoes drove me crazy.
모기의 **끊임없는** 윙윙 소리가 나를 미치게 만들었다.

We must try and discover the mechanisms that drive nature's **incessant** creation of organisms without piling up mountains of waste. EBS
우리는 산더미 같은 쓰레기를 쌓아올리지 않고서 자연이 **끊임없이** 유기체를 만들어 내게 하는 메커니즘들을 찾으려고 노력해야 한다.

in(= not) + cess(= cease) + ant(형용사 접미사) → 멈추지 않는

0808 **urgency**

[ə́ːrdʒənsi]

㊏ **긴박, 절박, 위급**

I sensed the **urgency** in her voice, and I raced into the kitchen right away.
나는 그녀 목소리에서 **긴박함**을 느끼고 당장 주방으로 달려갔다.

Some fans often want to convey their sense of **urgency** to the team, or people at the bar may want to show their disgust to others in the crowd. 모평
어떤 팬들은 흔히 자신의 **절박함**을 그 팀에 전하기를 원하거나, 그 술집에 있는 사람들은 집단 내의 다른 사람들에게 혐오감을 보여 주기를 원할 수도 있다.

sense of urgency 절박감, 긴박감
⊞ urgent ㊎ 시급한, 긴급한

0809 **spirited**

[spíritid]

㊎ **생기 있는, 힘찬**

My sister is a **spirited** girl full of energy.
내 여동생은 에너지가 충만한 **생기 있는** 소녀이다.

The bargaining in the noisy market became **spirited**, even intense, with Paul stepping up his price slightly and the seller going down slowly. EBS
Paul이 자신의 가격을 조금씩 올리고 판매자가 더디게 가격을 내리면서 시끄러운 시장에서의 그 거래는 **활기를 띠었고**, 심지어는 격렬해졌다.

⊞ spirit ㊏ 정신, 마음, 영혼

0810 **ingenious**

[indʒíːnjəs]

㊎ **독창적인, 창의적인** having great inventive skill and imagination

He came up with a very **ingenious** solution to the problem.
그는 그 문제에 대한 매우 **독창적인** 해법을 생각해냈다.

⊞ ingenuity ㊏ 독창성, 창의력

Review TEST

Q 빈칸에 알맞은 단어를 보기에서 골라 쓰시오. 학평 변형

보기

dissolved　　befalling　　diffusing　　neutralized

Life in the earth's oceans simply would not exist without the presence of (1) ________ oxygen. This life-giving substance is not, however, distributed evenly with depth in the oceans. Oxygen levels are typically high in a thin surface layer 10-20 metres deep. Here oxygen from the atmosphere can freely diffuse into the seawater, plus there is plenty of floating plant life producing oxygen through photosynthesis. Oxygen concentration then decreases rapidly with depth and reaches very low levels, sometimes close to zero, at depths of around 200-1,000 metres. This region is referred to as the oxygen minimum zone. This zone is created by the low rates of oxygen (2) ________ down from the surface layer of the ocean, combined with the high rates of consumption of oxygen by decaying organic matter that sinks from the surface and accumulates at these depths. Beneath this zone, oxygen content increases again with depth. The deep oceans contain quite high levels of oxygen, though not generally as high as in the surface layer. The higher levels of oxygen in the deep oceans reflect in part the origin of deep-ocean seawater masses, which are derived from cold, oxygen-rich seawater in the surface of polar oceans.

해석

지구의 바다 생물은 (1) **용해되어 있는** 산소의 존재 없이는 전혀 존재할 수 없을 것이다. 하지만 이 생명을 부여하는 물질은 바닷속 깊이에 따라 균등하게 분포되어 있지 않다. 10~20미터 깊이의 얕은 표층에서 산소 수치는 일반적으로 높다. 여기에서는 대기로부터의 산소가 자유롭게 해수 속으로 퍼지며, 게다가 광합성을 통해 산소를 생산하는 많은 부유 식물들이 존재한다. 산소 농도는 이후 깊어질수록 급격히 줄어들고 대략 200~1000미터의 깊이에서 때로는 0에 가까운 매우 낮은 수치에 도달한다. 이 구간은 산소 극소 대역이라고 일컬어진다. 이 대역은 바다의 표층에서 아래로 (2) **퍼져 가는** 산소의 낮은 비율에 의해 형성되고, 표면에서 가라앉아 이 깊이에 축적된 부패하고 있는 유기물에 의한 높은 산소 소비율과 결합된다. 이 대역 아래에서는 산소의 함량이 깊이에 따라 다시 증가한다. 이 깊은 바다는 비록 일반적으로 표층에서만큼 높지는 않지만 그래도 꽤 높은 산소 수치를 포함한다. 깊은 바다에서의 높아진 산소 수치는 다량의 심해수의 출처를 일부 반영하는데, 그것은 극지방 바다 표면의 차갑고 산소가 풍부한 해수로부터 나온 것이다.

정답

(1) dissolved (2) diffusing

| Preview | 영영풀이에 해당하는 단어를 ⓐ~ⓒ에서 고르시오.

01 **to overcome an obstacle; triumph over**
ⓐ agonize ⓑ surmount ⓒ enrage

02 **anything that enhances the appearance of a person or thing**
ⓐ ornament ⓑ surplus ⓒ auctioneer

03 **the quality of being ancient or very old**
ⓐ antiquity ⓑ vigilance ⓒ bedrock

04 **a failure, defect, or deficiency in conduct, thought, ability, etc**
ⓐ conclusive ⓑ stroll ⓒ shortcoming

05 **a false show of something; something imagined or pretended**
ⓐ sarcastic ⓑ coarse ⓒ pretense

06 **to swallow or eat up hungrily**
ⓐ scrutinize ⓑ devour ⓒ subside

07 **meaning the same or nearly the same**
ⓐ synonymous ⓑ ambivalent ⓒ deficient

08 **the state or quality of being peaceful**
ⓐ steadfast ⓑ proposition ⓒ serenity

09 **a severe shortage of food**
ⓐ famine ⓑ refrain ⓒ glimpse

10 **to annoy persistently, as with repeated demands or questions**
ⓐ pester ⓑ befriend ⓒ atomize

|정답| 1 ⓑ 2 ⓐ 3 ⓐ 4 ⓒ 5 ⓒ 6 ⓑ 7 ⓐ 8 ⓒ 9 ⓐ 10 ⓐ

가리개를 사용하여 뜻을 잘 암기했는지 확인하세요.

0811 **surmount** [sərmáunt]

동 **극복하다, 이겨내다** to overcome an obstacle; to triumph over

He **surmounted** his physical challenges and strived to help others.
그는 신체장애를 **극복하고** 다른 사람들을 돕기 위해서 노력했다.

Subjects may be better off imagining how to **surmount** obstacles instead of ignoring them. 모평
실험 대상자들은 장애물을 무시하는 대신 **극복할** 방법을 상상하면서 더 나아질 수 있다.

+ **surmountable** 형 극복할 수 있는
= **overcome** 동 극복하다

sur(= super) + mount(= climb) → 위로 오르다

0812 **sarcastic** [sa:rkǽstik]

형 **빈정대는, 비꼬는, 냉소적인**

His tone was **sarcastic**, and that pissed me off a little.
그의 어조는 **비꼬는** 투였고, 그것은 나를 약간 열 받게 했다.

+ **sarcasm** 명 빈정거림, 비꼼; 비꼬는 말

0813 **ornament** [ɔ́:rnəmənt]

명 **장식(물)** anything that enhances the appearance of a person or thing

The real **ornament** of woman is her character, her purity. - *Mahatma Gandhi*
여자의 진짜 **장식품**은 그녀의 성격, 순수성이다.

0814 **surplus** [sə́:rplʌs]

1. 명 **여분, 잉여; 흑자**

The Industrial Revolution brought such an abundance of material **surpluses**. EBS
산업 혁명은 아주 많은 물질적 **잉여**를 가져 왔다.

2. 형 **여분의, 과잉의**

Urbanization increases the demand for **surplus** food production from the countryside. EBS
도시화는 시골 지역에서 나오는 **여분의** 식품 생산에 대한 요구를 증가시킨다.

0815 **agonize** [ǽgənàiz]

동 **고심하다, 괴로워하다**

People are **agonizing** over one question: When will "normal" life resume?
사람들은 한가지 질문에 대해 **고심하고** 있다. '정상적인' 삶은 언제 재개될 수 있을 것인가?

agonize over[**about**] ~에 대해 고심하다
+ **agony** 명 고뇌, (정신적) 고통

0816 **antiquity**
[æntíkwəti]

[명] **아주 오래됨, 낡음, 고색** the quality of being ancient or very old

The most striking characteristic of state public health law — and the one that underlies many of its defects — is its overall **antiquity**. [EBS]
국가 공중 보건법에서 두드러진 특징은 그리고 그 결함의 근간이 되는 것은 그것의 전반적인 **매우 오래됨**이다.

A great value of **antiquity** lies in the fact that its writings are the only ones that modern men still read with exactness. *- Friedrich Nietzsche*
낡음의 큰 가치는 그 문장이 현대인들이 여전히 정확하게 읽고 있는 유일한 것이라는 사실에 있다.

of great antiquity 아주 오래된
[+] antique [명] 골동품 [형] 골동품의

0817 **auctioneer**
[ɔ̀:kʃəníər]

[명] **경매인, 경매사**

Earning a degree in Art History is the first step to becoming an art **auctioneer**.
미술사에서 학위를 받는 것은 예술품 **경매사**가 되기 위한 첫 단계이다.

[+] auction [명] 경매

0818 **vigilance**
[vídʒələns]

[명] **경계, 조심**

There is a reason that prey animals form foraging groups, and that is increased **vigilance**. [학평]
먹잇감이 되는 동물들이 먹이를 찾는 그룹을 형성하는 이유가 있는데, 그것은 증가된 **경계**이다.

I sometimes think that the price of liberty is not so much eternal **vigilance** as eternal dirt. *- George Orwell*
나는 때때로 자유의 대가가 영원한 더러움만큼 영원한 **경계**가 아니라고 생각한다.

[+] vigilant [형] 경계하는, 주의하는

0819 **conclusive**
[kənklú:siv]

[형] **결정적인, 확실한**

There is no **conclusive** proof of Unidentified Flying Objects.
미확인 비행 물체(UFO)에 대한 **결정적인** 증거는 없다.

A whole people with the ballot in their hands possess the most **conclusive** and unlimited power ever entrusted to humanity. *- Herbert Hoover*
투표권을 손에 든 모든 사람들은 인류에게 위임된 가장 **결정적이고** 무한한 권력을 소유한다.

[+] conclude [동] 끝맺다, 완결하다 conclusion [명] 결말, 종결

0820 **shortcoming**
[ʃɔ́:rtkʌ̀miŋ]

[명] **결점, 단점** a failure, defect, or deficiency in conduct, thought, ability, etc

The major **shortcoming** of the traditional dictionary is that there is limited space available to give only a sampling of how words are used. [EBS]
전통적인 사전의 주요한 **단점**은 이용 가능한 공간이 제한되어 있어서 단어가 어떻게 사용되는지에 관한 견본만 제시한다는 것이다.

0821 **enrage**
[enréidʒ]

㊄ **몹시 화나게 하다, 격노시키다**

The dictator's cruelty **enraged** all the people in his country.
그 독재자의 잔인함은 그의 국가의 모든 사람들을 **노하게 했다**.

be enraged at[with, by] ~에 몹시 화내다
유 **irritate** ㊄ 화나게 하다, 짜증나게 하다

en(= make) + rage(분노) → 분노하게 하다

0822 **pretense**
[prí:tens]

㊅ **꾸밈, 위장, 가장함** a false show of something; something imagined or pretended

You can wake up a sleeping person but not one who is making a **pretense** of sleeping.
자는 사람은 깨울 수 있지만, 자는 **척하는** 사람은 깨울 수 없다.

make a pretense of ~인 체하다

0823 **scrutinize**
[skrú:tənàiz]

㊄ **철저히 검토하다, 자세히 살펴보다**

The most erroneous stories are those we think we know best and therefore never **scrutinize** or question. 학평
가장 잘못된 이야기는 우리가 잘 안다고 생각해서 **면밀히 조사하거나** 의문을 제기하지 않는 이야기이다.

⊕ **scrutiny** ㊅ 정밀 검토, 상세 조사

0824 **devour**
[diváuər]

㊄ **게걸스레 먹다; 탐독하다** to swallow or eat up hungrily

I was so hungry that I **devoured** all the pizza by myself.
나는 너무 배가 고파서 모든 피자를 혼자서 **허겁지겁 먹어 치웠다**.

Our growth depends not on how many experiences we **devour**, but on how many we digest. *- Ralph W. Sockman*
우리의 성장은 우리가 얼마나 많은 경험을 **탐식하느냐가** 아니라 얼마나 많은 경험을 소화하느냐에 달려 있다.

0825 **coarse**
[kɔ:rs]

㊆ **(천·피부가) 거친; (말씨가) 상스러운**

This cream can make your **coarse** skin soft and smooth.
이 크림은 당신의 **거친** 피부를 부드럽고 매끄럽게 만들 수 있다.

In Germany, you might have been attcked by werewolves or a semi-human Wild Man, a kind of ogre covered with **coarse** hair who ate children. 학평
독일에서였다면 당신은 늑대 인간이나 아이들을 잡아먹는 **거친** 털로 뒤덮인 일종의 도깨비인 반인반수 Wild Man에게 공격받았을 수도 있다.

유 **rugged** ㊆ 거칠고 억센; 보기 흉한

0826 **stroll**

[stroul]

1. ⓢ **거닐다, 산책하다**

He goes on to describe his daily routine of **strolling** through the village observing the intimate details of family life. 모평

그는 이어서 가정생활의 상세한 세부 사항들을 관찰하면서 마을을 **거니는** 그의 일과를 묘사하기 시작한다.

동 wander ⓢ 산책하다; 방황하다

2. ⓜ **거닐기, 산책**

She suggested going for a **stroll** to the river.

그녀는 강까지 **산책하는 것**을 제안했다.

0827 **synonymous**

[sinánəməs]

ⓗ **동의어의; 같은 것을 나타내는** meaning the same or nearly the same

To many people, having a goal is **synonymous** with commitment, and commitment to a goal — in turn — is nearly **synonymous** with success. EBS

많은 사람들에게 목표를 갖는 것은 전념과 **아주 밀접하고**, 목표에 대한 전념은 결국 성공과 거의 **아주 밀접하다**.

+ synonym ⓜ 동의어 synonymously ⓟ 같은 뜻으로

반 antonymous ⓗ 반의어의

0828 **ambivalent**

[æmbívələnt]

ⓗ **상반된 감정이 공존하는, 양면 가치의**

Parents typically feel **ambivalent** when their teens receive their driver's licenses. 부모들은 그들의 십대들이 운전면허를 받을 때 전형적으로 **양면 감정을** 느낀다.

+ ambivalence ⓜ 상반된 감정; 양면 가치

ambi(= both) + valent(= value) → 양쪽 다 가치 있는

0829 **subside**

[səbsáid]

ⓢ **가라앉다, 잠잠해지다**

I handed her a box of tissues and waited for her sobs to **subside**. EBS

나는 그녀에게 화장지 한 통을 건네주고 그녀의 흐느낌이 **잦아들기를** 기다렸다.

sub(= under) + sid(= sit) + e(동사 접미사) → 아래에 앉다

0830 **serenity**

[sərénəti]

ⓜ **(하늘·기후 등의) 고요함, 맑음; 평온함** the state or quality of being peaceful

She loved being around the **serenity** of woods and lakes.

그녀는 숲과 호수의 **고요함** 속에 있는 것을 좋아했다.

+ serene ⓗ 평화로운, 고요한

0831 **deficient**
[difíʃənt]

㉻ **부족한, 불충분한; 결함이 있는**

When sleep is **deficient**, there is sickness and disease.
잠이 **부족할** 때 질병이 생긴다.

My father was pretty amazed that I had been living with such a **deficient** trash can. EBS
내가 그렇게 **결함이 있는** 쓰레기통을 감내하며 살아왔다는 사실에 아버지께서는 상당히 놀라셨다.

➕ deficiency ㉹ 결핍, 부족 deficit ㉹ 적자, 부족, 결손

de(= down) + fic(= make) + ent(형용사 접미사) → 모자라게 만든

0832 **famine**
[fǽmin]

㉹ **기근, 기아** a severe shortage of food

One day population growth would outstrip food production and cause widespread **famine**. EBS
언젠가 인구 증가가 식량 생산을 앞질러 만연한 **기근**을 일으킬 것이다.

There will always be good times and bad, feasts and **famines**, hot summers and cold winters. 학평
좋은 때와 나쁜 때, 잔치와 **기근**, 무더운 여름과 추운 겨울은 항상 있을 것이다.

suffer from famine 기근에 시달리다
➕ famish ㉺ 굶주리게 하다

0833 **bedrock**
[bédrɑ̀k]

㉹ **(튼튼한) 기반; 기반암**

Your existing customers form the **bedrock** providing the foundation from which to grow. EBS
당신의 기존 고객은 성장할 수 있는 토대를 제공하는 **탄탄한 기반**을 형성한다.

0834 **refrain**
[rifréin]

1. ㉺ **삼가다, 자제하다**

In schools, students often **refrain** from doing what they really want for fear of what their peers will think of their behavior. EBS
학교에서, 학생들은 흔히 자신의 행동을 다른 또래들이 어떻게 생각할까에 대한 두려움 때문에 자신들이 정말 원하는 것을 하기를 **자제한다**.

2. ㉹ **(노래의) 후렴**

Most songs have a **refrain** that is repeated multiple times.
대부분의 노래는 여러 차례 반복되는 **후렴구**가 있다.

refrain from ~을 삼가다, ~을 그만두다

0835 **pester**
[péstər]

㉺ **성가시게 하다, 귀찮게 하다** to annoy persistently, as with repeated demands or questions

Little children **pester** their parents to buy things for them that they desire.
어린아이들은 그들의 부모에게 그들이 원하는 것들을 사달라고 **귀찮게 한다**.

➕ pesterous ㉻ 괴롭히는, 못 살게 구는

0836 **proposition**

[prɑ̀pəzíʃən]

[명] 제안; 명제, 진술

A hypothesis is an idea or **proposition** that can be tested by observations or experiments.
가설은 관찰이나 실험에 의해서 검증될 수 있는 아이디어나 **명제**이다.

It has been argued that we should construct our general theories, deduce testable **propositions** and prove or disprove them against the sampled data. [EBS]
우리가 일반적인 이론을 구축하고 검증할 수 있는 **명제**를 추론하며, 그것을 표본 자료와 비교하여 증명하거나 반증을 들어야 한다고 주장되어 왔다.

[+] propose [동] 제안하다, 제의하다

0837 **glimpse**

[glimps]

[명] 힐끗 봄, 언뜻 봄

When you catch a **glimpse** of your potential, that's when passion is born.
당신의 잠재력을 **언뜻 보게** 될 때, 그때가 당신의 열정이 태어나는 때다. *- Zig Ziglar*

Caches of these coins are still being discovered in south India, offering us a **glimpse** of trade patterns two thousand years ago. [EBS]
이러한 동전 은닉물은 아직도 남인도에서 발견되고 있으며, 2천 년 전의 교역 패턴을 **어렴풋이** 알게 해 준다.

0838 **befriend**

[bifrénd]

[동] ~와 사귀다, 친구가 되다

Those who recognize your dishonesty will be reluctant to **befriend** you.
[EBS] 당신의 부정직함을 알아보는 사람들은 당신**과 친구가 되는** 것을 주저할 것이다.

0839 **steadfast**

[stédfæ̀st]

[형] 한결같은, 확고부동한

She was my **steadfast** friend for more than 50 years.
그녀는 50년 이상 나의 **한결같은** 친구였다.

The employees of the military remain among the highest functioning, **steadfast**, and loyal of virtually any organization on the planet. [학평]
군대에 고용된 사람들은 사실상 지구상에 있는 모든 조직 중에서 가장 제대로 기능하고, **확고부동하고**, 충성스러운 자들에 속한다.

[+] steadfastness [명] 고정됨; 확고함

0840 **atomize**

[ǽtəmàiz]

[동] 원자화하다; 세분화하다, 개별화되다

A mass society is a society in which individuals are **atomized** in the sense that they have no strong links with other members of the society.
대중 사회는 개인들이 다른 사회 구성원들과 강력한 유대를 갖지 못한다는 의미에서 **원자화되는** 사회이다.

Review TEST

Q 빈칸에 알맞은 단어를 보기에서 골라 쓰시오. **모평 변형**

보기				
ambivalent	conclusive	ambivalence	pester	atomize

Research from the Harwood Institute for Public Innovation in the USA shows that people feel that 'materialism' somehow comes between them and the satisfaction of their social needs. A report entitled *Yearning for Balance*, based on a nationwide survey of Americans, concluded that they were 'deeply (1) ____________ about wealth and material gain'. A large majority of people wanted society to 'move away from greed and excess toward a way of life more centred on values, community, and family'. But they also felt that these priorities were not shared by most of their fellow Americans, who, they believed, had become 'increasingly (2) ____________(e)d, selfish, and irresponsible'. As a result they often felt isolated. However, the report says, that when brought together in focus groups to discuss these issues, people were 'surprised and excited to find that others share(d) their views'. Rather than uniting us with others in a common cause, the unease we feel about the loss of social values and the way we are drawn into the pursuit of material gain is often experienced as if it were a purely private (3) ____________ which cuts us off from others.

해석

미국 Harwood Institute for Public Innovation의 연구는 사람들이 '물질주의'가 어쩐 일인지 그들과 그들의 사회적 욕구의 만족 사이에 끼어든다고 느낀다는 것을 보여 준다. 미국인에 대한 전국적인 조사를 토대로 한, 〈Yearning for Balance〉라는 제목의 보고서는 그들이 '부와 물질적 이익에 관해 대단히 (1) **양면 가치적**'이라고 결론지었다. 대다수의 사람들은 사회가 '탐욕과 과잉에서 벗어나 좀 더 가치, 공동체, 가족 중심의 삶의 방식으로 향하기'를 원했다. 그러나 그들은 이러한 우선순위가 그들이 믿기에 '점차 (2) **개별화되고**, 이기적이며, 무책임해진' 대다수의 동료 미국인에 의해 공유되지 않는다고 느끼기도 했다. 그 결과, 그들은 종종 소외된 기분이 들었다. 하지만, 보고서에 따르면, 이러한 문제를 논의하기 위해 초점 집단으로 모였을 때, 사람들은 '다른 사람들이 그들의 견해를 공유한다[했다]는 것을 알게 되어 놀라고 흥분'했다. 사회적 가치의 상실과 물질적 이익의 추구로 끌려 들어가는 방식에 대해 우리가 느끼는 불안감은, 다른 사람들과 우리를 공동의 대의로 결속하기보다는 마치 우리를 다른 사람들과 단절시키는 순전히 개인의 (3) **양면 가치**인 것처럼 경험되는 경우가 흔하다.

정답

(1) ambivalent (2) atomized (3) ambivalence

| Preview | 영영풀이에 해당하는 단어를 ⓐ~ⓒ에서 고르시오.

01 **the body of specialized words relating to a particular subject**
ⓐ terminology ⓑ complicit ⓒ combustion

02 **to become accustomed to a new climate or environment**
ⓐ intercept ⓑ acclimate ⓒ compliance

03 **to become smaller and smaller**
ⓐ anew ⓑ publicize ⓒ dwindle

04 **to assume to be true or existent; to take for granted**
ⓐ elaborate ⓑ postulate ⓒ brink

05 **to fill or make complete again; to add a new stock or supply to**
ⓐ replenish ⓑ dose ⓒ prerequisite

06 **the act of yielding or conceding, as to a demand or argument**
ⓐ spoilage ⓑ commoner ⓒ concession

07 **in exact accordance with or limited to the primary meaning of a word or text**
ⓐ residual ⓑ vie ⓒ literal

08 **to sound loudly and harshly**
ⓐ blare ⓑ preoccupy ⓒ articulate

09 **to exclude or banish a person from a particular group, society, etc**
ⓐ beautify ⓑ ostracize ⓒ probe

10 **to give or deal out, especially in parts or portions**
ⓐ behold ⓑ reconcile ⓒ dispense

|정답| 1ⓐ 2ⓑ 3ⓒ 4ⓑ 5ⓐ 6ⓒ 7ⓒ 8ⓐ 9ⓑ 10ⓒ

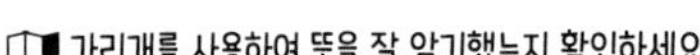

가리개를 사용하여 뜻을 잘 암기했는지 확인하세요.

0841 **anew**
[ənjúː]

[부] 새로, 다시

I decided to start **anew**, to strip away what I had been taught.
나는 **새로** 시작하기로, 내가 배웠던 것을 제거하기로 결심했다. - *Georgia O'Keeffe*

The infant has a mind unrestricted by experience: he has no expectations, so he is not closed off from experiencing something **anew**. [학평]
유아는 경험에 의해 제한되지 않은 마음을 가지고 있다. 즉 그는 예상을 하지 않으며, 따라서 무언가를 **새로** 경험하는 것으로부터 차단되어 있지 않다.

0842 **terminology**
[tə̀ːrmənɑ́lədʒi]

[명] 전문 용어 the body of specialized words relating to a particular subject

One particular kind of consistency that's important in science is the definition and use of **terminology**. [EBS]
과학에서 중요한 한 가지 특별한 종류의 일관성은 **전문 용어**의 정의와 사용이다.

0843 **intercept**
[ìntərsépt]

[동] (무전이나 방송 등을) 엿듣다; 가로채다

SETI has been scanning the firmament for radio signals over more than forty years, and they have failed to **intercept** a single coherent message. [EBS]
SETI는 40년이 넘는 기간에 걸쳐 무선 신호를 찾아 창공을 살펴 오고 있지만, 그들은 단 하나의 일관된 메시지도 **엿듣지** 못했다.

inter(= between) + cept(= take) → 사이에서 끄집어내다

0844 **complicit**
[kəmplísət]

[형] (범죄에) 공모한, 공범인, 연루한

Parents must teach their only child to be an attention giver or else they become **complicit** in raising a child who believes attention getting is what matters most. [EBS]
부모는 외동아이에게 (남에게) 관심을 기울이는 사람이 되라고 가르쳐야 하는데, 그렇게 하지 않으면 그들은 (남의) 관심을 받는 것이 가장 중요한 것이라고 생각하는 아이를 키우는 데 **공범이** 된다.

0845 **acclimate**
[əkláimit]

[동] 적응하다, 순응하다 to become accustomed to a new climate or environment

If a species can **acclimate** to the new environment, then it will have a competitive advantage.
만일 하나의 종(種)이 새로운 환경에 **적응하면**, 그것은 경쟁 우위를 갖게 될 것이다.

ac(= to) + climate(기후) → 기후에 익숙해지다

0846 **dwindle**
[dwíndl]

[동] (점점) 줄어들다, 쇠퇴하다 to become smaller and smaller

Hollywood, even at home, hasn't found a way to reliably attract **dwindling** audiences increasingly turning to television, the Web, and video games for their entertainment. [모평]
할리우드는 심지어 자국 내에서조차 갈수록 더 자신들의 오락을 위하여 텔레비전, 웹, 비디오 게임으로 향하는 **줄어드는** 관객을 확실하게 끌 수 있는 방법을 찾지 못했다.

[+] dwindling [형] 점점 들어드는
[=] decrease [동] 줄다, 감소하다

0847 **publicize**
[pʌ́blisàiz]

[동] 공표하다, 선전하다

The government encouraged scientists to **publicize** significant discoveries.
정부는 과학자들로 하여금 중요한 발견을 **공표하도록** 장려했다.

You can think all you can but don't **publicize** all your thoughts.
- Bernard Kelvin Clive
당신은 할 수 있는 모든 것을 생각할 수는 있지만 모든 생각을 **공표하지** 못한다.

[+] publicity [명] 광고, 선전, 홍보

0848 **postulate**
[pástʃəlit]

[동] 가정하다, 전제로 하다 to assume to be true or existent; to take for granted

It is **postulated** that the childhood exposure to violence significantly affects mental health in adulthood.
유년 시절에 폭력에 노출되는 것은 성인기의 정신 건강에 크게 영향을 끼친다고 **가정되었다**.

0849 **combustion**
[kəmbʌ́stʃən]

[명] 연소; 산화

We survived and thrived as a species for hundreds of thousands of years without the internal **combustion** engine or the cell phone. [EBS]
내**연** 기관이나 휴대폰 없이 우리는 수십만 년 동안 하나의 종(種)으로서 생존하고 번성했다.

com(= together) + bust(= burn) + ion(명사 접미사) → 함께 타는 것

0850 **spoilage**
[spɔ́ilidʒ]

[명] (음식물의) 부패, 손상

Nowadays, food **spoilage** can be prevented using physical and chemical methods. 요즈음에는 식품 **부패**가 물리적, 화학적 방법을 이용해서 예방될 수 있다.

Technological advances have increased exposure to new food choices by allowing food products to be distributed from one continent to another while reducing the risk of **spoilage** and contamination. [EBS]
과학 기술상의 진보는 **부패**와 오염의 위험을 줄이는 한편, 식료품이 한 대륙에서 또 다른 대륙으로 유통될 수 있도록 함으로써 새로운 식품 선택에 대한 노출을 증가시켰다.

[+] spoil [동] 망치다; (음식이) 상하다; 버릇없게 만들다

0851 **replenish** [ripléniʃ]

㊐ **보충하다, 다시 채우다** to fill or make complete again; to add a new stock or supply to

We need to **replenish** the water we lose in daily activities.
우리는 일상 활동에서 잃는 물을 **보충할** 필요가 있다.

Once the trees are removed, there is little **replenishing** of this energy supply. EBS
일단 나무가 제거되면, 이 에너지 공급의 **보충**이 거의 없다.

re(= again) + plen(= fill) + ish(동사 접미사) → 다시 채우다

0852 **commoner** [kámənər]

㊔ **평민, 서민**

In English history, politics began as a negotiation between lords and **commoners**. 영국 역사에서 정치는 귀족과 **평민** 사이의 협상으로서 시작했다.

While the revolt was put down soon after, it marked a sea change in the relationship between lords and **commoners**. EBS
그 반란은 그 후 곧 진압되었지만, 그것은 영주와 **평민** 사이의 관계에 있어서 상전벽해와 같은 변화의 전조가 되었다.

0853 **concession** [kənséʃən]

㊔ **양보; (정부가 부여하는) 이권** the act of yielding or conceding, as to a demand or argument

Multinational companies may demand **concessions** from governments as the price for their investment in that country. EBS
다국적 기업은 그 국가에 그들이 투자한 것에 대한 대가로써 정부로부터 **이권**을 요구할 수도 있다.

0854 **residual** [rizídʒuəl]

㊕ **잔여의, 잔류의**

Peeling is the most effective process to eliminate **residual** pesticide.
껍질을 벗기는 것은 **잔류** 농약을 제거하기 위한 가장 효과적인 과정이다.

It is recognized that the better quality clays come from what are known as primary or **residual** deposits. EBS
더 좋은 품질의 점토는 초생 광상 또는 **잔류** 광상이라고 알려진 것에서 나온다는 것이 인정된다.

➕ **residue** ㊔ 잔여, 나머지

0855 **vie** [vai]

㊐ **경쟁하다, 다투다**

All children **vie** for the affection and recognition of their parents.
모든 어린이들은 그들 부모의 애정과 인정을 받기 위해 **다툰다**.

유 **strive** ㊐ 싸우다, 분투하다

0856 ## literal
[lítərəl]

[형] **문자 그대로의** in exact accordance with or limited to the primary meaning of a word or text

Linguistic irony commonly refers to speech incidents in which the intended meaning of the words is contrary to their **literal** interpretation. [EBS]
반어적 표현은 흔히 말의 의도된 의미가 그 말에 대한 **문자 그대로의** 해석과 상반되는 발화를 의미한다.

literal translation 직역
[+] **literally** [부] 문자 그대로, 말 그대로

0857 ## elaborate
[동][ilǽbəreit]

1. [동] **정성들여 만들다; 상세히 말하다**

He **elaborated** sophisticated theories of language and communication.
[학평] 그는 언어와 의사소통의 정교한 이론들을 **공들여 만들었다**.

[형][ilǽbərit]

2. [형] **공들인, 정교한**

To ensure survival of their species, most plants have developed **elaborate** mechanical, chemical, and reproductive characteristics. [학평]
자기 종의 생존을 확보하기 위해 대부분의 식물은 **정교한** 기계적, 화학적 그리고 생식적 특징을 발달시켜 왔다.

[+] **elaborately** [부] 정교하게, 공들여 **elaboration** [명] 정교, 공들임; 상세 설명
e(= ex) + labor(= work) + ate(접미사) → 일한 것을 밖에 내놓다

0858 ## dose
[dous]

[명] **(약의 1회) 복용량, 투여량**

In order to get immunized, you need to get two **doses** of the vaccine.
면역을 얻기 위해서 당신은 백신을 2**회** 맞을 필요가 있다.

[+] **dosage** [명] (약의 1회) 복용량, 투여량

0859 ## brink
[briŋk]

[명] **(어떤 일의) 직전; (낭떠러지의) 가장자리**

The company was on the **brink** of bankruptcy when its CEO got a radical idea. [학평] 그 회사는 파산 **직전**에 있었는데, 최고 경영자가 과감한 생각을 해냈다.

on the brink of 금방 ~할 것 같은, ~하기 직전에

0860 ## blare
[blɛər]

[동] **(소리를) 요란하게 울리다** to sound loudly and harshly

A car horn **blared** as she scooted between the parked cars and crossed the road.
그녀가 주차된 자동차 사이를 서둘러 가며 길을 건널 때 자동차 경적이 **요란하게 울렸다**.

0861 **preoccupy** [priːɑ́kjəpài]

㊍ (생각·걱정이) 사로잡다; 몰두하게 만들다

Scientists are **preoccupied** with finding a vaccine to counter this dangerous virus. 과학자들은 이 위험한 바이러스에 대항할 백신을 찾는 데 **몰두한다**.

be preccupied with ~에 사로잡히다, 몰두하다
⊞ **preoccupied** ㊎ 몰두하는, 신경 쓰는

pre(= before) + occupy(차지하다) → 미리 차지하다

0862 **articulate** [ɑːrtíkjəlit]

1. ㊍ **분명히 표현하다**

You need to **articulate** your value clearly and effectively.
당신은 당신의 가치를 분명하고 효과적으로 **명료하게 표현할** 필요가 있다.

2. ㊎ **(생각·감정을) 명확히 표현할 수 있는, 표현력이 뛰어난**

The politician's speech was **articulate** and clear.
그 정치인의 연설은 **표현력이 뛰어났고** 분명했다.

art(토막) + cle(작은) + ate(접미사) → 작은 토막을 잇다

0863 **ostracize** [ɑ́strəsàiz]

㊍ **(사람을) 외면하다, 배척하다** to exclude or banish (a person) from a particular group, society, etc

The ugly duckling was **ostracized** because his beauty was defined by others. 그 미운 오리 새끼는 그의 아름다움이 다른 이들에 의해서 규정되었기 때문에 **배척당했다**.

0864 **compliance** [kəmpláiəns]

㊔ **준수, 따름**

The deal of a "job for life" in return for **compliance** has all but disappeared.
EBS **순종**을 대가로 하는 '평생직장'이라는 거래는 거의 사라졌다.

⊞ **comply** ㊍ 따르다, (요구 등에) 응하다 **compliant** ㊎ 순응하는, 따르는

com(= together) + pli(= fold) + ance(명사 접미사) → 함께 마음을 접다

0865 **dispense** [dispéns]

㊍ **나누어주다, 분배하다; 면하다, 없애다** to give or deal out, especially in parts or portions

We **dispensed** food to those in need.
우리는 어려운 사람들에게 음식을 **나눠줬다**.

By a unanimous vote, they **dispensed** with his services. 학평
만장일치 투표에 의해, 그들은 그의 일을 **없앴다**.

dispense with ~을 없애다, ~없이 지내다
⊞ **dispenser** ㊔ 분배자; (일정량을 배분하는) 장치 **dispensable** ㊎ 없어도 되는, 불필요한

0866 **behold**
[bihóuld]

㊍ **보다, 바라보다**

The solar eclipse was a wonder to **behold** and lived up to expectations.
그 일식은 **보기에** 경이로운 광경이었고 기대에 부응했다.

⊞ **beholder** ㊐ 보는 사람, 구경꾼

0867 **prerequisite**
[prì:rékwizit]

㊐ **전제 조건, 필요 조건**

Economic growth is a **prerequisite** for peace.
경제 성장은 평화의 **전제 조건**이다.

High quality seed is a **prerequisite** for a successful crop. EBS
고품질의 종자는 성공적인 작황을 위한 **전제 조건**이다.

0868 **reconcile**
[rékənsàil]

㊍ **화해시키다, 조화시키다**

This world is full of conflicts and full of things that cannot be **reconciled.**
이 세상은 갈등으로 가득하며 **화해될** 수 없는 것들로 가득하다.

If two chimpanzees have a fight and a bystander offers consolation to the loser, this can **reconcile** the two combatants. EBS
만약 침팬지 두 마리가 싸움을 벌이고 구경하던 침팬지가 패자를 위로한다면, 이것은 그 싸우는 두 마리를 **화해시킬** 수 있다.

be reconciled with ~와 화해하다
⊞ **reconciliation** ㊐ 화해, 조정

0869 **beautify**
[bjú:təfài]

㊍ **아름답게 하다[꾸미다]**

Cosmetics are used to **beautify** the skin or enhance its appearance.
화장품은 피부를 **아름답게 하거나** 피부의 외양을 향상시키기 위해서 사용된다.

0870 **probe**
[próub]

1. ㊐ **(철저한) 조사; (우주) 탐사선**

The seemingly impractical knowledge we gain from space **probes** to other worlds tells us about our planet. 수능
외부 세계에 대한 **우주 탐사선**으로부터 우리가 얻는 겉보기에 비현실적인 지식이 우리의 행성에 대해 우리에게 알려준다.

2. ㊍ **(철저히) 조사하다, 캐묻다, 탐색하다**

That's why teachers give tests, and why the best tests **probe** knowledge at a deep level. 모평
그것이 선생님들이 시험을 치르고, 또한 최선의 시험이 심도 있는 수준에서 지식을 **캐묻는** 이유이다.

Review TEST

Q 빈칸에 알맞은 단어를 보기에서 골라 쓰시오.

모평 변형

보기

literally	replenish	probe	anew

Even when we do something as apparently simple as picking up a screwdriver, our brain automatically adjusts what it considers body to include the tool. We can (1) __________ feel things with the end of the screwdriver. When we extend a hand, holding the screwdriver, we automatically take the length of the latter into account. We can (2) __________ difficult-to-reach places with its extended end, and comprehend what we are exploring. Furthermore, we instantly regard the screwdriver we are holding as "our" screwdriver, and get possessive about it. We do the same with the much more complex tools we use, in much more complex situations. The cars we pilot instantaneously and automatically become ourselves. Because of this, when someone bangs his fist on our car's hood after we have irritated him at a crosswalk, we take it personally. This is not always reasonable. Nonetheless, without the extension of self into machine, it would be impossible to drive.

해석

우리가 나사돌리개를 집는 것만큼 겉으로 보기에 간단한 일을 할 때조차도, 우리의 뇌는 무의식적으로 그것이 신체라고 간주하는 것을 도구에 포함하도록 조정한다. 우리는 (1) **말 그대로** 나사돌리개의 끝부분으로 사물을 느낄 수 있다. 나사돌리개를 들고 손을 뻗을 때, 우리는 무의식적으로 후자(나사돌리개)의 길이를 계산에 넣는다. 우리는 그것의 확장된 끝을 가지고 도달하기 어려운 곳을 (2) **탐색할** 수 있고, 우리가 탐색하고 있는 것을 이해할 수 있다. 게다가, 우리는 즉시 우리가 들고 있는 나사돌리개를 '자신의' 나사돌리개로 간주하고, 그것에 대해 소유욕을 갖게 된다. 우리는 훨씬 더 복잡한 상황에서도 우리가 사용하는 훨씬 더 복잡한 도구를 두고도 똑같이 한다. 우리가 조종하는 자동차는 순간적이면서도 무의식적으로 우리 자신이 된다. 이것 때문에 우리가 건널목에서 누군가를 짜증나게 한 후에, 그 사람이 우리 자동차의 덮개를 주먹으로 칠 때, 우리는 그것을 자신의 일로 받아들인다. 이것은 항상 합리적인 것은 아니다. 그렇더라도, 기계까지로 자신을 확장하지 않으면 운전하는 것은 불가능할 것이다.

정답

(1) literally (2) probe

DAY 30

| Preview | 영영풀이에 해당하는 단어를 ⓐ~ⓒ에서 고르시오.

01 **an unsuspected difficulty or danger**
ⓐ renovate ⓑ pitfall ⓒ recital

02 **the act or an instance of leaking**
ⓐ leakage ⓑ brevity ⓒ inclusive

03 **to feel joyful; be delighted**
ⓐ rejoice ⓑ abbreviate ⓒ submerge

04 **an original type, form, or instance serving as a basis or standard**
ⓐ prototype ⓑ reciprocate ⓒ posterity

05 **a person who betrays another**
ⓐ foreman ⓑ footage ⓒ traitor

06 **a system of duties imposed by a government on imports or exports**
ⓐ ignition ⓑ tariff ⓒ surge

07 **a difficult or painful experience; a severe or trying experience**
ⓐ perennial ⓑ equivalent ⓒ ordeal

08 **to add something decorative to a person or thing**
ⓐ polarize ⓑ adorn ⓒ attributable

09 **to block or close up with an obstacle**
ⓐ rouse ⓑ obstruct ⓒ affective

10 **to labor continuously; work strenuously**
ⓐ toil ⓑ afloat ⓒ indoctrinate

|정답| 1ⓑ 2ⓐ 3ⓐ 4ⓐ 5ⓒ 6ⓑ 7ⓒ 8ⓑ 9ⓑ 10ⓐ

가리개를 사용하여 뜻을 잘 암기했는지 확인하세요.

0871 **pitfall**
[pítfɔ̀:l]

㉥ **뜻하지 않은 위험, 어려움** an unsuspected difficulty or danger

There were definite **pitfalls** during the development of agricultural settlements. EBS
농업 정착지를 개발하는 동안 명백한 **어려움**이 있었다.

0872 **renovate**
[rénəvèit]

㊐ **개조[보수]하다, 새롭게 하다**

The basketball court was **renovated** and painted, but no attention was paid to the actual basketball goals. EBS
농구 코트는 **보수되었고** 페인트칠 되었지만, 실제 농구대에는 어느 누구도 주의를 기울이지 않았다.

+ **renovation** ㉥ 보수, 개조
= **refurbish** ㊐ 새로 꾸미다, 재단장하다

re(= again) + nov(= new) + ate(동사 접미사) → 다시 새롭게 하다

0873 **leakage**
[lí:kidʒ]

㉥ **누출** the act or an instance of leaking

The **leakage** of toxic gas caused the deaths of at least 3,800 people.
유독성 가스의 **누출**은 적어도 3,800명의 사망을 야기했다.

+ **leak** ㊐ (액체·기체 등이) 새다 ㉥ 새는 곳; 누출 **leaky** ㉧ 새는, 구멍이 난

0874 **abbreviate**
[əbrí:vièit]

㊐ **(단어를) 줄여 쓰다, 축약하다**

"United Nations" is commonly **abbreviated** to "UN."
'국제연합'은 흔히 'UN'으로 **축약된다.**

+ **abbreviation** ㉥ (단어 등의) 축약(형), 약어

ab(= to) + brevi(= short) + ate(동사 접미사) → 짧게 하다

0875 **rejoice**
[ridʒɔ́is]

㊐ **크게 기뻐하다** to feel joyful; be delighted

Too few **rejoice** at a friend's good fortune. - *Aeschylus*
친구의 행운을 **크게 기뻐하는** 사람들은 거의 없다.

If your commitment becomes weak, remember your dream and why it is important to you, find simple joys in your daily pursuits, **rejoice** in the little victories or small steps forward. 모평
만일 여러분의 전념이 약해지면 여러분의 꿈과 그리고 왜 그것이 여러분에게 중요한지 기억하고 여러분이 일상에서 추구하는 것들에서 단순한 기쁨을 찾고, 작은 승리 혹은 앞으로 조금 나아가는 것을 **기뻐하라.**

0876 **affective**
[əféktiv]

㊋ **정서적인, 감정적인**

Affective factors were found to influence learners' vocabulary acquisition.
정서적인 요인들은 학습자의 어휘 습득에 영향을 주는 것으로 밝혀졌다.

➕ **affect** ㊍ ~에 영향을 미치다

0877 **submerge**
[səbmə́:rdʒ]

㊍ **잠수하다, 물에 잠기게 하다**

U.S. Navy submarines can **submerge** deeper than 800 feet.
미 해군 잠수함은 800피트보다 더 깊이 **잠수할** 수 있다.

At the close of the Ice Age the entire region was **submerged** beneath a lake of meltwater. 수능
빙하기가 끝났을 때 그 전 지역은 빙하가 녹은 물로 된 호수 밑으로 **잠겼다**.

➕ **submergence** ㊎ 잠수; 침몰

sub(= under) + merge(= dip) → 아랫쪽에 담그다

0878 **equivalent**
[ikwívələnt]

1. ㊋ **동등한, 상당하는**

It takes two to six times more grain to produce food value through animals than to get the **equivalent** value directly from plants. 모평
동물을 통해 영양가를 생산하는 데에는 식물에서 직접 그와 **동등한** 영양가를 얻는 것보다 2배에서 6배 더 많은 곡물이 필요하다.

2. ㊎ **(가치·크기 등이) 동등한 것, 상당하는 것**

My father considered a walk among the mountains as the **equivalent** of churchgoing. *- Aldous Huxley*
나의 아버지는 산길을 걷는 것은 교회에 가는 것과 **동등한 것**이라고 여겼다.

0879 **prototype**
[próutətàip]

㊎ **시제품(試製品), 원형** an original type, form, or instance serving as a basis or standard

Scientists are testing a **prototype** of a new kind of rocket.
과학자들은 새로운 종류의 로켓 **시제품**을 테스트하고 있다.

The act of birth is the first experience of anxiety, and thus the source and **prototype** of the affect of anxiety. *- Sigmund Freud*
출생이란 행위는 불안의 첫 경험이며, 따라서 불안이라는 감정의 근원이자 **원형**이다.

0880 **polarize**
[póuləràiz]

㊍ **양극화하다, 양극단으로 나누다**

Korean society has been **polarized** in terms of economy, education, and politics. 한국 사회는 경제, 교육, 그리고 정치 측면에서 **양극화되어** 왔다.

0881 **reciprocate**
[risíprəkèit]

㉮ **보답하다, 답례하다; 보복하다**

The belief that people should **reciprocate** others' kindness is a powerful norm. EBS
사람들이 다른 사람들의 친절에 **보답해야** 한다는 믿음은 강력한 규범이다.

➕ **reciprocation** ㉭ 보답, 답례

0882 **traitor**
[tréitər]

㉭ **배신자, 반역자** a person who betrays another, a cause, or any trust

He was a **traitor** who betrayed his country by selling military secrets to the enemy.
그는 군사 기밀을 적에게 팔아넘김으로써 그의 조국을 배반한 **반역자**였다.

➕ **traitorship** ㉭ 배반, 모반
㊌ **betrayer, turncoat** ㉭ 배신자, 변절자

0883 **recital**
[risáitəl]

㉭ **발표회, 연주회**

He played a solo piano **recital** in Carnegie Hall in New York.
그는 뉴욕의 카네기홀에서 피아노 **독주회**를 가졌다.

A book never tells you to go home and practice more, helps you with stage fright, or holds a **recital**. EBS
책이 결코 당신에게 집에 가서 더 많이 연습하라고 말해 주거나, 당신이 무대 공포증을 극복하는 데 도움을 주거나, 혹은 **연주회**를 개최하지 않는다.

➕ **recite** ㉮ (시·산문 등을) 암송하다, 낭독하다

re(= again) + cite(= summon) + al(명사 접미사) → 되내이는 것

0884 **tariff**
[tǽrif]

㉭ **관세** a system of duties imposed by a government on imports or exports

A **tariff** is a tax or duty imposed by one nation on the imported goods or services of another nation
관세는 수입되는 다른 나라의 상품이나 서비스에 국가가 부과하는 세금이다.

0885 **brevity**
[brévəti]

㉭ **간결성; 짧음**

The essence of writing is in its **brevity**.
글쓰기의 본질은 그 **간결함**에 있다.

The realities of growing older and the sense of **brevity** of our own lives often make us question the meaning of our existence. EBS
더 나이 들어가는 현실과 우리 자신의 인생의 **짧음**에 대한 자각으로 인해 우리는 종종 존재의 의미에 대해 질문을 던지게 된다.

0886 □□ **posterity**
[pastérəti]

[명] **자손, 후대**

The only thing I do for **posterity** is plant trees. - *Roddy Llewellyn*
내가 **후손**을 위해 하는 유일한 일은 나무를 심는 것이다.

Few can be induced to labor exclusively for **posterity**. **Posterity** has done nothing for us. - *Abraham Licoln*
후대만을 위한 노동을 하는 사람은 거의 없다. **후대**가 우리를 위해 한 일이 아무것도 없기 때문이다.

0887 □□ **ordeal**
[ɔːrdíːəl]

[명] **시련, 고난** a difficult or painful experience; a severe or trying experience

There is no great achievement without **ordeal**.
시련이 없는 위대한 성취는 없다.

The **ordeal** of virtue is to resist all temptation to evil.
미덕의 **시련**은 악에 대한 모든 유혹에 저항하는 것이다. - *Thomas Robert Malthus*

0888 □□ **adorn**
[ədɔ́ːrn]

[동] **꾸미다, 장식하다** to add something decorative to a person or thing

The chapel of St. John's College has a massive neo-Gothic tower **adorned** with statues of saints. [학평]
St. John's College 예배당에는 성인들의 동상으로 **장식된** 거대한 신고딕 양식의 탑이 있다.

Images **adorn** our inner life and carry great power there. - *William Shirley*
이미지는 우리 내면의 삶을 **장식하고** 그곳에 거대한 힘을 전달한다.

[+] **adornment** [명] 꾸밈, 장식(품)

0889 □□ **rouse**
[rauz]

[동] **깨우다; 분발하게 하다**

The alarm **roused** me out of a deep sleep at 5:30 this morning.
오늘 아침 5시 30분에 알람 시계가 나를 깊은 잠에서 **깨웠다**.

Difficulties are meant to **rouse**, not discourage. The human spirit is to grow strong by conflict. - *William Ellery Channing*
곤경은 낙담하는 것이 아니라 **분발하게 하는** 것을 의미한다. 인간의 정신은 투쟁으로 강해진다.

0890 □□ **footage**
[fútidʒ]

[명] **(특정한 사진을 담은) 장면[화면]**

More than one billion hours of YouTube **footage** is being watched every day. 매일 10억 시간 이상의 유튜브 **장면**이 시청되고 있다.

0891 **ignition** □□
[igníʃən]

㉰ **점화, 발화**

The success of the rocket **ignition** is only the beginning, and there is still a lot of follow-up work.
로켓 **점화**의 성공은 그저 시작일 뿐이며 여전히 많은 후속 작업이 있다.

➕ **ignite** ㉯ 점화시키다, 불을 붙이다

0892 **obstruct** □□
[əbstrʌ́kt]

㉯ **막다, 방해하다** to block or close up with an obstacle

The driver told police his view was **obstructed** by heavy rain.
그 운전자는 경찰에게 폭우 때문에 그의 시야가 **방해받았다**고 말했다.

Once **obstructed** the stream and the valley dry up. 학평
일단 **막히면**, 개울과 계곡이 말라 버린다.

➕ **obstruction** ㉰ 방해, 방해물

ob(= against) + struct(= build) → 무엇인가에 대항하여 세우다

0893 **surge** □□
[səːrdʒ]

1. ㉯ **쇄도하다, 급증하다; (감정이) 밀려들다**

His anger **surged** when he recently saw a guy talking to his girlfriend.
그가 최근에 한 남자가 그의 여자친구와 말하고 있는 것을 보았을 때 분노가 **밀려들었다**.

2. ㉰ **급등, 쇄도; 밀려듦**

If you decide to walk over hot coals, a **surge** of adrenaline alerts you to the very high stakes. EBS
만약 당신이 뜨거운 석탄 위를 걷기로 결정한다면, 아드레날린의 **급증**은 당신에게 매우 큰 위험을 경고한다.

0894 **toil** □□
[tɔil]

1. ㉯ **힘들게 일하다, 고생하다** to labor continuously; to work strenuously

As late as 1860, 6 million slaves **toiled** in the fields of the American South. 1860년까지 6백만 명의 노예들이 미국 남부의 들판에서 **고생했다**.

2. ㉰ **고역, 노역**

I have nothing to offer but blood, **toil**, tears and sweat. - *Winston Churchill*
나는 피, **수고**, 눈물, 그리고 땀 밖에 달리 드릴 것이 없습니다.

0895 **afloat** □□
[əflóut]

㉱ **(물 위에) 떠 있는**

Luckily she was kept **afloat** by her life jacket.
운 좋게도 그녀는 구명조끼에 의해 **물에 떠 있었다**.

While **afloat**, the reindeer is uniquely vulnerable, moving slowly with its antlers held high as it struggles to keep its nose above water. EBS
물에 떠 있는 동안 순록은 코를 물 위로 내놓으려고 애쓰면서 가지진 뿔을 높이 쳐든 채 천천히 움직이기 때문에 특별히 공격을 당하기 쉽다.

➕ **float** ㉯ 뜨다, 띄우다, 떠다니다

0896 **perennial**
[pəréniəl]

㉻ (식물이) 다년생의; (아주 오랫동안) 계속되는

A **perennial** plant is a plant that lives for more than two years.
다년생 식물은 2년 이상 사는 식물이다.

perennial problem 해묵은 과제

per(당) + enn(= year) + ial(형용사 접미사) → 연중

0897 **indoctrinate**
[indáktrənèit]

㊐ (사상 등을) 주입하다, 세뇌하다

North Koreans were **indoctrinated** into believing that the US is an evil enemy. 북한 사람들은 미국이 사악한 적이라고 믿도록 **세뇌당했다**.

⊞ **indoctrination** ㊔ 주입, 세뇌

in(안에) + doctrine(교의, 교리) + ate(동사 접미사) → 교리를 (머리) 속에 넣다

0898 **foreman**
[fɔ́ːrmən]

㊔ (건설 현장의) 감독, 현장 주임

A **foreman** is a person who organizes and oversees the work of a group of employees.
현장 감독은 한 무리의 피고용인들의 일을 조직하고 감독하는 사람이다.

0899 **inclusive**
[inklúːsiv]

㉻ 포괄적인, 모든 것을 포함한

Literacy does not seem to contribute to fitness, since there is an inverse correlation between fitness — as measured by birthrate, a proxy for **inclusive** fitness — and literacy. EBS
포괄 적응도에 대한 대용물인 출생률로 측정되는 적응도와 읽고 쓰는 능력 사이에 역 상관관계가 존재하므로 읽고 쓰는 능력이 적응도에 기여하는 것으로는 보이지 않는다.

⊞ **include** ㊐ 포함하다, 포함시키다 **inclusion** ㊔ 포함, 포괄
⇄ **exclusive** ㉻ 배타적인; 독점적인

0900 **attributable**
[ətríbjutəbl]

㉻ ~에 돌릴 수 있는, ~에 기인하는

Past success in certain kinds of situations may be **attributable** to chance rather than to the particular action taken. EBS
어떤 종류의 상황에서 과거의 성공은 특정한 조치를 해서라기보다는 오히려 우연에 **기인하는** 것일 수 있다.

⊞ **attribute** ㊐ ~의 탓으로 돌리다

Review TEST

Q 빈칸에 알맞은 단어를 보기에서 골라 쓰시오. 학평 변형

보기

equivalent	inclusive	reciprocate	obstruct

The formats and frequencies of traditional trade encompass a spectrum. At the simplest level are the occasional trips made by individual !Kung and Dani to visit their individual trading partners in other bands or villages. Suggestive of our open-air markets and flea markets were the occasional markets at which Sio villagers living on the coast of northeast New Guinea met New Guineans from inland villages. Up to a few dozen people from each side sat down in rows facing each other. An inlander pushed forward a net bag containing between 10 and 35 pounds of taro and sweet potatoes, and the Sio villager sitting opposite responded by offering a number of pots and coconuts judged (1) ________ in value to the bag of food. Trobriand Island canoe traders conducted similar markets on the islands that they visited, exchanging utilitarian goods (food, pots, and bowls) by barter, at the same time as they and their individual trade partners gave each other (2) ________(e)d gifts of luxury items (shell necklaces and armbands).

*taro: (식물) 타로토란

해석

전통적인 거래의 형식과 빈도는 전 범위를 망라한다. 가장 단순한 단계에서 !Kung족과 Dani족 일원이 다른 무리나 마을에 있는 그들 각자의 거래 상대를 방문하기 위해 이따금 하는 왕래가 있다. 뉴기니 북동쪽 해안에 사는 Sio 마을 사람들이 내륙 마을에서 온 뉴기니 사람들을 만나는 이따금 서는 시장은 우리의 노천 시장과 벼룩시장을 연상시켰다. 각각의 편에서 온 수십 명에 이르는 사람들이 서로 마주 보고 줄지어 앉았다. 한 내륙인이 10에서 35파운드 사이의 타로토란과 고구마가 든 망태기를 앞으로 내밀면, 맞은편에 앉은 Sio 마을 사람은 그 망태기에 든 음식과 가치가 (1) **갈다고(동등하다고)** 판단되는 몇 개의 단지와 코코넛을 내놓아 응수했다. Trobriand 섬의 카누 상인들은 자신들이 방문하는 섬에서 비슷한 시장을 운영하며, 물물교환으로 실용품(음식, 단지, 그릇)을 교환했고, 동시에 그들과 그들의 개별 거래 상대들은 서로에게 사치품(조개목걸이와 팔찌)을 (2) **답례로 주었다**.

정답

(1) equivalent (2) reciprocat

PART

CONTENTS

주제별 고난도 어휘·전문용어

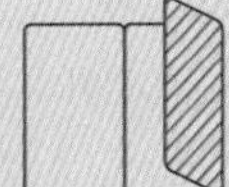

단어를 암기할 때 **뒤쪽 책날개**를 뜯어서
단어 뜻 가리개로 활용하세요.

DAY 31

| Preview | 영영풀이에 해당하는 단어를 ⓐ~ⓒ에서 고르시오.

01 any animal that can live both on land and in water
ⓐ abdomen ⓑ amphibian ⓒ asymmetry

02 a fall of large masses of snow and ice down a mountain
ⓐ avalanche ⓑ ballast ⓒ configuration

03 to wear away or become ground
ⓐ magnify ⓑ monoxide ⓒ erode

04 the act or process of calculating
ⓐ calculation ⓑ latitude ⓒ eclipse

05 to sleep during winter
ⓐ spiral ⓑ hibernate ⓒ pollinate

06 to become active and eject lava, ash and gases
ⓐ erupt ⓑ larva ⓒ condense

07 to make a liquid thinner or weaker by the addition of water or the like
ⓐ decode ⓑ dilute ⓒ ebb

08 to separate into components or basic elements
ⓐ decompose ⓑ heredity ⓒ cosmology

09 relating to a system of counting based on the number ten
ⓐ decimal ⓑ biosphere ⓒ longitude

10 half the diameter of a circle
ⓐ catalyst ⓑ lagoon ⓒ radius

|정답| 1 ⓑ 2 ⓐ 3 ⓒ 4 ⓐ 5 ⓑ 6 ⓐ 7 ⓑ 8 ⓐ 9 ⓐ 10 ⓒ

PART Ⅱ 주제별 고난도 어휘·전문용어

과학, 자연, 기술

가리개를 사용하여 뜻을 잘 암기했는지 확인하세요.

0901 **abdomen** [ǽbdəmən]

명 **배, 복부**

The three parts of an insect are the head, the thorax and the **abdomen**.
곤충의 세 부위는 머리, 가슴, 그리고 **배**이다.

A huge hole penetrated St. Martin's **abdomen**. EBS
커다란 구멍이 St. Martin의 **복부**를 관통했다.

0902 **amphibian** [æmfíbiən]

명 **양서류** any animal that can live both on land and in water

Animals with backbones (fishes, **amphibians**, reptiles, birds, and mammals) all share the same basic skeleton, organs, nervous systems, hormones, and behaviors. EBS
척추동물(어류, **양서류**, 파충류, 조류 그리고 포유류)은 모두 동일한 기본 골격, 장기, 신경계, 호르몬 그리고 행동을 공유한다.

amphi(= both) + bio(생물) + ian(명사 접미사) → 양쪽에 사는 동물

0903 **asymmetry** [eisímətri]

명 **치우침, 불균형; 비대칭**

Dr. Davidson has shown that there is **asymmetry** in the prefrontal cortex reflecting our affective style. EBS
Davidson 박사는 우리의 감정 양식을 반영하는 전전두엽 피질에 **비대칭성**이 있다는 것을 보여 주었다.

a(반대) + sym(= same) + metry(= meter) → 불균형

0904 **avalanche** [ǽvəlæ̀ntʃ]

명 **눈사태, 산사태; 쇄도** a fall of large masses of snow and ice down a mountain

More than 10 people were dug out of the **avalanche** alive.
10명이 넘는 사람들이 그 **산사태**에서 살아 있는 상태로 구조되었다.

an avalanche of 많은, 쇄도하는

0905 **ballast** [bǽləst]

명 **(배의 균형을 위한) 바닥짐, 밸러스트**

Compressed air was injected into the flooded **ballast** tanks and the submarine began to rise. EBS
압축 공기가 침수된 **밸러스트** 탱크로 주입되었고 잠수함은 떠오르기 시작했다.

0906 **biosphere**
[báiəsfìər]

[명] **생물권(生物圈)**

In a general sense, **biospheres** are any closed, self-regulating systems containing ecosystems.
일반적인 의미에서, **생물권**은 생태계를 포함하는 폐쇄적이고 스스로 조정되는 모든 시스템이다.

bio(생물의) + sphere(범위) → 생물이 사는 범위

0907 **latitude**
[lǽtətjùːd]

[명] **위도; 자유, 재량권**

In high **latitudes**, melanin reduces the penetration of sunlight in the skin, reducing its ability to make vitamin D. [EBS]
고**위도** 지방에서 멜라닌은 피부로의 햇빛 투과를 감소시켜 비타민D를 만드는 피부의 능력을 감소시킨다.

give A the latitudes to A에게 ~할 자유를 주다
[↔] **longitude** [명] 경도

lati(= wide) + tude(= state) → 넓은 정도

0908 **erode**
[iróud]

[동] **침식하다, 침식되다** to wear away or become ground

In England in the early 1900s property owners whose land was being **eroded** by wave action clamored for the Government to take preventive action. [EBS]
1900년대 초반 영국에서 자신의 땅이 파도의 작용으로 **침식되고** 있던 토지 소유자들이 정부에게 예방 조치를 취하라고 아우성쳤다.

[+] **erosion** [명] 침식 **erosive** [형] 침식의

0909 **magnify**
[mǽgnəfài]

[동] **확대하다**

The effect is that any power gap that exists is **magnfied** through the lens of this dimension. [학평]
그 효과는 존재하는 모든 권력의 차이가 이러한 차원의 렌즈를 통해 **확대되는** 것이다.

magnifying glass 확대경, 돋보기
[+] **magnifier** [명] 확대경, 돋보기

magn(거대한) + ify(동사 접미사) → 크게 하다

0910 **calculation**
[kæ̀lkjəléiʃən]

[명] **계산, 셈** the act or process of calculating

Before the Iraq war, when tourism was still possible, you could buy ancient tablets inscribed with **calculations** and lists. [EBS]
이라크 전쟁 전에 관광이 여전히 가능했을 때, **계산**과 목록이 새겨져 있는 고대의 평판을 살 수 있었다.

cf. **addition** [명] 덧셈 **subtraction** [명] 뺄셈 **multiplication** [명] 곱셈 **division** [명] 나눗셈
[+] **calculate** [동] 계산하다 **calculator** [명] 계산기

0911 **hibernate** [háibərnèit]

㉯ **동면하다** to sleep during winter

Squirrels do not **hibernate** but in winter they are less active and spend much of their time in their nests. EBS
다람쥐들은 **동면하지** 않지만 겨울에는 덜 활동적이고 많은 시간을 보금자리에서 보낸다.

⊞ **hibernation** ㉦ 동면, 겨울잠

0912 **decode** [di:kóud]

㉦ **(암호문을) 풀다, 해독하다; 이해하다**

This physical reality explains why children learning to read find it easier to **decode** words made up of fewer than five letters. EBS
이런 신체적 현실은 읽는 것을 배우는 아이들이 다섯 글자 미만으로 이루어진 단어를 **이해하는** 것이 더 쉽다고 생각하는 이유를 설명한다.

⇔ **encode** ㉯ 암호로 바꿔 쓰다, 부호화하다

de(= away) + code(암호) → 암호를 없애다

0913 **eclipse** [iklíps]

㉦ **(해·달의) 식(蝕)**

In many cultures, a total **eclipse** of the sun predicts cataclysms and bad events. - *Walter Mercado*
많은 문화에서 개기 월**식**은 대재앙과 나쁜 일을 예견한다.

Perhaps you see a solar **eclipse**, and you conclude that the Moon is closer to you than the Sun. EBS
아마도 일**식**을 보면서 여러분은 달이 태양보다 여러분에게 더 가까이 있다고 결론을 내린다.

0914 **longitude** [lándʒətjù:d]

㉦ **경도**

Because of the earth's rotation, there is a close connection between **longitude** and time. 지구의 자전 때문에 **경도**와 시간 사이에는 밀접한 관계가 있다.

⇔ **latitude** ㉦ 위도

long(길이) + i + tude(= state) → 긴 정도

0915 **erupt** [irʌ́pt]

㉯ **(화산이) 폭발하다; (감정을) 터뜨리다** to become active and eject lava, ash and gases

Dormant volcanoes are those that have not **erupted** for thousands of years, but are likely to **erupt** again in the future.
휴화산은 수천 년 동안 **폭발하지** 않았지만, 미래에 다시 **폭발할** 가능성이 있는 화산이다.

The crowd **erupted** in "Ohhhhs!" because he was an older family man who had not danced hip-hop in many years, while the much younger Linx was a nimble b-boy. 수능
사람들은 '오!'라는 (놀라움의) 소리를 **터뜨렸는데**, 왜냐하면 그가 여러 해 동안 힙합을 추지 않은 더 나이든 가정이 있는 남자인 반면, 훨씬 더 어린 Linx는 동작이 날렵한 비보이이기 때문이었다.

⊞ **eruption** ㉦ 폭발, 분출

0916 **dilute**

[dilúːt]

㉿ **희석하다, 묽게 하다** to make a liquid thinner or weaker by the addition of water or the like

In a blend, pure black and pure white are **diluted** when combined into gray. EBS

혼색에서는 아무것도 섞이지 않은 검은색과 아무것도 섞이지 않은 흰색이 배합되어 회색이 될 때 **희석된다**.

de(= down) + lut(= water) + e(접미사) → 물의 농도를 낮게 하다

0917 **configuration**

[kənfìgjəréiʃən]

㊐ **배열, 배치; 형상**

The Nuer have a large vocabulary to identify their cattle according to certain physical features such as color, markings, and horn **configuration**. EBS

Nuer족은 색상, 무늬, 그리고 뿔의 **배열**과 같은 특정한 신체 특징에 따라 자신들의 소를 알아보기 위한 방대한 어휘를 가지고 있다.

+ configure ㉿ 구성하다; 배열하다

con(= together) + figure(= shape) + ation(명사 접미사) → 함께 모양을 만드는 것

0918 **larva**

[lɑ́ːrvə]

㊐ **유충, 애벌레** (*pl.* larvae)

Ugly **larvae** later become beautiful butterflies.

징그러운 **애벌레**가 나중에는 아름다운 나비가 된다.

Witchetty grubs are wood-eating **larvae**, most commonly of the Cossid moth. EBS

Witchetty grub(꿀벌레큰나방의 애벌레)은 나무를 먹고 사는 **애벌레**로, 가장 일반적으로는 Cossid 나방의 유충이다.

0919 **condense**

[kəndéns]

㉿ **응축하다, (기체를) 응결하다; (문장 등을) 요약하다**

When steam **condenses** into water, it gains heat energy.

수증기가 물로 **응결할** 때, 그것은 열에너지를 얻는다.

The mathematical goal is not a manipulatory activity; it is the achievement of a formula that **condenses** your manipulatory gestures. 학평

수학의 목표는 조작적 활동이 아니라 여러분의 조작적 표현을 **응축하는** 공식의 완성이다.

+ condensation ㊐ 응결; 압축, 요약

0920 **decompose**

[dìːkəmpóuz]

㉿ **분해하다; 부패하다** to separate into components or basic elements

When a tree falls over in a big windstorm, berry bushes grow on the fallen tree and insects **decompose** the wood. EBS

나무가 큰 폭풍에 쓰러지면, 산딸기 덤불은 쓰러진 나무 위에서 자라고 벌레는 목재를 **분해한다**.

+ decomposition ㊐ 분해; 부패

de(= away) + compose(조립하다) → 조립한 것을 쪼개다

0921 **heredity**
[hərédəti]

㉠ **유전; 상속, 계승**

Of the two great influences that make humans what they are, **heredity** and environment, environment is undoubtedly the more powerful. EBS
인간을 지금의 인간으로 만드는 두 가지 큰 영향인 **유전**과 환경 중에서 환경은 의심할 바 없이 더 강력하다.

+ **hereditary** ㉯ 유전적인

hered(= heir 상속) + ity(명사 접미사) → 상속 받는 것

0922 **monoxide**
[manáksaid]

㉠ **일산화물**

Unlike carbon dioxide, carbon **monoxide** does not occur naturally in the atmosphere. **일산화**탄소는 이산화탄소와 달리 대기 중에 자연적으로 발생하지 않는다.

mono(= one) + oxy(산소) + ide(명사 접미사) → 산소 원자가 하나인 물체

0923 **catalyst**
[kǽtəlist]

㉠ **촉매(제), (변화의) 기폭제**

Boxing is a **catalyst** to bring people together. *- Don King*
권투는 사람들을 한데 모으는 **촉매제**이다.

Knowledge workers are the **catalysts** of the Third Industrial Revolution and the ones responsible for keeping the high-tech economy running. EBS
지식 노동자들은 3차 산업 혁명의 **촉매제**이고 첨단 기술 경제를 지속시키는 책임이 있는 사람들이다.

+ **catalytic** ㉯ 촉매 (작용)의

0924 **decimal**
[désəməl]

1. ㉯ **십진법의; 소수의** relating to a system of counting based on the number ten

The **decimal** system was developed in India in 100 B.C.
십진법은 기원전 100년에 인도에서 고안되었다.

2. ㉠ **소수**

It must be a **decimal** point mistake.
그것은 **소수**점의 실수임에 틀림없다.

circulating decimal 순환 소수 **infinite decimal** 무한 소수

deci(= ten) + mal(= system) → 십진법의

0925 **ebb**
[eb]

㉠ **썰물; 쇠퇴**

My emotions **ebb** and flow as I make these choices and see what happens as a result. EBS
내가 이런 선택을 하고서 그 결과 어떤 일이 발생하는지를 보면서, 내 감정은 밀려왔다 **밀려갔다** 한다.

the ebb and flow (조수의) 간만, 썰물과 밀물

0926 **lagoon**
[ləgúːn]

㊄ **석호(潟湖)**

The long coastline is often swampy with **lagoons** and many small islands.
EBS 긴 해안선은 흔히 **석호**와 여러 개의 작은 섬이 있는 습지이다.

The **lagoon** is a breeding ground for rare migratory birds.
그 **석호**는 희귀 철새들의 번식지이다.

shallow lagoon 얕은 석호

0927 **cosmology**
[kɑzmɑ́lədʒi]

㊄ **우주학, 우주론**

Cosmology is the scientific study of the origin, evolution, and eventual fate of the universe.
우주학은 우주의 기원, 진화, 그리고 궁극적인 운명에 대한 과학적 연구이다.

+ **cosmologist** ㊄ 우주론자

0928 **radius**
[réidiəs]

㊄ **반지름, 반경** half the diameter of a cirde

The arrival of the steam engine extended our **radius** of activity. EBS
증기 기관의 도입은 우리의 활동 **반경**을 넓혀 주었다.

cf. **diameter** ㊄ 지름, 직경

0929 **spiral**
[spáiərəl]

1. ㊄ **소용돌이, 나선**

Stress is a downward **spiral**, and you can only overcome it with a positive perspective. - *Jen Lilley*
스트레스는 하향 **나선**이고 긍정적인 시각으로만 극복할 수 있다.

A computer sees only a collection of circles, ovals, **spirals**, straight lines, curly lines, corners, and so on. 학평
컴퓨터는 오직 원, 타원, **나선**, 직선, 곡선, 모서리 등등의 집합만 본다.

2. ㊅ **나선형으로 상승[강하]하다**

The raven flipped over, tucked its wings in and dived straight down, **spiraling** as it went. EBS
그 큰까마귀는 몸을 홱 뒤집고는, 날개를 접어 넣고 곧장 아래로 **나선형을 그리며** 강하했다.

0930 **pollinate**
[pɑ́lənèit]

㊅ **가루받이[수분]하다**

As pretty as the orchids they **pollinate**, orchid bees come in a brightly colored array of brilliant and metallic blues, greens, and purples. EBS
자신들이 **가루받이를 해 주는** 난초만큼 예쁜 난초벌들은 아주 밝은 금속성의 청색, 초록색, 그리고 자주색이 선명한 색깔로 배열된 형태를 띤다.

Review TEST

Q 각 네모 안에서 문맥에 맞는 낱말을 고르시오. 수능 변형

Experts have identified a large number of measures that promote energy efficiency. Unfortunately many of them are not cost effective. This is a fundamental requirement for energy efficiency investment from an economic perspective. However, the (1) [calculation / circulation] of such cost effectiveness is not easy: it is not simply a case of looking at private costs and comparing them to the reductions achieved. There are significant externalities to take into account and there are also macroeconomic effects. For instance, at the (2) [aggravate / aggregate] level, improving the level of national energy efficiency has positive effects on macroeconomic issues such as energy dependence, climate change, health, national competitiveness and reducing fuel poverty. And this has direct repercussions at the individual level: households can reduce the cost of electricity and gas bills, and improve their health and comfort, while companies can increase their competitiveness and their productivity. Finally, the market for energy efficiency could (3) [distribute / contribute] to the economy through job and firms creation.

* repercussion: 반향, 영향

해석

전문가들은 에너지 효율을 촉진하는 다수의 대책을 찾아냈다. 유감스럽게도 그중 많은 수는 비용 효율적이지 않다. 이것은 경제적 관점에서 에너지 효율을 위한 투자에 근본적인 필요조건이다. 그러나 그러한 비용 효율성의 (1) **산정**은 쉽지 않은데, 그것은 단순히 개인적 비용을 살펴보고 그것을 달성한 절감액과 비교하는 경우가 아니기 때문이다. 고려해야 할 중요한 외부 효과가 있고 거시 경제적 효과도 있다. 예를 들어 (2) **총체적[집합적]** 차원에서, 국가의 에너지 효율 수준을 높이는 것은 에너지 의존도, 기후 변화, 보건, 국가 경쟁력, 연료 빈곤을 감소시키는 것과 같은 거시 경제적 문제에 긍정적인 영향을 미친다. 그리고 이것은 개인적 차원에서 직접적인 영향을 미치는데, 즉 가정은 전기 비용과 가스 요금을 줄이고 그들의 건강과 안락을 증진할 수 있는 반면에, 회사는 자체 경쟁력과 생산성을 증대시킬 수 있다. 결국, 에너지 효율 시장은 일자리와 기업 창출을 통해 경제에 (3) **이바지할** 수 있는 것이다.

정답

(1) calculation (2) aggregate (3) contribute

| Preview | 영영풀이에 해당하는 단어를 ⓐ~ⓒ에서 고르시오.

01 **to manage or influence skillfully and often unfairly**
ⓐ manipulate ⓑ depress ⓒ disgust

02 **to lower in quality or value**
ⓐ degrade ⓑ downplay ⓒ insensitive

03 **to try to please by complimentary remarks or attention**
ⓐ patronize ⓑ deference ⓒ flatter

04 **close or warm friendship or understanding**
ⓐ inborn ⓑ intimacy ⓒ introvert

05 **a feeling of intense dislike**
ⓐ aversion ⓑ puctuality ⓒ disgrace

06 **an excessively favorable opinion of one's own ability, importance, wit, etc.**
ⓐ fellowship ⓑ obsession ⓒ conceit

07 **to understand or be sensitive to another's feelings or ideas**
ⓐ equanimity ⓑ empathize ⓒ demoralize

08 **seeking and enjoying the company of others**
ⓐ dissatisfied ⓑ contend ⓒ gregarious

09 **a strong desire to have or achieve something**
ⓐ fondness ⓑ aspiration ⓒ bigot

10 **a calm or tranquil state of mind**
ⓐ composure ⓑ delusion ⓒ dependence

|정답| 1 ⓐ 2 ⓐ 3 ⓒ 4 ⓑ 5 ⓐ 6 ⓒ 7 ⓑ 8 ⓒ 9 ⓑ 10 ⓐ

PART Ⅱ 주제별 고난도 어휘·전문용어

심리, 대인관계

가리개를 사용하여 뜻을 잘 암기했는지 확인하세요.

0931 □□ **dependence** [dipéndəns]

명 의존, 의지

The happiness is to enjoy the present, without anxious **dependence** upon the future. - *Lucius Annaeus Seneca*
행복은 미래에 대한 걱정스러운 **의존** 없이 현재를 즐기는 것이다.

Street-level work that disrupts the infrastructure brings our shared **dependence** into view. 학평
사회 기반 시설에 지장을 주는 지상층 작업은 우리의 공유하는 **의존**을 눈에 띄게 한다.

+ **depend** 동 의지하다; ~에 달려 있다 **dependent** 형 의존하는

0932 □□ **manipulate** [mənípjulèit]

동 (기계 등을) 조작하다, 다루다; (교묘하게) 조종하다
to manage or influence skillfully and often unfairly

Leaders persuade with hooks. Idiots **manipulate** with force. EBS
지도자는 관심을 끄는 것으로 설득한다. 바보들은 힘으로 **조종한다**.

+ **manipulation** 명 조작, 조정; 속임수

man(= hand) + i + pul(당기다) + ate(동사 접미사) → 손으로 당기다

0933 □□ **degrade** [digréid]

동 질을 떨어뜨리다; (화학적으로) 분해하다 to lower in quality or value

The primary reason people **degrade** with age is that they believe they will. EBS
사람들이 나이가 들어 **상태가 나빠지는** 주요한 원인은 그들이 그럴 것이라고 믿어서이다.

+ **degradation** 명 질적 저하, 악화; (화합물의) 분해

0934 □□ **inborn** [ìnbɔ́ːrn]

형 타고난, 선천적인

Erikson believes that another distinguishing feature of adulthood is the emergence of an **inborn** desire to teach. 모평
Erikson은 성인기의 또 다른 독특한 특징은 가르치고자 하는 **타고난** 욕구의 출현이라고 믿는다.

↔ **acquired** 형 습득한, 후천적인
= **innate** 형 타고난, 선천적인

0935 □□ **introvert** [íntrəvə̀ːrt]

명 내향적인 사람

While being an **introvert** comes with its challenges, it definitely has its advantages as well. 모평
내향적인 사람이라는 것에는 그 자체의 어려움이 있지만, 또한 분명히 이점이 있다.

+ **introverted** 형 내성적인
↔ **extrovert** 명 외향적인 사람

intro(안으로) + vert(= turn) → 안으로 향하는

0936 □□ **punctuality** [pʌ̀ŋktʃuǽləti]

㉺ **시간 엄수; 정확함, 꼼꼼함**

King Hassan of Morocco is a notorious late arriver whose lack of **punctuality** has ultimately injured his country's foreign relations. EBS
모로코의 Hassan 왕은 **시간을 잘 지키지** 못하여 나라의 외교 관계에 결국 손해를 끼친 악명 높은 지각자이다.

➕ **punctual** ㉻ 시간을 잘 지키는

0937 □□ **flatter** [flǽtər]

㊂ **아부하다, 아첨하다** to try to please by complimentary remarks or attention

When your friends begin to **flatter** you on how young you look, it's a sure sign you're getting old. - *Mark Twain*
당신의 친구들이 당신이 얼마나 젊어 보이는지에 대해 **아첨하기** 시작할 때, 그것은 당신이 늙어가고 있다는 확실한 신호이다.

➕ **flattery** ㉺ 아첨, 아부 **flattered** ㉻ 우쭐한

0938 □□ **disgust** [disgʌ́st]

㉺ **혐오(감), 역겨움**

We might be so upset by something that we just want to shout out a cry of **disgust**. EBS
우리는 어떤 것 때문에 대단히 화가 나서 **혐오감**의 비명을 정말 지르고 싶을 수도 있다.

➕ **disgusted** ㉻ 진절머리가 난, 혐오감에 찬 **disgusting** ㉻ 혐오스러운, 역겨운

0939 □□ **dissatisfied** [dissǽtisfàid]

㉻ **불만스런, (마음에) 차지 않는**

Equally **dissatisfied** with his sketches, he developed an unfortunate habit of ripping them up. EBS
마찬가지로 자신의 스케치에도 **만족하지 못하여** 그에게는 그것들을 파기해 버리는 안타까운 습관이 생겨났다.

dissatisfied look 불만스러운 표정
↔ **satisfied** ㉻ 만족하는

0940 □□ **intimacy** [íntəməsi]

㉺ **친밀(함), 친한 사이** close or warm friendship or understanding

During its formative period and because it was live, the essential nature of television was argued to be **intimacy**. EBS
텔레비전은 형성기에, 그리고 생방송이었기 때문에, 텔레비전의 본질적 속성은 **친밀성**이라고 주장되었다.

The fact that the intensity reflects the duration of the separation as well as the level of **intimacy** suggests that elephants have a sense of time as well. 수능
강렬함이 **친밀도**뿐만 아니라 떨어져 있었던 시간의 길이도 반영한다는 사실은 코끼리들에게도 시간적 감각이 있다는 것을 암시한다.

➕ **intimate** ㉻ 친밀한 ㉺ 친한 친구

0941 **contend** [kənténd]

[동] **싸우다; 주장하다; 경쟁하다**

As no *ought*-statement can be drawn from *is*-statements, it is often **contended** that normative and generally axiological theories are by their very nature basically different from representational ones. [EBS]
어떤 '당위' 진술도 '사실' 진술로부터 얻을 수 없으므로, 규범적이고 일반적으로 가치론적인 이론들은 바로 그 본질상 기술적인 이론들과 기본적으로 다르다고 흔히 **주장된다**.

contend for freedom 자유를 위해 싸우다
[+] **contender** [명] 논쟁자, 경쟁자 **contention** [명] 말다툼, 논쟁

con(= together)+tent(뻗다, 펼치다) → 서로 손을 뻗다

0942 **aversion** [əvə́:rʒən]

[명] **혐오, 반감** a feeling of intense dislike

Sherlock Holmes seemed to have an acute recognition of this insight, perhaps accounting for what can be called his **aversion** to the obvious. [EBS]
Sherlock Holmes는 이런 통찰에 대한 예리한 인식을 지니고 있는 것처럼 보였는데, 아마도 소위 명백한 것에 대한 그의 **반감**을 설명해 주는 부분일 것이다.

[+] **averse** [형] 싫어하는, 혐오하는
[=] **antipathy** [명] 반감, 혐오

0943 **bigot** [bígət]

[명] **(정치·종교·인종 등에 대한) 편견이 심한 사람**

He that will not reason is a **bigot**; he that cannot reason is a fool; and he that dares not reason is a slave. *- William Drummond*
이성을 갖지 않는 자는 **편협한 자**요, 이성을 갖지 못하는 자는 바보요, 이성을 가질 용기가 없는 자는 노예이다.

[+] **bigoted** [형] 고집불통의

0944 **obsession** [əbséʃən]

[명] **집착, 강박 상태**

Siegel argues that our **obsession** with sleep quality and duration is, in a sense, backward. [EBS]
우리가 수면의 질과 지속 시간에 **집착**을 하는 것이 어떤 의미에 있어서는 퇴행적이라고 Siegel은 주장한다.

[+] **obsess** [동] 집착하게 하다, 강박감을 갖다 **obsessive** [형] 사로잡힌, 강박적인

ob(= on) + sess(= sit) + ion(명사 접미사) → 눌러 붙어 앉아 있는 것

0945 **conceit** [kənsí:t]

[명] **자만, 자부심** an excessively favorable opinion of one's own ability, importance, wit, etc.

Talent is God-given; be humble. Fame is man-given; be grateful. **Conceit** is self-given; be careful. *- John Wooden*
재능은 신이 주신 것이니 겸손하라. 명성은 인간이 주는 것이니 감사하라. **자만**은 스스로 부여하는 것이니 조심하라.

[↔] **humility** [명] 겸손; 비하

0946 **demoralize**
[dimɔ́:rəlàiz]

㊀ **사기를 저하시키다**

Do not be terribly **demoralized** if you make some mistakes along the way. 모평
당신이 일을 해 나가다가 몇 가지 실수를 한다 해도 심하게 **의기소침해 하지는** 마라.

⊕ demoralized ⓗ 사기가 저하된

de(= down) + moral(정신적인) + ize(동사 접미사) → 마음을 아래로 이끌다

0947 **empathize**
[émpəθàiz]

㊀ **공감하다, 감정 이입하다** to understand or be sensitive to another's feelings or ideas

Members of collectivist groups are socialized to avoid conflict, to **empathize** with others, and to avoid drawing attention to themselves. 학평
집단주의 집단의 구성원은 갈등을 피하고, 다른 사람들과 **공감하며**, 자신들로 관심을 끄는 것을 피하도록 사회화되어 있다.

⊕ empathic ⓗ 공감하는, 감정 이입의 empathy ⓜ 공감, 감정 이입

em(= in) + path(= pain) + ize(동사 접미사) → 고통 안에서 함께 하다

0948 **equanimity**
[ì:kwənímәti]

ⓜ **(마음의) 평정; 침착**

Victory and defeat are a part of life, which are to be viewed with **equanimity**. *- Atal Bihari Vajpayee*
승패는 삶의 한 부분으로, **평정심**을 가지고 보아야 한다.

equ(= same) + anim(= mind) + ity(명사 접미사) → 동일한 마음을 가지는 상태

0949 **fellowship**
[félouʃìp]

ⓜ **동료 의식, 연대감**

It is not the work we remember with fondness, but the **fellowship**, how the group came together to get things done. EBS
그것은 우리가 애정을 가지고 기억하는 것은 일이 아니라 일을 해내려고 그 집단이 하나로 합쳤던 방식인 **동료 의식**이다.

⊜ companionship ⓜ 동료애, 우정

0950 **fondness**
[fάndnis]

ⓜ **애정, 애착**

I have an enormous **fondness** for delicious food. It's very comforting.
나는 맛있는 음식을 **매우 좋아한다**. 그것은 위안이 되기 때문이다. *- Teri Garr*

But strangely, the days everything goes smoothly and as planned are not the ones we remember with **fondness**. EBS
그러나 이상하게도 모든 것이 순조롭게 그리고 계획대로 진행되는 날은 우리가 **애정**을 가지고 기억하는 날이 아니다.

fondness for ~을 아주 좋아함

0951 **gregarious**
[grigέəriəs]

㉻ **떼지어 사는; (사람들과) 어울리기 좋아하는** seeking and enjoying the company of others

Locusts are normally solitary and avoid each other but become '**gregarious**' when they enter the swarm phase. 학평
메뚜기는 보통 무리를 짓지 않고 서로를 피하지만 무리 단계로 들어갈 때 **'군생'하게** 된다.

0952 **insensitive**
[insénsitiv]

㉻ **둔감한; 영향을 받지 않는**

Most people keep away from people they consider too blunt and some will be even brave enough to leave your company if you are **insensitive**. 학평
대부분의 사람들은 자신들이 생각하기에 너무 퉁명스러운 사람들을 멀리하고, 몇몇 사람들은 당신이 **둔감하다면** 당신과 함께 있는 사람을 두고 떠날 만큼 용감할 것이다.

⊞ **insensitivity** ㉺ 무감각, 둔감

0953 **aspiration**
[æ̀spəréiʃən]

㉺ **열망, 포부, 야망** a strong desire to have or achieve something

Formal education has had a major and positive impact on society, but it is also true that not all students meet their learning **aspirations**. EBS
정규 교육은 사회에 중대하고 긍정적인 영향을 미쳐 왔지만 또한 모든 학생들이 자신들의 학습 **열망**을 충족하지 못하는 것도 사실이다.

⊞ **aspire** ㉸ 열망하다, 바라다 **aspirational** ㉻ 야심적인, 출세 지향적인
⊟ **ambition** ㉺ 야심, 야망

0954 **composure**
[kəmpóuʒər]

㉺ **침착, 평온** a calm or tranquil state of mind

One thing I probably share with everyone else in the astronaut office is **composure**. *- Sally Ride*
내가 아마도 우주 비행사 사무실의 모든 사람들과 공유하는 한 가지는 **평온함**이다.

We require that our buildings act as guardians of **composure** when we are in them. 학평
우리는 우리의 건물들이 우리가 안에 있을 때 **평온함**의 보호자로 작용할 것을 요구한다.

com(= together) + pos(= place) + ure(명사 접미사) → 함께 내려 놓은 상태

0955 **deference**
[défərəns]

㉺ **존중, 경의**

They hunt cooperatively and share the food, and groom one another in **deference** to rank or coalition partnership. EBS
그들은 협력하여 사냥하고 음식을 나누며, 서열 또는 연합 동반자 관계를 **존중**하여 서로 털을 다듬어 준다.

blind deference 맹종
in deference to ~에게 경의를 표하여, ~을 존중하여

0956 **delusion**

[dilúːʒən]

[명] **착각, 망상**

No man is happy without a **delusion** of some kind. **Delusions** are as necessary to our happiness as realities. *- Christian Nestell Bovee*
어떤 종류의 **망상** 없이 행복한 사람은 없다. **망상**은 우리의 행복에 현실만큼이나 필요하다.

[+] **delude** [동] 속이다, 착각하게 하다

de(= away) + lude(= play) + ion(명사 접미사) → 떨어져서 속이는 것

0957 **depress**

[diprés]

[동] **우울하게 하다; 침체시키다, 하락시키다**

Buildings designed exclusively on scientific principles will **depress** their occupants and constrain their creativity. *- Robert Evans*
오로지 과학적 원리에 따라 설계된 건물들은 거주자들을 **우울하게 하고** 그들의 창의성을 구속할 것이다.

[+] **depressed** [형] 침울한, 우울한 **depression** [명] 우울증; 불경기, 불황

0958 **disgrace**

[disgréis]

[명] **불명예, 수치, 치욕**

He fled the country in **disgrace**.
그는 **불명예**스럽게 그 나라를 떠났다.

Losing is no **disgrace** if you've given your best. *- Jim Palmer*
최선을 다했다면 패배는 **수치**가 아니다.

[=] **dishonor** [명] 불명예, 망신

0959 **downplay**

[dáunplèi]

[동] **경시하다, 과소평가하다**

Violence is violence. Trauma is trauma. And we are taught to **downplay** it, even think about it as child's play. *- Tarana Burke*
폭력은 폭력이다. 트라우마는 트라우마이다. 우리는 그것을 **경시하도록** 심지어 아이들의 놀이로 생각하도록 배운다.

The green movement is sometimes criticized for **downplaying** the cost of going green. [EBS]
때때로 환경 운동은 친환경적이 되는 데 드는 비용을 **경시한다고** 비난을 받는다.

0960 **patronize**

[péitrənàiz]

[동] **후원하다**

She **patronizes** many contemporary Korean artists.
그녀는 많은 한국 현대 화가들을 **후원한다**.

[+] **patron** [명] 후원자; 단골 손님, 고객 **patronage** [명] (예술가에 대한) 후원

Review TEST

Q 각 네모 안에서 문맥에 맞는 낱말을 고르시오. 학평 변형

In collectivist groups, there is considerable emphasis on relationships, the maintenance of harmony, and "sticking with" the group. Members of collectivist groups are socialized to avoid conflict, to (1) [empathize / emphasize] with others, and to avoid drawing attention to themselves. In contrast, members of individualist cultures tend to define themselves in terms of their (2) [dependence / independence] from groups and autonomy and are socialized to value individual freedoms and individual expressions. In individualist cultures, standing out and being different is often seen as a sign of weakness. (3) [Explicit / Implicit] in the characterization of collectivist and individualist groups is the assumption that deviance will be downgraded more in groups that prescribe collectivism than in groups that prescribe individualism. Indeed, empirical research shows that individualist group norms broaden the latitude of acceptable group member behavior and non-normative characteristics.

* deviance: 일탈, 표준에서 벗어남

해석

집단주의 집단에서는, 관계, 화합의 유지, 그리고 그 집단 '안에 머무는 것'을 상당히 강조한다. 집단주의 집단의 구성원은 갈등을 피하고, 다른 사람들과 (1) **공감하며**, 자신들로 관심을 끄는 것을 피하도록 사회화되어 있다. 그에 반해서, 개인주의 문화의 구성원은 집단으로부터의 (2) **독립**과 자율의 관점에서 자신들을 규정짓는 경향이 있으며 개인의 자유와 개인의 표현을 중시하도록 사회화되어 있다. 개인주의 문화에서는, 튀는 것과 남다른 것이 흔히 용기의 표시로 여겨진다. 개인주의를 규정하는 집단에서보다 집단주의를 규정하는 집단에서 일탈이 더 평가 절하될 것이라는 가정은 집단주의 집단과 개인주의 집단의 특성 묘사에 (3) **내재한다**. 실로, 개인주의 집단 규범이 용인할 수 있는 집단 구성원의 행동과 비규범적인 특징의 허용 범위를 넓힌다는 것을 경험적 연구는 보여 준다.

정답

(1) empathize (2) independence (3) Implicit

| Preview | 영영풀이에 해당하는 단어를 ⓐ~ⓒ에서 고르시오.

01 **exclusive control of the market supply of a product or service**
ⓐ mortgage ⓑ monopoly ⓒ discourse

02 **the job of writing news reports for newspapers, magazines, television, etc**
ⓐ journalism ⓑ recipient ⓒ municipal

03 **forcing people to obey a set of rules, especially ones that are wrong**
ⓐ baseline ⓑ brainstorming ⓒ authoritarian

04 **an act of examining carefully**
ⓐ inspection ⓑ bureaucracy ⓒ doctrine

05 **an act of accusing or the state of being accused**
ⓐ deadlock ⓑ layoff ⓒ accusation

06 **the science or study of analysing and deciphering codes, ciphers, etc**
ⓐ cryptography ⓑ legislature ⓒ invoke

07 **a temporary popular fashion, manner of conduct, interest etc**
ⓐ archaeological ⓑ fad ⓒ default

08 **the restoration of someone to a useful place in society**
ⓐ rehabilitation ⓑ charitable ⓒ astrologer

09 **the body of all qualified voters**
ⓐ extracurricular ⓑ invalid ⓒ electorate

10 **a person or group that receives benefits, profits, or advantages**
ⓐ pedagogical ⓑ beneficiary ⓒ agitation

|정답| 1ⓑ 2ⓐ 3ⓒ 4ⓐ 5ⓒ 6ⓐ 7ⓑ 8ⓐ 9ⓒ 10ⓑ

PART Ⅱ 주제별 고난도 어휘·전문용어

인문, 교육, 사회과학

가리개를 사용하여 뜻을 잘 암기했는지 확인하세요.

0961 **discourse** [dískɔːrs]

명 **담화, 담론**

Words like "theory," "law," "force" do not mean in common **discourse** what they mean to a scientist. EBS

'이론', '법', '힘'과 같은 단어들은 평범한 **담화**에서 그것들이 과학자에게 의미하는 것을 의미하지는 않는다.

public discourse 공개적 담론

0962 **monopoly** [mənάpəli]

명 **(시장의) 독점(권), 전매(권)** exclusive control of the market supply of a product or service

Having a **monopoly** over knowledge and ideas ensures competitive success and market position. EBS

지식과 아이디어를 **독점**하는 것은 경쟁력 있는 성공과 시장 지위를 보장한다.

+ **monopolize** 동 독점하다

0963 **archaeological** [ὰːrkiəlάdʒikəl]

형 **고고학의, 고고학적인**

Establishing the **archaeological** record has often enabled native peoples to regain access to land and resources that historically belonged to them. EBS

고고학적 기록을 확립하는 것은 종종 원주민들이 역사적으로 자신들에게 속했던 땅과 자원에 다시 접근하는 것을 가능하게 했다.

+ **archaeology** 명 고고학 **archaeologist** 명 고고학자

archaeo(= ancient) + logy(학문) + ical(형용사 접미사) → 고대를 연구하는 학문의

0964 **journalism** [dʒə́ːrnəlìzəm]

명 **언론계, 저널리즘** the job of writing news reports for newspapers, magazines, television, etc.

David hopes his time there has given him a solid grounding for future work in sports **journalism**, an area he is most passionate about. EBS

David는 그곳에서 보낸 시간이 자신이 가장 열정적인 분야인 스포츠 **저널리즘**에서의 앞으로의 일에 대한 단단한 기초 교육을 해 주었기를 바란다.

0965 **recipient** [risípiənt]

명 **받는 사람, 수령인**

David Carl Turnley was made the **recipient** of the 1990 feature photography Pulitzer Prize. EBS

David Carl Turnley는 1990년 특집 사진 부분 퓰리처상 **수상자**가 되었다.

0966 □□ **mortgage**
[mɔ́ːrgidʒ]

명 (담보) 대출(금); 저당

We lived through these systemic effects, beginning in 2007, as the **mortgage** market collapsed. EBS
담보 **대출** 시장이 붕괴했을 때인 2007년 초반에 우리는 전체에 영향을 주는 이 효과를 겪었다.

0967 □□ **brainstorming**
[bréinstɔ̀ːrmiŋ]

명 창조적 집단 사고, 브레인스토밍

If you have lots of energy early in the morning, that is when you should schedule difficult activities, whether for you these are **brainstorming**, writing, or practicing. 모평
당신이 이른 아침 시간에 에너지가 많다면, **창조적으로 집단 사고를 하는 것**이든, 글쓰기이든, 아니면 실습하는 것이든, 그때가 바로 당신에게 어려운 활동을 계획해야 할 때이다.

0968 □□ **inspection**
[inspékʃən]

명 검사, 점검 an act of examining carefully

To reduce the waste of **inspection** (and checking) in the office, everyone has to play by a new set of rules — in essence, a new paradigm. EBS
사무실에서 **점검**(과 확인)의 허비를 줄이기 위해서는, 모두가 새로운 일련의 규칙들, 본질적으로 새로운 패러다임에 따라 행동해야 한다.

+ inspect 동 검사하다, 점검하다 inspector 명 검사관; 검열관

0969 □□ **municipal**
[mjuːnísəpəl]

형 지방 자치(제)의; 시(市)의

It is postulated that such contamination may result from airborne transport from remote power plants or **municipal** incinerators. 수능
그러한 오염이 멀리 떨어진 발전소 혹은 **자치 도시**의 소각로로부터 공기를 통해 전파된 결과로 발생할 수 있다는 것이 가정된다.

+ municipality 명 지방 자치제

muni(= duty) + cip(= take) + al(형용사 접미사) → 책임을 지는

0970 □□ **authoritarian**
[əθɔ̀ːritɛ́əriən]

형 권위주의적인, 독재적인 demanding that people obey a set of rules, especially ones that are wrong

In noncompetitive, **authoritarian** systems where government dominates public space, graffiti becomes the primary medium; posters, wallpaintings, and murals are more risky. EBS
정부가 공공 공간을 통제하는 비경쟁적이고 **권위주의적인** 체제에서는 그라피티가 주된 수단이 되고, 포스터, 벽화, 벽 장식은 더 위험하다.

+ authoritarianism 명 권위주의 authoritative 형 권위 있는, 신뢰할 수 있는

0971 **baseline**
[béislàin]

㉮ (비교의) 기준치, 기준선; 기초 토대

If you establish an adequate **baseline** by observing a specific individual's arm behaviors over a period of time, you can detect how he is feeling by his arm movements. 학평
일정 기간에 걸쳐 특정한 개인의 팔 행동을 관찰하여 적정한 **기준선**을 설정한다면, 그 사람의 팔 동작으로 그의 감정을 감지할 수 있다.

0972 **accusation**
[æ̀kjuzéiʃən]

㉮ 고발, 기소; 비난 an act of accusing or the state of being accused

Felix argued against Sean's **accusation** and mischievously stuck his tongue out at his little brother. 수능
Felix는 Sean의 **비난**을 반박하고는 장난기 있게 동생에게 자기 혀를 내밀었다.

➕ accuse ㉯ 비난하다; 고발하다, 기소하다

0973 **bureaucracy**
[bjuərákrəsi]

㉮ 관료제, 관료주의

An authority structure in the form of large **bureaucracies** is the most important defining feature of modern society. EBS
대규모 **관료제** 형태에서의 권위 구조는 현대 사회의 가장 중요한 결정적인 특징이다.

➕ bureaucrat ㉮ 관료, 관료주의자

bureau(= office) + cracy(= rule) → 사무실에서 지배하는 것

0974 **cryptography**
[kriptágrəfi]

㉮ 암호 해독법 the science or study of analysing and deciphering codes, ciphers, etc

Cryptography is the essential building block of independence for organizations on the Internet.
암호 작성(해독)(법)은 인터넷상의 조직들에게 독립성의 필수적인 구성 요소이다.

crypto(= hidden) + graph(글) → 숨겨진 글

0975 **deadlock**
[dédlàk]

㉮ (협상 등의) 교착 상태

Groups of five rate high in member satisfaction; because of the odd number of members, **deadlocks** are unlikely when disagreements occur. 수능
5명의 구성원을 지닌 집단은 구성원의 만족도에서 높은 평가를 받는데, 구성원의 수가 홀수로 이루어져 있어서, 의견 충돌이 일어나더라도 **교착 상태**가 일어날 가능성은 없기 때문이다.

0976 **fad**
[fæd]

㉨ **일시적 유행; 변덕** a temporary popular fashion, manner of conduct, interest etc

Movies are a **fad**. Audiences really want to see live actors on a stage.
영화는 **유행**이다. 관객은 무대 위의 살아 있는 배우를 보고 싶어 한다. - *Charlie Chaplin*

We search for the latest **fads** and are drawn to products claiming to trim our waistline in thirty days or less. EBS
우리는 최신의 **유행**을 찾고 30일 또는 그 이내로 허리둘레를 줄여 줄 거라고 주장하는 제품에 끌린다.

0977 **invoke**
[invóuk]

㉧ **언급하다, 예로 들다; (법률에) 호소하다**

One thought that too many teachers **invoke** is that the kids were lazy and didn't care. EBS
아주 많은 교사가 **언급한** 한 가지 생각은 아이들이 게을렀고 신경을 쓰지 않았다는 것이다.

Both the negative and the positive versions **invoke** the ego as the fundamental measure against which behaviors are to be evaluated. 모평
부정적인 버전과 긍정적인 버전 둘 다, 행동 평가의 본질적인 척도로서 자아를 **언급한다**.

0978 **rehabilitation**
[rìːhəbìlitéiʃən]

㉨ **사회 복귀, 재활** the restoration of someone to a useful place in society

Once penguins are rescued, they are cleaned, dressed in sweaters, and then put in salt-water pools for **rehabilitation**. 학평
펭귄을 일단 구조하면 펭귄을 씻기고, 스웨터로 덮고 난 후 **재활**을 위해 염수 풀장에 펭귄을 넣는다.

+ **rehabilitate** ㉧ 복귀시키다, 재활시키다

0979 **extracurricular**
[èkstrəkəríkjələr]

㉻ **과외(課外)의, 정규 과목 이외의**

He said that this type of **extracurricular** activity could be his ticket to a scholarship. 그는 이런 종류의 **과외** 활동이 장학금으로 가는 티켓이 될 수 있다고 말했다.

I make most of my friends through my **extracurricular** activities.
나는 친구의 대부분을 **과외** 활동을 통해 사귀었다. - *Kiernan Shipka*

extra(= beyond) + curricul(= curriculum) + ar(형용사 접미사) → 정규 과정 외의

0980 **default**
[difɔ́ːlt]

㉨ **디폴트, 초기 설정; 채무 불이행**

It is now generally accepted that there is no **default** setting for how the world should look. EBS
세상이 어떻게 보여야 하는지에 대한 **초기 설정** 환경이 없다는 것은 이제 일반적으로 받아들여진다.

The Greek government, which had been on the brink of **default**, urgently asked the commission for help.
그리스 정부는 **채무 불이행** 직전에 위원회에 긴급하게 도움을 요청했다.

0981 **electorate** [iléktərit]

㉿ **선거인, 유권자** the body of all qualified voters

Voting is believed to deliver representatives who are anchored somewhat to the wishes of their **electorate**. EBS
투표는 **유권자**가 바라는 것에 어느 정도 기반을 두고 있는 대표를 배출해낸다고 믿어진다.

0982 **astrologer** [əstrάlədʒər]

명 **점성술사**

No serious futurist deals in prediction. These are left for television oracles and newspaper **astrologers**. - *Alvin Toffler*
어떤 진지한 미래학자도 예언을 다루지 않는다. 이것은 텔레비전의 신탁을 전하는 이들과 신문의 **점성술사들**에게 남겨진다.

+ **astrology** 명 점성술, 점성학

0983 **beneficiary** [bènəfíʃièri]

명 **수혜자, 수익자** a person or group that receives benefits, profits, or advantages

China, with its large emerging middle class, is among the big **beneficiaries** of globalization. - *Joseph Stiglitz*
다수의 신흥 중산층을 가지게 된 중국은 세계화의 큰 **수혜국** 중 하나이다.

+ **beneficiate** 동 선별하다
= **recipient** 명 수령인, 수취인

bene(= good) + fic(= make) + iary(명사 접미사) → 이득을 보는 사람

0984 **doctrine** [dάktrin]

명 **(종교의) 신조, 교리; (정치의) 주의, 원칙**

The Bible is our rule of faith and **doctrine**. - *Ellen G. White*
성경은 신념과 **신조**에 대한 우리의 규칙이다.

Law's distinctively legal **doctrines**, principles, and procedures have little independent importance. EBS
법이 가진 독특한 법적 **원칙**, 원리, 절차에 독자적인 중요성은 거의 없다.

= **dogma** 명 교의, 교리

0985 **charitable** [tʃǽritəbl]

형 **자선의, 자선을 베푸는** generous in giving money or other help to the needy

Mano a Mano is a **charitable** foundation based in Lima, Peru, that uses urban tourism as a tool for community development. EBS
Mano a Mano는 도시 관광업을 지역 사회 발전을 위한 도구로 사용하는, Peru의 Lima에 기반을 둔 **자선** 재단이다.

+ **charity** 명 자선 (단체)

0986 **invalid**
[invǽlid]

㉻ **무효의; 타당하지 않은**

The worst thing you can do to a kid is to tell them that their dreams are **invalid**. *- Juliette Lewis*
아이에게 할 수 있는 가장 나쁜 일은 그들의 꿈이 **타당하지 않다고** 말하는 것이다.

⊞ **invalidate** ㉸ 틀렸음을 입증하다, 무효화하다
⇔ **valid** ㉻ 유효한; 타당한, 근거가 있는
≡ **void** ㉻ 무효의; 쓸모 없는

0987 **layoff**
[léiɔ̀ːf]

㉺ **정리 해고, 강제 휴업**

He saw the devastation of the coal miner's life up close — including violent strikes, Depression-era **layoffs**, deadly explosions, and black lung disease. EBS
그는 폭력적인 파업, 대공황 시대의 **정리 해고**, 치명적인 폭발, 그리고 진폐증(塵肺症)을 포함하여, 석탄 광부로 사는 삶의 참상을 바로 가까이에서 보았다.

0988 **legislature**
[lédʒislèitʃər]

㉺ **입법부, 입법 기관**

The **legislature** adopted a law to stop the sale of guns.
입법부는 총기 판매를 금지하는 법을 가결했다.

Independence of Judiciary means independence from Executive and **Legislature**, but not independence from accountability. *- Prashant Bhushan*
사법부 독립은 행정부와 **입법부**로부터 독립하는 것을 의미하지, 책임으로부터 독립하는 것을 의미하지는 않는다.

0989 **pedagogical**
[pèdəgádʒikəl]

㉻ **교육학의, 교수법의**

A motivation for incorporating technology into music instruction could be cultural rather than **pedagogical**. EBS
음악 교육에 과학 기술을 포함하고자 하는 동기는 **교육적이기**보다는 문화적일 수도 있다.

⊞ **pedagogy** ㉺ 교육학, 교수법

0990 **agitation**
[æ̀dʒitéiʃən]

㉺ **불안, 동요; (정치적) 수요, 시위**

There's nothing wrong with a little **agitation** for what's right or what's fair.
옳고 공정한 것을 위한 약간의 **동요**에는 전혀 잘못이 없다. *- John Lewis*

They started an **agitation** for an increase of wages.
그들은 임금 인상을 위한 **시위**를 시작했다.

⊞ **agitate** ㉸ 동요시키다, 선동하다

Review TEST

Q 각 네모 안에서 문맥에 맞는 낱말을 고르시오. **수능 변형**

"Why, in country after country that mandated seat belts, was it impossible to see the promised reduction in road accident fatalities?" John Adams, professor of geography at University College London, wrote in one of his many essays on risk. "It appears that measures that protect drivers from the consequences of bad driving encourage bad driving. The principal effect of seat belt (1) [legislation / legislature] has been a shift in the burden of risk from those already best protected in cars, to the most vulnerable, pedestrians and cyclists, outside cars." Adams started to group these (2) [intuitive / counterintuitive] findings under the concept of *risk compensation*, the idea that humans have an inborn tolerance for risk. As safety features are added to vehicles and roads, drivers feel (3) [less / more] vulnerable and tend to take more chances. The phenomenon can be observed in all aspects of our daily lives. Children who wear protective gear during their games have a tendency to take more physical risks. Hikers take more risks when they think a rescuer can access them easily.

해석

왜 안전벨트를 의무화한 나라들에서 도로상의 사고로 인한 사망자 수가 기대한 만큼 감소하는 것을 보는 것이 불가능한가? 런던대학의 부속 단과대학 지리학 교수인 John Adams는 위험에 관한 자신의 많은 글들 중 하나에 (다음과 같이) 썼다. "운전자들을 잘못된 운전의 결과로부터 보호하는 수단들이 바람직하지 않은 운전을 조장하는 것처럼 보인다. 안전벨트 (1) **법률** 제정의 주요 효과는 차량 안에서 이미 가장 잘 보호받고 있는 사람들로부터 가장 취약한 사람들, 즉, 차 밖에 있는 보행자들과 자전거를 타는 사람들로 위험에 대한 부담이 옮겨가는 것이었다." Adams는 '위험 보상', 즉 인간은 위험에 대해 타고난 내성이 있다는 생각에 의거하여 이러한 (2) **직관에 반한** 연구 결과들을 정리하기 시작했다. 두드러진 안전장치들을 차량이나 도로에 추가할수록, 운전자들은 위기의식을 (3) **덜** 느끼게 되고 더 많은 모험을 하는 경향이 있다. 그러한 현상은 우리의 일상적인 삶의 모든 면에서 관찰될 수 있다. 게임을 하는 동안 보호 장구를 착용한 어린이들은 더 많은 신체적인 위험을 무릅쓰는 경향이 있다. 도보 여행을 하는 사람들은 구조자가 자신들에게 쉽게 접근할 수 있다고 생각할 때 더 위험을 무릅쓴다.

정답

(1) legislation (2) counterintuitive (3) less

| Preview | 영영풀이에 해당하는 단어를 ⓐ~ⓒ에서 고르시오.

01 **relying on or derived from observation or experiment**
ⓐ sequence ⓑ empirical ⓒ linguistic

02 **one who usually expects a favorable outcome**
ⓐ portray ⓑ correspondence ⓒ optimist

03 **an idea or expression that has been used so much that it is not effective**
ⓐ cliché ⓑ authorship ⓒ egoistic

04 **a word formed from the initial letters of the name of something**
ⓐ anecdote ⓑ acronym ⓒ aphorism

05 **to make a book, record etc using different pieces of information, music etc**
ⓐ compile ⓑ deconstruct ⓒ epoch

06 **a person who has special knowledge or skill in a field**
ⓐ connotation ⓑ excerpt ⓒ virtuoso

07 **a form of a language used in a particular region or by a particular group**
ⓐ verse ⓑ corpus ⓒ dialect

08 **to review or analyze critically**
ⓐ glorify ⓑ critique ⓒ hypothesize

09 **to derive as a conclusion from something known or assumed**
ⓐ deduce ⓑ causality ⓒ epic

10 **a wicked or evil person**
ⓐ afterlife ⓑ villain ⓒ biblical

|정답| 1 ⓑ 2 ⓒ 3 ⓐ 4 ⓑ 5 ⓐ 6 ⓒ 7 ⓒ 8 ⓑ 9 ⓐ 10 ⓑ

PART Ⅱ 주제별 고난도 어휘·전문용어

철학, 예술, 문학, 언어

가리개를 사용하여 뜻을 잘 암기했는지 확인하세요.

0991 □□ **sequence** [síːkwəns]

명 순서, 차례, 연속

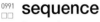

Healing, both as a collection of ideas and as a **sequence** of practices, is surely one of the most ancient and persistent elements of human culture. EBS

치료는, 아이디어의 집합체이자 관행의 **연속**으로, 확실히 인간 문화의 가장 오래되고 영속적인 요소 중 하나이다.

in regular sequence 순서대로, 질서 정연하게

0992 □□ **empirical** [empírikəl]

형 경험에 의거한, 실증적인 relying on or derived from observation or experiment

Pseudoscience cannot learn from either fresh **empirical** information, new scientific discoveries, or criticism. EBS

사이비 과학은 새로운 **경험적** 정보나 새로운 과학적 발견물, 혹은 비판으로부터 배울 수 없다.

+ **empirically** 부 경험적으로

em(= in) + pir(= try) + ical(형용사 접미사) → 안에 들어가 해 보는

0993 □□ **linguistic** [liŋgwístik]

형 말의, 언어(학)의

The human lips, tongue, vocal cords, and throat are massively altered to allow complex **linguistic** production. EBS

인간의 입술, 혀, 성대, 그리고 목은 복잡한 **언어** 생성이 가능하도록 크게 변형되어 있다.

+ **linguistics** 명 언어학 **linguist** 명 언어학자

0994 □□ **portray** [pɔːrtréi]

동 그리다, 묘사하다

Movies and cartoons sometimes **portray** scientists as loners in white lab coats, working in isolated labs. EBS

영화와 만화는 때로 과학자를 흰색 실험실 가운을 입고 외딴 실험실에서 일하는 외톨이로 **묘사한다**.

+ **portrait** 명 초상(화); 묘사

0995 □□ **optimist** [áptəmist]

명 낙천주의자, 낙관주의자 one who usually expects a favorable outcome

An **optimist** laughs to forget. A pessimist forgets to laugh.

낙천주의자는 잊기 위해서 웃는다. 비관주의자는 웃는 것을 잊는다.

+ **optimistic** 형 낙관적인, 낙천적인

↔ **pessimist** 명 비관주의자, 염세주의자

0996 **cliché**
[kliːʃéi]

㉮ **진부한 표현, 상투적인 문구** an idea or expression that has been used so much that it is not effective

It is a **cliché** that most **clichés** are true, but then like most **clichés**, that **cliché** is untrue. *- Stephen Fry*
대부분의 **진부한 표현**이 사실이라는 것은 **상투적이 문구**이지만, 그러나 대부분의 **상투적 표현**이 그러하듯 그 **식상한 문구**은 사실이 아니다.

0997 **correspondence**
[kɔ̀ːrəspɑ́ndəns]

㉮ **상응, 대응, 유사성; 서신, 편지 왕래**

E-mail is great for transactional **correspondence**, but there are times when the message you are sending is too critical or sensitive to be sent via e-mail. EBS
이메일이 업무적인 **연락**을 하기에는 훌륭하지만 여러분이 보내는 메시지가 이메일을 통해 보내지기에는 너무 중요하거나 민감할 때가 있다.

⊞ **correspond** ㉯ (~에) 일치하다, 부합하다; (~에) 해당하다; (~와) 편지를 주고받다
correspondent ㉮ 기자, 특파원

0998 **authorship**
[ɔ́ːθərʃìp]

㉮ **원작자(임)**

The union between artists and their work has determined the essential qualities of an artist: originality, **authorship**, and authenticity. EBS
예술가와 자신의 작품 간의 결합이 독창성, **원작자**, 그리고 진정함이라는 예술가의 필수 자질을 결정해 왔다.

0999 **acronym**
[ǽkrənim]

㉮ **두문자어, 약자** a word formed from the initial letters of the name of something

FAQ is an **acronym** for Frequently Asked Questions.
FAQ는 자주 묻는 질문의 **약자**이다.

Replace complex or unfamiliar words, **acronyms**, or mathematical symbols with their everyday equivalents. EBS
복잡하거나 친숙하지 않은 단어, **머리글자**, 또는 수학적 기호를 일상의 동등한 것으로 대체하라.

1000 **compile**
[kəmpáil]

㉯ **(자료를) 엮다, 편집하다** to make a book, record etc using different pieces of information, music etc

Five-Foot Shelf, called Harvard Classics, is a 51-volume collection of classic works from world literature, **compiled** and edited by Harvard University president Charles W. Eliot. 학평
Harvard Classics라고 불리는 Five-Foot Shelf는 하버드 대학교 총장 Charles W. Eliot에 의해서 **엮이고** 편집된, 세계 문학의 고전 작품 51권의 선집이다.

⊞ **compilation** ㉮ 모음(집), 편집(본)

1001 **virtuoso** □□
[vəːrtʃuóusou]

㊔ **(예술의) 거장(巨匠), 대가(大家)** a person who has special knowledge or skill in a field

Built into the thrill of hearing a **virtuoso** is admiration for what the performance represents as a human achievement. EBS
연주가 인간의 성취임을 보여주는 것에 대한 찬탄은 **거장**의 연주를 듣는 전율을 형성한다.

1002 **anecdote** □□
[ǽnikdòut]

㊔ **일화(逸話)**

Then in a revised edition of *Lives* in 1568, complete with portraits of the artists, Giorgio Vasari combined biographical **anecdotes** with critical comment. 수능
그러다가 예술가들의 초상을 완비한 1568년에 발행된 개정판 〈생애〉에서 Giorgio Vasari는 전기적인 **일화들**을 비판적인 언급과 결합시켰다.

➕ **anecdotal** ㊔ 일화의

an(= not) + ec(= out) + dot(= give) + e(접미사) → 밖에 알려지지 않은 것

1003 **aphorism** □□
[ǽfərìzəm]

㊔ **격언, 경구**

Aphorisms are the true form of the universal philosophy.
격언은 보편적인 철학의 진정한 형태이다. - *Karl Wilhelm Friedrich Schlegel*

That is why we heavily depend on **aphorisms** whenever we face difficulties and challenges in the long journey of our lives. 수능
그것이 우리가 삶의 긴 여정에서 어려움과 도전에 직면할 때마다 **격언**에 매우 의존하는 이유이다.

1004 **dialect** □□
[dáiəlèkt]

㊔ **방언, 사투리** a form of a language used in a particular region or by a particular group of people

Siletz-Dee-ni began to decline in the mid-1850s when several cultural groups, speaking different languages and **dialects**, were placed on the same reservation. EBS
Siletz-Dee-ni어는 다른 언어와 **방언들**을 말하는 몇 개의 문화 집단들이 같은 보호 구역에 배치되었던 1850년대 중반에 쇠퇴하기 시작했다.

1005 **connotation** □□
[kɑ̀noutéiʃən]

㊔ **함축, 함의**

The word “peer” has a **connotation** that differentiates it from the expression “same-age child.” EBS
'또래'라는 말은 '같은 나이의 아이'라는 표현과 구별되는 **함축적인 의미**를 갖고 있다.

➕ **connote** ㊕ 함축하다, 내포하다, 암시하다

con(= together) + note(= memo) + ation(명사 접미사) → (의미를) 함께 적어두는 것

1006 **critique**
[kritíːk]

1. ⓢ **비평하다, 평론하다** to review or analyze critically

Critical thinking skills enable people to evaluate, compare, analyze, **critique**, and synthesize information so they won't accept everything they hear at face value. EBS
비판적인 사고력은 사람들이 정보를 평가하고, 비교하며, 분석하고, **비평하며**, 종합할 수 있게 해서 사람들이 듣는 모든 것을 액면 그대로 받아들이지 않게 한다.

2. ⓜ **비평, 평론**

Gardner saw enormous potential in the young writer and gave his student intense line-by-line **critiques** of his work. EBS
Gardner는 그 젊은 작가에게서 엄청난 잠재력을 보았고 자신의 학생에게 그의 작품에 대해 한 줄 한 줄 열성적인 **비평**을 해 주었다.

1007 **deconstruct**
[diːkənstrʌ́kt]

ⓢ **해체하다, 분해하다**

The counsellor helps the child to change by **deconstructing** old stories and reconstructing preferred stories about himself and his life. 모평
상담자는 아이가 자신과 자신의 삶에 관한 옛 이야기를 **해체하고** 선호되는 이야기들을 재구성함으로써 아이가 변화하도록 돕는다.

⊞ **deconstruction** ⓜ 해체 비평[이론]

de(= away) + construct(건설하다) → 만들어진 것을 떼어내다

1008 **deduce**
[didjúːs]

ⓢ **추론하다, 연역하다** to derive as a conclusion from something known or assumed

Many people will **deduce** that the temperature of the metal is cooler than that of the wood. EBS 많은 사람은 금속 온도가 나무 온도보다 더 차다고 **추론할** 것이다.

⊞ **deduction** ⓜ 연역(법) **deducible** ⓗ 추론할 수 있는

1009 **excerpt**
[éksəːrpt]

ⓜ **발췌 (부분), 인용(구)**

An **excerpt** is a short piece of writing or music which is taken from a larger piece.
발췌 부분은 더 큰 작품에서 따온 짧은 글이나 음악이다.

⊟ **citation** ⓜ 인용(구)

1010 **glorify**
[glɔ́ːrəfài]

ⓢ **미화하다, 찬미하다**

Glorify who are today, do not condemn who you were yesterday, and dream of who you can be tomorrow. - *Neal Donald Walsh*
오늘 당신이 누구인지를 **찬미하고**, 어제 당신이 누구였는지 비난하지 말며 내일 당신이 누구인지를 꿈꿔라.

Till the lions have their historians, tales of hunting will always **glorify** the hunter. 수능
사자들이 자신들의 역사가를 갖게 될 때까지, 사냥 이야기는 언제나 사냥꾼들을 **미화할** 것이다.

⊞ **glorification** ⓜ 미화, 찬미

1011 □□ **villain**
[vílən]

㉢ **악당, 악역** a wicked or evil person

Nobody is a **villian** in their own story. We're all the heroes of our own stories. - *George R. R. Martin*
그들 자신의 이야기에서 **악당**은 아무도 없다. 우리는 자신만의 이야기에서 모두 영웅이다.

In a western, because of the conventions of appearance, dress, and manners, we recognize the hero, sidekick, **villain**, etc., on sight. 학평
서부 영화에서, 외모, 복장 그리고 (행동) 방식의 관례 때문에 우리는 주인공, 조수, **악당** 등을 보자마자 알아차린다.

1012 □□ **afterlife**
[ǽftərlàif]

㉢ **내세, 사후 세계**

Hope of a beyond and aspiration to an **afterlife** engender a sense of futility in the present. - *Michel Onfray*
저승에 대한 희망과 **내세**에 대한 열망은 현재에 허무감을 불러일으킨다.

The physical features of the body would be retained, and this lifelike appearance of the corpse may have supported the belief of an **afterlife**. EBS
사체의 외적 용모가 유지되곤 했는데, 이와 같은 시체의 실물 그대로의 모습은 **사후 세계**에 대한 믿음을 뒷받침해 주었을 것이다.

1013 □□ **biblical**
[bíblikəl]

㉢ **성경의, 성서의**

Biblical justice is the equitable application of God's moral law in society. - *Tony Evans*
성서적 정의는 신의 도덕률이 사회에서 공평하게 적용되는 것이다.

1014 □□ **corpus**
[kɔ́ːrpəs]

㉢ **(문서·법전 등의) 집대성, 전집, 언어 자료**

We now have a large **corpus** of research showing that children learn words through listening to and interacting with storybooks. EBS
우리는 현재 어린이들이 동화책을 듣고 동화책과 상호 작용하는 것을 통해 단어를 배운다는 것을 보여 주는 아주 많은 연구 **자료**를 갖고 있다.

1015 □□ **egoistic**
[ìːgouístik]

㉢ **이기적인, 자기중심적인** limited to or caring only about yourself and your own needs

Children are completely **egoistic**; they feel their needs intensely and strive ruthlessly to satisfy them. - *Sigmund Freud*
아이들은 완전히 **이기적인데** 그들은 그들의 욕구를 매우 강하게 느끼고 그것을 만족시키기 위해 무자비하게 노력한다.

➕ **ego** ㉢ 자아, 자부심, 자존심　**egoism** ㉢ 이기주의, 자기중심적임

1016 **verse**
[vəːrs]

㊐ 운문, 시

Writing free **verse** is like playing tennis with the net down. - *Robert Frost*
자유로운 **운문**을 쓴다는 것은 네트를 내리고 테니스를 하는 것과 같다.

Sometimes a single sentence, or a single line of **verse**, will be enough. EBS
때로는 단 한 문장, 혹은 단 한 행의 **시구**로 충분할 것이다.

반 **prose** 명 산문

1017 **hypothesize**
[haipάθisàiz]

동 가설을 세우다

Children have a natural tendency to investigate, to **hypothesize**, and to experiment. 아이들은 조사하고, **가설을 세우고**, 실험하는 자연스러운 경향이 있다.

파 **hypothesis** 명 가설

hypo(= under) + thesis(= theme) + ize(동사 접미사) → 주제 아래에 두다

1018 **epic**
[épik]

명 서사시

History is nothing if not an **epic** tale of missed opportunities.
역사는 놓친 기회들에 대한 **서사시**가 아니라면 아무것도 아니다. - *Graydon Carter*

Music can convey the scope of a film, effectively communicating whether the motion picture is an **epic** drama or a story that exists on a more personal scale. 모평
음악은 영화가 **서사** 드라마인지 아니면 더 사적인 영역에 있는 이야기인지를 효과적으로 전달하며 영화의 영역을 전달할 수 있다.

epic film 서사 영화

1019 **epoch**
[épək]

명 (중요한 사건이 일어났던) 시대

If we explore how people have lived in other **epochs** and cultures, we can draw out lessons for the challenges and opportunities of everyday life. 학평
사람들이 다른 **시대**와 문화에서 어떻게 살아왔는지를 탐색한다면, 우리는 일상생활의 도전과 기회에 대한 교훈을 끄집어낼 수 있다.

make an epoch 하나의 신기원을 이루다
동 **era** 명 시대, 시기

1020 **causality**
[kɔːzǽləti]

명 인과 관계, 인과율

The Greeks' focus on the salient object and its attributes led to their failure to understand the fundamental nature of **causality**. 수능
그리스인이 두드러진 물체와 그것의 속성에 초점을 맞춘 것은 **인과 관계**의 근본적인 성질에 대한 그들의 이해 실패를 낳았다.

Review TEST

Q 각 네모 안에서 문맥에 맞는 낱말을 고르시오. 수능 변형

Imagine I tell you that Maddy is bad. Perhaps you (1) [infer / suffer] from my intonation, or the context in which we are talking, that I mean morally bad. Additionally, you will probably infer that I am disapproving of Maddy, or saying that I think you should disapprove of her, or similar, given typical linguistic conventions and assuming I am (2) [sincere / insincere]. However, you might not get a more detailed sense of the particular sorts of way in which Maddy is bad, her typical character traits, and the like, since people can be bad in many ways. In contrast, if I say that Maddy is wicked, then you get more of a sense of her typical actions and attitudes to others. The word 'wicked' is more specific than 'bad'. I have still not exactly pinpointed Maddy's character since wickedness takes many forms. But there is more detail nevertheless, perhaps a stronger (3) [intonation / connotation] of the sort of person Maddy is. In addition, and again assuming typical linguistic conventions, you should also get a sense that I am disapproving of Maddy, or saying that you should disapprove of her, or similar, assuming that we are still discussing her moral character.

해석

내가 여러분에게 Maddy가 나쁘다고 말한다고 생각해 보라. 아마 여러분은 나의 억양이나 우리가 말하고 있는 상황으로부터 내 뜻이 도덕상 나쁘다는 것이라고 (1) **추론한다**. 게다가 여러분은 아마, 일반적인 언어 관행을 고려하고 내가 (2) **진심이라고** 상정한다면, 내가 Maddy를 못마땅해하고 있다고, 또는 내 생각에 여러분이 그녀를 못마땅해하거나 그와 비슷해야 한다고 내가 말하고 있다고 추론할 것이다. 하지만 여러분은 Maddy가 나쁜 특정 유형의 방식, 그녀의 일반적인 성격 특성 등에 대해서는 더 자세하게 인식하지 못할 수도 있는데, 사람들은 여러 방면에서 나쁠 수 있기 때문이다. 그에 반해서, 만일 내가 Maddy는 사악하다고 말한다면, 그러면 여러분은 다른 사람들에 대한 그녀의 일반적인 행동과 태도를 더 인식하게 된다. '사악한'이라는 낱말은 '나쁜'보다 더 구체적이다. 사악함은 여러 형태를 띠기 때문에 나는 여전히 Maddy의 성격을 정확하게 지적하지 않았다. 그러나 그럼에도 불구하고 더 많은 세부 사항, 아마도 Maddy의 사람 유형에 대한 더 두드러진 (3) **함축**이 있다. 게다가, 그리고 다시 일반적인 언어 관행을 상정하면, 여러분은 또한, 우리가 여전히 그녀의 도덕적 성격을 논하고 있다고 상정하면서, 내가 Maddy를 못마땅해하고 있다고, 또는 여러분이 그녀를 못마땅해하거나 그와 비슷해야 한다고 내가 말하고 있다고 인식할 것이다.

정답

(1) infer (2) sincere (3) connotation

DAY 35

| Preview | 영영풀이에 해당하는 단어를 ⓐ~ⓒ에서 고르시오.

01 **to order the use of a medicine or other treatment**
ⓐ immunize ⓑ arthritis ⓒ prescribe

02 **capable of treating an illness**
ⓐ nerve ⓑ medicinal ⓒ nutritious

03 **to cut off someone's arm, leg, finger etc especially by surgery**
ⓐ blister ⓑ amputate ⓒ microbe

04 **to take food or liquid into the body**
ⓐ ingest ⓑ infectious ⓒ injection

05 **the action of breathing air, smoke, or gas into your lungs**
ⓐ metabolism ⓑ inhalation ⓒ syndrome

06 **to inject a vaccine into the body in order to protect against a disease**
ⓐ efficacy ⓑ inoculate ⓒ kidney

07 **relating to breathing or your lungs**
ⓐ antiseptic ⓑ contagion ⓒ respiratory

08 **the act of reviving or condition of being revived**
ⓐ resuscitation ⓑ hygiene ⓒ antioxidant

09 **the protection of public health by treating waste, dirty water**
ⓐ contaminant ⓑ sanitation ⓒ cross-infection

10 **to make something completely clean by killing any bacteria in it**
ⓐ sterilize ⓑ appendix ⓒ indigestion

|정답| 1 ⓒ 2 ⓑ 3 ⓑ 4 ⓐ 5 ⓑ 6 ⓑ 7 ⓒ 8 ⓐ 9 ⓑ 10 ⓐ

의학, 약학, 건강

가리개를 사용하여 뜻을 잘 암기했는지 확인하세요.

1021 **prescribe** [priskráib]

㊍ **규정하다; 처방하다** to order the use of a medicine or other treatment

What is the best treatment? Ask the top specialists for their advice. Follow the remedies they **prescribe**. EBS
무엇이 가장 좋은 치료법인가? 최고 전문가들에게 조언을 구하라. 그들이 **처방하는** 치료법을 따르라.

➕ **prescription** ⓜ 처방(전)

1022 **nerve** [nəːrv]

ⓜ **신경; 긴장, 불안**

Empathy is made possible by a special group of **nerve** cells called mirror neurons. 학평 공감은 거울 뉴런이라 불리는 **신경** 세포의 특별한 그룹에 의해 가능해진다.

➕ **nervous** ⓗ 초조한, 불안한

1023 **immunize** [ímjənàiz]

㊍ **면역력을 갖게 하다**

Randomly **immunizing** a population to prevent the spread of infection typically requires that 80 to 100 percent of the population be **immunized**.
학평 감염의 확산을 막기 위해서 무작위로 집단을 **면역시키는** 것은 보통 인구의 80에서 100 퍼센트를 **면역시킬** 것을 요구한다.

➕ **immune** ⓗ 면역이 된, 면역력이 있는

1024 **medicinal** [mədísənəl]

ⓗ **약효가 있는, 의약의** capable of treating an illness

When discussing **medicinal** herbs, the news media often quote skeptical doctors who warn that if you fool around with herbs, you're playing with fire. EBS
약초를 논할 때 뉴스 매체에서는 약초를 가지고 장난을 치면 불장난을 하는 것이라고 경고하는 회의적인 의사들의 말을 흔히 인용한다.

medicinal substance 약물
➕ **medicine** ⓜ 의학; 약

1025 **microbe** [máikroub]

ⓜ **미생물, 세균; 병원균**

The microbial sample from the urban apartment was limited, while the microbial sample from the farm was rich with varied **microbes**. EBS
도시 아파트에서 가져온 미생물 샘플은 제한적이었지만, 농장에서 가져온 미생물 샘플은 다양한 **미생물**이 풍부했다.

➕ **microbial** ⓗ 미생물의, 세균의

1026 **amputate**
[ǽmpjutèit]

㉮ **수술로 절단하다** to cut off someone's arm, leg, finger etc, especially by surgery

At a makeshift hospital, her left leg was considered beyond repair and **amputated** just below the knee. 학평
간이 병원에서 그녀의 왼쪽 다리는 치료가 불가능하여 무릎 아래까지 **절단되었다**.

1027 **nutritious**
[njuːtríʃəs]

㉻ **영양분이 있는, 영양이 되는**

Why should a plant need to manufacture a large, **nutritious** fruit? EBS
왜 식물은 크고 **영양가 있는** 열매를 생산할 필요가 있을까?

+ nutrition ⓜ 영양 nutrient ⓜ 영양소, 영양분

nutrit(영양) + ious(형용사 접미사) → 영양이 있는

1028 **infectious**
[infékʃəs]

㉻ **전염성이 있는**

With **infectious** disease, without vaccines, there's no safety in numbers.
전염성 질병에 백신이 없다면 많은 수의 안전은 없다. *- Seth Berkley*

Up until the middle of the 19th century, little was known about the nature of **infectious** diseases and the ways in which they are transmitted. EBS
19세기 중엽에 이르기까지 **전염**병의 본질과 그것들이 전염되는 방식에 대해 알려진 것이 거의 없었다.

+ infect ㉮ 전염시키다, 감염시키다 infection ⓜ 전염병, 감염

1029 **ingest**
[indʒést]

㉮ **(음식·약을) 삼키다** to take food or liquid into the body

Marine debris affects animals through **ingesting** it or getting entangled in it. EBS
해양 쓰레기는 동물들이 그것을 **삼키거나** 그것에 걸려 꼼짝 못하게 됨으로써 그들에게 영향을 미친다.

+ ingestion ⓜ 섭취

in(안에) + gest(= carry) → 안으로 나르다

1030 **antiseptic**
[æ̀ntiséptik]

1. ㉻ **소독의, 살균의**

Cover the burn with an **antiseptic** dressing.
화상 부위를 **살균** 붕대로 감싸세요.

2. ⓜ **소독약, 살균제**

In 1901, he invented the **antiseptic** Argyrol with a German chemist and made a fortune. 모평
1901년, 그는 어느 독일 출신 화학자와 함께 **소독제** Argyrol을 발명하여 재산을 모았다.

1031 **contagion** [kəntéidʒən]

명 **(접촉) 전염, 감염**

The best prevention from **contagion** is washing your hands often.
감염으로부터 최고의 예방은 손을 자주 씻는 것이다.

Complete disposal of infected animals and disinfection of contaminated material are prescribed to limit **contagion**. 학평
감염된 동물의 완전한 처분과 오염 물질의 소독이 **전염**을 제한하기 위해 지시된다.

+ **contagious** 형 전염성이 있는

1032 **metabolism** [mətǽbəlìzəm]

명 **대사 작용, 신진대사**

When the surrounding temperature increases, the activity in the hive decreases, which decreases the amount of heat generated by insect **metabolism**. EBS
주변 온도가 올라가면, 벌집 안에서의 활동은 줄어드는데, 이는 곤충의 **신진대사**에 의해 발생하는 열의 양을 감소시킨다.

+ **metabolic** 형 신진대사의

meta(= change) + bol(= throw) + ism(명사 접미사) → 모양을 바꿔 던지는 것

1033 **syndrome** [síndroum]

명 **증후군, 신드롬**

A diagnosis of Asperger **Syndrome** can be useful to help a person understand why they have had difficulties. *- Simon Baron-Cohen*
아스퍼거 **증후군**의 진단은 사람들이 왜 어려움을 겪었는지 이해하는 데 도움이 될 수 있다.

The person who stops caring for something may have taken the first steps to the hopelessness/helplessness **syndrome**. EBS
무엇인가를 돌보는 일을 그만두는 사람은 희망 없음 또는 무력감이라는 **증후군**을 향해 첫발을 내디딘 것일지도 모른다.

1034 **arthritis** [ɑːrθráitis]

명 **관절염**

Arthritis is a medical condition in which the joints in someone's body are swollen and painful.
관절염은 몸에 있는 관절이 붓고 아픈 의학적 질환이다.

1035 **inhalation** [ìnhəléiʃən]

명 **흡입(법)** the action of breathing air, smoke, or gas into your lungs

The most effective way to use essential oils is not orally, as one might think, but by external application or **inhalation**. 학평
정유를 사용하는 가장 효과적인 방법은 사람들이 생각할 수 있듯 복용하는 것이 아니라 외부에 바르거나 **흡입**하는 것이다.

+ **inhale** 동 (숨을) 들이쉬다
반 **exhalation** 명 숨을 내쉼; 발산

in(안으로) + hale(세게 당기다) + ation(명사 접미사) → 안으로 세게 당기다

1036 **injection**
[indʒékʃən]

㉮ **주사; 주입**

Talk to your doctor before you have an **injection**.
주사를 맞기 전에 의사와 상담하십시오.

Injections are the best thing ever invented for feeding doctors.
주사는 의사를 먹여 살리기 위해 이제껏 발명된 최고의 것이다. *- Gabriel Garcia Marquez*

⊞ **inject** ㉯ 주사하다; 주입하다

in(안에) + ject(= throw) + ion(명사 접미사) → 안에 투입하는 것

1037 **inoculate**
[inákjəlèit]

㉯ **예방주사를 놓다** to inject a vaccine into the body in order to protect against, a disease

Struggling with a mental puzzle **inoculates** you against future mental hardships just as vaccinations **inoculate** you against illness. 학평
백신 접종이 질병에 대비해 당신에게 **예방주사를 놔 주는** 것처럼 정신적인 곤혹으로 고심하는 것은 미래의 정신적인 고난들에 대비하여 당신에게 **예방주사를 놔 준다**.

1038 **kidney**
[kídni]

㉮ **신장, 콩팥**

If left untreated, type II diabetes can lead to long-term health problems such as **kidney** disease, high blood pressure, stroke and heart attack. EBS
만일 치료를 받지 않은 채로 내버려 둔다면, 제2형 당뇨병은 **신장** 질환, 고혈압, 뇌졸중, 그리고 심장 마비와 같은 장기적인 건강 문제로 이어질 수 있다.

1039 **respiratory**
[réspərətɔ̀:ri]

㉰ **호흡(기)의** relating to breathing or your lungs

Especially before air quality laws began appearing in the 1970s, particulate pollution was behind acid rain, **respiratory** disease, and ozone depletion. 모평
특히 공기 질(과 관련된) 법안이 1970년대에 등장하기 시작하기 전에 분진으로 된 오염 물질은 산성비, **호흡기** 질환 그리고 오존 파괴 뒤에 가려져 있었다.

⊞ **respiration** ㉮ 호흡 (작용)

1040 **resuscitation**
[risʌsətéiʃən]

㉮ **소생, 부흥; 심폐 소생술** the act of reviving or condition of being revived

He became unconscious, and Gordon was able to tow him to the shore and give him mouth-to-mouth **resuscitation**. EBS
그는 의식을 잃었고, Gordon은 그를 해안으로 끌고 가 그에게 구강 대 구강 **심폐 소생술**을 실시할 수 있었다.

1041 **sanitation** □□
[sæ̀nitéiʃən]

㉺ **(공중) 위생** the protection of public health by treating waste, dirty water

People have to clearly see the connection between their family's health and their **sanitation** habits. - *Rohini Nilekani*
사람들은 그들의 가족 건강과 **공중 위생** 습관 간의 관계를 분명하게 보아야 한다.

In previous months, the city had rejected the requests of the black **sanitation** union. EBS
그 이전 몇 달 동안, 시는 흑인 **공중 위생** 노동조합의 요구를 거절했다.

➕ **sanitary** ㉻ 위생적인, 청결한

1042 **antioxidant** □□
[æ̀ntiάksidənt]

㉺ **산화방지제**

Scientists have believed that it is the **antioxidants** in these foods that make the difference — compounds like beta carotene, lycopene, and vitamin E. 모평
과학자들은 그런 차이를 만들어 내는 것은 바로 이런 식품에 포함된 **산화방지제**, 즉 베타카로틴, 리코펜, 그리고 비타민 E와 같은 화합물이라고 믿어 왔다.

1043 **blister** □□
[blístər]

㉺ **(피부의) 물집, 수포**

Among its symptoms are fever, loss of appetite and weight, and **blisters** on the tongue, lips, other tissues of the mouth, and the feet. 학평
고열, 식욕 부진, 체중 감소, 혀, 입술, 입의 다른 조직, 그리고 발에 **물집** 잡히는 것이 그 증상에 속한다.

1044 **sterilize** □□
[stérəlàiz]

㉹ **살균하다, 소독하다** to make something completely clean by killing any bacteria in it

Mars's magnetic field is essentially gone, so the surface of Mars is essentially **sterilized**. - *John M. Grunsfeld*
화성의 자기장은 본질적으로 사라졌고, 그래서 화성의 표면은 본질적으로 **살균된** 상태이다.

1045 **contaminant** □□
[kəntǽmənənt]

㉺ **오염 물질, 오염원**

Mercury is an important environmental **contaminant**.
수은은 중요한 환경 **오염 물질**이다.

Many **contaminants** are hazardous only if consumed for years.
많은 **오염 물질**은 수년 동안 섭취한 경우에만 위험하다. - *Charles Duhigg*

➕ **contaminate** ㉹ 오염시키다, 더럽히다

1046 **cross-infection**
[infékʃən]

㊔ **교차 감염**

One explanation for this might be that it is a culturally evolved strategy to reduce the risk of **cross-infection** in areas where pathogens are more densely concentrated. 학평
이에 대한 한 가지 설명은, 그것이 병원균이 더 조밀하게 밀집된 지역에서 **교차 감염**의 위험을 줄이려는 문화적으로 진화된 전략이라는 것일 수 있다.

1047 **hygiene**
[háidʒiːn]

㊔ **위생, 청결**

Some people live to a ripe old age despite harsh rural conditions and poor **hygiene** associated with poverty. EBS
혹독한 시골 환경과 가난과 관련된 열악한 **위생** 상태에도 불구하고 어떤 사람들은 고령까지 산다.

public hygiene 공중 위생
+ **hygienic** ㊕ 위생적인, 청결한

1048 **appendix**
[əpéndiks]

㊔ **맹장, 충수; 부록, 부속물**

It's difficult to perform an appendectomy if you can't find the **appendix**.
모평 **충수**를 찾을 수 없다면 맹장 수술을 하기는 어려운 것이다.

Refer to the **appendix** if you get confused about irregular verbs.
불규칙 동사에 관해 혼동된다면 **부록**을 참조하시오.

1049 **indigestion**
[ìndidʒéstʃən]

㊔ **소화불량**

The man who sits down to a dining table that is burdened with a great variety of foods and eats everything from "soup to nuts," is sure to suffer with **indigestion**. EBS
매우 다양한 음식이 부담스럽게 올려져 있는 식탁에 앉아 '수프부터 견과류까지' 모든 것을 먹는 사람은 분명 **소화불량**에 시달린다.

chronic indigestion 만성 소화불량

1050 **efficacy**
[éfəkəsi]

㊔ **(약이나 치료의) 효력, 효능**

The clinical report shows results of almost 95% **efficacy** for the vaccine.
그 임상 보고서는 백신의 거의 95%의 **효능**의 결과를 보여 준다.

ef(= out) + fic(= make) + acy(명사 접미사) → 결과가 밖으로 드러내도록 만든 것

Review TEST

Q **각 네모 안에서 문맥에 맞는 낱말을 고르시오.** **학평 변형**

A change in motivation can be effected by targeting the physical consequences of various actions. This method is not at all automatic for most people. In general, people accept and deal with the set consequences of their actions (1) [preserved / prescribed] by their surroundings. It is, however, possible for a person to personally manipulate and create consequences for his actions. This will inevitably have an effect on his future motivation and behavior. Most often this is achieved through the (2) [imposition / impression] of monetary consequences. A bet is a typical example of this. A person striving to reach a difficult goal or complete a task — building a rocking chair or losing weight, for instance — will be wise to (3) [compliment / supplement] his motivation to do so by making a bet on it with a friend. He would of course bet in favor of himself. In doing so, he will receive both a positive incentive to complete the task (his desire to collect the reward for winning the bet) and a negative disincentive to quit the task (his desire to avoid having to pay out if he loses).

* monetary: 금전적인

해석

동기 부여의 변화는 다양한 행동의 물질적 결과를 목표로 하는 것에 의해 유발될 수 있다. 이 방법은 대부분의 사람들에게는 결코 자동적이지 않다. 일반적으로 사람들은 자신의 환경에 의해 (1) **규정된** 자기 행동의 정해진 결과를 받아들이고 처리한다. 그러나 사람이 자신의 행동에 대한 결과를 직접 조종하고 만들어 내는 것이 가능하다. 이것은 필연적으로 자신의 미래 동기 부여와 행동에 영향을 미치게 될 것이다. 주로 이것은 금전적 결과물의 (2) **부여**를 통해 이루어진다. 내기는 이것의 전형적인 예이다. 예를 들어, 흔들의자를 만들거나 체중을 감량하는 것과 같은 어려운 목표에 도달하거나 과제를 완성하기 위해 노력하는 사람은 친구와 그것에 대해 내기를 함으로써 그렇게 하고자 하는 자신의 동기 부여를 (3) **보완하는** 것이 현명할 것이다. 그는 물론 자신에게 이익이 되도록 내기를 할 것이다. 그렇게 함으로써, 과제를 완성하는 데 있어 긍정적인 유인책 (내기에 이겼을 때의 보상금을 받고자 하는 그의 욕망)과 과제를 중단하는 데 있어 부정적인 억제책(만약 그가 진다면 지불해야 하는 것을 피하고자 하는 그의 욕망) 모두를 받을 것이다.

정답

(1) prescribed (2) imposition (3) supplement

PART

수능 고난도 빈출 숙어·표현

DAY 36 / DAY 40

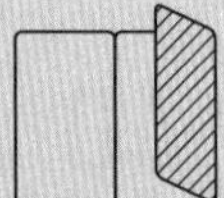

단어를 암기할 때 **뒤쪽 책날개**를 뜯어서
단어 뜻 가리개로 활용하세요.

| Preview | 우리말 뜻에 해당하는 숙어를 ⓐ~ⓒ에서 고르시오.

01 ~에게 …을 경계시키다
ⓐ alert ~ to ⓑ be allergic to ⓒ argue against

02 단번에, 일격에
ⓐ at one fell swoop ⓑ wind up ⓒ in the event of

03 ~의 영향 하에 있다
ⓐ be subject to ⓑ dismiss ~ as ⓒ identify with

04 ~을 만들어내다
ⓐ get obsessed with ⓑ bring forth ⓒ cast doubt on

05 (다른 상황에서) 계속 이어지다
ⓐ be consistent with ⓑ drill into ⓒ carry over

06 일어나다, 발생하다
ⓐ come about ⓑ sign ~ over to ⓒ give oneself over to

07 생각해내다, 상상하다
ⓐ keep alert ⓑ along the lines of ⓒ conceive of

08 ~로서 자리를 잡다
ⓐ put ~ across to ⓑ establish oneself as ⓒ amount to

09 돌이켜 보면
ⓐ read ~ into ⓑ in retrospect ⓒ take measures

10 ~을 방해하다
ⓐ tap into ⓑ interfere with ⓒ put ~ in perspective

|정답| 1ⓐ 2ⓐ 3ⓐ 4ⓑ 5ⓒ 6ⓐ 7ⓒ 8ⓑ 9ⓑ 10ⓑ

가리개를 사용하여 뜻을 잘 암기했는지 확인하세요.

1051 □□ **alert A to B**

A에게 B를 경계시키다; (주의를) 환기하다

The obesity 'epidemic' **alerts** us **to** the fact that it is now normal to be abnormal — even diseased. EBS

비만 '유행병'은 비정상적인 것 심지어 병이 있는 것이 이제는 정상적이라는 사실을 우리**에게 주의를 환기시킨다**.

유 **alert, warn** 동 경고하다, 주의를 환기하다

1052 □□ **argue against**

~에 반대 의견을 말하다 to state reasons in opposition to something

Those who **argue against** keeping animals as companions argue that the practice is motivated by a selfish human need to dominate members of other species. EBS

반려로 동물을 기르는 것**에 반대 의견을 말하는** 사람들은 그 관행이 다른 종의 구성원을 지배하려는 이기적인 인간의 욕구 때문에 유발된다고 주장한다.

1053 □□ **at one fell swoop**

단번에, 일격에 all at once, with a single decisive action

Advertisers look back nostalgically to the years when a single spot transmission would be seen by the majority of the population **at one fell swoop**. 수능

광고주들은 단 하나의 광고 전송을 대부분의 사람들이 **단번에** 보곤 했던 시절을 향수에 젖어 되돌아본다.

유 **all at the same time** 단번에

swoop 명 급습; 급강하 동 급강하하다

1054 □□ **be allergic to**

~을 몹시 싫어하다

Teresa didn't even like using the phone. She once told Kay that she **was allergic to** the stuff the world made. EBS

Teresa는 전화기를 사용하는 것조차 좋아하지 않았다. 그녀는 언젠가 Kay에게 자신은 세상이 만든 물건**을 몹시 싫어한다**고 말한 적이 있었다.

allergic 형 몹시 싫어하는, ~이 질색인

1055 □□ **be consistent with**

~와 일치하다

When conflicts occur, mutual collaboration for seeking agreement **is consistent with** their ethic of neutrality. EBS

갈등이 발생할 때 합의를 찾으려는 상호의 협력이 그들의 중립성 윤리**와 일치한다**.

1056 **be subject to**

~의 영향 하에 있다 to be guided, controlled, or ruled by something

Humans **are subject to** many biases in reasoning or perception. EBS
인간은 추론이나 지각에서 여러 편견**의 영향을 받는다**.

1057 **bring forth**

~을 만들어내다 to produce something or make it appear

Every year, Pegasus Engineering invites aspiring amateur engineers to **bring forth** their ideas for the next generation of commercial drones. 학평
매년 Pegasus Engineering은 포부를 가진 아마추어 공학자들이 차세대 상업용 드론을 위한 아이디어를 **제시하도록** 초대합니다.

1058 **carry over**

(다른 상황에서 계속) 이어지다 to continue to exist in the new situation

The expertise that we work hard to acquire in one domain will **carry over** only imperfectly to related ones, and not at all to unrelated ones. 수능
우리가 한 영역에서 열심히 노력해서 얻는 전문성은 관련 영역으로 오직 불완전하게 **이어질** 뿐이며, 관련이 없는 영역으로는 전혀 이어지지 않을 것이다.

1059 **cast doubt on**

~을 의심하다

I have no reason to **cast doubt on** what you are saying, it may well be right. 나는 너의 말을 **의심할** 이유가 없다, 아마 맞을 것이다.

It's the job of intellectuals and writers to **cast doubt on** perfection.
완벽함을 **의심하는** 것은 지식인과 작가들의 일이다. *- Antonio Tabucchi*

1060 **come about**

일어나다, 발생하다 to happen; being done without plans

More and more school shootings **come about** every year.
매해 점점 더 많은 학교 총격 (사건)이 **일어나고** 있다.

Incorporating new technology has not **come about** without cost: environmental contamination and urban stress are directly linked to modern transport system. EBS
새로운 기술을 통합시키는 것이 대가 없이 **일어난** 것은 아니었는데, 환경 오염과 도시 스트레스는 현대 교통 체계와 직접 연결되어 있다.

1061 **conceive of**

~을 생각해내다, 상상하다 to think of someone or something; imagine

Unfortunately, the association of care with effort and worry leads forbids us to **conceive of** old age as a period in which one should live a "carefree existence." EBS

유감스럽게도 돌봄을 노고와 걱정과 연관시키는 것은 우리가 노년을 '근심 없는 삶'을 살아야 하는 시기로 **생각하지** 못하게 한다.

I cannot **conceive of** music that expresses absolutely nothing.

나는 전혀 아무것도 표현하지 않는 음악을 **상상할** 수 없다. *- Bela Bartok*

1062 **dismiss A as B**

A를 B라고 일축하다[치부하다]

Some believe there is no value to dreams, but it is wrong to **dismiss** these nocturnal dramas **as** irrelevant. EBS

어떤 사람들은 꿈에 가치가 없다고 믿지만, 밤에 일어나는 이 드라마를 무관한 것**으로 일축하는** 것은 잘못이다.

dismiss ⓢ (고려할 가치가 없다고) 일축하다, 묵살하다

1063 **drill A into B**

A를 B에게 주입시키다

Some schools and workplaces ignore the improvisatory instincts **drilled into** us for millions of years and, therefore, creativity suffers. 수능

일부 학교와 직장들은 수백만 년 동안 우리**에게 주입된** 즉흥적인 직관을 무시하고, 그 결과 창의력은 악화된다.

drill ⓢ 구멍을 뚫다; 반복 연습시키다

1064 **establish oneself as**

~(으)로서 자리를 잡다

She has **established herself as** one of the most active business leaders in the community.

그녀는 지역사회에서 가장 활동적인 비즈니스 리더 중 한 명**으로 자리매김했다**.

1065 **get obsessed with**

~에 집착하다, ~에 사로잡히다

Scientists, especially young ones, can **get** too **obsessed with** results.

수능 과학자들, 특히 젊은 과학자들은 결과**에** 너무 **집착할** 수 있다.

I **got obsessed with** classical music. I **got obsessed with** Chopin with playing the piano. *- Gary Oldman*

나는 클래식 음악**에 사로잡혔다**. 나는 피아노 연주를 하는 쇼팽**에 사로잡혔다**.

1066 □□ **give oneself over to**

~에 몰두하다[빠지다]

After his death she **gave herself over to** grief.
그가 죽은 후 그녀는 슬픔**에 빠졌다.**

1067 □□ **identify with**

~와 동질감을 갖다, ~와 동일시하다

These clients were able to **identify with** characters who had struggles similar to their own. EBS
이런 의뢰인들은 자신들의 것과 유사한 힘든 일을 겪은 등장인물**과 동질감을 가질** 수 있었다.

identify ⓢ 동일시하다 identification ⓜ 동일시; 신분 증명(= ID)

1068 □□ **in retrospect**

돌이켜 보면 looking backward, reflecting on the past

In retrospect, it might seem surprising that something as mundane as the desire to count sheep was the driving force for an advance as fundamental as written language. 수능
돌이켜 보면, 양의 수를 세고자하는 욕구만큼 세속적인 것이 문자 언어만큼 근본적인 진보의 원동력이었다는 것은 놀라운 일로 보일지도 모른다.

retrospect ⓜ 회상, 회고 ⓢ 회고하다, 추억에 잠기다

1069 □□ **in the event of**

(만약) ~의 경우에는

Participants in the simulated anthropomorphized vehicle felt less stressed from an observer's point of view, and **in the event of** an accident, were less likely to blame their vehicles. EBS
시뮬레이션된 의인화된[스스로 운전을 하는] 차량의 참여자들은 관찰자의 관점에서 스트레스를 덜 받는다고 느꼈고, 사고가 발생**한 경우에** 자기들의 차량을 탓할 가능성이 더 적었다.

1070 □□ **interfere with**

~을 방해하다 to disrupt or interrupt with something

Worry will **interfere with** digestion and sleep.
걱정은 소화와 수면**을 방해할** 것이다.

Do not let what you cannot do **interfere with** what you can do.
당신이 할 수 없는 것이 당신이 할 수 있는 것**을 방해하게** 하지 말라. *- John Wooden*

1071 **keep alert**

경계를 게을리하지 않다

Our strong desire for novelty has evolutionary roots, improving our survival odds by **keeping** us **alert** to both friends and threats in our environment. EBS
참신함에 대한 우리의 강한 욕구에는 진화적인 뿌리가 있는데, 그것은 우리로 하여금 우리 주변에 있는 친구와 위협적인 존재 둘 다에 **방심하지** 않게 함으로써 우리의 생존 가능성을 높여준다.

1072 **put ~ in perspective**

~을 (제대로) 이해하다, ~을 전체적인 시야로 보다

Risk and failure need to be **put in perspective**.
위험과 실패는 **전체적인 시야로 바라봐야** 한다.

Put your choices **in perspective**. - *Jillian Michaels*
당신의 선택**을 제대로 이해하라**.

perspective ⓜ 관점, 시각; 전망

1073 **put across A to B**

A를 B에게 이해시키다[받아들이게 하다]

She **put across** her opinion skillfully **to** her boss.
그녀는 그녀의 의견을 상사**에게** 교묘하게 **이해시켰다**.

Environmental journalists have to **put across** the point of view of the environment **to** people who make the laws. 수능
환경 저널리스트들은 법을 제정하는 사람들**에게** 환경에 관한 견해**를 이해시켜야** 한다.

1074 **read A into B**

B에 A의 의미를 부여하다

Don't **read** too much **into** his leaving so suddenly.
그가 그렇게 갑자기 떠나는 것**에** 너무 많은 **의미를 부여하지** 마라.

1075 **sign A over to B**

A를 B에게 양도하다 to transfer ownership of something by signing one's name

Three years before his death he **signed** his property **over to** his children.
그는 죽기 3년 전에 자녀들**에게** 재산**을 양도했다**.

1076 **take measures**

조치를 취하다

We must **take** preventive **measures** to reduce crime in the area.
우리는 이 지역에서의 범죄를 줄일 수 있도록 예방 **조치를 취해야** 한다.

In these cases, fear actually enables people to **take** extreme **measures** in order to survive. EBS
이러한 경우 두려움은 실제로 사람들이 생존하기 위해 극단적인 **조치를 취할** 수 있게 한다.

1077 **tap into**

~을 활용하다

The critical skill of this century is not what you hold in your head, but your ability to **tap into** and access what other people know. EBS
이 세기의 중요한 기술은 여러분의 머리에 담고 있는 것이 아니라, 다른 사람들이 알고 있는 **것을 이용하고** 그것에 접근하는 능력이다.

1078 **wind up**

결국 ~(으)로 끝나다, 마무리짓다

Haste in a relationship can ruin long-term fulfillment, because we go too fast too soon or **wind up** with someone who is less than our dreams. EBS
관계에서의 성급함은 장기간에 걸친 성취를 망칠 수 있는데, 이는 우리가 너무 빨리 너무 급하게 서두르거나 혹은 우리의 이상형에 못 미치는 사람에게 정착**해 버리기** 때문이다.

1079 **along the lines of**

~와 같은, ~와 비슷한

The limit that the child internalizes is something **along the lines of**: "Anything goes until I actually hurt someone." EBS
그 아이가 내면화하는 한도는 다음**과 비슷한** 것이다: '내가 실제로 누구를 해치지만 않으면 무엇이든 괜찮다.'

1080 **amount to**

~에 해당하다, ~에 이르다

Annual sales of Korean cars in Europe **amount to** 450,000 units.
유럽 내 한국 자동차의 연간 매출 대수는 45만 대**에 이른다**.

Problem framing **amounts to** defining what problem you are proposing to solve. 모평
문제 구조화는 당신이 어떤 문제를 해결하려고 하는지 정의하는 것**에 해당한다**.

Review TEST

Q 영어는 우리말로, 우리말은 영어로 쓰시오.

01 alert A to B ....

02 amount to ....

03 be allergic to ....

04 cast doubt on ....

05 tap into ....

06 be subject to ....

07 get obsessed with ....

08 drill A into B ....

09 argue against ....

10 keep alert ....

11 be consistent with ....

12 dismiss A as B ....

13 conceive of ....

14 establish oneself as ....

15 carry over ....

16 ~에 몰두하다[빠지다] ....

17 ~와 같은, ~와 비슷한 ....

18 돌이켜보면 ....

19 조치를 취하다 ....

20 A를 B에게 이해시키다 ....

21 일어나다, 발생하다 ....

22 ~을 (제대로) 이해하다 ....

23 ~을 방해하다 ....

24 B에 A의 의미를 부여하다 ....

25 A를 B에게 양도하다 ....

26 (만약) ~의 경우에는 ....

27 ~을 만들어내다 ....

28 결국 ~(으)로 끝나다 ....

29 ~와 동질감을 갖다 ....

30 단번에, 일격에 ....

DAY 36 Review TEST 정답

01 A에게 B를 경계시키다 02 ~에 해당하다, ~에 이르다 03 ~을 몹시 싫어하다 04 ~을 의심하다 05 ~을 활용하다 06 ~의 영향 하에 있다 07 ~에 집착하다, ~에 사로잡히다 08 A를 B에게 주입시키다 09 ~에 반대 의견을 말하다 10 경계를 게을리하지 않다 11 ~와 일치하다 12 A를 B라고 일축하다[치부하다] 13 ~을 생각해내다, 상상하다 14 ~(으)로서 자리를 잡다 15 (다른 상황에서 계속) 이어지다 16 give oneself over to 17 along the lines of 18 in retrospect 19 take measures 20 put across A to B 21 come about 22 put ~ in perspective 23 interfere with 24 read A into B 25 sign A over to B 26 in the event of 27 bring forth 28 wind up 29 identify with 30 at one fell swoop

| Preview | 우리말 뜻에 해당하는 숙어를 ⓐ~ⓒ에서 고르시오.

01 궁여지책(아쉬운 대로 요긴한 것)
ⓐ at an angle ⓑ any port in a storm ⓒ be prone to

02 액면 그대로, 겉에 보이는 대로
ⓐ boil down to ⓑ by and large ⓒ at face value

03 실권을 가진, 책임지고 있는
ⓐ close at hand ⓑ at the helm ⓒ at one's convenience

04 처음에, 시작할 때에
ⓐ come across as ⓑ at the outset ⓒ date back to

05 있는 힘껏, 목청껏
ⓐ devoid of ⓑ distinct from ⓒ at the top of one's lungs

06 ~(으)로 구성되다
ⓐ be absorbed in ⓑ be anchored in ⓒ be comprised of

07 깜짝 놀라다
ⓐ attribute ~ to ⓑ be taken aback ⓒ compensate for

08 ~에 부딪히다, ~에 직면하다
ⓐ be up against ⓑ carry weight ⓒ come to prominence

09 ~을 제쳐놓다; ~을 무시하다
ⓐ bridge the gap ⓑ be tuned in ⓒ brush aside

10 ~에 집착하다
ⓐ cling to ⓑ concur with ⓒ contribute to

|정답| 1 ⓑ 2 ⓒ 3 ⓑ 4 ⓑ 5 ⓒ 6 ⓒ 7 ⓑ 8 ⓐ 9 ⓒ 10 ⓐ

가리개를 사용하여 뜻을 잘 암기했는지 확인하세요.

1081 **any port in a storm**

궁여지책 any solution to a difficult situation (is better than none)

Eventually, most men find they must be satisfied with "**any port in a storm**." 모평

결국, 대부분의 사람들은 스스로가 '**폭풍이 닥치면 어떤 항구**'에도 만족해야 한다는 것을 알게 된다.

1082 **at an angle**

비스듬히

It's tilted **at the angle** of approximate 120° to the horizontal.

그것은 수평과 약 120도의 각도로 **비스듬히** 기울어져 있다.

Suddenly, a boy riding a bicycle slipped on the damp wooden surface, hitting Rita **at an angle**, which propelled her through an open section of the guard rail. 모평

갑자기 자전거를 타고 있던 소년이 눅눅한 나무 표면에 미끄러져 Rita에게 **비스듬히** 부딪쳤고, 이 때문에 그녀는 난간의 열린 부분을 통해 밀려 나갔다.

1083 **at face value**

액면 그대로, 겉에 보이는 대로

Honoring heroes is best done with love. It is essential that they and their deeds be taken **at face value**. EBS

영웅들에게 경의를 표하는 것은 사랑으로 가장 잘 행해진다. 그들과 그들의 행위를 **액면 그대로** 받아들이는 것이 중요하다.

1084 **at one's convenience**

형편이 되는 대로

Please call me **at your** earliest **convenience** so that we may set a time to get together. EBS

우리가 만날 수 있는 시간을 잡을 수 있도록 **형편이 되는 대로** 조속히 전화를 주십시오.

1085 **at the helm**

실권을 가진, 책임지고 있는 in the position of being in control of something

When deciding whether to invest in a company, investors may take into account the people **at the helm**. 모평

어떤 회사에 투자해야 할지의 여부를 결정할 때, 투자자들은 **실권을 가진** 사람들을 고려할지도 모른다.

helm ⓝ (배의) 키; 지배, 지도 ⓥ (배)의 키를 잡다

1086 **at the outset**

처음에 at the beginning

If all difficulties were known **at the outset** of a long journey, most of us would never start out at all. *- Dan Rather*
모든 어려움들이 긴 여행의 **시작에** 알려진다면 우리들 대부분은 절대 출발하지 않을 것이다.

Watch the cooperation level of your peer go up exponentially **at the outset** of your meeting. EBS
회의가 **시작될 때** 여러분 동료의 협조 수준이 기하급수적으로 올라가는 것을 지켜보라.

1087 **at the top of one's lungs**

있는 힘껏, 목청껏 as loudly as one can

She pulls over the car and screams at her two young sons **at the top of her lungs**: "ENOUGH! One more word and nobody goes to the movies!" 학평
그녀는 차를 길 한쪽에 대고 그녀의 두 아이들에게 **있는 힘껏** 소리 지른다. "그만! 한마디만 더하면 아무도 영화 보러 못 갈 줄 알아!"

1088 **attribute A to B**

A를 B의 덕분[탓]으로 돌리다

I **attribute** my success **to** this: I never gave or took any excuse. *- Florence Nightingale*
나는 내 성공을 이것 **덕분으로 돌린다**. 나는 어떤 변명을 하거나 받아들이지 않았다.

The impacts of tourism on the environment are evident to scientists, but not all residents **attribute** environmental damage **to** tourism. 수능
관광 산업이 환경에 미치는 영향은 과학자들에게는 명확하지만, 모든 주민들이 환경 훼손을 관광 산업**의 탓으로 돌리지는** 않는다.

1089 **be absorbed in**

~에 열중하다[몰두하다]

She was walking with one of her daughters, and they **were absorbed in** conversation. 학평
그녀는 자신의 딸들 중 한 명과 걷고 있었고 그들은 대화**에 몰두했다**.

1090 **be anchored in**

~에 단단히 기반을 두다

Her novels **are anchored in** everyday experience.
그녀의 소설들은 일상의 경험**에 단단히 기반을 두고 있다**.

1091 □□ **be comprised of**

~(으)로 구성되다 to be made up of something; to consist of something

In the Middle Ages, Europe **was comprised of** several city-states.
중세 시대에, 유럽은 몇몇 도시 국가**로 이루어졌다**.

The club **was comprised of** several bright young men who had genuine talent for writing. EBS
그 동아리는 글쓰기에 진정한 재능을 지닌 여러 명의 똑똑한 청년들**로 구성되었다**.

1092 □□ **be prone to**

~하기 쉽다, ~하는 경향이 있다

Oily skin **is prone to** acne and breakouts.
유분이 많은 피부는 여드름과 뾰루지가 **나기 쉽다**.

We'**re** all **prone to** overestimate our abilities as well as our power to control our destiny. EBS
우리 모두는 운명을 통제하는 우리의 힘뿐만 아니라 우리의 능력을 과대평가**하기 쉽다**.

1093 □□ **be taken aback**

깜짝 놀라다 be shocked or surprised by somebody or something

At first, Silei **was taken aback** that Mary was interested in her life. EBS
처음에 Silei는 Mary가 자기 삶에 흥미를 보여서 **깜짝 놀랐다**.

1094 □□ **be[become] tuned in**

맞춰지다, 동조되다

As I **get** older and more **tuned in** to a community, I see myself getting more involved. *- Steven Ford*
나이가 들면 들수록 지역 사회에 더 **맞춰지면서** 나는 내 자신이 더 많이 관여되는 것을 본다.

As locusts swarm and **become** more **tuned in** to other locusts around them, their brain size shrinks by some degrees. 학평
메뚜기들이 무리 짓고 주변의 다른 메뚜기들과 더 잘 **맞춰가게** 되면서 그들의 뇌 크기가 어느 정도 줄어든다.

1095 □□ **be up against**

~에 부딪히다, ~에 직면하다 to face serious problems, stresses, or difficulties

If you've ever seen the bank of flashing screens at a broker's desk, you have a sense of the information overload they **are up against**.
모평 주식 중개인의 책상에서 번쩍이는 화면의 무더기를 본 적이 있다면 그들이 **부딪히고 있는** 정보 과부하를 알게 된다.

1096 **boil down to**

~(으)로 귀결되다

As with most public policy issues, every debate **boils down to** money. 모평

대부분의 공공 정책 쟁점들과 마찬가지로 모든 논쟁은 결국 돈**으로 귀결된다**.

유 **come down to** 결국 ~이 되다, ~에 이르다

1097 **bridge the gap (between A and B)**

(A와 B 사이의) 간극을 좁히다[메우다]

This is an attempt to **bridge the gap between** the audience **and** the characters.

이것은 관객**과** 등장인물들 **간의 격차를 좁히려는** 시도이다.

Addams strived to **bridge the gap between** the powerful **and** the powerless. EBS

Addams는 힘있는 사람들**과** 힘없는 사람들 **사이의 간극을 메우려고** 애썼다.

1098 **brush aside**

~을 제쳐놓다; ~을 무시하다 to push someone or something out of the way

Try to **brush aside** the stuff that offends or upsets you to really try to hear what they are saying you can do better next time. 모평

다음번에 당신이 더 잘할 수 있는 것이 무엇이라고 그들이 말하는지 정말로 듣기 위해서는 당신을 불쾌하게 하거나 속상하게 하는 것들**을 제쳐놓아라**.

1099 **by and large**

대체로

By and large, the photograph was a challenge to painting. EBS

대체로 사진은 회화에 대한 도전이었다.

Government goods and services are, **by and large**, distributed to groups of individuals through the use of nonmarket rationing. 모평

정부의 재화와 용역은 **대체로** 비시장적 배분을 통해 개인들로 이뤄진 집단에 분배된다.

유 **generally, overall, on the whole** 대체로

1100 **carry weight**

무게가 있다, 영향력이 있다

I've learned that my word **carries weight**, and that's something I have to always have to keep in mind. - *Carmen Carrera*

나는 내 말이 **무게가 있다**는 것을 배웠다. 그리고 그것은 내가 항상 명심해야 할 것이다.

1101 **cling to**

~에 집착하다 to hold on tight to someone or something

While minimalists advocate a life without many of the things most of us take for granted, they **cling to** their laptops and tablets. EBS
미니멀리스트들은 우리들 대부분이 당연시 여기는 많은 것들이 없는 삶을 옹호하지만, 그들은 노트북과 태블릿**에 집착한다**.

유 **stick to, be obsessed to** ~에 집착하다

1102 **close at hand**

쉽게 손닿는 곳에, 가까운 곳에

Having the Oxford English Dictionary **close at hand** for reference will help historians avoid any form of potential misinterpretation. EBS
옥스포드 영어 사전을 참조를 위해 **쉽게 손닿는 곳에** 두는 것은 역사가들이 어떤 형태의 오역의 가능성을 피하도록 도와줄 것이다.

1103 **come across as**

~라는 인상을 주다

When somebody **comes across as** authentic and genuine and sweet, people just want to spend time with that person. *- Pete Holmes*
누군가가 진실되고, 진정성 있고 상냥하**다는 인상을 주면**, 사람들은 그저 그 사람과 함께 시간을 보내기를 원한다.

1104 **come to prominence**

두각을 나타내다

The young soccer player **came to prominence** during the World Cup in Italy. 그 젊은 축구 선수는 이탈리아에서 월드컵 동안 **두각을 나타냈다**.

prominence 명 명성; 현저함 prominet 형 현저한, 두드러진; 돌출된

1105 **compensate for**

~을 보완하다, ~을 보상하다

A positive attitude can more than **compensate for** a number of other things that may be failing. EBS
긍정적인 태도는 나빠지고 있을지도 모르는 많은 다른 것들**을 보상하는** 것 이상을 할 수 있다.

compensate 동 보상하다, 배상하다; 상쇄하다

1106 ☐☐ **concur with**

~와 일치하다 to agree with one about a particular issue, idea, or person

If we were not inclined to update the value of our options rapidly so that they **concur with** our choices, we would likely second-guess ourselves to the point of insanity. 모평

우리가 선택한 것**과 일치하도록** 선택의 가치를 빠르게 갱신하려 하지 않는다면, 미칠 지경으로 스스로를 비판할 가능성이 있다.

concur ⓢ 동의하다 concurrence ⓜ 의견 일치, 동의; 동시 발생

1107 ☐☐ **contribute to**

~에 공헌(기여)하다

Why should I **contribute to** supply street lights if I will get the benefit whether or not I **contribute**? EBS

기여를 하든 안 하든 내가 혜택을 얻게 된다면 가로등을 공급하기 위해 내가 **기여해야** 할 이유가 있을까?

contribute ⓢ 기여하다 contribution ⓜ 기여, 이바지; 기부, 기부금

1108 ☐☐ **date back to**

(시기를) ~(으)로 거슬러 올라가다

Insurance is a concept that **dates back to** the so-called "funeral societies" of ancient Greece. EBS

보험은 고대 그리스의 소위 '장례 협회'**로 거슬러 올라가는** 개념이다.

1109 ☐☐ **devoid of**

~이 (전혀) 없는

People in Florida would live in a world **devoid of** snow and cold and be reliant on fans and air conditioners for their comfort. EBS

플로리다에 사는 사람들은 눈과 추위**가 없는** 세상에 살면서 안락함을 선풍기와 에어컨에 의존할 것이다.

devoid ⓗ ~결여된, 빠진 ⓢ 남에게서 ~을 빼앗다

1110 ☐☐ **distinct from**

~와 다른

A screening test, as **distinct from** a diagnostic test, is used to identify disease in people who have no symptoms. EBS

진단 검사**와 구별되는** 선별 검사는 증상이 없는 사람들의 질병을 확인하기 위해 사용된다.

distinct ⓗ 뚜렷한, 분명한

Review TEST

Q 영어는 우리말로, 우리말은 영어로 쓰시오.

01 any port in a storm ....

02 be up against ....

03 at face value ....

04 be tuned in ....

05 by and large ....

06 be absorbed in ....

07 at the top of one's lungs ....

08 be taken aback ....

09 be prone to ....

10 attribute A to B ....

11 at the outset ....

12 distinct from ....

13 at one's convenience ....

14 be comprised of ....

15 at an angle ....

16 무게가 있다, 영향력이 있다 ....

17 간극을 좁히다[메우다] ....

18 ~을 제쳐놓다 ....

19 실권을 가진 ....

20 ~에 공헌[기여]하다 ....

21 ~에 집착하다 ....

22 쉽게 손닿는 곳에 ....

23 ~으로 거슬러 올라가다 ....

24 두각을 나타내다 ....

25 ~을 보상하다 ....

26 ~이 (전혀) 없는 ....

27 ~라는 인상을 주다 ....

28 ~와 일치하다 ....

29 ~에 단단히 기반을 두다 ....

30 ~(으)로 귀결되다 ....

DAY 31 Review TEST 정답

01 궁여지책 02 ~에 부딪히다, ~에 직면하다 03 액면 그대로, 겉에 보이는 대로 04 맞춰지다, 동조되다 05 대체로 06 ~에 열중하다[몰두하다] 07 있는 힘껏, 목청껏 08 깜짝 놀라다 09 ~하기 쉽다, ~하는 경향이 있다 10 A을 B의 덕분[탓]으로 돌리다 11 처음에 12 ~와 다른 13 형편이 되는 대로 14 ~(으)로 구성되다 15 비스듬히 16 carry weight 17 bridge the gap 18 brush aside 19 at the helm 20 contribute to 21 cling to 22 close at hand 23 date back to 24 come to prominence 25 compensate for 26 devoid of 27 come across as 28 concur with 29 be anchored in 30 boil down to

| Preview | 우리말 뜻에 해당하는 숙어를 ⓐ~ⓒ에서 고르시오.

01 시작하다
ⓐ entitled to ⓑ get a glimpse of ⓒ get underway

02 함께하다; 소극적으로 참여하다
ⓐ go along for the ride ⓑ go around ⓒ give ~ teeth

03 대세를 따르다; 부화뇌동하다
ⓐ indicative of ⓑ go with the crowd ⓒ meet the needs

04 크게 성공하다
ⓐ immune to ⓑ more often than not ⓒ hit the jackpot

05 ~와 조화하며, ~와 일치하여
ⓐ in accord with ⓑ in an attempt to ⓒ in anticipation of

06 위험에 처한
ⓐ in labor ⓑ keep one's counsel ⓒ in jeopardy

07 이론적으로, 추상적으로
ⓐ in the pursuit of ⓑ in the abstract ⓒ in the interests of

08 이동 중, 배송 중
ⓐ irrespective of ⓑ in transit ⓒ have relevance to

09 ~에 적당하다, ~에 적합하다
ⓐ in line with ⓑ lend itself to ⓒ lose out

10 ~을 감수하다, 받아들이다
ⓐ live with ⓑ make the case ⓒ independent of

|정답| 1 ⓒ 2 ⓐ 3 ⓑ 4 ⓒ 5 ⓐ 6 ⓒ 7 ⓑ 8 ⓑ 9 ⓑ 10 ⓐ

가리개를 사용하여 뜻을 잘 암기했는지 확인하세요.

1111 **entitled to**

~할 자격[권리]이 있는

You are **entitled to** a certain number of paid holidays. EBS
당신은 특정한 일수의 유급 휴가**에 대한 권리가 있**다.

1112 **get a glimpse of**

~을 언뜻 보다

Happiness is there, on the edges of these experiences, and when we **get a glimpse of** that kind of happiness it is powerful, transcendent and compelling. EBS
행복은 거기, 이런 경험의 가장자리에 있고, 우리가 그런 종류의 행복**을 언뜻 보게** 될 때, 그것은 강력하고 초월적이며 강렬하다.

glimpse 명 잠깐 봄, 흘긋 봄

1113 **get underway**

시작하다 to initiate a project; to make a start

If that is done without the involvement of properly qualified engineers then, later, when the project **gets underway**, there will inevitably be practical problems. 학평
만약 그때 그것이 적절하게 자격을 갖춘 공학자의 관여 없이 행해진다면, 나중에 그 프로젝트가 **시작될** 때, 필연적으로 실질적인 문제들이 있을 것이다.

1114 **give ~ teeth**

~을 탄탄하게 하다

Seek out internships and take electives like statistics, programming, or business to **give** your liberal arts education some "**teeth**." 학평
여러분의 인문학 교육을 다소 **'탄탄하게' 해 주기** 위해서 인턴직을 찾아보고 통계학, 프로그래밍, 혹은 경영학과 같은 선택 과목을 수강하라.

1115 **go along for the ride**

함께하다; 소극적으로 참여하다 to participate in some activity without playing an active or central role

When wheat and barley cultivation was expanded, rye went **along for the ride**, also expanding its own distribution area. 학평
밀과 보리 경작이 확장되었을 때, 호밀도 **함께 그 무리에 합류하여** 그 자신의 분포 지역을 확장했다.

1116 **go around**

(사람들에게 몫이) 돌아가다

As long as you do not run out of copies before completing this process, you will know that you have a sufficient number to **go around**. EBS

이 과정을 완료하기 전에 사본이 떨어지지 않는 한, 당신은 **사람들에게 돌아갈** 충분한 수의 사본이 있다는 것을 알 것이다.

1117 **go with the crowd**

대세를 따르다, 부화뇌동하다 do as everyone else does without ideas of your own

They give up on what they believe is right and **go with the crowd**, and later pay the consequences. EBS

그들은 자신들이 올바르다고 믿는 바를 포기하고 **대세를 따르다가**, 나중에 (그에 대한) 대가를 치른다.

1118 **have relevance to**

~와 관련이 있다

Issues that **have relevance to** the tribal community have routinely been minimized and ignored. *- Sharice Davids*

부족 커뮤니티와 **관련이 있는** 문제들은 일상적으로 최소화되고 무시되었다.

The number of downloads of any given scientific paper **has** little **relevance to** the number of times the entire article has been read from beginning to end. 모평

어떤 특정한 과학 논문의 다운로드 횟수는 그 전체 논문이 처음부터 끝까지 읽힌 횟수**와 관련성이** 거의 없다.

1119 **hit the jackpot**

크게 성공하다 be highly successful, especially unexpectedly

You will **hit the jackpot** and find a career that melds your strengths and passions. 모평

당신은 **대박을 터뜨리고** 당신의 강점과 열정을 섞어 주는 직업을 발견할 것이다.

1120 **immune to**

~의 영향을 받지 않는

No science is **immune to** the infection of politics and the corruption of power. *- Jacob Bronowski*

어떤 과학도 정치와 권력의 부패**에 영향을 받지 않는**다.

Individuals who survive an infection normally become **immune to** that particular disease. EBS

어떤 전염병에서 살아남는 사람들은 보통 그 특정 질병**에** 대해 **면역을 가지게** 된다.

immune ⓗ ~의 영향이 없는; 면역성이 있는

1121 **in accord with**

~와 조화하여, ~와 일치하여 matching or agreeing with someone or something

His ideas were completely **in accord with** mine.
그의 생각은 나의 생각**과** 완전히 **일치했다**.

Thanksgiving is season that is very much **in accord with** the themes and teachings of Jesus Christ. - *John Clayton*
추수감사절은 예수 그리스도의 주제와 가르침**과 일치하는** 시즌이다.

1122 **in an attempt to**

~하려는 시도로

The inner critic recites its lines **in an attempt to** get you to go back into the familiar zone of the status quo. EBS
내면의 비판가는 여러분을 현 상황의 익숙한 지대로 되돌아가게 만들**려는 시도로** 자신의 대사를 읊는다.

attempt ㊔ 시도 ㊕ 시도하다

1123 **in anticipation of**

~을 기대하여

Levels of ghrelin, a hormone that stimulates appetite, rose steeply **in anticipation of** drinking the "indulgent" shake. EBS
식욕을 자극하는 호르몬인 그렐린 수치는 '탐닉하게 하는' 셰이크를 마실 것**을 예상하고** 가파르게 상승했다.

anticipation ㊔ 예상, 예측, 기대

1124 **in jeopardy**

위험에 처한 in danger or at risk

Judging from the main portions of the history of the world, so far, justice is always **in jeopardy**. - *Walt Whitman*
세계사의 주요 부분으로 판단해 볼 때, 지금까지의 정의는 항상 **위험에 처해 있다**.

Now, because of this very tiny mark on my knee, my job with Pan Am and my whole new life were **in jeopardy**. EBS
지금, 내 무릎에 있는 매우 작은 이 자국 때문에, 팬 아메리칸 항공에서의 나의 일과 나의 완전히 새로운 삶이 **위험에 빠졌다**.

1125 **in labor**

진통 중인

As Apgar studied, she became interested in the way anesthesia given to mothers **in labor** affected babies. 학평
공부하면서 Apgar는 **진통 중인** 산모에게 주어지는 마취가 아기에게 미치는 영향에 대해 관심을 갖게 되었다.

1126 **in line with**

~에 따라, ~와 함께

From the perspective of science, policies should be **in line with** the findings and recommendations of science. EBS
과학의 관점에서 보면 정책들은 과학의 연구 결과와 권고**에 따라야** 한다.

1127 **in the abstract**

이론적으로, 추상적으로 in a way that is conceptual or theoretical

They often deal with information **in the abstract** instead of experiencing it for themselves. EBS
그들은 흔히 자신들이 직접 경험하지 않고 **추상적으로** 정보를 다룬다.

abstract ⓗ 추상적인, 관념적인

1128 **in the interests of**

~을 위하여

Because scientific research is so often conducted **in the interests of** national defense, the norms of common ownership and publication are often suspended. EBS
과학 연구는 매우 빈번하게 국방**을 위해** 수행되기 때문에, 공유권과 공표라는 규범은 종종 유보된다.

1129 **in the pursuit of**

~을 추구하여

Meeting this challenge requires a commitment to determining how to form and maintain relationships while supporting one another **in the pursuit of** goals that may not always be shared. 모평
이러한 문제에 잘 대응하는 것은 항상 공유되지는 않을 수도 있는 목표**를 추구하는** 과정에서 서로를 지원하는 가운데, 어떻게 관계를 형성하고 유지할지를 결정하는 데 대한 헌신적인 노력을 필요로 한다.

pursuit ⓜ 추구, 좇음; 추적

1130 **in transit**

이동 중, 배송 중 in the act of traveling somewhere

Portable devices provide them with the flexibility to work from different spaces or while **in transit**. 학평
휴대용 기기는 그들에게 다양한 공간에서 또는 **이동 중에** 작업할 수 있는 유연성을 제공해 준다.

transit ⓜ 통행, 운송

1131 **independent of**

~에 관계없이, ~와는 별도로

The amount that rats drink depends greatly on the time of day, **independent of** when the water is actually needed. EBS
쥐가 마시는 양은 실제로 물이 필요한 때**와 관계없이** 하루의 시간대에 크게 의존한다.

1132 **indicative of**

~을 시사하는(나타내는), ~을 가리키는

In this instance, a lack of demand wasn't necessarily **indicative of** consumers' true feelings toward air travel. EBS
이 경우, 수요의 부족이 반드시 항공 여행에 대한 소비자의 진짜 감정**을 나타내는** 것은 아니었다.

indicative ⓗ 보여 주는, 암시하는

1133 **irrespective of**

~와 관계[상관]없이

Irrespective of my political party, I am a supporter of good people who want to do something for the society. *- Kapil Dev*
정당**과 관계없이** 나는 사회를 위해 무언가를 하고 싶어 하는 좋은 사람들의 지지자이다.

This contrasts with the national view of the value of forests as a renewable resource, **irrespective of** the local people's needs. 모평
이것은 지역민의 필요**와 관계없이** 숲의 가치를 다시 쓸 수 있는 자원으로 보는 국가적 관점과 대조된다.

1134 **keep one's counsel**

(의도를 드러내지 않은 채) 잠자코 있다

Rules of evidence perform a similar function by affording accused persons fair opportunity to answer the charges against them, whilst at the same time respecting their right to remain silent if they choose to **keep their counsel** and put the prosecution to proof. 학평
증거 규정은 피고인이 **잠자코 있기로** 선택하고 검찰 측이 입증하도록 한다면 묵비권을 행사할 권리를 존중해 주면서 동시에 피고인에게 자신에 대한 혐의에 대응할 공정한 기회를 제공함으로써 유사한 기능을 수행한다.

counsel ⓜ 조언, 충고 ⓓ 조언하다, 상담하다

1135 **lend itself to**

~에 적당[적합]하다 to be suitable for being used in a particular way

This game **lends itself to** teaching English.
이 게임은 영어를 가르치는 **데 적합하다.**

1136 **live with**

~을 감수하다, ~을 받아들이다 to put up with something; to endure something

The goal of adaptive management is to enable us to **live with** the unexpected. EBS

적응 관리의 목표는 우리가 예상치 못한 것들을 **감수(수용)할** 수 있게 하는 것이다.

1137 **lose out**

손해를 보다

The net effect of this was that, although customers benefited, the banks **lost out** as their costs increased but the total number of customers stayed the same. EBS

이것의 최종 결과는 고객들은 득을 봤지만, 은행들은 비용은 증가했으나 고객의 총수는 그대로였기 때문에 **손해를 보았다**는 것이었다.

1138 **make the case**

주장하다

One article laid out an argument that "knowledge is objective"; the other **made the case** that "knowledge is relative." 학평

한 기사는 "지식은 객관적이다"라는 주장을 펼쳤고 다른 기사는 "지식은 상대적이다"라는 **주장을 했다.**

case 명 주장, 논거; 사례

1139 **meet the needs**

요구를 충족시키다

The Bank of England became the model for the world's current banking system — a model where the bank initially existed to **meet the needs** of the state. EBS

잉글랜드 은행은 세계의 현행 은행 제도의 전형이 되었는데, 은행이 처음에 국가의 **필요를 충족시키기** 위해 존재했던 전형이다.

1140 **more often than not**

대개

More often than not, it is the athletes who keep at it through setbacks, plateaus, and failures who ultimately "make it." EBS

대개 궁극적으로 '성공하는' 사람은 바로 좌절, 정체기 그리고 실패를 겪으며 견디어 내는 선수들이다.

Review TEST

Q 영어는 우리말로, 우리말은 영어로 쓰시오.

01 entitled to ....

02 in jeopardy ....

03 in accord with ....

04 hit the jackpot ....

05 go along for the ride ....

06 go around ....

07 get a glimpse of ....

08 give ~ teeth ....

09 go with the crowd ....

10 have relevance to ....

11 make the case ....

12 in an attempt to ....

13 in anticipation of ....

14 get underway ....

15 in the abstract ....

16 ~을 위하여 ....

17 이동 중, 배송 중 ....

18 대개 ....

19 요구를 충족시키다 ....

20 잠자코 있다 ....

21 ~을 시사하는 ....

22 ~에 관계없이 ....

23 ~와 관계없이, ~와 별도로 ....

24 ~을 추구하여 ....

25 ~에 적당[적합]하다 ....

26 ~을 감수하다 ....

27 진통 중인 ....

28 ~의 영향을 받지 않는 ....

29 손해를 보다 ....

30 ~에 따라, ~과 함께 ....

DAY 38 Review TEST 정답

01 ~할 자격[권리]이 있는 02 위험에 처한 03 ~와 조화하여, ~와 일치하여 04 크게 성공하다 05 함께하다, 소극적으로 참여하다 06 (사람들에게 몫이) 돌아가다 07 ~을 언뜻 보다 08 ~을 탄탄하게 하다 09 대세를 따르다, 부화뇌동하다 10 ~와 관련이 있다 11 주장하다 12 ~하려는 시도로 13 ~을 기대하여 14 시작하다 15 추상적으로 16 in the interests of 17 in transit 18 more often than not 19 meet the needs 20 keep one's counsel 21 indicative of 22 irrespective of 23 independent of 24 in the pursuit of 25 lend itself to 26 live with 27 in labor 28 immune to 29 lose out 30 in line with

| Preview | 우리말 뜻에 해당하는 숙어를 ⓐ~ⓒ에서 고르시오.

01 ~하기 직전인
ⓐ nothing less than ⓑ pick up on ⓒ on the verge of

02 완전히, 최종적으로
ⓐ on the grounds that ⓑ once and for all ⓒ on the order of

03 ~을 선택하다
ⓐ opt for ⓑ pay the way to ⓒ on several occasions

04 최상의, 탁월한
ⓐ par excellence ⓑ or otherwise ⓒ wheeling and dealing

05 ~을 강조하다
ⓐ play upon ⓑ point up ⓒ refrain from

06 ~을 응원하다
ⓐ root for ⓑ rub off on ⓒ set ~ in motion

07 이치에 맞다, 당연하다
ⓐ weed out ⓑ stand to reason ⓒ straighten out

08 현재 상태
ⓐ status quo ⓑ weigh in ⓒ wild goose chase

09 식별하다
ⓐ strike ~ as ⓑ tell apart ⓒ steal one's thunder

10 몇 번이고, 되풀이해서
ⓐ unaccustomed to ⓑ time and again ⓒ with no strings attached

|정답| 1 ⓒ 2 ⓑ 3 ⓐ 4 ⓐ 5 ⓑ 6 ⓐ 7 ⓑ 8 ⓐ 9 ⓑ 10 ⓑ

가리개를 사용하여 뜻을 잘 암기했는지 확인하세요.

1141 **nothing less than**

그야말로, 다름 아닌 바로

The result was **nothing less than** astounding. EBS
결과는 **그야말로** 믿기 힘든 것이었다.

1142 **on several occasions**

여러 차례나

We met **on several occasions** to discuss the issue.
우리는 그 문제를 논의하기 위해 **여러 차례나** 만났다.

occasion ⓜ 경우, 때

1143 **on the grounds that**

~라는 이유로

I refuse to answer **on the grounds that** it may incriminate.
나는 그것이 나의 유죄를 입증할 수 **있다는 이유로** 답변을 거부한다.

Others are skeptical about wireless advertising's future **on the grounds that** advertising is antithetical to the reasons that people own mobile phones in the first place. EBS
다른 사람들은 광고가 사람들이 애초에 휴대 전화를 소유하는 이유와 상반된**다는 이유로** 무선 통신 광고의 미래에 대해 회의적이다.

1144 **on the verge of**

~하기 직전인 very nearly at the point at which something will happen

When you are living **on the verge of** starvation, a slight downturn in your food reserves makes a lot more difference than a slight upturn. 평가원
아사 **직전의** 위기에서 살고 있을 때에는 양식 저장량이 조금 감소했을 때가 조금 증가했을 때보다 훨씬 더 큰 변화를 가져온다.

verge ⓜ 가장자리, 변두리; 길가, 도로변

1145 **once and for all (time)**

완전히, 최종적으로 finally; permanently

None of this is easy, and challenges are never met **once and for all time**. 모평 이들 중 쉬운 것은 없으며, 문제는 결코 단번에 **완전히** 해결되지 않는다.

1146 **on[in] the order of**

대략 ~의, ~ 정도의

The experiment exposed people to five radio commercials that were either normal or time-compressed **on the order of** 130%. EBS
그 실험은 사람들에게 일반 속도이거나 **대략** 130% **정도** 시간 압축된 다섯 개의 라디오 광고를 접하게 했다.

approximately ㉮ 대략, 대체로

1147 **opt for**

~을 선택하다 to choose something over some other option

Collectively, it is we, the consumers, who **opt for** certain kinds of ease and excitement over others. 학평
총체적으로, 다른 것들 대신 특정한 종류의 안락과 자극**을 선택하는** 것은 바로 다름 아닌 우리, 즉 소비자이다.

choose, select, adopt ㉯ 택하다, 채택하다

1148 **or otherwise**

(앞에 언급한 것과) 다른 것이든

He has many different beliefs from myself, political **or otherwise**.
정치 혹은 **다른 것**을 비롯해 그와 나는 서로 생각하는 것이 다르다.

Students of ethics have been perplexed whether to classify their subject as a science, an art, **or otherwise**. 학평
윤리학 연구자들은 자신들의 과목을 과학으로, 예술로, **다른 것으로** 분류할지 혼란스러워 해 왔다.

1149 **par excellence**

최상의, 탁월한 best, most ideal

Mini-pigs, those celebrity pets **par excellence**, are being lined up as Europe's preferred laboratory animals.
최고의 유명 애완동물인 미니 돼지는 유럽에서 선호하는 실험용 동물로 자리매김하고 있다.

par ㉰ 평가; 상태; 동등

1150 **pave the way to[for]**

~을 위한 길을 열다[닦다]

Your successes — however great or small — in academics, social clubs, fine arts, or sports can **pave the way to** future success. EBS
학과목, 사교 클럽, 미술, 또는 스포츠에서의 여러분의 성공은, 아무리 크건 작건 간에, 장래의 성공**에 이르는 길을 닦아 줄** 수 있다.

1151 □□ **pick up on**

~을 이해하다, ~을 알아차리다

We don't pay much attention to what is not being said, nor **pick up on** subtle incongruities in speech. EBS
우리는 이야기되지 않고 있는 것에 대해서는 많은 주의를 기울이거나 말 속에서 미묘하게 부조화한 것을 **알아차리지** 못한다.

1152 □□ **play upon**

~을 이용하다, ~에 영향을 끼치다

Politicians often win votes by **playing upon** people's emotions.
정치인들은 종종 사람들의 감정을 **이용함**으로써 표를 얻는다.

1153 □□ **point up**

~을 강조하다 to emphasize something

This thought of Shakespeare's **points up** a difference between roses and, say, paintings. 모평
Shakespeare의 이 생각은 장미와 이를테면 그림의 차이를 **강조한다**.

1154 □□ **refrain from**

~을 삼가다

Please **refrain from** talking on your cellphone inside the subway.
지하철 내에서는 휴대전화 사용을 **삼가해 주십시오**.

In this path of slowness we also find the many forms of meditation, whether traditional or new, that are so fashionable nowadays and that can be seen as a way to temporarily **refrain from** technology. EBS
이런 느림의 길에서 우리는 또한, 전통적이든 새롭든, 요즘 크게 유행하고 있고 또 일시적으로 기술을 **삼가는** 한 방식으로 여겨질 수 있는 그 여러 형태의 명상을 발견한다.

prevent[keep] ~ from -ing ~이 …하지 못하게 하다

1155 □□ **root for**

~을 응원하다 to cheer and encourage someone or something

You can do it — I'm **rooting for** you.
넌 할 수 있어. 난 널 **응원해**.

I am the one to **root for** in the never-ending war story of our marriage.
우리 결혼의 끝없는 전쟁 이야기에서 **응원해야** 할 사람은 바로 나이다. *- Gillian Flynn*

1156 **rub off on**

(감정·태도·습관 등이) ~에 영향을 주다, ~에 옮겨 가다

The gossip producer assumes that some of the "fame" of the subject of gossip, as whose "friend" he presents himself, will **rub off on** him. 모평

뒷공론을 만들어 내는 사람은 자신이 그의 '친구'라고 소개하는 그 뒷공론 대상의 '명성' 일부가 자신**에게 옮겨질** 것이라고 생각한다.

1157 **set ~ in motion**

~을 시행하다, ~을 시작하다

Those steps are being **set in motion** as I speak.

내가 말한 대로 그 단계들은 **실행** 중이다.

However, there is historical evidence that the creative process can be **set in motion** without necessity, even in the domain of invention. 학평

하지만, 발명의 영역에서조차, 필요라는 것이 없이도 창의적인 과정이 **시작될** 수 있다는 역사적인 증거가 있다.

motion ⓜ 활동; 동작; 움직임

1158 **stand to reason**

이치에 맞다, 당연하다 to be a logical or reasonable conclusion

It **stood to reason** that Alexander would attempt to look like these heroes. EBS

Alexander가 이러한 영웅들처럼 보이려고 시도하곤 했던 것은 **당연했다**.

1159 **status quo**

현재 상태 the situation as it is now

However, in the prosperous 1960s, when many individuals were seeking a challenge to the **status quo**, fashions changed and social pressure relaxed. EBS

그러나 많은 사람들이 **현재 상태**에의 도전을 추구하고 있었던 번영의 1960년대에 유행은 바뀌었고, 사회적 압력은 완화되었다.

1160 **steal (one's) thunder**

(~에게) 선수를 치다, (~의) 생각을 가로채다

Stealing thunder is a tactic whereby you are the first to introduce information that is injurious to your position. EBS

선수 치기는 당신이 자신의 입장에 해가 되는 정보를 먼저 알리는 전략이다.

1161 **straighten out**

~을 해결하다, ~을 바로잡다

There are several financial problems that need to be **straightened out** quickly. 빨리 **해결해야** 할 몇 가지 재정적인 문제가 있다.

When people care for you and cry for you, they can **straighten out** your soul. - *Langston Hughs*
사람들이 당신을 돌보고 당신을 위해 울 때 그들은 당신의 영혼**을 바로잡을** 수 있다.

1162 **strike A as B**

A에게 B의 인상을 주다

The really obvious quotation may be a jewel of our literature in its proper place, but in the context of your essay will **strike** the reader **as** a cliche. EBS
정말로 뻔한 인용구는 적절한 자리에서는 우리 문학의 보석일 수 있지만, 당신이 쓴 글의 문맥 속에서는 상투적 문구**라는 인상을** 독자**에게 줄 것이다**.

1163 **tell apart**

식별하다 to discern or distinguish

Although ants don't **tell** individuals **apart** by their personal aromas, they do recognize each other as nest-mates — or as foreign—using an odor as a shared sign of identity. 학평
개미들은 개체를 개별적인 냄새에 의해 **식별하지는** 않지만, 그것들은 공유된 정체성의 표시로써 냄새를 이용하여 서로를 서식처 동료인지 외부의 것인지 알아본다.

1164 **time and again**

몇 번이고, 되풀이해서 repeatedly

The stories we tell **time and again** are identical to the memory we have of the events that the story relates. EBS
우리가 **되풀이해서** 말하는 이야기는 그 이야기가 전달하는 사건들에 대해 우리가 가지고 있는 기억과 동일하다.

유 **again and again, over and over again** 반복해서

1165 **unaccustomed to**

~에 익숙하지 않은

It may seem counterintuitive that the Neanderthals lost out to the new arrivals, who were **unaccustomed to** cold climate. 학평
네안데르탈인이 추운 기후**에 익숙하지 않았던** 새로 도착한 사람들에게 밀려났다는 것은 직관에 반하는 것처럼 보일 수도 있다.

accustomed 형 익숙한, 평소의

1166 **weed out**

~을 제거하다, ~을 골라내다

The research will help governments to **weed out** ineffective aid schemes.
그 연구는 정부가 비효율적인 원조 계획**을 근절하는 데** 도움이 될 것이다.

As times go by, you seem to **weed out** the things that were making your life hard. *- Tom Petty*
시간이 흐를수록, 당신은 당신의 삶을 힘들게 했던 것들**을 골라낼** 것 같다.

weed ⓜ 잡초; 쓸모 없는 사람[것]

1167 **weigh in**

(논쟁·활동 등에) 관여하다, 끼여들다

In studying people we often forget to ask them to personally **weigh in** on the topics being studied. 학평
사람들을 연구하는 데 있어 우리는 자주 연구되고 있는 주제에 관해 사람들에게 개인적으로 **끼어들도록** 요청하는 것을 잊는다.

1168 **wheeling and dealing**

(목적을 위해서는) 수단을 가리지 않음

As such, early human writing is dominated by **wheeling and dealing**: a collection of bets, bills, and contracts. 수능
따라서 초기의 인간의 글쓰기는 내기의 대상, 계산서, 계약서의 모음과 같이 **목적을 위해서는 수단을 가리지 않는 것**에 의해 지배된다.

1169 **wild goose chase**

부질없는 시도, 헛된 노력

Arguably, we have very good reasons for thinking that this has been one of the biggest **wild goose chases** in the history of ideas. 학평
거의 틀림없이 우리는 이것이 사상의 역사에 있어서 가장 **부질없는 시도** 중 하나였다라고 생각할 충분한 이유가 있다.

1170 **with no strings attached**

아무런 조건이 없이

Take advantage of our huge summer sale, where you can earn up to $5,000 cash back **with no strings attached**!
아무런 조건 없이 최대 5,000달러의 현금을 돌려받을 수 있는 저희의 큰 여름 세일 혜택을 누리십시오!

Review TEST

Q 영어는 우리말로, 우리말은 영어로 쓰시오.

01 nothing less than ....

02 on several occasions ....

03 root for ....

04 point up ....

05 pay the way to[for] ....

06 status quo ....

07 on[in] the order of ....

08 on the grounds that ....

09 par excellence ....

10 or otherwise ....

11 pick up on ....

12 play upon ....

13 on the verge of ....

14 refrain from ....

15 wild goose chase ....

16 ~에 영향을 주다, ~에 옮다 ....

17 ~을 시행[시작]하다 ....

18 아무런 조건이 없이 ....

19 ~을 선택하다 ....

20 (~에게) 선수를 치다 ....

21 ~을 해결하다, 바로잡다 ....

22 관여하다, 끼여들다 ....

23 식별하다 ....

24 몇 번이고, 되풀이해서 ....

25 완전히, 최종적으로 ....

26 ~을 제거하다, 골라내다 ....

27 A에게 B의 인상을 주다 ....

28 수단을 가리지 않음 ....

29 ~에 익숙하지 않은 ....

30 이치에 맞다, 당연하다 ....

DAY 39 Review TEST 정답

01 그야말로, 다름 아닌 바로 02 여러 차례나 03 ~을 응원하다 04 ~을 강조하다 05 ~을 위한 길을 열다[닦다] 06 현재 상태 07 대략 ~의, ~ 정도의 08 ~라는 이유로 09 최상의, 탁월한 10 (앞에 언급한 것과) 다른 것이든 11 ~을 이해하다, ~을 알아차리다 12 ~을 이용하다, ~에 영향을 끼치다 13 ~하기 직전인 14 ~을 삼가다 15 부질없는 시도, 헛된 노력 16 rub off on 17 set ~ in motion 18 with no strings attached 19 opt for 20 steal (one's) thunder 21 straighten out 22 weigh in 23 tell apart 24 time and again 25 once and for all 26 weed out 27 strike A as B 28 wheeling and dealing 29 unaccustomed to 30 stand to reason

| Preview | 우리말 뜻에 해당하는 숙어를 ⓐ~ⓒ에서 고르시오.

01 엄청나게 유행하다
ⓐ with that said ⓑ be all the rage ⓒ from scratch

02 ~에 대처하다
ⓐ cope with ⓑ have a green thumb ⓒ fall into place

03 독특한 사람
ⓐ one of a kind ⓑ write ~ off ⓒ more than meets the eye

04 난데없이, 느닷없이
ⓐ out of thin air ⓑ be the case ⓒ at one's disposal

05 불행 같지만 사실은 행운인 것, 전화위복
ⓐ be in for ⓑ embark on ⓒ a blessing in disguise

06 ~의 절정에, ~이 한창일 때
ⓐ down the line ⓑ derive from ⓒ at the height of

07 원하는 사람이 없다, 안 팔리다
ⓐ a man about town ⓑ go begging ⓒ get rid of

08 ~에 부딪히다
ⓐ knock against ⓑ push forward ⓒ go against the grain

09 (양측 다 유리하게) 타협을 보다
ⓐ strike a bargain ⓑ thrive on ⓒ pull ~ out of thin air

10 ~에 초점을 맞추다, ~에 주의력을 집중하다
ⓐ dwell in ⓑ zero in on ⓒ address oneself to

|정답| 1 ⓑ 2 ⓐ 3 ⓐ 4 ⓐ 5 ⓒ 6 ⓒ 7 ⓑ 8 ⓐ 9 ⓐ 10 ⓑ

가리개를 사용하여 뜻을 잘 암기했는지 확인하세요.

1171 **with that said**

그렇기는 하지만, 그런데

With that said, the tightness of the roll has more to do with the steepability of a leaf than it does with the taste of a tea. 모평
그렇다고는 하지만, 말림의 단단함은 차의 맛과 관련 있는 것보다 잎이 우려지는 정도와 더 많은 관련이 있다.

1172 **be all the rage**

엄청나게 유행하다 of a thing or trend, to be very popular

I can't believe that stupid dance **is all the rage** right now.
그 바보 같은 춤이 지금 **대유행하고 있다니** 믿을 수가 없다.

rage ⓜ (일시적) 대유행; 분노

1173 **cope with**

~에 대처하다 to deal with someone or something

Reality is just a crutch for people who can't **cope with** drugs.
현실은 마약**에 대처할** 수 없는 사람들을 위한 버팀목일 뿐이다. - *Robin Williams*

One way to **cope with** the inherent uncertainty about an innovation's consequences is to try out the new idea on a partial basis. 학평
혁신품의 결과에 관하여 내재하는 불확실성**에 대처하는** 한 가지 방법은 새로운 아이디어를 부분적으로 시험해 보는 것이다.

1174 **fall into place**

꼭 들어맞다

Gradually, the entire wealth of the work reveals itself and **falls into place**. EBS 점차, 작품의 전체적인 풍부함이 제 모습을 드러내 **딱 맞아떨어진다**.

1175 **from scratch**

맨 처음부터

This approach could well be cheaper than having to retrofit the infrastructure **from scratch**. EBS
이러한 접근법은 사회 기반 시설을 **맨 처음부터** 개보수해야 하는 것보다 훨씬 더 비용이 덜 들 수 있다.

1176 **have a green thumb**

원예의 재능이 있다, 식물 재배를 잘하다

John **has a green thumb**, so our garden always looks amazing!
John은 **원예에 재능이 있어서**, 우리 정원은 항상 멋져 보인다!

green thumb, green fingers 화초를 잘 기르는 손

1177 **more than meets the eye**

눈에 보이는 이상의 것, 숨겨진 것

Let's keep digging deeper with this story. I have a feeling that there's **more than meets the eye**.
이 이야기로 더 깊이 파고들자. **눈에 보이는 것 이상의 것**이 있다는 느낌이 든다.

1178 **one of a kind**

독특한 사람[것] with no equal; completely unique

Not many people have so much talent at such a young age. This kid is truly **one of a kind**.
그렇게 어린 나이에 그렇게 많은 재능을 가진 사람은 많지 않다. 이 아이는 정말 **독특한 사람**이다.

uniqueness ⑲ 유일함, 비길 데 없음

1179 **out of thin air**

난데없이, 느닷없이 from nothing, all of a sudden

We cannot easily know what has been invented **out of thin air** and what has been adapted from prior experiences or other stories. EBS
무엇이 **난데없이** 창작되었고 무엇이 이전 경험이나 다른 이야기로부터 각색되었는지 우리는 쉽게 알 수 없다.

cf. **into thin air** 흔적도 없이

1180 **pull ~ out of thin air**

날조하다

Where am I going to get the money? I can't just **pull** it **out of thin air**!
그 돈을 어디서 구하지? 그냥 **날조할** 수도 없고!

fabricate ⑧ 날조하다, 조작하다

1181 □□ **a blessing in disguise**

불행 같지만 사실은 행운인 것, 전화위복 something that at first seems bad, but later turns out to be beneficial

Missing the train was **a blessing in disguise**, for if I hadn't, I wouldn't have met my future wife.
기차를 놓친 것은 **전화위복**이었다. 그렇지 않았다면 미래의 아내를 만나지 못했을 것이기 때문이다.

disguise ⓜ 변장(한 모습), 거짓 꾸밈

1182 □□ **a man about town**

사교 활동을 많이 하는 사람

He dressed like a dandy, and was really **a man about town**. 학평
그는 멋쟁이처럼 옷을 입었고 정말로 **사교가**였다.

1183 □□ **address oneself to**

~에 본격적으로 착수하다; ~에 전념하다

Long before Walt Whitman wrote *Leaves of Grass*, poets had **addressed themselves to** fame. 수능
Walt Whitman이 〈Leaves of Grass〉를 쓰기 오래 전에, 시인들은 명성**에 주의를 기울였다**.

1184 □□ **at one's disposal**

~의 마음대로 이용할 수 있는

Farmers operating in industrialized societies today have a wealth of new technology **at their disposal** to increase productivity. EBS
오늘날 산업화된 사회에서 일하는 농민들은 생산성을 높이기 위해 풍부한 신기술을 **마음대로 이용할 수 있다**.

disposal ⓜ 처분, 처리; 배치, 배열

1185 □□ **at the height of**

~의 절정에, ~이 한창일 때 'at the most intense or forceful aspect of something

There are more slaves today than there were **at the height of** the slave trade. - *Rose Kemp*
노예 거래**가 한창이던 때**보다 오늘날에 더 많은 노예들이 있다.

At the height of summer, billowing meadows full of grasses and herbs are the habitat for grasshoppers and crickets. EBS
여름**이 한창일 때**, 풀과 허브로 가득 차 물결치는 목초지는 메뚜기와 귀뚜라미의 서식지이다.

1186 **be the case**

사실이 그러하다

If this **were the case**, we would be utterly unable to learn any words.
EBS 이것**이 사실이라면**, 우리는 어떤 낱말도 전혀 학습할 수 없을 것이다.

1187 **be in for**

~하게 될 것이다

I had no idea that I **was in for** one of the most terrifying experiences of my life. 수능
나는 내 삶에서 가장 무서운 경험 중의 하나를 겪**게 될 것이라고는** 꿈에도 생각지 못했다.

1188 **get rid of**

~을 없애다

Corruption is the enemy of development and of good governance. It must be **got rid of**. *- Pratibha Patil*
부패는 발전과 좋은 통치의 적이다. 그것**은 없어져야** 한다.

Mrs. Jones decided to **get rid of** all the junk in her attic. EBS
Mrs. Jones 씨는 자신의 다락방에 있던 쓸모없는 물건**을** 모두 **치우기로** 결심했다.

유 **remove, weed out** 제거하다

1189 **derive from**

~에서 유래하다, ~에서 비롯되다

All men's miseries **derive from** not being able to sit in a quiet room alone.
모든 사람들의 불행은 조용한 밤에 혼자 앉을 수 없는 **데서 온다**. *- Blaise Pascal*

Institutional reputation is often **derived from** the personal reputation of the founder. EBS
단체의 평판은 종종 설립자의 개인적인 평판**에서 비롯된다**.

derive 동 끌어내다, 얻다

1190 **down the line**

완전하게, 철저히

The third-place finisher gave her medal to the second-place runner, and so on **down the line**. EBS
3위로 마친 주자가 자신의 메달을 2위 주자에게 주었고, **끝까지** 그렇게 계속되었다.

1191 **dwell in**

~에 거주하다

Do not **dwell in** the past, do not deam of the future, concentrarte the mind on the present moment. - *Buddha*
과거**에 머물지** 말고, 미래를 꿈꾸지 말며 현재에 마음을 집중하라.

Since the 1970s, more and more Maasai have given up the traditional life of mobile herding and now **dwell in** permanent huts. 학평
1970년대 이래로 점점 더 많은 마사이족은 유목이라는 전통적인 생활을 버리고 지금은 계속 영구적인 오두막**에 거주한다**.

1192 **go begging**

원하는 사람이 없다, 안 팔리다 be in little or no demand

A strong economy, where opportunities are plentiful and jobs **go begging**, helps break down social barriers. 모평
기회가 많고 일자리가 **남아도는** 튼튼한 경제는 사회적 장벽을 무너뜨리는 데 도움이 된다.

1193 **go against the grain**

(기질·성격·상황 등과) 전혀 맞지 않다, 완전히 거스르다

Communism **goes against the grain of** human nature. 모평
공산주의는 인간의 본성에 **맞지 않는다**.

grain ⓝ 미량, 티끌; 곡물, 낟알

1194 **knock against**

~에 부딪히다 to bump against someone or something

Mickey **knocked against** Mary and said he was sorry.
Mickey는 Mary**와 부딪히고는** 미안하다고 말했다.

1195 **push forward**

추진하다, (힘든 길을) 계속 나아가다

You have to continually **push forward** and never say that you can't do anything.
당신은 계속해서 **나아가야만** 하고 무엇도 할 수 없다고 말해서는 절대 안 된다.

Still, Harumi **pushed forward** and presented his plan on Friday. 모평
그럼에도 불구하고, Harumi는 일을 **추진하여** 금요일에 자신의 계획을 발표했다.

1196 **strike a bargain**

(양측 다 유리하게) 타협을 보다 to reach an agreement on a price or negotiation

It was going to cost me a fortune to get the car fixed, but I **struck a bargain** with my mechanic to lower the price.
그 차를 고치는 데 돈이 많이 들 것 같았는데, 나는 정비사와 **타협을 보고** 가격을 낮췄다.

bargain ⓜ 흥정, 합의

1197 **thrive on**

번창하다, 잘 자라다

A democracy **thrives on** diversity. Tyranny oppresses it.
민주주의는 다양성으로 **번영한다**. 폭정은 그것(다양성)을 억압한다. *- Sam Brownback*

This flower **thrives on** sunshine, so be sure to have it in direct light as often as you can.
이 꽃은 햇볕을 쬐면 **잘 자라니**, 가능한 한 자주 직사광선을 쬐도록 하세요.

유 **flourish, prosper, boom** ⓢ 번창하다, 번성하다

1198 **embark on**

~을 시작하다

We are about to **embark on** creating one of the most important habits of all: gratitude. EBS
이제 우리는 가장 중요한 습관 중 하나, 즉 감사하는 마음을 만들기 **시작하려고** 한다.

embark ⓢ (배에) 승선하다; (사업에) 투자하다

1199 **write A off B**

A를 B로 치부해 버리다

At the time, I **wrote off** his behavior as just a product of stress from work. 그 당시, 나는 그의 행동을 단지 일에서 오는 스트레스의 산물**로 치부해 버렸다**.

1200 **zero in on**

~에 초점을 맞추다, ~에 주의력을 집중하다 to direct all your attention towards a particular or thing

Researchers will **zero in on** COVID virus mutation that could be driving spread of new variants.
연구원들은 새로운 변이체의 확산을 일으킬 수 있는 COVID 바이러스 돌연변이**에 초점을 맞출** 것이다.

Review TEST

Q 영어는 우리말로, 우리말은 영어로 쓰시오.

01 with that said ....

02 a man about town ....

03 be all the rage ....

04 address oneself to ....

05 pull ~ out of thin air ....

06 fall into place ....

07 thrive on ....

08 at one's disposal ....

09 more than meets the eye ....

10 one of a kind ....

11 dwell in ....

12 a blessing in disguise ....

13 cope with ....

14 have a green thumb ....

15 at the height of ....

16 ~에 부딪히다 ....

17 ~에 주의력을 집중하다 ....

18 ~을 없애다 ....

19 ~을 시작하다 ....

20 완전하게, 철저히 ....

21 난데 없이, 느닷없이 ....

22 A를 B로 치부해 버리다 ....

23 완전히 거스르다 ....

24 사실이 그러하다 ....

25 추진하다, 계속 나아가다 ....

26 (양측 다 유리하게) 타협을 보다 ....

27 맨 처음부터 ....

28 ~에서 유래하다, 비롯되다 ....

29 원하는 사람이 없다 ....

30 ~하게 될 것이다 ....

DAY 40 Review TEST 정답

01 그렇기는 하지만, 그런데 02 사교 활동을 많이 하는 사람 03 엄청나게 유행하다 04 ~에 본격적으로 착수하다; ~에 전념하다 05 날조하다 06 꼭 들어맞다 07 번창하다, 잘 자라다 08 ~의 마음대로 이용할 수 있게 09 눈에 보이는 이상의 것, 숨겨진 것 10 독특한 사람[것] 11 ~에 거주하다 12 뜻밖의 좋은 결과, 전화위복 13 ~에 대처하다 14 원예의 재능이 있다, 식물 재배를 잘하다 15 ~의 절정에, ~이 한창일 때 16 knock against 17 zero in on 18 get rid of 19 embark on 20 down the line 21 out of thin air 22 write A as B 23 go against the grain 24 be the case 25 push forward 26 strike a bargain 27 from scratch 28 derive from 29 go begging 30 be in for

CROSSWORD PUZZLES

DAY 01–DAY 35

CROSSWORD PUZZLE을 풀면서
DAY 01–DAY 35에서 학습한 어휘를
다시 한 번 익혀 보세요.

DAY 01

ANSWERS p.374

Across

3 시들다
5 직관(력), 직감
6 객관적인; 목표, 목적
7 최적의, 최상의
9 정확한, 정밀한
10 격려하다; 영감을 주다
13 (일·사건 등의) 발생, 일어남
17 추구, 여가 활동
19 발생시키다, 만들어내다

Down

1 부서지다; (조직 등이) 무너지다
2 참석, 출석, 관람; 관람객 (수)
4 부러워하는, 시기심이 많은
8 (권한·영향력을) 행사하다, 발휘하다
9 절차, 과정
11 격리, 고립; 분리
12 임시의, 일시적인
14 인지의, 인식의
15 방해하다
16 촉진하다, 장려하다; 홍보하다
17 유발하다, 촉발하다; 신속한; 시간을 엄수하는
18 함축하다, 암시하다

☑ ANSWERS p.374

DAY 02

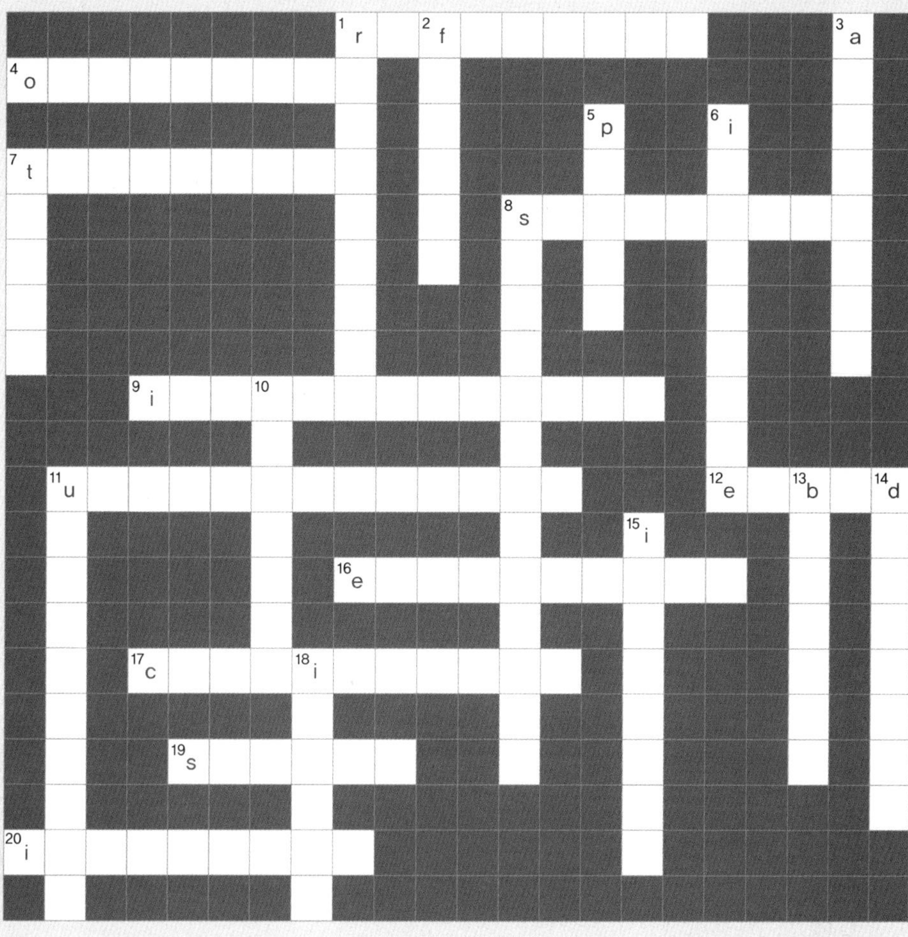

Across

1 언급; 참고, 참조; 추천서
4 기원하다, 비롯되다, 유래하다
7 용인, 관용; 내성
8 통계 자료; 통계학
9 부적절한
11 과소평가하다, 낮게 추정하다
12 박아 넣다, (마음·기억 등에) 깊이 새겨 넣다
16 기대
17 자격증; 증명서
19 진압하다, 제압하다; (강점을) 억누르다
20 보험

Down

1 저장소; 저수지
2 (식량 등을) 찾아다니다
3 할당하다, 배분하다
5 양상, 국면; 단계, 시기
6 기관, 협회, 연구소
7 부추기다, 유혹하다
8 세련된, 교양 있는, 정교한
10 예측하다, 예언하다
11 근본적인; 숨어 있는, 근저에 있는
13 기이한, 특이한
14 우세한, 지배적인
15 가르치다, 교육하다; 지시하다
18 유도하다, 설득하다; 유발하다

DAY 03

ANSWERS p.375

Across

3 강화하다, 심화시키다
6 힘든, 부담이 큰; 요구가 많은
9 무성하게 자라다; 번성하다
10 열광적인, 열렬한
11 설교하다; 전도하다
12 지출, 비용
15 거래, 매매
18 시작하다, 개시하다
19 쌍방향의, 상호작용의
21 자격을 얻다; 예선을 통과하다
23 망각, (완전히) 잊혀짐
24 (정부·기관 등의) 수익
25 약탈하다, 강탈하다
26 설치하다, 장착하다

Down

1 모호한, 애매한
2 사나운, 맹렬한
4 궁핍한, 빈곤한
5 대체하다, ~와 바꾸다; 대체물
7 신뢰성, 믿을 수 있음
8 잠재력, 가능성
13 무관한, 상관없는
14 토착의, 원주민의
16 자유롭게 하다, 해방시키다
17 난민, 망명자
20 정제하다; 다듬다, 개선하다
22 비만의

ANSWERS p.375

DAY 04

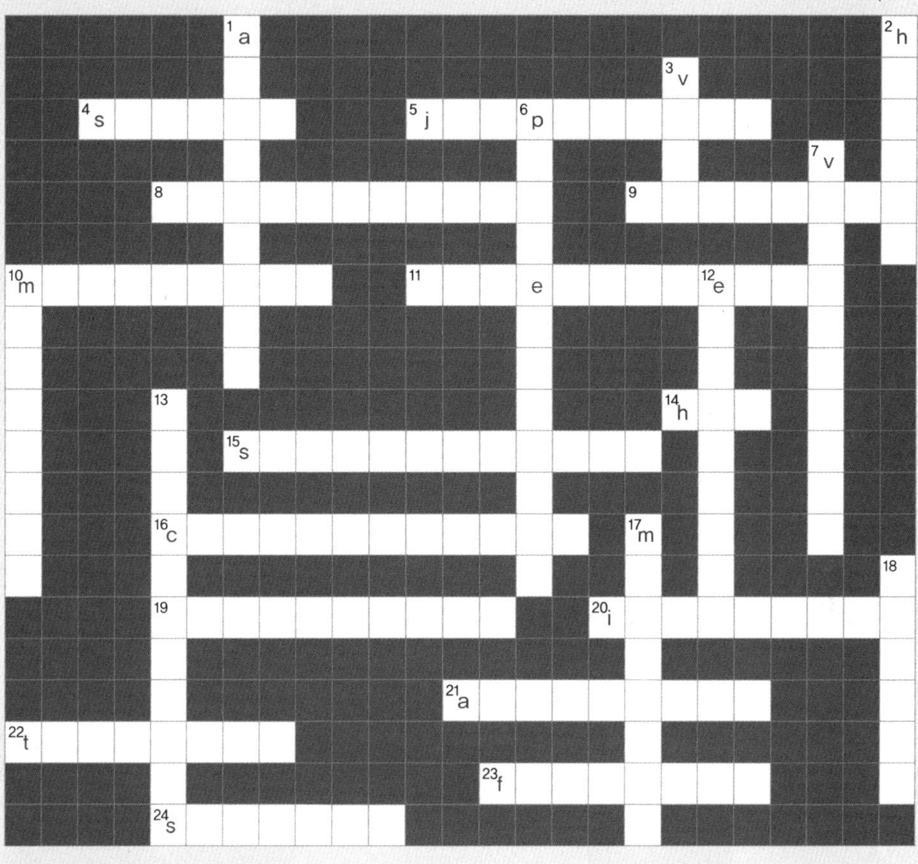

Across

4 노력하다, 애쓰다, 분투하다
5 위태롭게 하다, 위험에 빠뜨리다
8 사회적으로 무시하다; 소외시키다
9 되찾아오다, 회수하다
10 어머니임, 모성; 임신
11 개입, 간섭, 방해
14 색조, 빛깔
15 정기 구독(료)
16 보상, 배상
19 불충분한, 부적절한
20 통합하다, 통합되다
21 애착, 애정
22 시간의, 일시적인; 세속적인
23 번성하다, 번영하다
24 능가하다, 뛰어넘다

Down

1 역경, 고난, 불행
2 방해하다, 못 하게 하다
3 악, 악덕
6 보존, 보호
7 (특정 지역, 환경의) 초목, 식물
10 이동성, 기동성
12 지구력; 인내력, 참을성
13 장난꾸러기의, 짓궂은
17 금전(상)의, 재정의; 화폐의
18 되찾다, 회복하다

DAY 05

☑ ANSWERS p.376

ANSWERS p.376

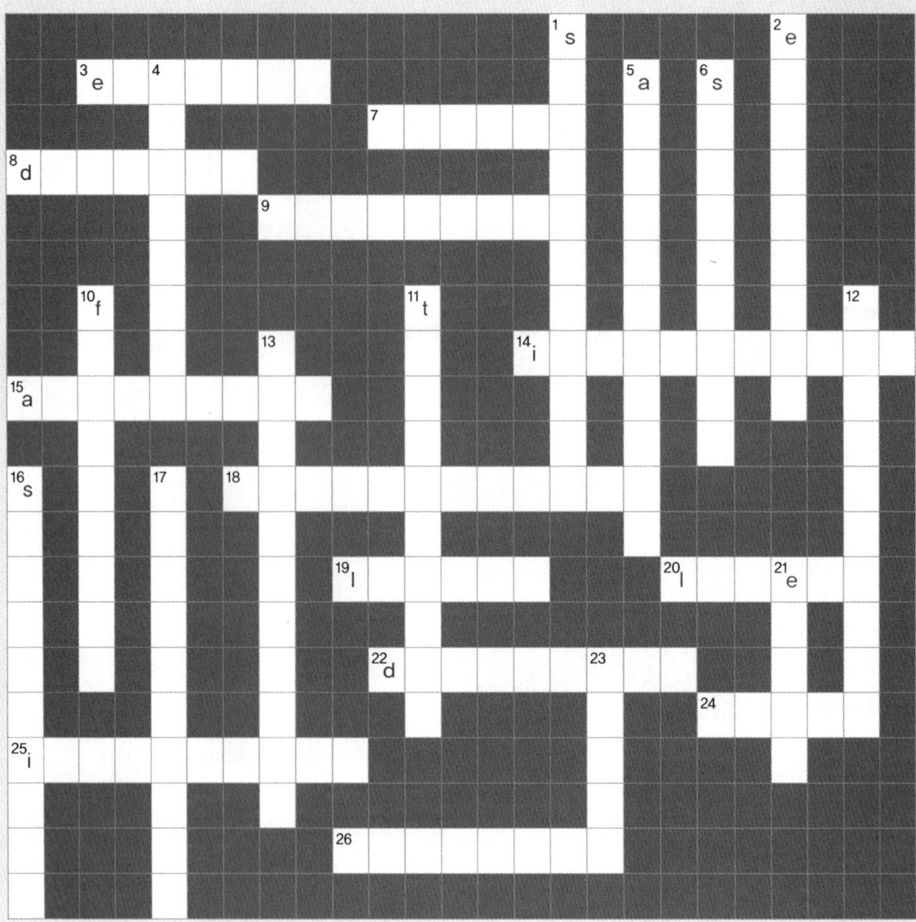

Across

3 이용하다; 착취하다
7 교외, 변두리
8 불협화음, 불화, 다툼
9 감독관, 검사관
14 무의식적인, 본의가 아닌
15 임의의, 제멋대로의, 자의적인
18 모순된, 불일치하는
19 쓰레기; 어지르다
20 한탄하다, 탄식하다, 애도하다
22 우세, 지배, 우월함
24 ~에 비유하다
25 비이성적인, 불합리한
26 불안한; 자신이 없는

Down

1 종속하는; 하급자의; 종속시키다
2 증발시키다, 증발하다
4 예상, 기대; 전망
5 (환경 등에) 순응하다; (사람·물건을) 수용하다
6 영적인, 정신의; 종교적인
10 날조하다, 위조[조작]하다
11 이행, 전환, 변화, 과도기
12 예방, 방지
13 투명한; 명백한
16 부차적인, 자회사의
17 우선순위를 매기다, 우선시키다
21 (기억, 감정을) 일깨우다, 불러일으키다
23 적소; 틈새시장; 생태적 지위

ANSWERS p.376

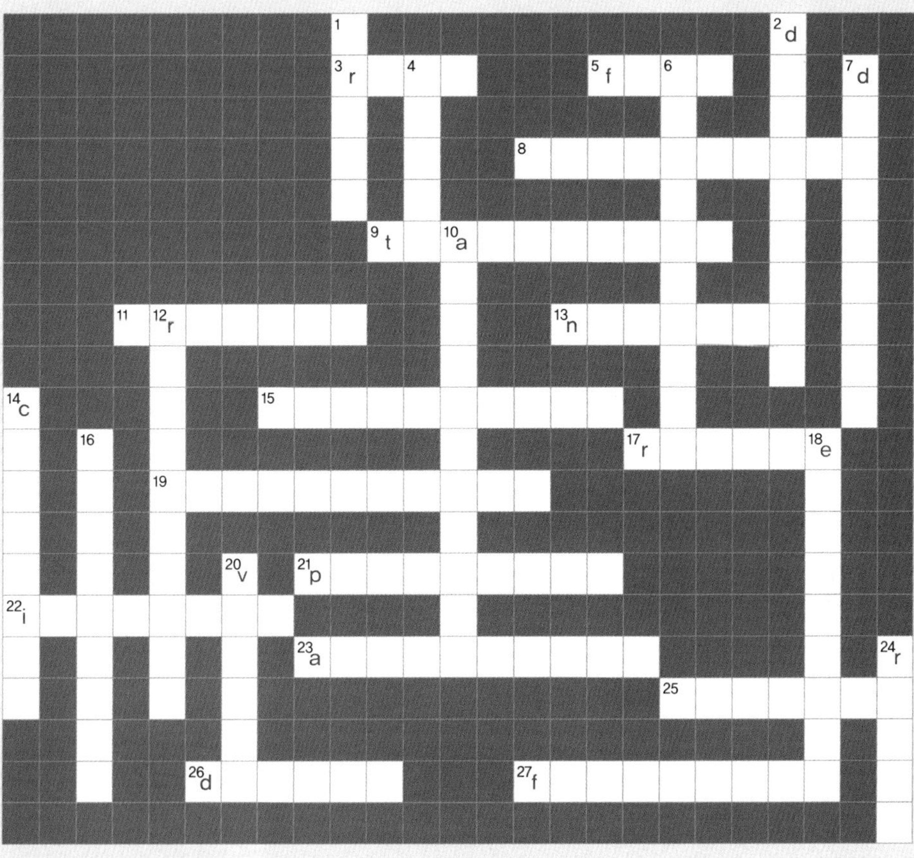

Across

3 습격, 기습, 약탈; 습격하다
5 결점, 결함
8 독재적인, 전제적인
9 이동 경로, 궤도
11 대중교통, 운반, 운송; 통행
13 눈에 띄는, 주목한 만한
15 밝게 비추다; 계몽하다
17 다시 시작하다, 재개하다
19 균형, 평형 (상태)
21 두드러진, 눈에 띄는, 저명한
22 암묵적인, 내포된
23 독립된, 자율의, 자율적인
25 직물, 천; 질감, 감촉
26 잔해, 파편; 쓰레기
27 변동하다, 오르내리다

Down

1 욕심, 탐욕
2 삐뚫어진, 왜곡된
4 추론하다, 추측하다
6 일치, 부합
7 속임(수), 기만
10 획득, 습득, 취득(물)
12 각자의, 각각의
14 재앙, 재해
16 모범적인, 귀감이 되는
18 둘러쌈, (울타리로 쳐 놓은) 지역; 동봉물
20 선행, 미덕
24 영역, 범위; 왕국

ANSWERS p.377

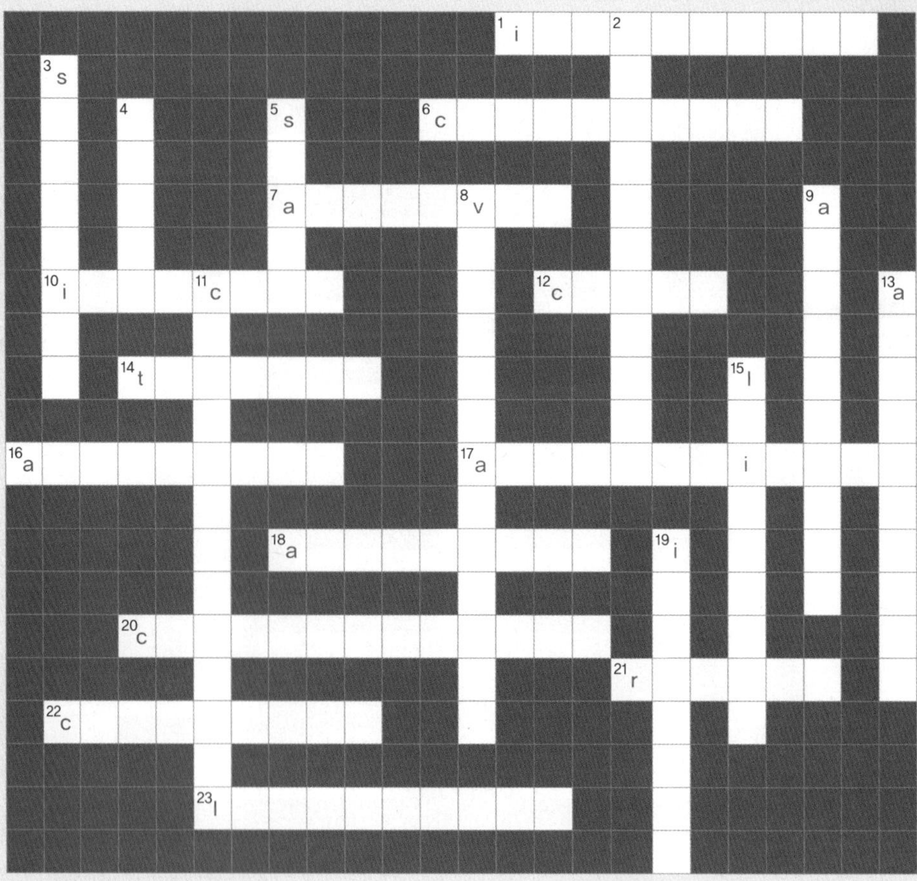

Across

1 무형의; 무형 자산
6 위장; 위장하다
7 기록(보관소)의
10 무해한; 무죄인, 결백한
12 열망하다, 갈망하다
14 엉킨; 얽힌
16 위임하다, 권한을 주다
17 진정성, 진품성
18 제휴하다; 자회사, 계열사
20 시간 순으로 일어나는; 연대순의
21 반사 작용, 반사 행동
22 충돌 (사고), 부딪침
23 정당한, 타당한; 합법화하다

Down

2 긍정의, 동의의
3 진정시키는, 달래는
4 지배하다, 군림하다; 치세, 통치 기간
5 간절히 바라다, 갈망하다
8 취약성, 상처 받기 쉬움
9 원주민의, 토착민의
11 논란을 불러일으키는
13 분석적인
15 느긋한, 여유로운; 느긋하게, 여유롭게
19 필수적인, 완전한

ANSWERS p.377

DAY 08

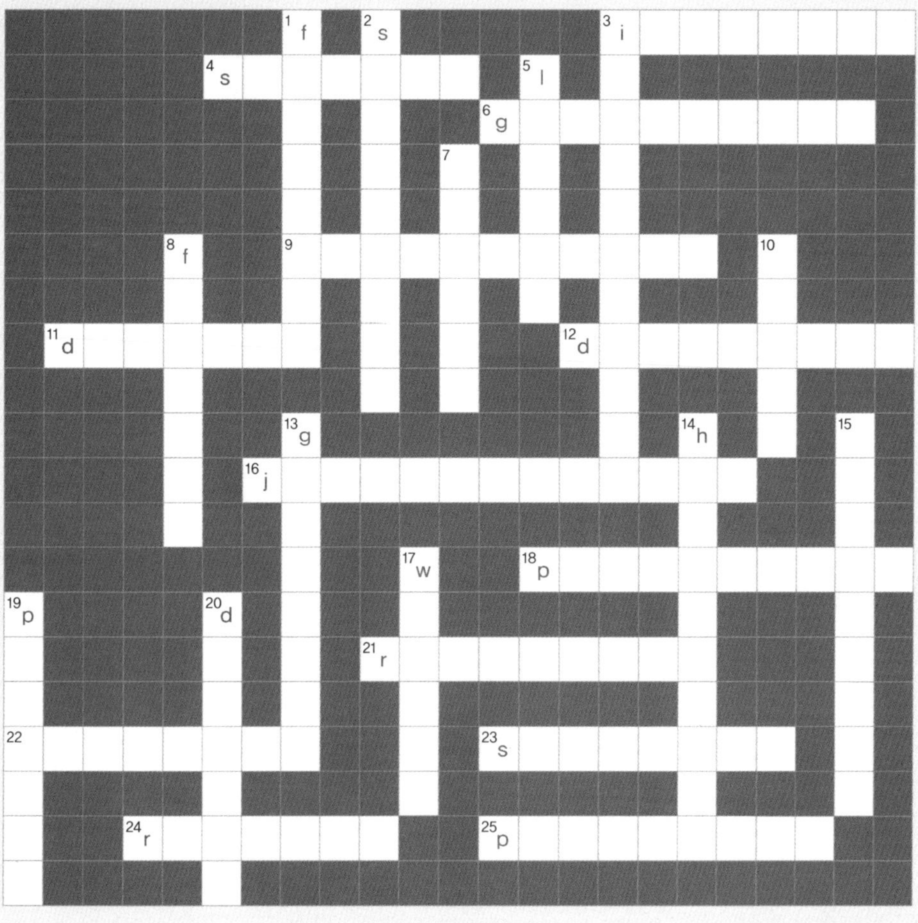

Across

3 (~보다) 열등한; 하급의; 하급자
4 날카로운 소리를 내다; 비명
6 일반화하다, 보편화하다
9 내면화하다, 내재화하다
11 식별하다, 분별하다, 인식하다
12 다양화하다
16 정당성, 정당화
18 두드러진, 현저한, 뚜렷한
21 잘 받아들이는, 이해력이 빠른
22 시작하다, 개시하다
23 고집 센, 완고한
24 물러나다, 후퇴하다; 후퇴, 퇴각
25 만연하는, 널리 스며드는

Down

1 부분, 일부; 분수
2 주로 앉아서 하는, 이주하지 않는
3 비효율적인
5 치명적인; 치사 유전자
7 밀다; 무기 등으로 찌르다
8 (타고난) 능력, 재능; 교수진, 교직원
10 아름다운 경치; 예상, 전망
13 쉽게 속는, 속기 쉬운
14 동질적인, 동종의
15 고통을 경감하다, 완화하다
17 비틀어 떼어 내다; (발목, 무릎, 어깨를) 삐다
19 ~보다 먼저 일어나다, 선행하다
20 존엄성, 위엄

DAY 09

ANSWERS p.378

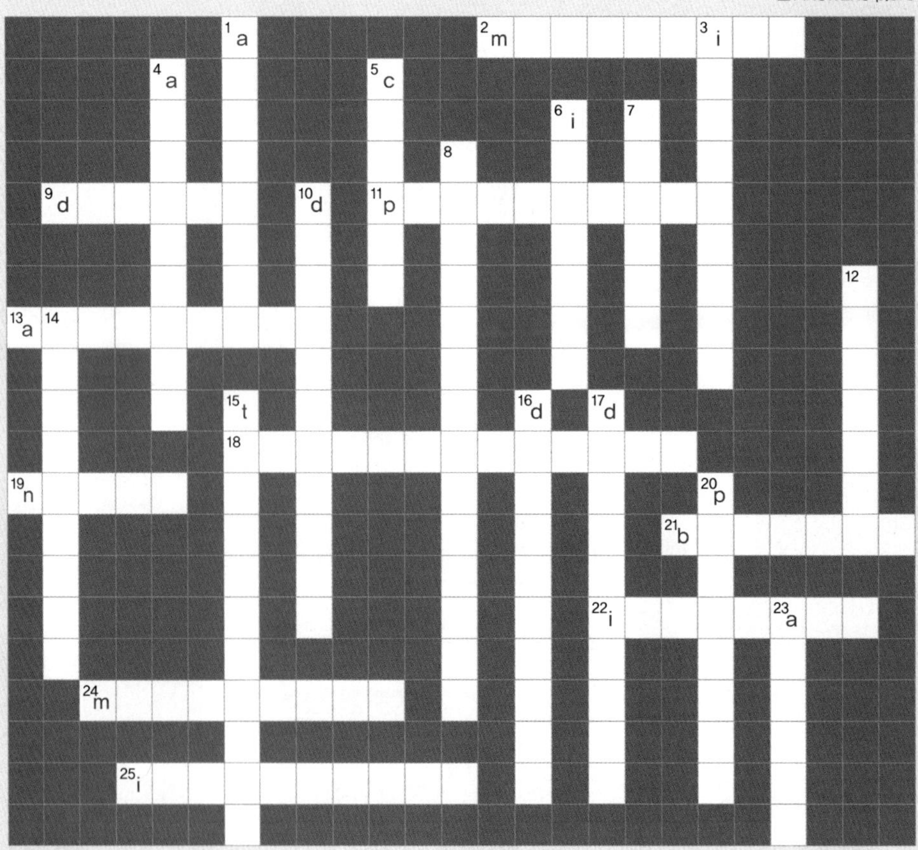

Across

2 남성적인, 남성의
9 혐오하다
11 주위의, 주변의; (컴퓨터의) 주변 장치
13 (가정용) 전기 제품, 기기
18 강화, 보강
19 (경험 부족으로) 순진한, 순진 무구한
21 증폭기; (사기, 자신감 등을) 높이는 것
22 절연 처리하다, 방음 처리하다
24 중요한 일, 획기적 사건
25 가난하게 만들다

Down

1 항공(술)
3 충동적인, 즉흥적인
4 주의 깊은, 주의를 기울이는
5 순응하다, 따르다
6 막다, 억제하다, 방해하다
7 폭군, 독재자
8 변신, 변화, 변형
10 사육하다, 길들이다
12 몰두하다, 몰두하게 하다
14 영원한, 영속적인, 영구적인
15 수혈; (자금 등의) 투입
16 감속하다
17 결정적인, 최종적인
20 ~에 살다, 거주시키다
23 유혹하다, 매혹시키다, 사로잡다

☑ ANSWERS p.378

DAY 10

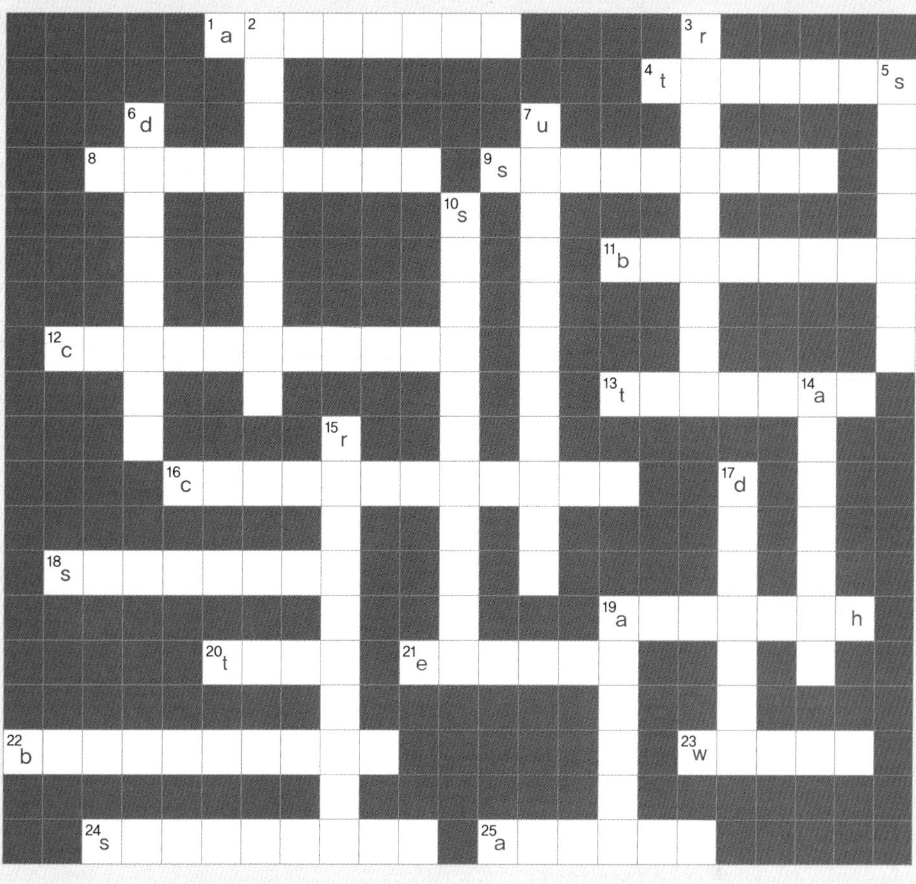

Across

1 모으다, 조립하다
4 지루한, 싫증나는
8 쌍안경(단수형)
9 안정시키다, 안정되다
11 역효과를 일으키다
12 큰 재해, 재앙
13 열의, 온도의
16 연결(성)
18 낙서하다, 휘갈겨 쓰다; 낙서
19 고통, 괴로움
20 기울다, 기울게 하다
21 매우 기뻐하는, 의기양양한
22 몹시 당황한, 어리둥절한
23 지친, 피곤한; 싫증 난
24 합성의, 인조의
25 (중요한 사건, 인물의) 출현, 도래

Down

2 추정하다, 추측하다; 사색하다
3 재연하다, 반복하다; 복제하다
5 두드러진, 현저한
6 파견하다, 발송하다; 발송, 급보
7 실용주의적인; 공리주의의
10 깊이 없는; 피상적인
14 해로운, 불리한; 반대의
15 분노, 분개
17 폭로하다, 발설하다
19 들러붙다; 고수하다, 집착하다

DAY 11

ANSWERS p.379

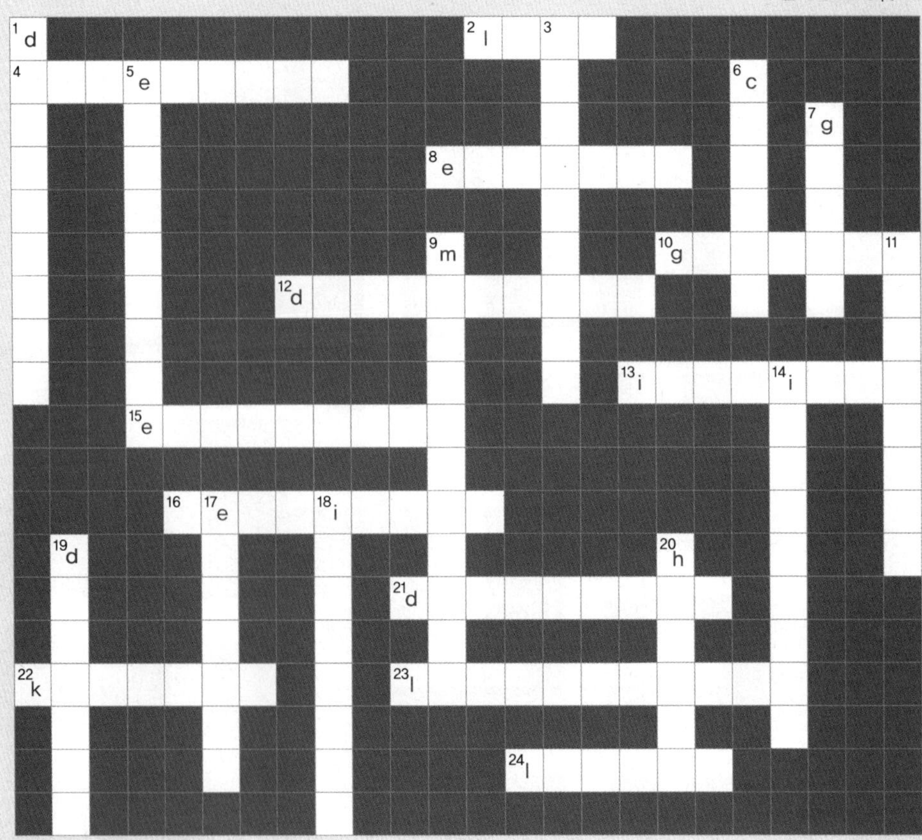

Across

2 어렴풋이 나타나다, 불안하게 다가오다
4 목록, 재고품
8 새기다, 조각하다
10 포괄적인, 일반적인, 총칭적인
12 자손, 후예, 후손
13 흥미를 자극하다
15 꾸미다, 장식하다, 윤색하다
16 증언, 증거
21 불신, 의혹
22 연대감, 유대감, 친족 관계
23 법률, 입법, 법률 제정
24 유산, 유물

Down

1 연결이 안 되는, 일관성이 없는
3 과장하다
5 근절하다, 퇴치하다
6 설득력이 있는, 타당한
7 노려보다, 눈부시게 빛나다
9 상품, 제품
11 단결력 있는, 결속된
14 간섭하다; 개입하다, 중재하다
17 규정하기 어려운, 난해한
18 무한대; 무한한 공간
19 벗어나다, 일탈하다
20 정신없이 바쁜

DAY 12

ANSWERS p.379

Across

2 천체의; 천상의, 하늘의
5 반복되는, 병이 재발되는
7 (곡식·과일이) 익다, 여물다
9 불모의, 척박한; 불임의
11 싫어하는, 꺼리는
14 근엄한, 엄숙한
15 미심쩍은, 의심스러운
17 전례가 없는, 미증유의
18 회피하다, 모면하다
20 경치의, 풍경의; 경치가 아름다운
21 전례, 선례; 선행하는
22 구두점을 찍다
23 뇌[지구]의 반구
24 요새화하다, 강화하다
25 고통, 괴로움; 고통을 주다

Down

1 사악한, 악덕의, 악의가 있는
3 장치, 기구, 기기
4 꼭 껴안다
5 돌다, 회전하다; 공전하다
6 반란, 저항, 반항
8 서투른, 솜씨 없는
10 과실, 태만, 부주의
12 (가격 등이) 알맞은
13 습관성의, 중독성의
16 귀족
19 친밀감, 유사성

DAY 13

ANSWERS p.380

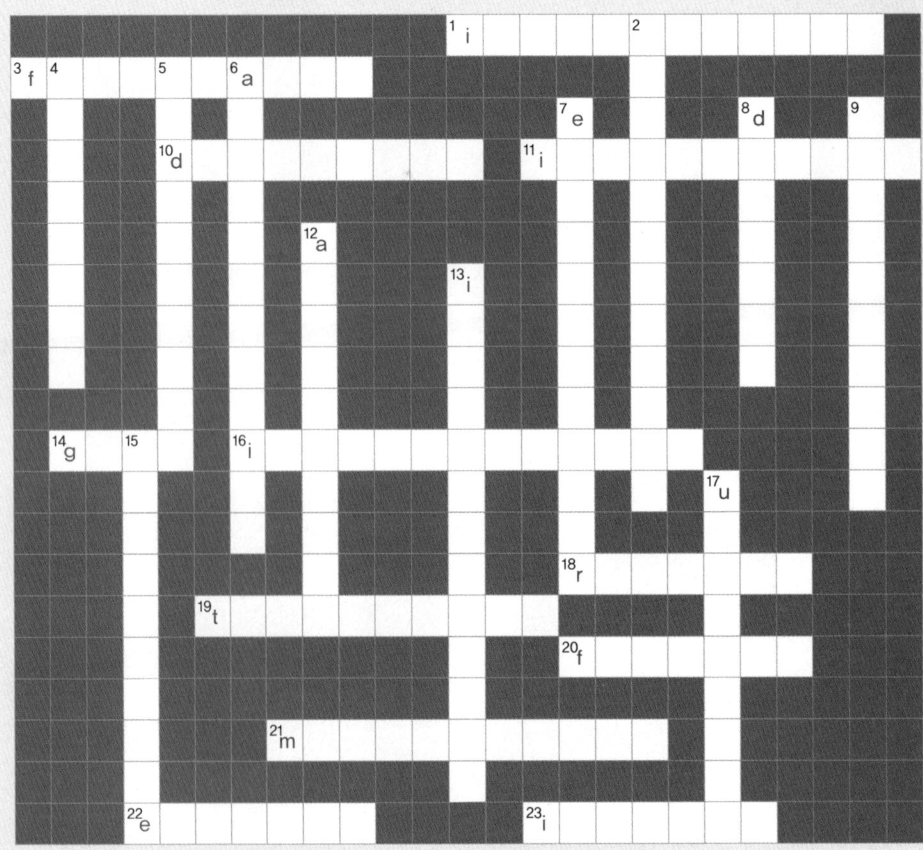

Across

1 비능률성, 비효율성
3 가공할, 어마어마한
10 (기체·액체 등을) 방출하다
11 무능력한
14 활짝 웃다; 활짝 웃음
16 본의 아니게, 무심코
18 잔여물, 잔존물, 나머지
19 글로 옮기다, 필사하다
20 그릇됨을 입증하다; (문서 등을) 위조하다
21 산이 많은; 거대한
22 모방하다, 따라 하다
23 막대한, 거대한, 엄청난

Down

2 양립할 수 없는
4 구식의, 쓸모없는, 한물간
5 망설임, 주저함, 우유부단함
6 동화
7 기업가, 사업가
8 (풍선 등이) 바람이 빠지다; (통화를) 수축시키다
9 부수적인, 이차적인
12 적응 (과정); 각색 (작품)
13 교육상의, 교육적인
15 틀렸음을 입증하다, 무효화하다
17 만장일치의

ANSWERS p.380

DAY 14

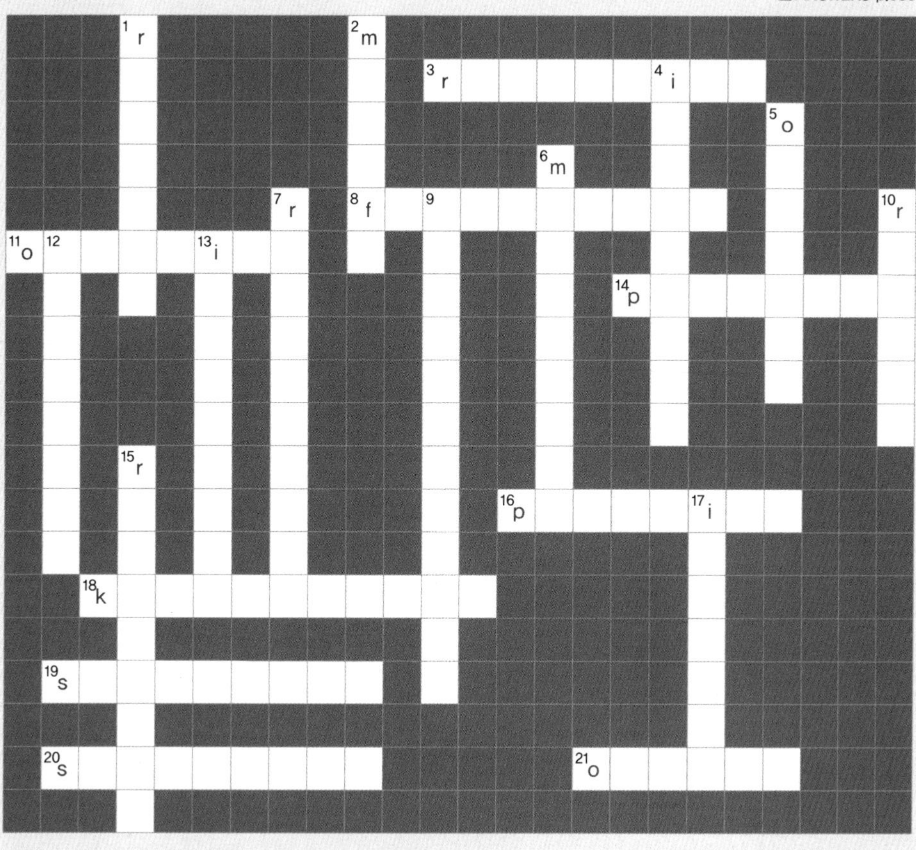

Across

3 의식화하다, 의례화하다

8 선구자, 선각자; 선조

11 무효화하다; ~에 우선하다

14 다작의, 열매를 많이 맺는

16 청원하다, 탄원하다; ; 탄원(서)

18 운동 감각의

19 (동·식물의) 보호 구역

20 구원(자); 구제, 구조

21 불법화하다, 금지하다

Down

1 (친밀한) 관계

2 바꾸다, 변경하다, 수정하다

4 방해하다, 가로막다, 중단시키다

5 박수갈채

6 다수, 수많음

7 회고, 회상

9 (부상·질병 등에서의) 회복

10 쉬는 시간, 휴식 (시간)

12 휘발성의, (상황 등이) 급격하게 변하는

13 짜증난, 화가 난

15 논리적 근거, 이유

17 (생각 등을) 심어주다, 서서히 불어넣다

DAY 15

ANSWERS p.381

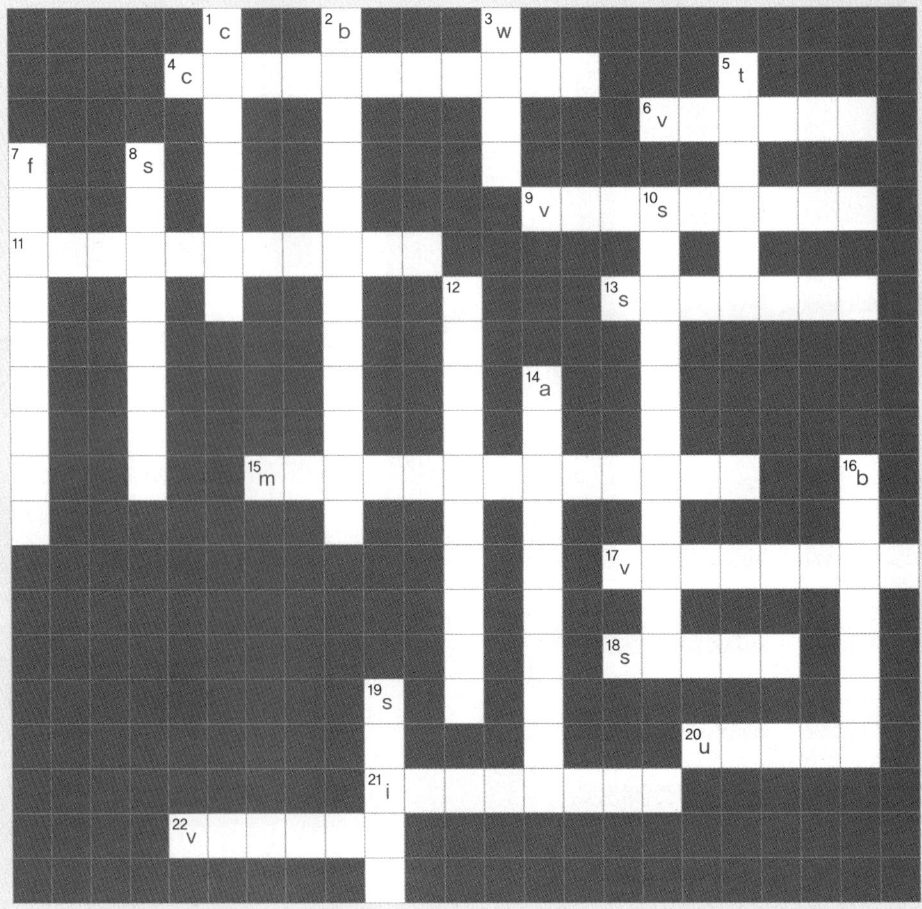

Across

4 오염시키다
6 생존 가능한, 실행 가능한
9 다용도의; 다재다능한
11 대기의; 분위기 있는
13 명확히 말하다, 명시하다
15 징후, 나타남
17 강력한, 원기 왕성한, 활발한
18 슬그머니 움직이다, 살금살금 가다
20 말하다; 완전한, 순전한
21 미친 짓; 정신 이상[착란]
22 저속한, 천박한

Down

1 부패하게 하다; 부패한, 썩은
2 (체력을) 소모시키는, 몹시 힘든
3 울부짖다, 통곡하다; 통곡
5 전술, 책략
7 초월하다, 능가하다
8 산발적인, 간헐적인
10 감시, 관리, 감독
12 성가신, 짜증나게 하는
14 변경, 개조, 고침
16 (큰) 실수, 과실; 크게 실수하다
19 소용돌이치다; 소용돌이, 회오리

☑ ANSWERS p.381

DAY 16

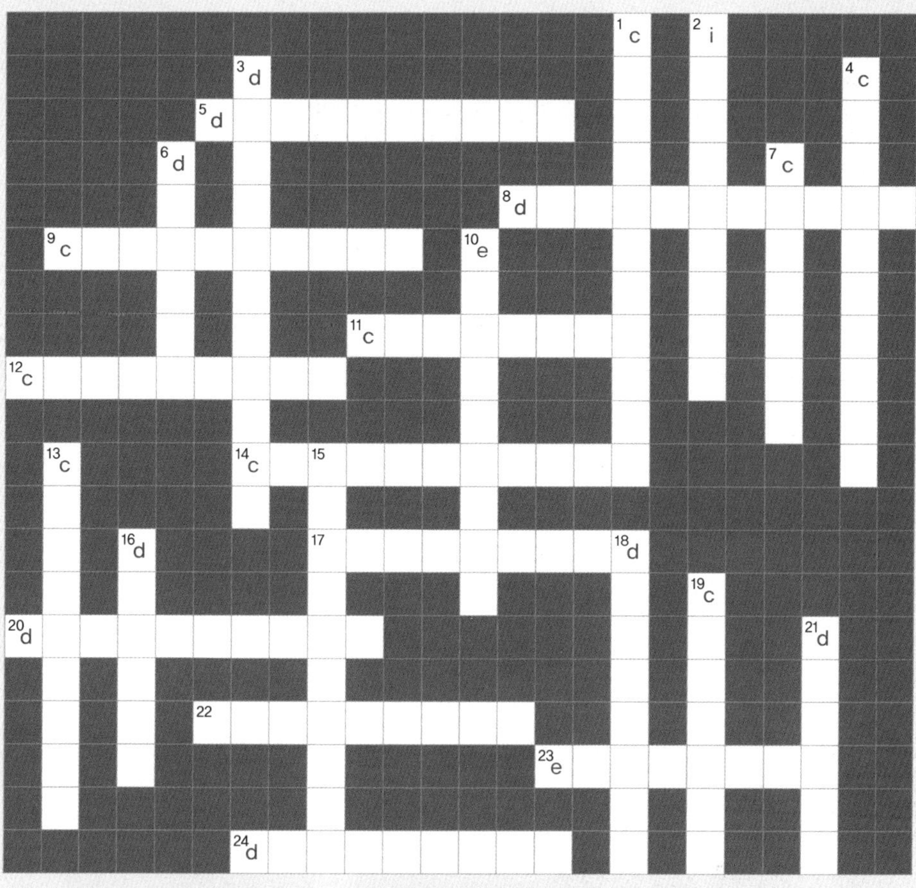

Across

5 누설, 폭로
8 악화되다, 더 나빠지다
9 동시에 발생하는, 공존하는
11 생각하다, 상상하다; 구상하다
12 제약하다, 억누르다
14 아주 흔한, 일반적인
17 문지방, 문턱; 한계점
20 무례, 실례, 경시
22 복제하다, 복사하다; 복제품
23 (위험 지역에서 사람들을) 대피시키다
24 지정하다, (특정 자리나 직책에) 지명하다

Down

1 (한 점으로) 집합; (의견 등의) 수렴
2 복잡한, 뒤얽힌
3 괴리, 불일치, 차이
4 지속성, 연속성
6 속임수, 사기, 기만
7 구기다
10 포함하다, 아우르다; 둘러싸다
13 가두어 둠, 속박, 감금 (상태)
15 세심한, 꼼꼼한
16 (기차를) 탈선시키다; 무산시키다
18 섬세(함); 맛있는 것, 진미
19 (마음에) 그려내다, 생각해내다
21 (방향을) 전환시키다; (생각·관심 등을) 다른 데로 돌리다

ANSWERS p.382

Across

1 (반응을) 끌어내다, 유도하다
3 (개의) 목줄; (개에게) 목줄을 채우다
6 순간적인, 찰나의, 잠깐 동안의
8 명목상의, 이름뿐인
9 상상하다, 마음속에 그리다
10 적외선의
11 비도덕적인, 부도덕한
13 분리할 수 없는, 불가분의
16 역의, 정반대의
17 믿어지지 않는, 아주 멋진
18 탐닉하다, 빠지다
19 중세(시대)의; 구식의
20 (주장의) 전제

Down

1 (숨을) 내쉬다
2 급격한, 대폭적인, 과감한
4 노쇠한, 연약한
5 (영향·작용 등을) 국한시키다
7 (책·비석 등에) 새겨진 글, 비문
12 어쩔 수 없이 ~해야 하는
14 유인하다, 유혹하다; 유혹(물)
15 주입하다, 불어넣다
16 자극하다; 흥분시키다

ANSWERS p.382

DAY 18

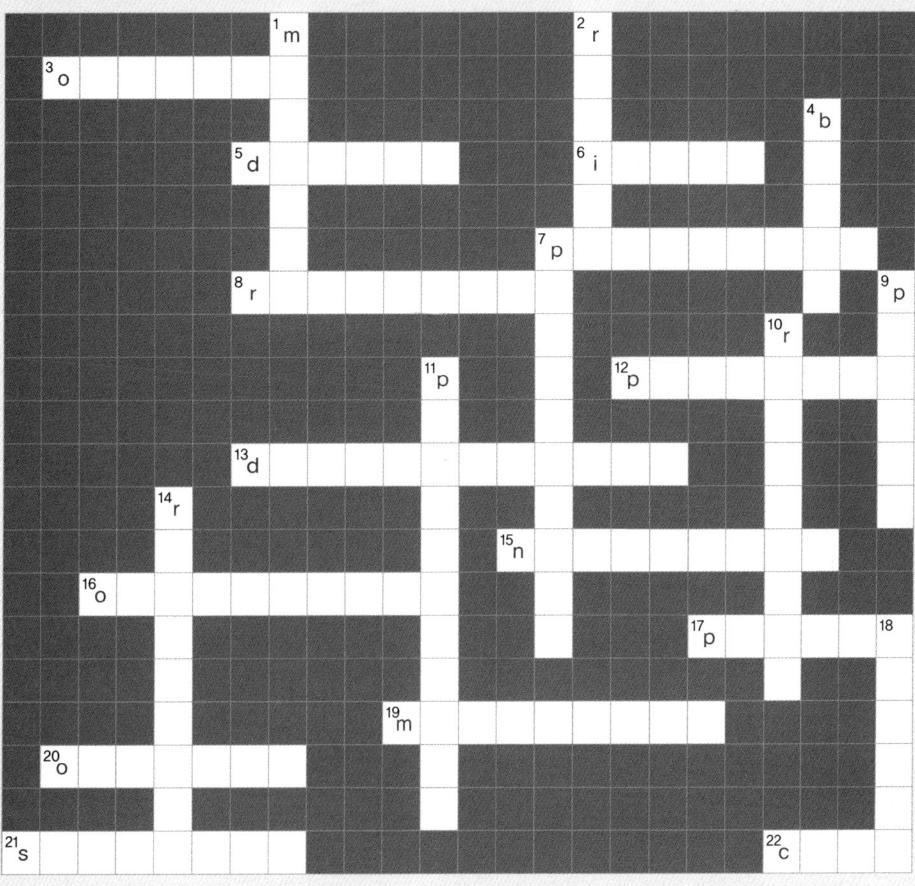

Across

3 모호하게 하다; 모호한, 이해하기 힘든
5 (느낌·믿음을) 몰아내다, 물리치다
6 (비용을) 발생시키다; (안 좋은 일을) 초래하다
7 비관주의
8 나머지, 잔류물
12 비뚤어진, 상식 밖의
13 불순종, 불복종
15 야행성의
16 ~보다 뛰어나다, ~를 능가하다
17 숙고하다, 곰곰이 생각하다
19 의무적인, 필수의
20 최적의, 가장 알맞은
21 목 졸라 죽이다, 질식시키다
22 씨족; 문중

Down

1 조정하다, 중재하다
2 정부, 정권, 제도
4 (더 없는) 행복, 기쁨
7 번창하는, 번영하는
9 서약하다, 맹세하다; 서약, 맹세
10 억제, 규제, 자제(력)
11 예비의, 준비의
14 보유, 유지; 기억력
18 사임하다, 사직하다

ANSWERS p.383

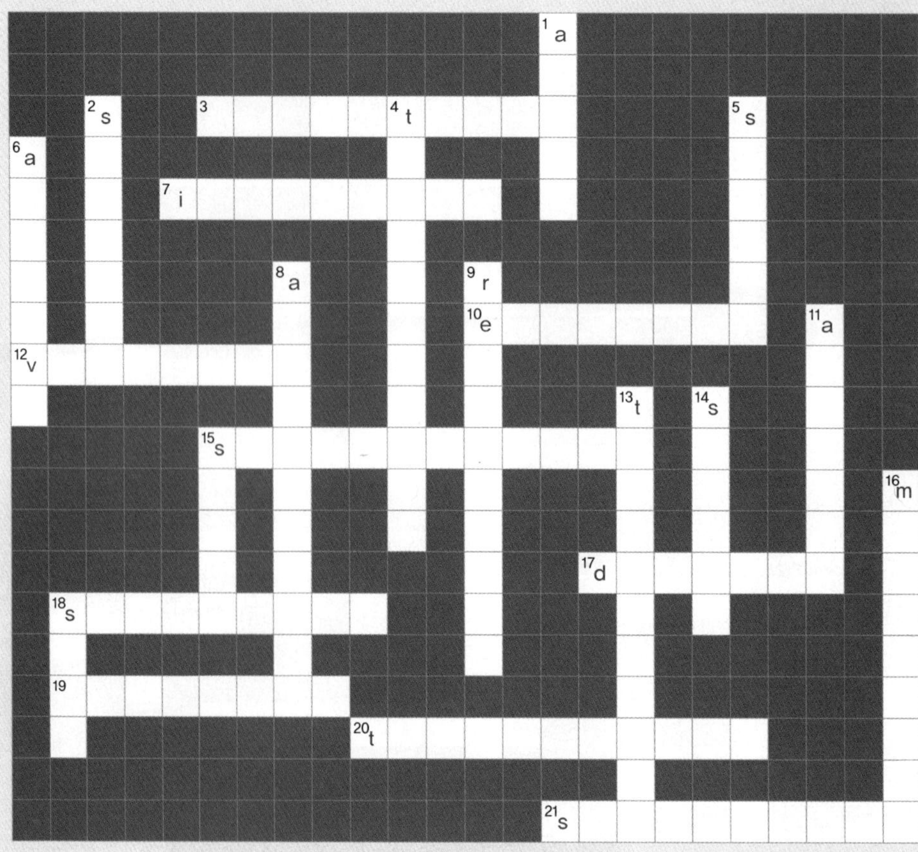

Across

3 동정하다, 공감하다
7 분노한, 분개한
10 발굴하다; (구멍 등을) 파다
12 덕망 있는, 고결한
15 감시, 감독
17 굴절시키다, 방향을 변화시키다
18 (국가가) 자주적인, 독립된
19 이웃의, 인접한
20 이론적인, 이론상으로 존재하는
21 연대, 결속

Down

1 능숙한, 숙달된; 숙련자, 노련가
2 산산이 부수다, 산산조각을 내다
4 평정, 차분함, 고요함
5 성큼성큼 걷다; 큰 걸음; 진보
6 모욕적인, 학대하는
8 추상적 개념[관념]; 추상(화)
9 회복력; 탄력, 탄성
11 괴롭히다, 피해를 입다
13 육생의, 지상의, 지구(상)의
14 노망한, 노쇠한
15 (음식을) 음미하다; 맛, 풍미
16 (새 등이) 이동하는
18 흔들다, 동요시키다, 흔들리다

☑ ANSWERS p.383

DAY 20

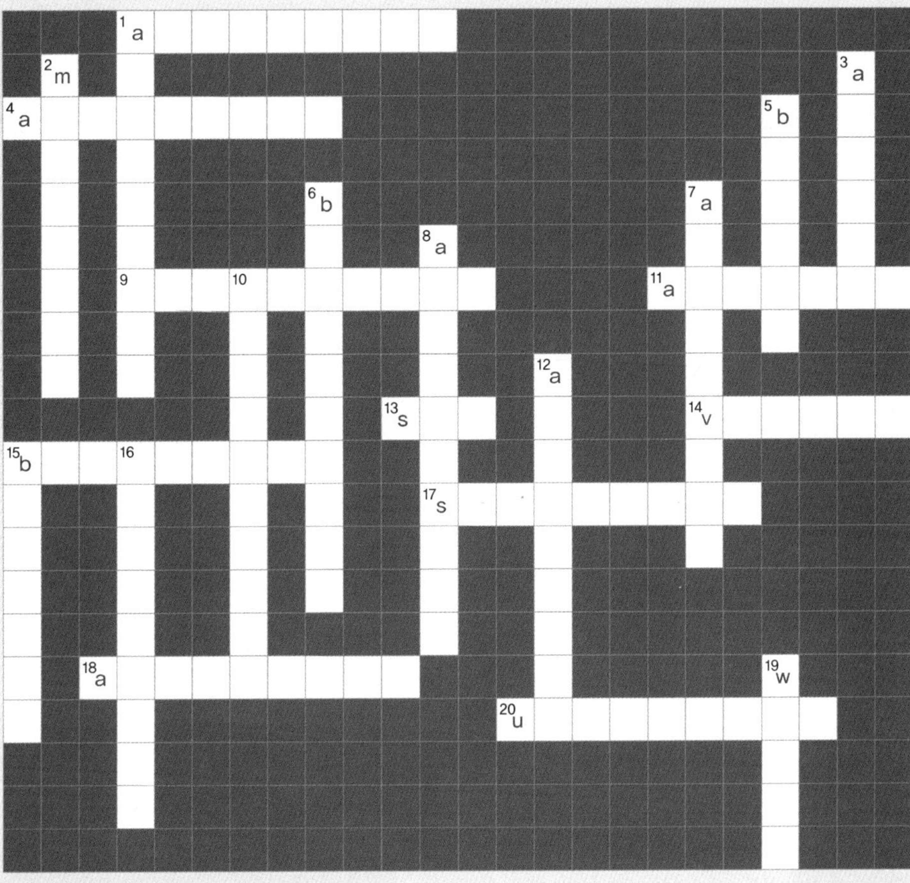

Across

1 보조의, 부수적인
4 미적인, 미학의
9 달성 가능한, 이룰 수 있는
11 민첩함, 기민함
13 고소하다, 소송을 제기하다
14 (진실임을) 검증[증명]하다, 입증하다
15 양자의, 쌍방의
17 분리하다, 차별하다
18 총계가 ~이다; 총합, 총계
20 방해받지 않는, 중단되지 않는

Down

1 여파, 영향
2 보통의, 평범한, 썩 좋지 않은
3 증명하다, 입증하다
5 ~을 당황하게 하다
6 인자한, 자애로운
7 악화시키다
8 이타적인
10 잔상
12 소모, (인원의) 자연 감소
15 강화하다, 보강하다
16 유사한, 비슷한
19 기이한, 이상한

DAY 21

ANSWERS p.384

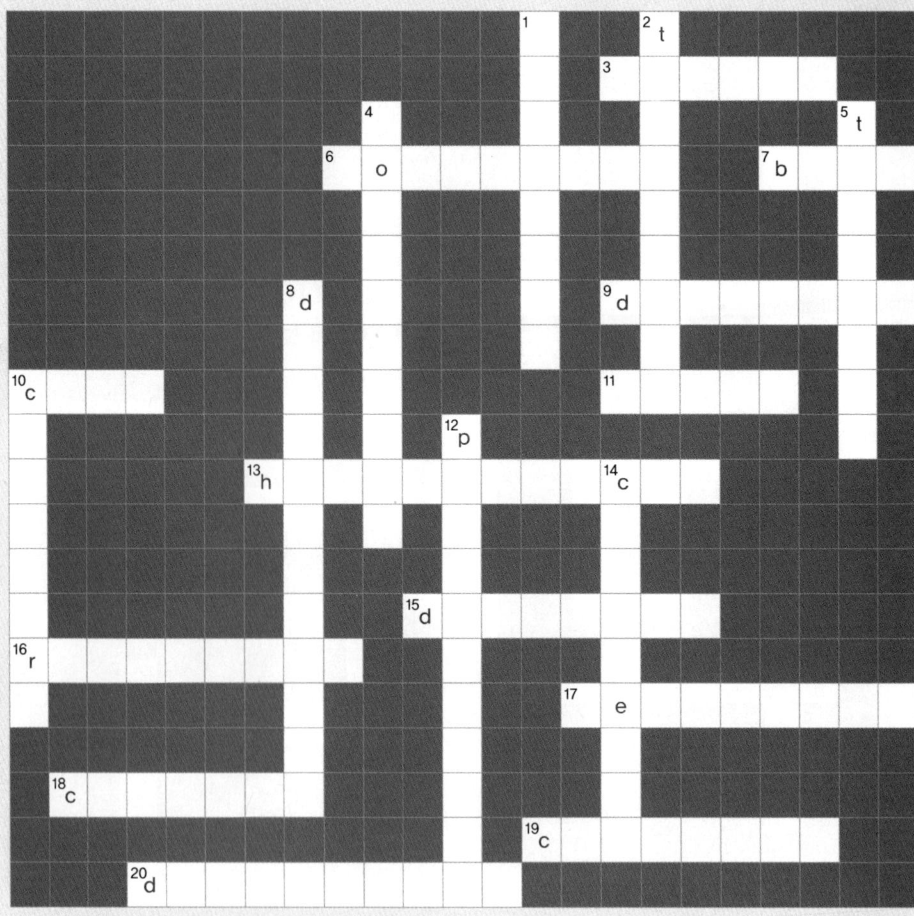

Across

3 배치하다; 효율적으로 사용하다
6 고분고분한, 순종하는
7 자랑하다, 뽐내다
9 별개의, 분리된
10 밀어[쑤셔] 넣다; 벼락치기 공부를 하다
11 신(神), 신적 존재
13 계층제의, 계급제의
15 흩어지다; 분산시키다
16 (반복되어서) 불필요한, 남아도는
17 고갈, 소모, 감소
18 (공식적으로) 증명하다
19 사상자, 희생자
20 믿을 수 있는, 신뢰할 만한

Down

1 반항, 저항
2 잠정적인, 임시의; 머뭇거리는
4 의무적인, 강제적인, 필수의
5 과세, 징수
8 징계의; 훈련의; 학문의
10 요리의
12 임시의, 일시적인; 잠정적인
14 정중한, 공손한

ANSWERS p.384

DAY 22

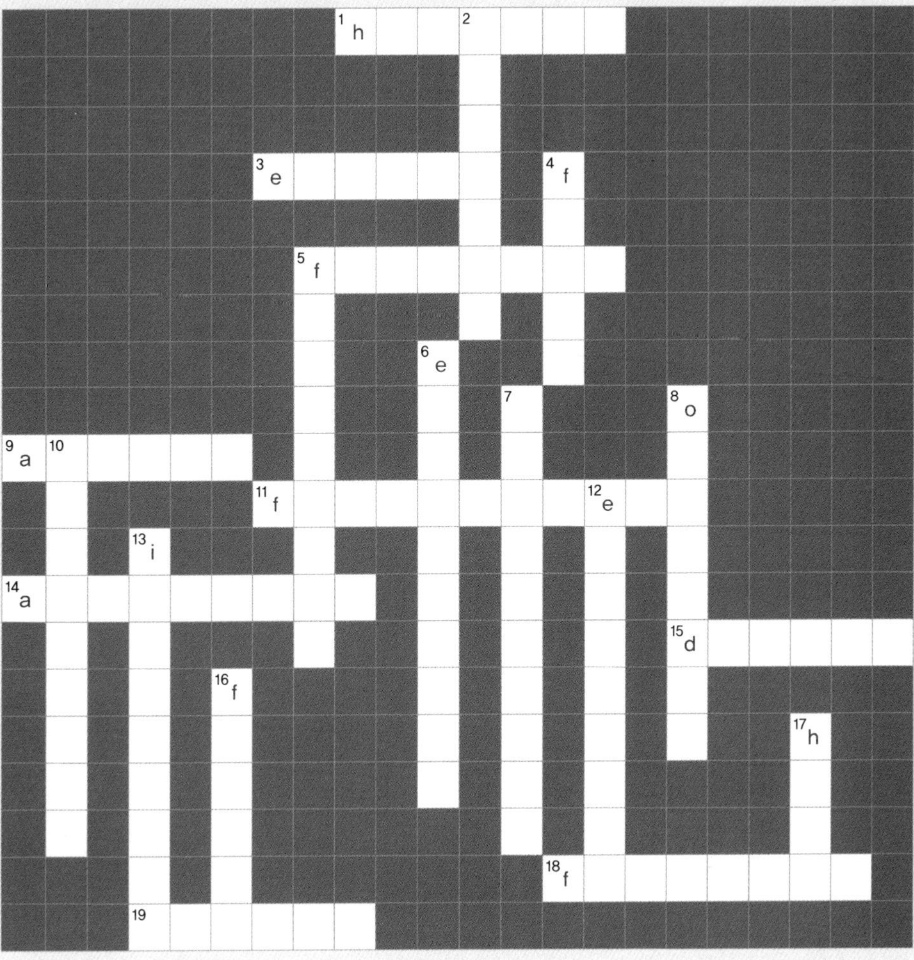

Across

1 무시무시한, 끔찍한, 흉측한
3 호소하다, 권고하다, 촉구하다
5 사망자(수); 치사율
9 표류하는; 표류하여
11 형광성의
14 발아하다, 싹트게 하다
15 절망, 낙담
18 실현 가능한, 실행 가능한
19 민족의, 인종의

Down

2 세속적인, 현세의
4 (특정 가격에) 팔리다; (어디를 가서) 가지고 오다
5 경박함
6 본질에서 벗어난, 무관한; 외부에서 발생한
7 실격시키다, 자격을 박탈하다
8 정설의, 정통의
10 피고(인)
12 화술, 웅변
13 즉흥 연기[연주]를 하다, 즉흥적으로 하다
16 움찔하다, 주춤하다
17 울부짖다; (개·늑대 등의) 길게 울부짖는 소리

DAY 23

☑ ANSWERS p.385

Across

2 (법규를) 위반하다; (법적 권리를) 침해하다
4 먹을 수 없는
5 멋대로 하게 하는, 관대한
8 침범하다, 침해하다; 방해하다
9 되돌릴 수 없는, 뒤집을 수 없는
10 전하다, 알리다; (특정한 특성을) 주다
13 문맹
15 칭찬하는; 무료의
16 물을 대다, 관개하다
17 영구화하다, 영속시키다
18 정도에서 벗어나, 길을 잃고

Down

1 (괴로움 등을) 가하다, 괴롭히다
2 뒤얽다, 엮다; 밀접하게 관련되다
3 법적 책임; ~이 되기 쉬운 성질; 빚, 부채
5 불멸의, 죽지 않는
6 대체할 수 없는
7 방해하다, 지연시키다
10 비활성의; 기력이 없는
11 충실함; 정확도
12 근육(질)의
14 여행 계획, 여행 일정표

ANSWERS p.385

DAY 24

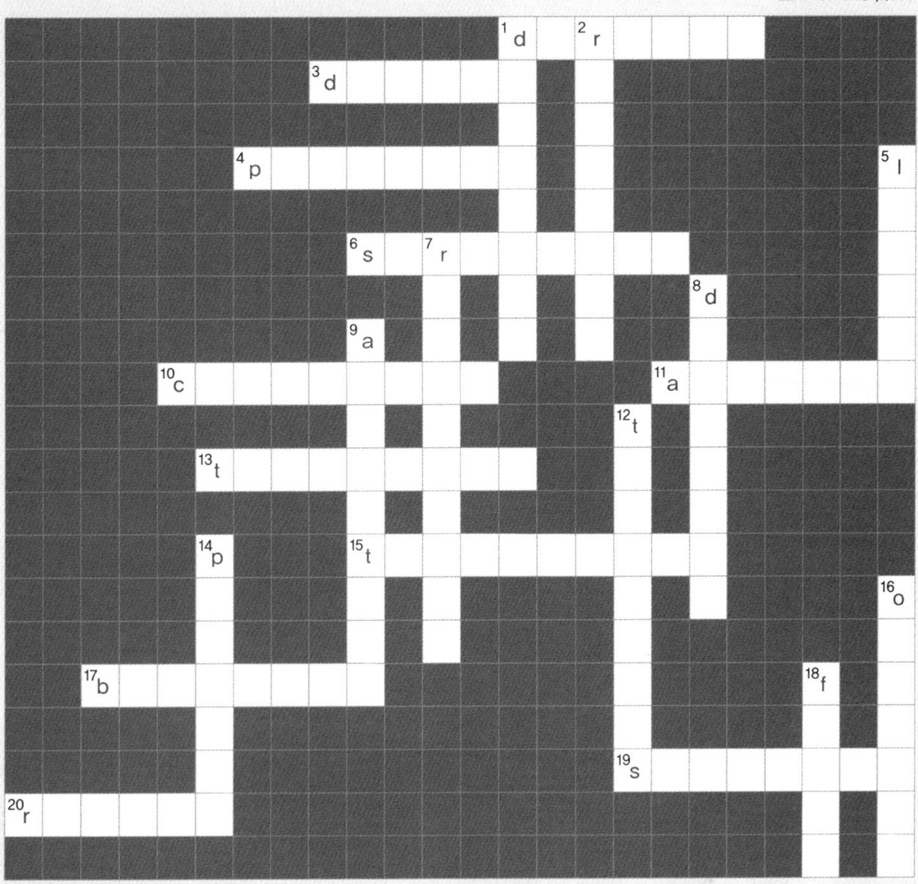

Across

1 (동식물이) 활동을 중단한; 휴면[동면]중인
3 의미하다, 나타내다
4 명성, 위신
6 힘든, 격렬한
10 협동의, 일치단결한
11 공격하다, 폭행하다; 공격, 폭행
13 종결시키다, 끝내다
15 의기양양한; 승리를 거둔
17 경시하다, 깎아내리다
19 (경제가) 침체되다, 부진해지다
20 파괴하다, 약탈하다; 참혹한 피해

Down

1 품행, 태도; 표정
2 정확한, 철저한, 엄격한
5 잠복해 있는, 잠재적인
7 폭로; (신의) 계시
8 황량한, 황폐한
9 휴전, 정전
12 고집이 센, 집요한; 오래 계속되는
14 포위하다
16 억압하다, 탄압하다
18 사기 (행위)

DAY 25

ANSWERS p.386

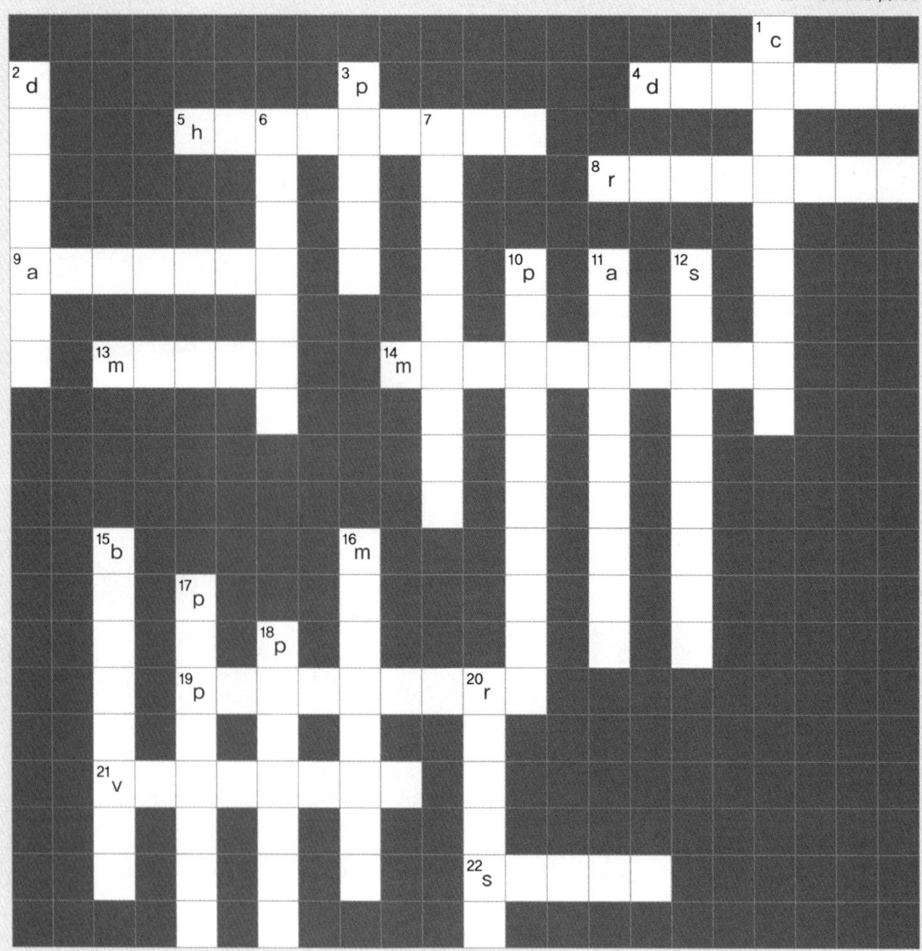

Across

4 의심스러운, 수상한, 미심쩍은
5 굴욕감을 주다, 창피하게 하다
8 이사하다, 이전하다
9 익숙한, 적응된
13 슬퍼하다, (죽음을) 애도하다
14 악의가 있는, 악랄한
19 끈기 있게 노력하다, 인내하다
21 (정당함을) 인가[인정]하다, 검증하다, 입증하다
22 술에 취하지 않은; 냉철한

Down

1 순환하다; 유포되다, 배포되다
2 경멸하다; 경멸(감), 모멸
3 간청하다, 애원하다
6 세속의; 일상적인, 평범한
7 오만, 거만, 불손
10 우선, 우위
11 익명의
12 회의적인, 의심 많은
15 (가족·친구 등과) 사별한
16 웅장한, 장엄한
17 인구가 많은; 붐비는
18 천재, 영재
20 강건한, 튼튼한

ANSWERS p.386

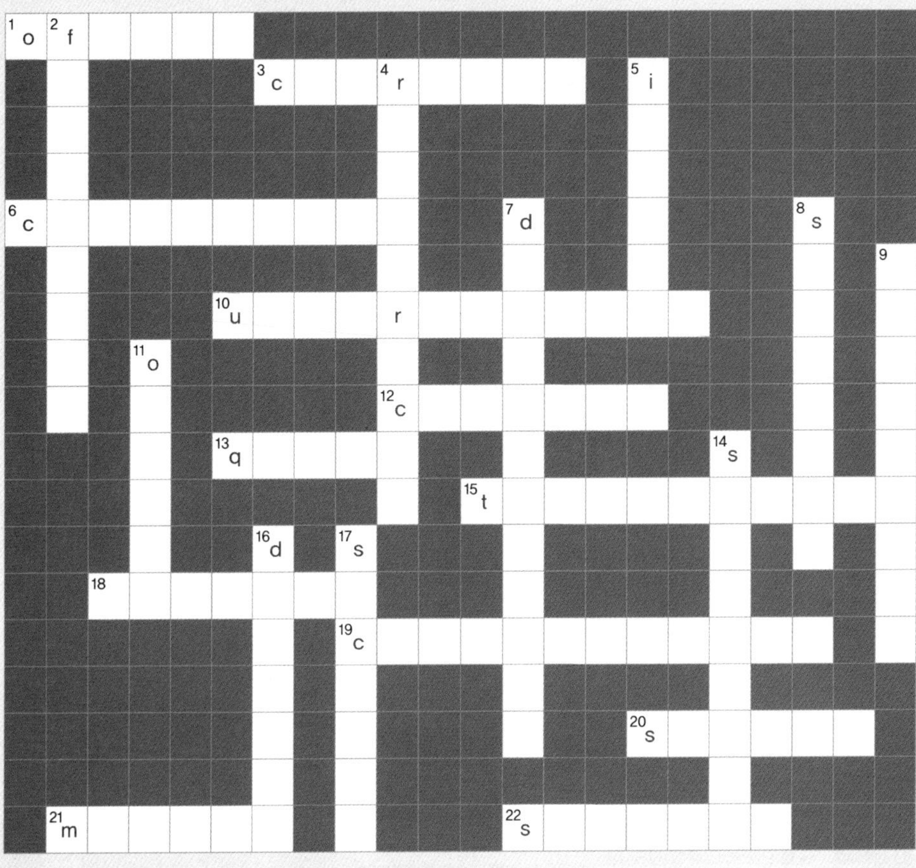

Across

1 상쇄하다
3 사무직의; 목사의, 성직자의
6 회피하다; 우회하다, 피해 가다
10 견줄 데 없는, 유례없는
12 축소, 삭감, 감축
13 몫, 할당량
15 반투명한
18 분비하다
19 기밀의, 비밀의
20 인색한, 구두쇠 같은
21 사기, 의욕
22 비틀거리며 가다

Down

2 비옥, 비옥도; 다산; 풍요
4 수사적인, 미사여구의
5 (교도소의) 수감자; (병원의) 입원자
7 숙고, 고려
8 사악한; 불길한
9 (상황을 앞서서) 주도하는, 사전 대책을 강구하는
11 불투명한, 빛을 통과시키지 않는
14 보조금을 지급하다
16 빼앗다, 박탈하다
17 비밀 엄수, 비밀 유지

ANSWERS p.387

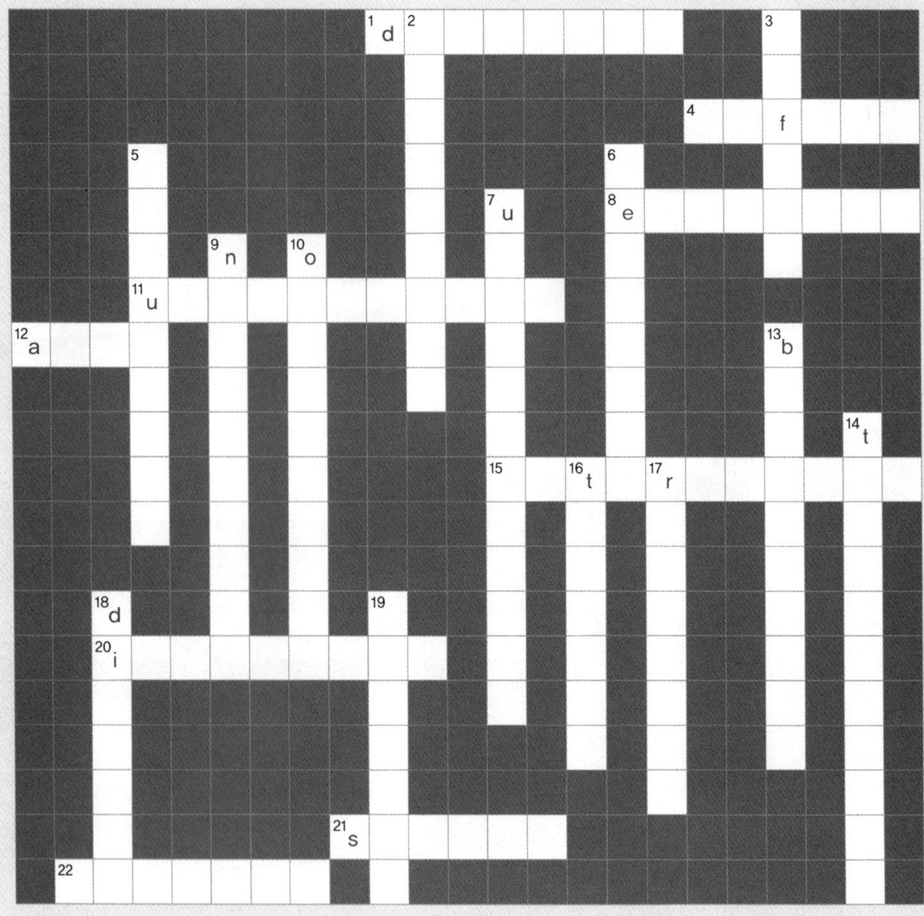

Across

1 용해시키다, 녹이다; (조직을) 해산시키다
4 논박하다, 반박하다
8 균등[평등]하게 하다; 동점이 되다
11 명백한, 의심의 여지가 없는
12 건조한
15 피면접자, 인터뷰 대상자
20 끊임없는, 그칠 줄 모르는
21 초라한, 남루한, 허름한
22 마법을 걸다, 매혹하다

Down

2 독창적인, 창의적인
3 (안 좋은 일이) 닥치다
5 들리지 않는, 알아들을 수 없는
6 무시무시한, 가공할; 대단한
7 이룰 수 없는, 도달할 수 없는
9 중화하다; 중성화하다; 무효화하다
10 터무니없는, 지나친
13 선행을 행하는, 인정 많은
14 기질, 성질, 성미
16 (연관성 등이) 미약한, (증거가) 빈약한
17 무자비한
18 확산시키다, 확산하다
19 무정부 (상태)

ANSWERS p.387

DAY 28

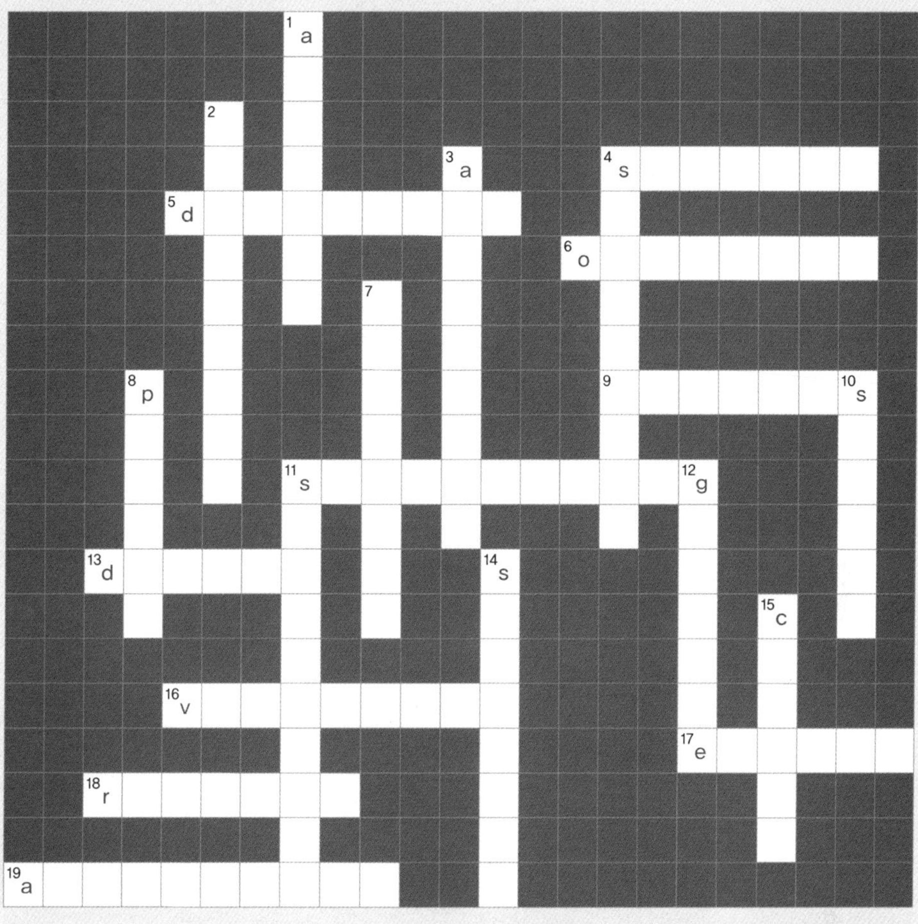

Across

4 가라앉다, 잠잠해지다
5 부족한, 불충분한; 결함이 있는
6 장식(물)
9 여분, 잉여; 여분의, 과잉의
11 결점, 단점
13 게걸스레 먹다; 탐독하다
16 경계, 조심
17 몹시 화나게 하다, 격노시키다
18 삼가다, 자제하다; (노래의) 후렴
19 상반된 감정이 공존하는, 양면 가치의

Down

1 고심하다; 괴로워하다
2 한결같은, 확고부동한
3 아주 오래됨, 낡음, 고색
4 빈정대는, 비꼬는, 냉소적인
7 극복하다, 이겨내다
8 성가시게 하다, 귀찮게 하다
10 거닐다, 산책하다; 거닐기, 산책
11 철저히 검토하다, 자세히 살펴보다
12 힐끗 봄, 언뜻 봄
14 고요함, 맑음; 평온함
15 (천·피부가) 거친; (말씨가) 상스러운

ANSWERS p.388

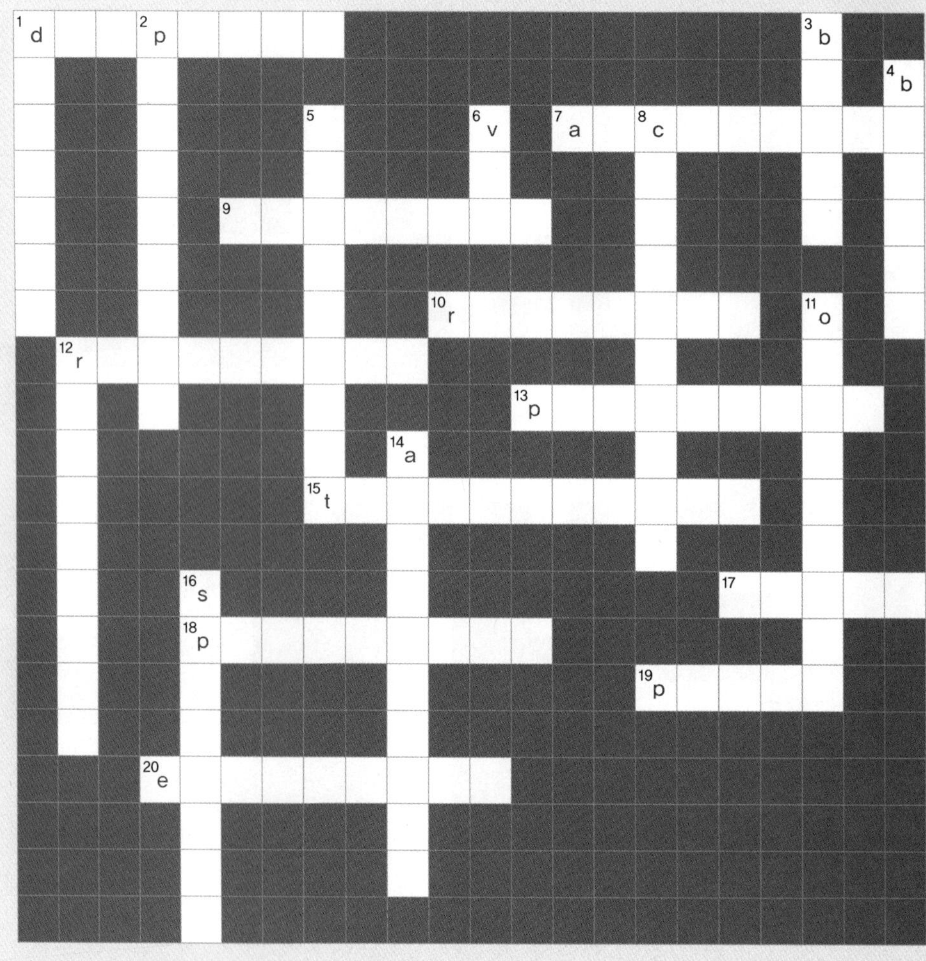

Across

1 나누어주다, 분배하다; 면하다, 없애다
7 적응하다, 순응하다
9 평민, 서민
10 잔여의, 잔류의
12 보충하다, 다시 채우다
13 가정하다, 전제로 하다
15 전문 용어
17 (어떤 일의) 직전; (낭떠러지의) 가장자리
18 공표하다, 선전하다
19 (철저한) 조사; (우주) 탐사선; (철저히) 조사하다
20 정성들여 만들다; 공들인, 정교한

Down

1 (점점) 줄어들다, 쇠퇴하다
2 (생각·걱정이) 사로잡다; 몰두하게 만들다
3 (소리를) 요란하게 울리다
4 보다, 바라보다
5 (범죄에) 공모한, 공범인
6 경쟁하다, 다투다
8 연소; 산화
11 (사람을) 외면하다, 배척하다
12 화해시키다; 조화시키다; 명확히 표현할 수 있는
14 분명히 표현하다
16 (음식물의) 부패, 손상

ANSWERS p.388

DAY 30

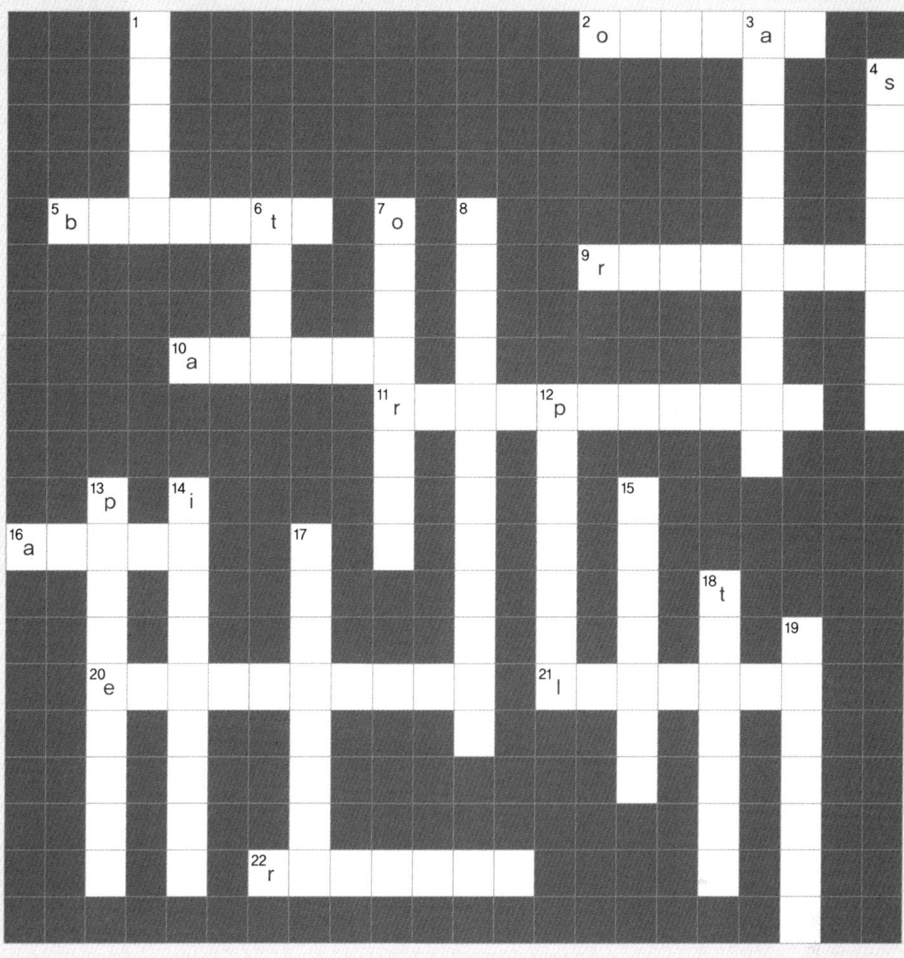

Across

2 시련, 고난
5 간결성; 짧음
9 개조[보수]하다, 새롭게 하다
10 (물 위에) 떠 있는
11 보답하다, 답례하다; 보복하다
16 꾸미다, 장식하다
20 동등한, 상당하는; 동등한 것
21 누출
22 발표회, 연주회

Down

1 쇄도하다, 급증하다; 급등, 쇄도
3 (단어를) 줄여 쓰다, 축약하다
4 잠수하다; 물에 잠기게 하다
6 힘들게 일하다, 고생하다; 고역, 노역
7 막다, 방해하다
8 (사상 등을) 주입하다, 세뇌하다
12 뜻하지 않은 위험, 어려움
13 자손, 후대
14 포괄적인, 모든 것을 포함한
15 (특정한 사진을 담은) 장면[화면]
17 양극화하다, 양극단으로 나누다
18 배신자, 반역자
19 크게 기뻐하다

DAY 31

ANSWERS p.389

Across

3 배, 복부
7 눈사태, 산사태; 쇄도
12 십진법의; 소수의; 소수
14 위도; 자유, 재량권
15 치우침, 불균형; 비대칭
16 침식하다, 부식하다
18 생물권
20 반지름, 반경
21 경도
22 확대하다

Down

1 썰물; 쇠퇴
2 응축하다, 응결하다; 요약하다
4 가루받이[수분]하다
5 촉매(제); (변화의) 기폭제
6 유전; 상속, 계승
8 구성; 배열
9 동면하다
10 우주학, 우주론
11 희석하다, 묽게 하다
13 (해·달의) 식
17 (화산이) 폭발하다, (감정을) 터뜨리다
19 소용돌이, 나선; 나선형으로 상승하다

ANSWERS p.389

DAY 32

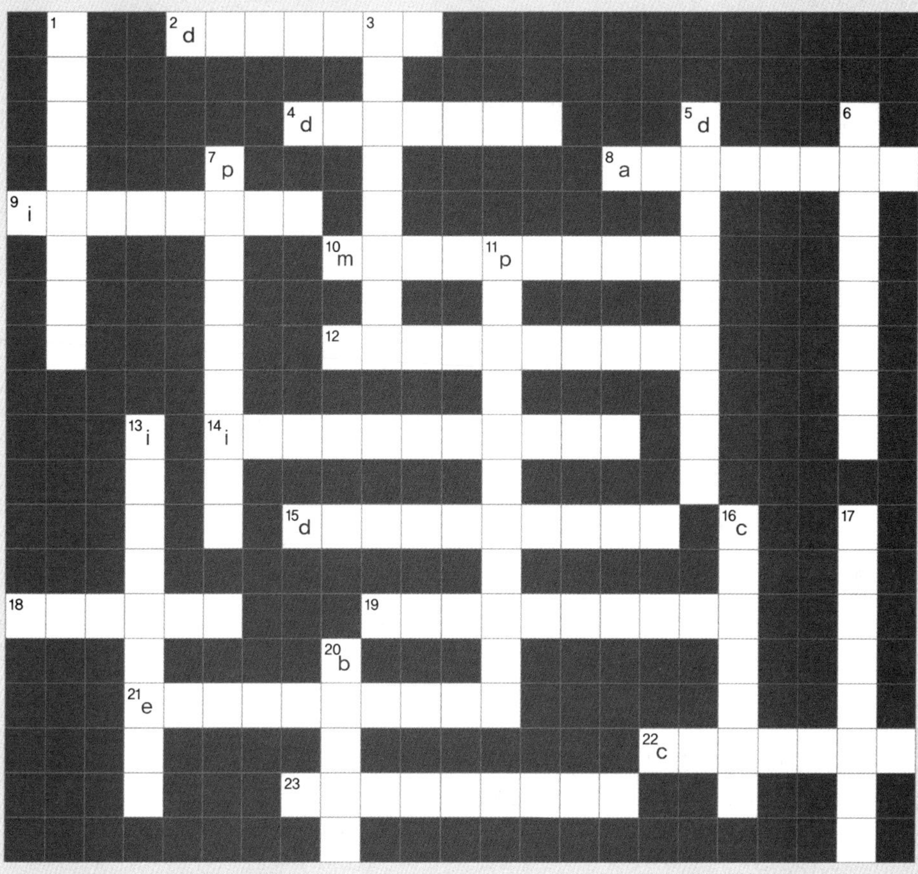

Across

2 질을 떨어뜨리다; (화학적으로) 분해하다
4 혐오(감), 역겨움
8 혐오, 반감
9 친밀(함), 친한 사이
10 (기계 등을) 조작하다, 다루다; (교묘하게) 조종하다
12 의존, 의지
14 둔감한; 영향을 받지 않는
15 사기를 저하시키다
18 타고난, 선천적인
19 열망, 포부, 야망
21 (마음의) 평정; 침착
22 자만, 자부심
23 침착, 평온

Down

1 애정, 애착
3 불명예, 수치, 치욕
5 존중, 경의
6 경시하다
7 보호하다, 후원하다
11 시간 엄수; 정확함, 꼼꼼함
13 내향적인 사람
16 싸우다; 주장하다; 경쟁하다
17 착각, 망상
20 편견이 심한 사람

DAY 33

☑ ANSWERS p.390

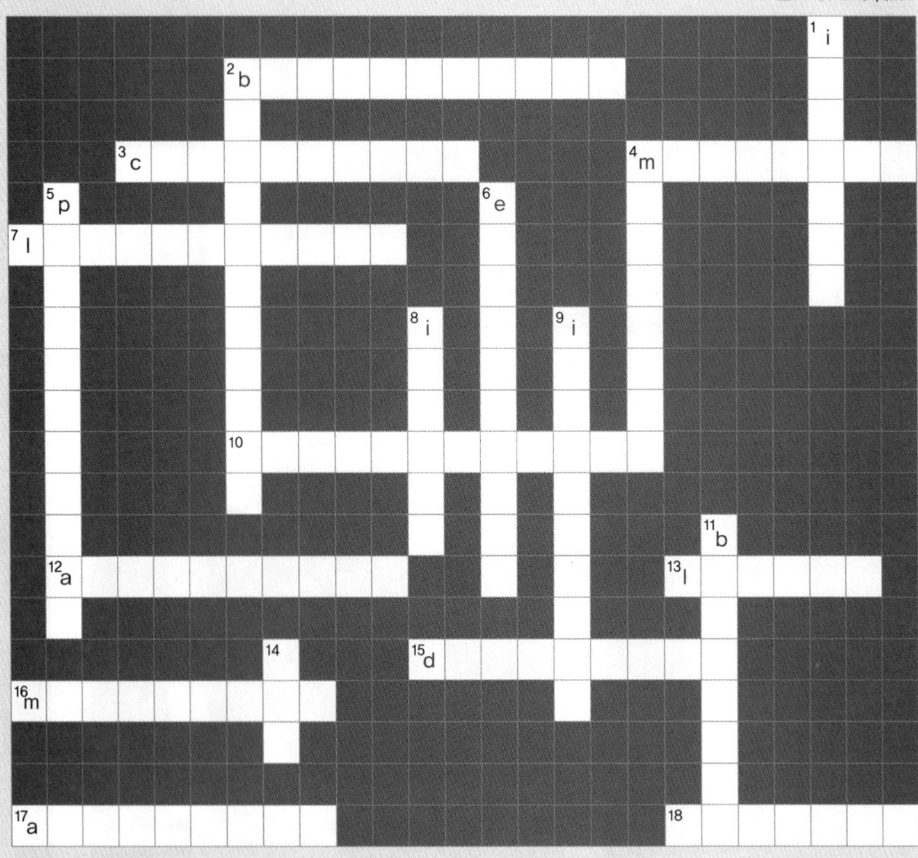

Across

2 수혜자, 수익자
3 자선의, 자선을 베푸는
4 (담보) 대출(금); 저당
7 입법부, 입법 기관
10 암호 해독법
12 고발, 기소; 비난
13 정리 해고, 강제 휴업
15 담화, 담론
16 지방 자치(제)의; 시(市)의
17 불안, 동요; (정치적) 수요, 시위
18 디폴트, 초기 설정; 채무 불이행

Down

1 무효의; 타당하지 않은
2 관료제, 관료주의
4 (시장의) 독점(권), 전매(권)
5 교육학의, 교수법의
6 선거인, 유권자
8 언급하다; 예로 들다; (법률에) 호소하다
9 검사, 점검
11 (비교의) 기준치, 기준선
14 일시적 유행; 변덕

☑ ANSWERS p.390

DAY 34

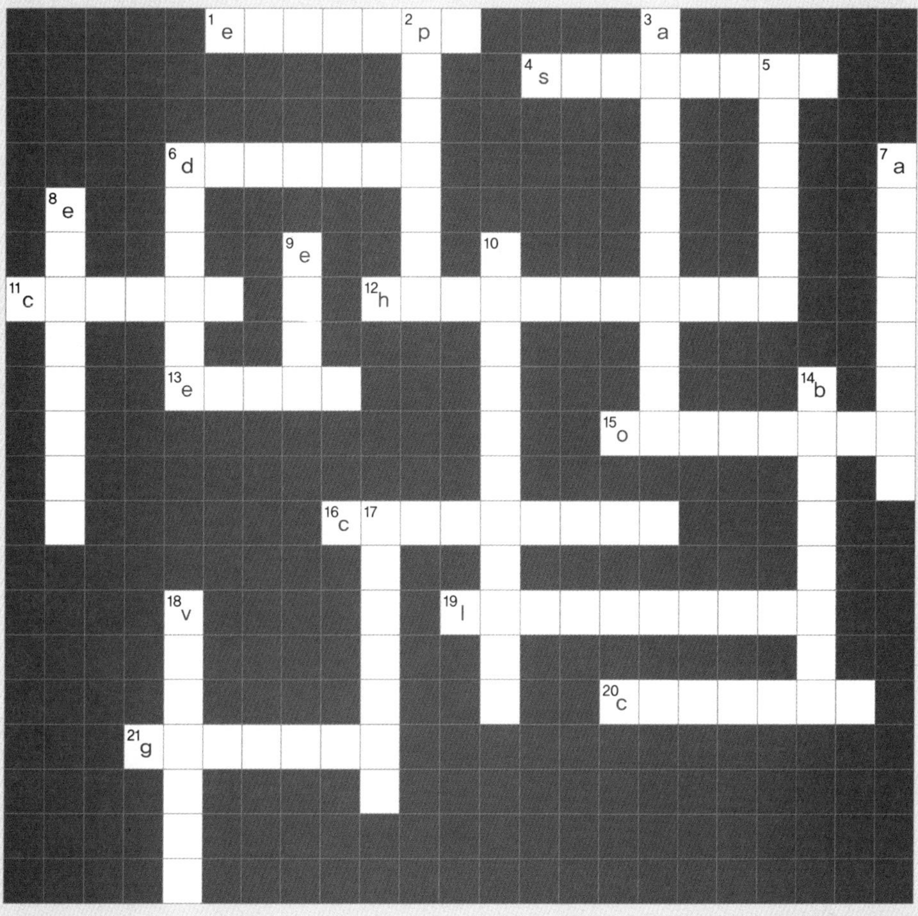

Across

1 발췌 (부분), 인용(구)
4 순서, 연속; 결과, 귀추
6 방언, 사투리
11 (문서·법전 등의) 집대성, 전집
12 가설을 세우다
13 (중요한 사건이 일어났던) 시대
15 낙천주의자, 낙관주의자
16 인과 관계, 인과율
19 말의, 언어(학)의
20 (자료를) 엮다, 편집하다
21 미화하다, 찬미하다

Down

2 그리다, 묘사하다
3 원작자
5 진부한 표현, 상투적인 문구
6 추론하다, 연역하다
7 일화
8 이기적인, 자기중심적인
9 서사시
10 함축, 함의
14 성경의, 성서의
17 두문자어, 약자
18 악당, 악역

DAY 35

ANSWERS p.391

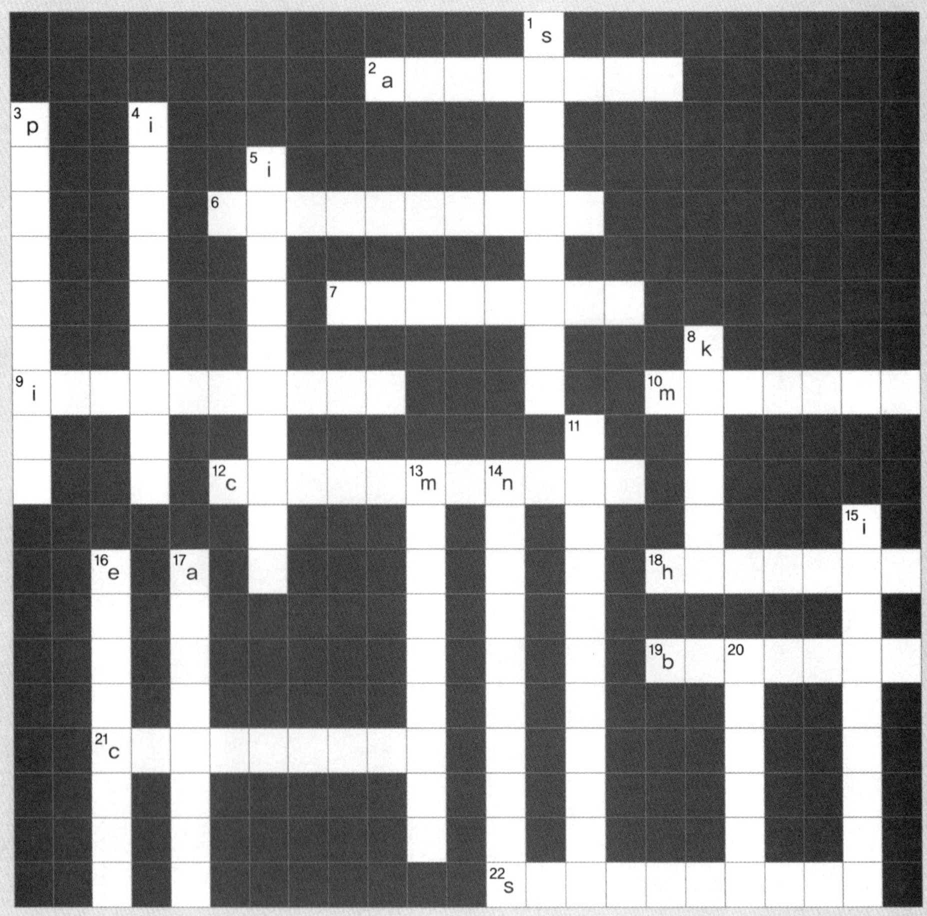

Across

2 수술로 절단하다
6 소독의, 살균의; 소독약, 살균제
7 면역력을 갖게 하다
9 흡입(법)
10 미생물, 세균; 병원균
12 오염 물질, 오염원
18 위생, 청결
19 (피부의) 물집, 수포
21 (접촉) 전염, 감염
22 (공중) 위생

Down

1 살균하다, 소독하다
3 규정하다; 처방하다
4 예방 주사를 놓다
5 전염성이 있는
8 신장, 콩팥
11 소화 불량
13 약효가 있는, 의약의
14 영양분이 있는, 영양이 되는
15 주사; 주입
16 (약이나 치료의) 효력, 효능
17 맹장, 충수; 부록, 부속물
20 (음식·약을) 삼키다

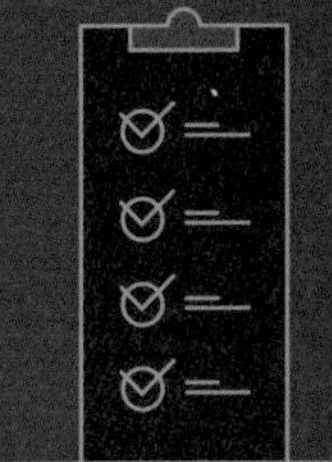

퍼즐 맞춰 보기

ANSWERS

Answers

DAY 01

퀴즈 p.338 ◀

1 crumble
2 attendance
3 wither
4 envious
5 intuition
6 objective
7 optimal
8 exert
9 precise
9 procedure
10 inspire
11 isolation
12 transient
13 occurrence
14 cognitive
15 encumber
16 promote
17 pursuit
17 prompt
18 imply
19 generate

DAY 02

퀴즈 p.339 ◀

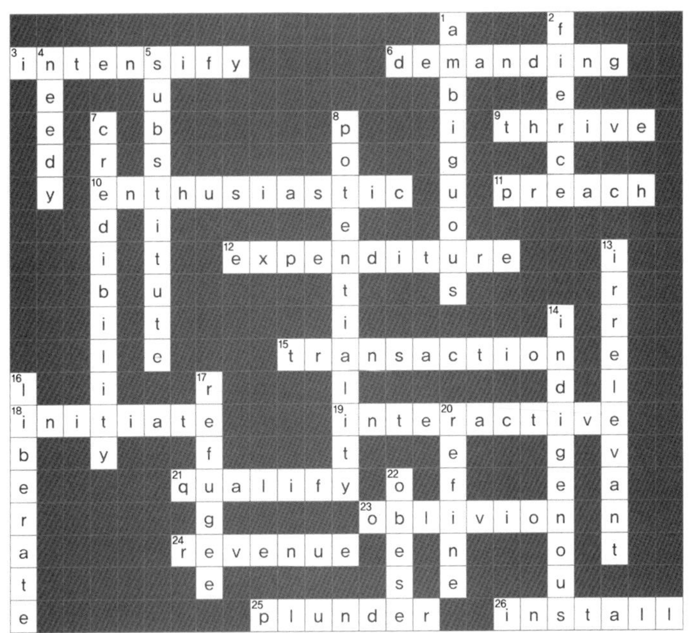

DAY
03

▶ 퀴즈 p.340

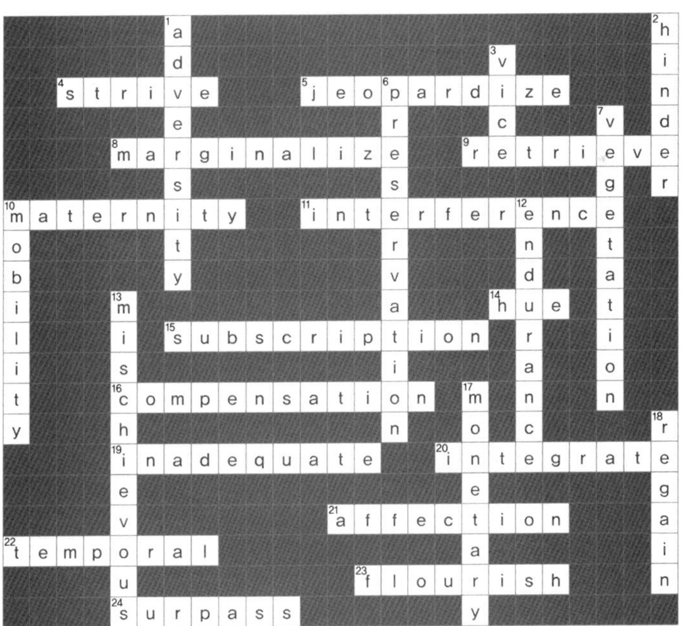

DAY
04

▶ 퀴즈 p.341

DAY
05

퀴즈 p.342 ◂

1 subordinate, 2 evaporate, 3 exploit, 4 prospect, 5 accommodate, 6 spiritual, 7 suburb, 8 discord, 9 inspector, 10 fabricate, 11 transition, 12 prevention, 13 transparent, 14 involuntary, 15 arbitrary, 16 subsidiary, 17 prioritize, 18 inconsistent, 19 litter, 20 lament, 21 evoke, 22 dominance, 23 niche, 24 liken, 25 irrational, 26 insecure

DAY
06

퀴즈 p.343 ◂

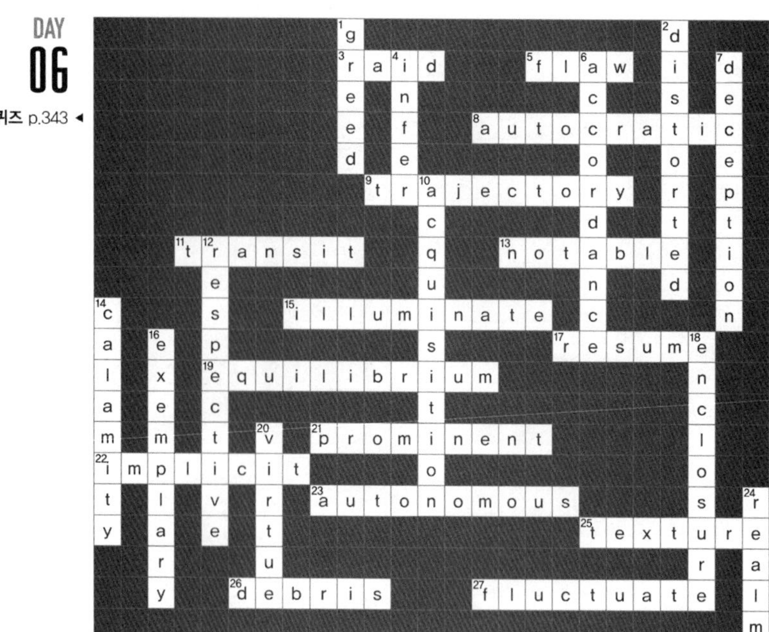

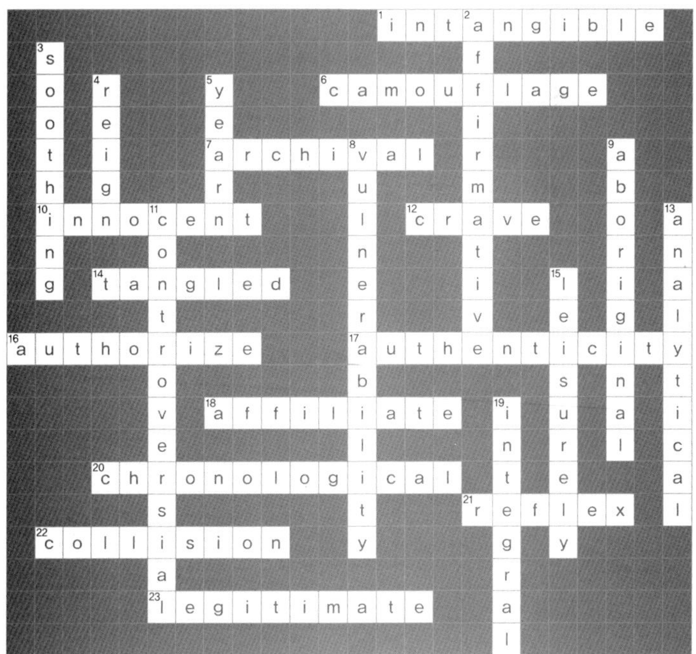

▸ 퀴즈 p.344

DAY
08

▸ 퀴즈 p.345

DAY 09

퀴즈 p.346 ◀

1 aviation
2 masculine
3 impulsive
4 attentive
5 comply
6 inhibit
7 tyrant
8 transformation
9 detest
10 domesticate
11 peripheral
12 immerse
13 appliance
14 permanent
15 transfusion
16 decelerate
17 definitive
18 reinforcement
19 naive
20 populate
21 booster
22 insulate
23 allure
24 milestone
25 impoverish

DAY 10

퀴즈 p.347 ◀

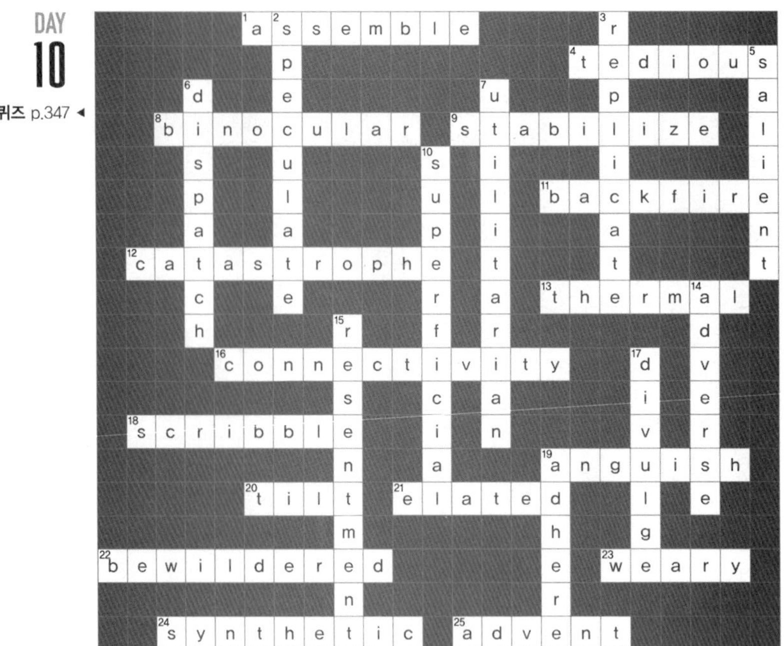

DAY 11

▶ 퀴즈 p.348

DAY 12

▶ 퀴즈 p.349

DAY 13

퀴즈 p.350 ◀

1 inefficiency
2 incompatible
3 formidable
4 obsolete
5 indecision
6 assimilation
7 entrepreneur
8 deflate
9 incidental
10 discharge
11 incompetent
12 adaptation
13 instructional
14 grin
15 invalidate
16 inadvertently
17 unanimous
18 remnant
19 transcribe
20 falsify
21 mountainous
22 emulate
23 immense

DAY 14

퀴즈 p.351 ◀

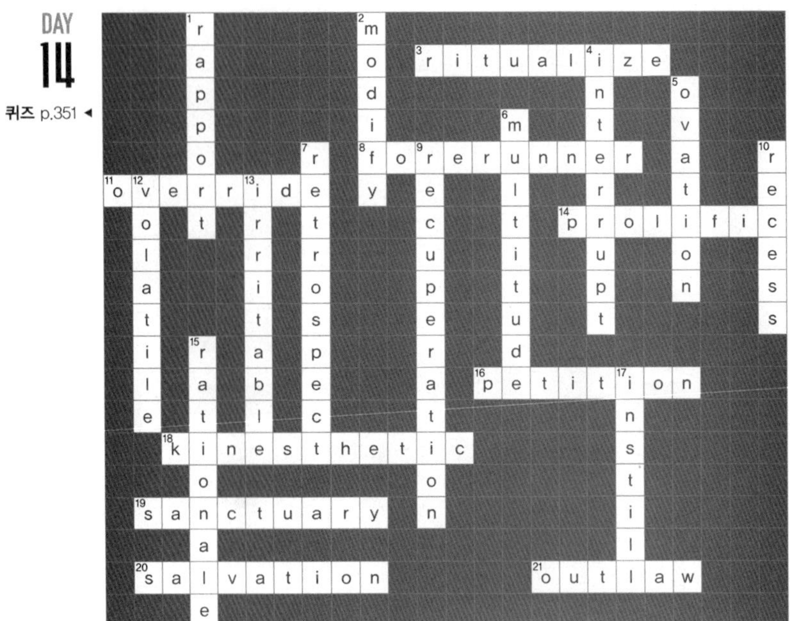

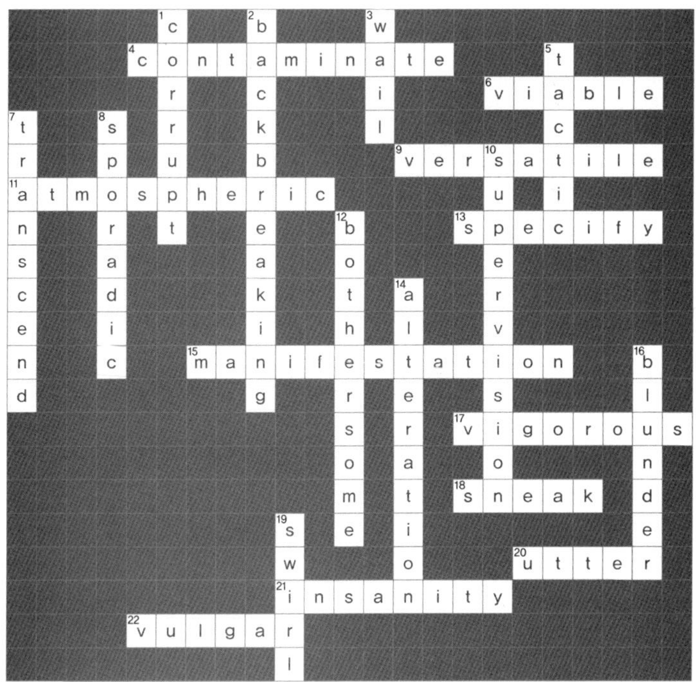

DAY
15

▶ 퀴즈 p.352

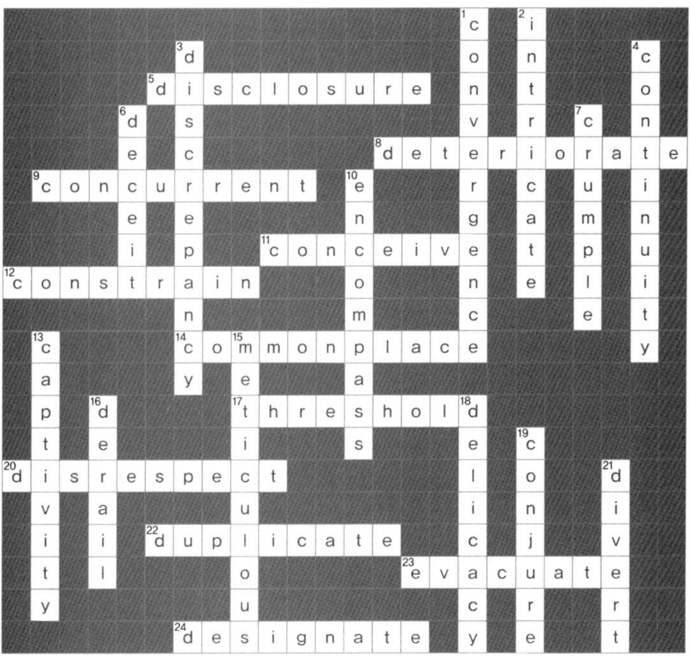

DAY
16

▶ 퀴즈 p.353

DAY 17

퀴즈 p.354 ◂

DAY 18

퀴즈 p.355 ◂

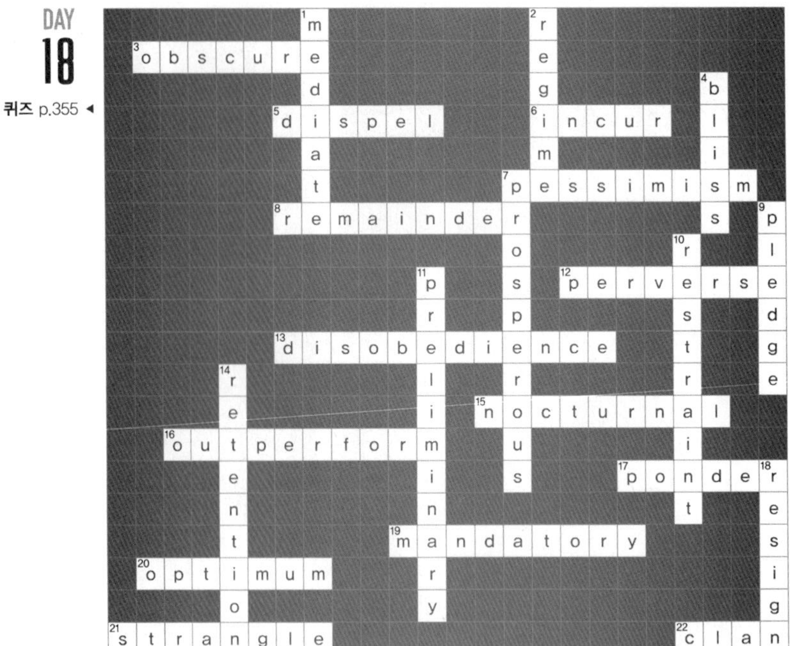

DAY
19

▸ 퀴즈 p.356

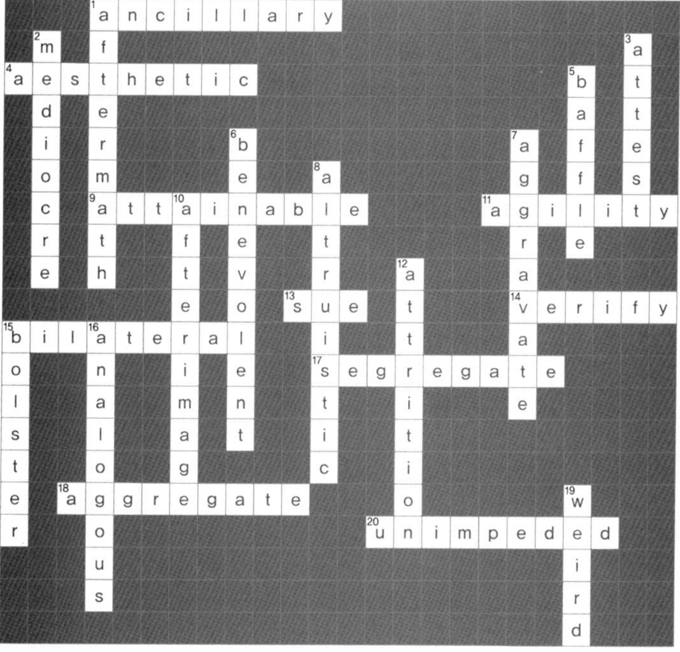

DAY
20

▸ 퀴즈 p.357

DAY
21

퀴즈 p.358 ◀

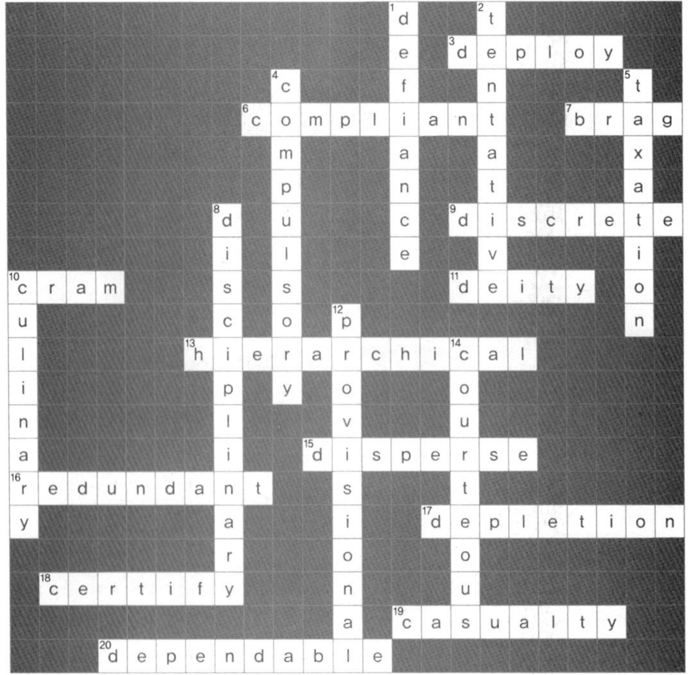

DAY
22

퀴즈 p.359 ◀

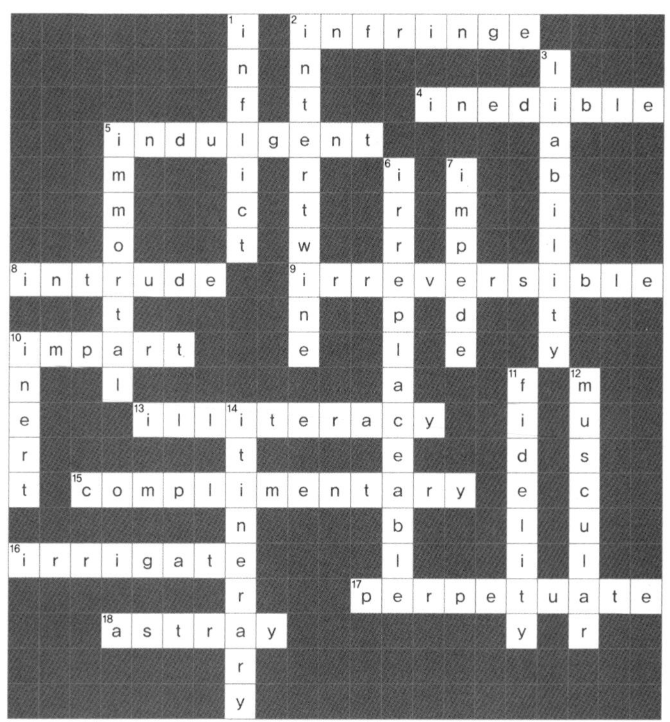

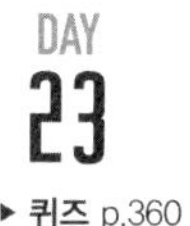

▸ 퀴즈 p.360

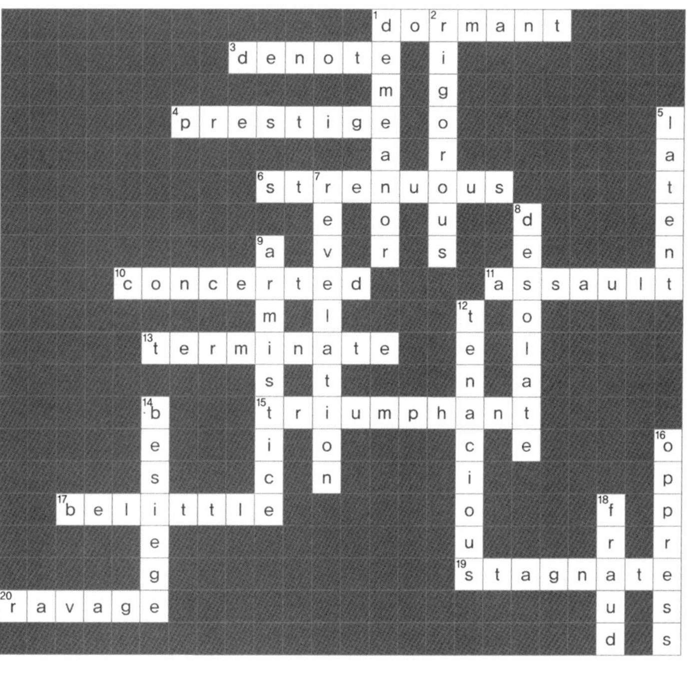

DAY
24

▸ 퀴즈 p.361

DAY
25

퀴즈 p.362 ◂

1 circulate
2 disdain
3 plead
4 dubious
5 humiliate
6 mundane
7 arrogance
8 relocate
9 attuned
10 precedence
11 anonymous
12 skeptical
13 mourn
14 malevolent
15 bereaved
16 majestic
17 pompous
18 prodigy
19 persevere
20 robust
21 validate
22 sober

DAY
26

퀴즈 p.363 ◂

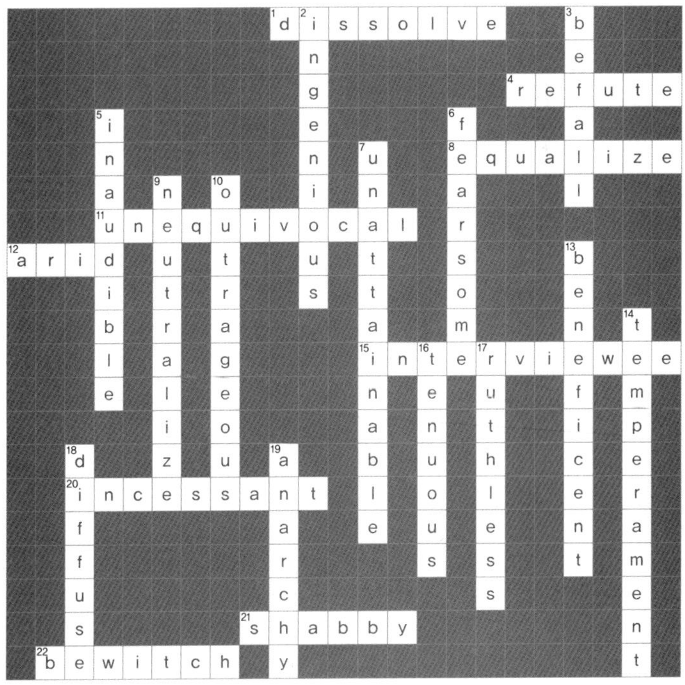

▶ 퀴즈 p.364

DAY
28

▶ 퀴즈 p.365

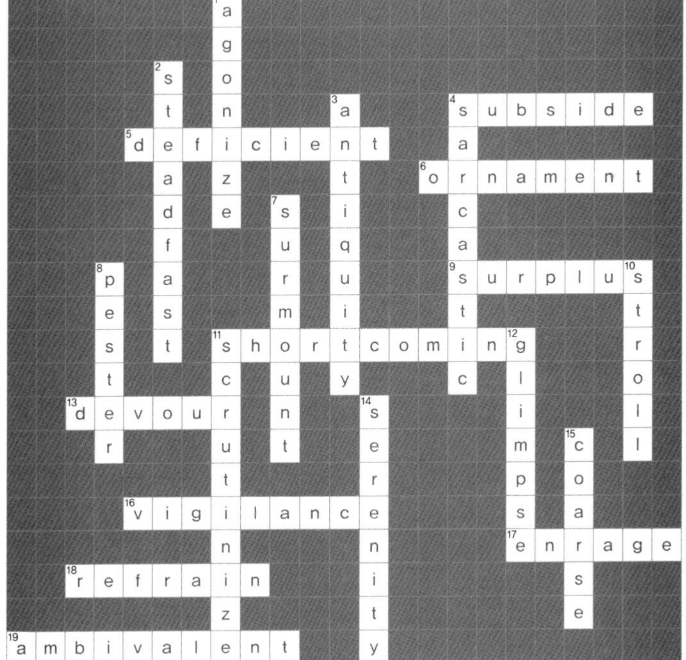

DAY 29

퀴즈 p.366 ◀

1 dispense
1 dwindle
2 preoccupy
3 blare
4 behold
5 complicit
6 vie
7 acclimate
8 combustion
9 commoner
10 residual
11 ostracize
12 replenish
12 reconcile
13 postulate
14 articulate
15 terminology
16 spoilage
17 brink
18 publicize
19 probe
20 elaborate

DAY 30

퀴즈 p.367 ◀

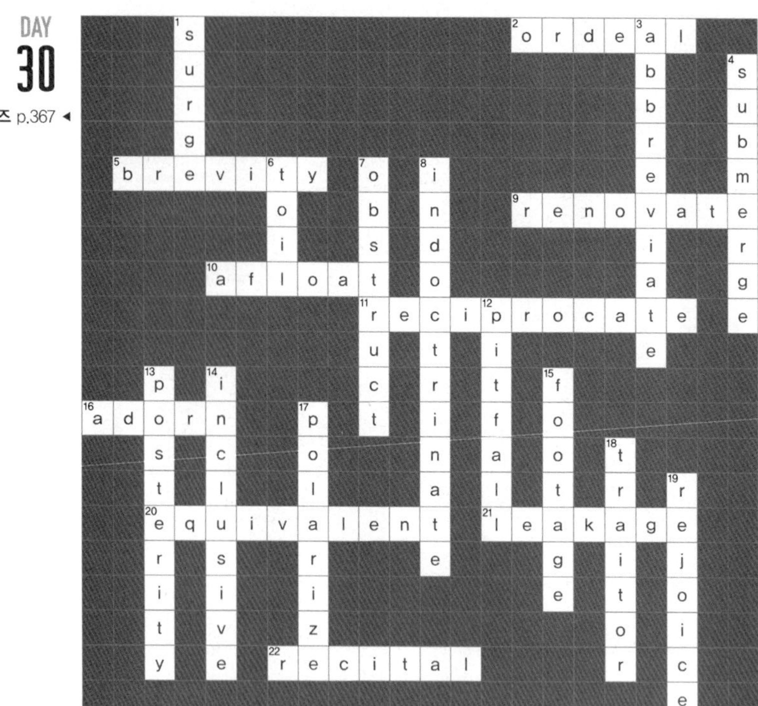

DAY
31
▸ 퀴즈 p.368

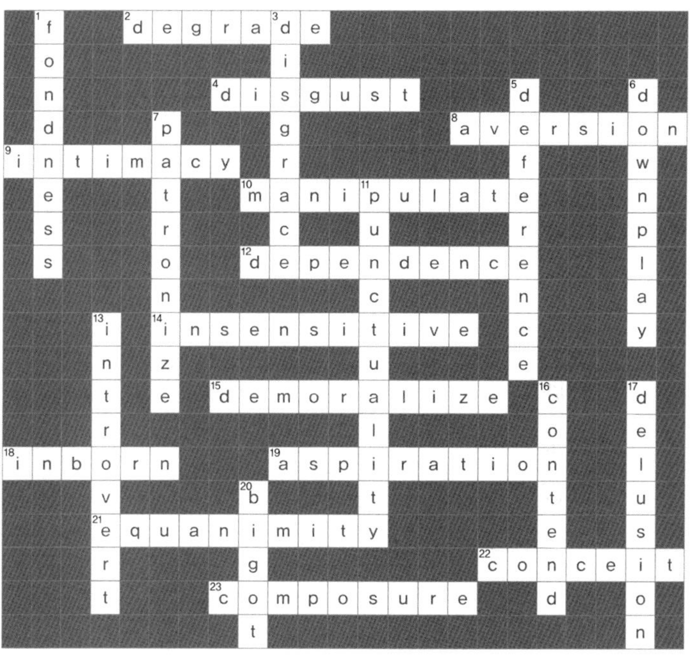

DAY
32
▸ 퀴즈 p.369

DAY
33
퀴즈 p.370 ◀

1 invalid
2 beneficiary
2 bureaucracy
3 charitable
4 mortgage
4 monopoly
5 pedagogical
6 electorate
7 legislature
8 invoke
9 inspection
10 cryptography
11 baseline
12 accusation
13 layoff
14 fad
15 discourse
16 municipal
17 agitation
18 default

DAY
34
퀴즈 p.371 ◀

DAY
35

▸ 퀴즈 p.372

MEMO

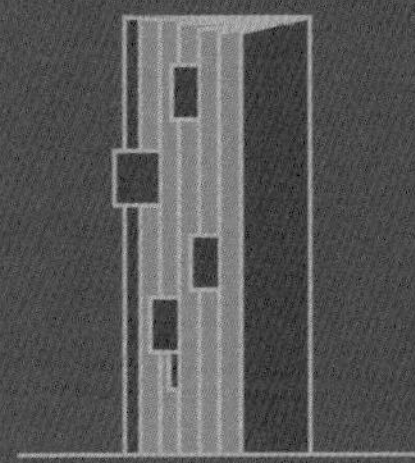

찾아보기

INDEX

A

B

C

D

F

G

H

I

J

K

L

M

S

T